dtv

Am 22. August 1830 brach August von Goethe, Sohn des Weimarer Dichterfürsten, im 41. Jahr seines Lebens von Weimar auf, um
wie Vater und Großvater Johann Caspar, nunmehr sein Italien zu
entdecken. Er »will nicht mehr am Gängelbande wie sonst geleitet seyn«, aber gehorsam folgt er dennoch den übermächtigen
Spuren, die ihn am 16. Oktober in die Tiberstadt führen. Zehn
Tage sind ihm zum Kennenlernen und für Ausflüge vergönnt, am
29. des Monats wird er seitlich der Pyramide des Cestius auf dem
Fremden-Friedhof begraben. Erst 169 Jahre später erschien die
beeindruckende Edition seiner Aufzeichnungen: Tagebücher und
Briefe nebst Texten aus dem Umfeld, sorgfältig aus den Handschriften aufbereitet und kommentiert. Damit erfüllt sich endlich die väterliche Äußerung: »Vielleicht gibt es Gelegenheiten
in künftigen Tagen, aus seinen Reiseblättern das Gedächtnis dieses jungen Manns Freunden und Wohlwollenden aufzufrischen
und zu empfehlen.«

August von Goethe, geboren am 25. Dezember 1789 und 1801 legi-
timiert, blieb das einzige überlebende Kind von Christiane Vulpius und Johann Wolfgang von Goethe. Jurastudium in Heidelberg und Jena. Ein Jahr nach dem Tod seiner Mutter Ehe mit
Ottilie von Pogwisch, die ihm drei Kinder gebar. Seit 1823 Geheimer Kammerrat, dann Kammerherr in Weimar. Er starb am
27. Oktober 1830 in Rom.

August von Goethe

Auf einer Reise nach Süden
Tagebuch 1830

Herausgegeben
von Andreas Beyer
und Gabriele Radecke

Deutscher Taschenbuch Verlag

Revidierte und erweiterte Taschenbuchausgabe.

Im Deutschen Taschenbuch Verlag erschienen:
Johann Caspar Goethe:
Reise durch Italien im Jahre 1740 (12680)
Johann Wolfgang von Goethe:
Italienische Reise (12402)

Vollständige Ausgabe
April 2003
Deutscher Taschenbuch Verlag GmbH & Co. KG,
München
www.dtv.de
© 1999 Carl Hanser Verlag, München
Umschlagkonzept: Balk & Brumshagen
Umschlagbild: ›Park der Villa d'Este in Tivoli‹
(um 1832) von Carl Blechen
Gesetzt aus der Walbaum Antiqua 9,5/11,5·
Satz: Satz für Satz. Barbara Reischmann, Leutkirch
Druck und Bindung: Druckerei C. H. Beck, Nördlingen
Gedruckt auf säurefreiem, chlorfrei gebleichtem Papier
Printed in Germany · ISBN 3-423-13067-9

Inhalt

August von Goethe
Tagebuch
auf einer Reise nach Süden
1830.

Lieber Vater

Den 22ᵗ d.M. fuhren wir zwei schwermüthiges Herzens doch um 8 Uhr von Weimar mit der Schnellpost ab. Wir hatten das Glük in den Mittleren großen Wagen zu kommen wo noch ein Herr Dr. Wapnitz Arzt beim ersten Garde Regiment und ein Kind mit fuhren. Es war ein sehr artiger und gescheiter Mann und wir sind auch zusammen bis Frankfurth gefahren. Den Abend kamen wir gegen 5 nach Eysenach wo gegessen wurde. Dann gings um 7 Uhr fort die Nacht hindurch, wo wir dann früh um 6 in Fulda ankamen 5 Minuten Kaffe tranken dann ununterbrochen bis aufs Umspannen bis Salmünster fuhren. Hier wurde 20 Minuten gehalten um etwas zu genießen. Von da aber wurde außer dem Umspannen bis Frankfurth wo wir gestern Abend um 6 Uhr ankamen nicht mehr angehalten. Es ist alles gut abgegangen doch ist man ungeheuer zusammengerumpelt worden, weswegen wir hier einige Tage ausruhen werden, theils um einge wundgesessene Stellen zu heilen, theils das in Frankfurth neuerstandene, wenn auch nur flüchtig zu sehen. Ekermann ist ein ausgezeichneter Reisegefährte in jeder Hinsicht. Soeben sehe ich etwas sehr originelles nämlich daß ein Scherenschleifer eine Drehorgel an seinem Rad angebracht hat wodurch er nicht nur bei seiner langweiligen Beschäftigung Unterhaltung hat sondern auch Kunden herbei lokt. Uebrigens haben mir auch Fulda und Hanau imponirt 1 wegen so schönen guterhaltenen Gebäuden, aber besonders letzters wegen seiner über allen Begriff schön angelegten und erhaltenen Gärten. Denken Sie sich Ich wohne im weißen Schwane in der selben Stube wo ich vor 35 Jahren mit der Mutter wohnte. Wie weit ist die Natur hier voraus alles blüht und grünt und giebt die Aussicht auf Aerndten aller Art.

Sonnabend den 24ᵗ Apl Nachmittag: Da ich wegen meines beschundenen Fußes noch nicht ausgehen kann so amüsire ich mich in meiner göttlichen Ekstube welche den Komedien Platz und Straße nach der Chatharinport bestreift. Denken Sie sich welches Leben: vorhin waren in dieser Straße 1. Gaukler, 4 Orgeln, ein Musikohr daß die besten Sachen aus Opern Spielte, ein Savojard mit einem Murmelthier und ein Junge der einen Affen auf einem Hunde reiten ließ alles theils vor meinem Fenster oder doch so daß ich alles genau sehen konnte, es war ein Augenblick wo wenigstens in dieser Straße bis zur Chatarinpp 3000 Menschen wogten, wenigstens 50 der elegantesten Equipagen durchrollten, 20 mit Wolle beladenen Wagen, unzählie andere zu gleich durchfuhren, es war mir kein unangenehmes Gefühl ich sah erst auf was für einem Punkt die Welt steht und welchen Platz man darinn einzunehmen hat. Morgen fahre ich um die Stadt. Auch ein Ungeheures Carussel steht dicht an den Linden welches ich auch zugleich sehen kann. Es dreht sich den ganzen Tag und eine kleine mißtönende Trompete lokt von früh bis 11 Uhr Abends die Kinder; vor kurzer Zeit hätte mich so etwas Toll machen können jetzt amüsirt es mich.

Ekermann wollte der sehr gute Forster nicht munden, jetzt hat er aber durch Zusammengießen von diesem und einem leicht Moßler wie er behauptet Würzburger hervorgezaubert. In der Straße wo ich wohne sind noch zwei bedeutende Gasthöfe: gegenüber der Weidenbusch und weiter oben der Nassauer Hoff. Vor diesem stehen jetz 12 Wagen ohne die in den Höfen untergebracht; ich liege auch den ganzen Tag, da ich nicht ausgehen kann in meinem Bassaschlafrok am Fenster und fühle das Dolce far niente. Ekermann geht fleißig aus um Stad und Umgegend zu sehen wozu ich ihn immer auffordere, denn lange werden wir nicht mehr bleiben. Ich glaube spätestens Montag hier abzugehen. Alles ist hier sehr elegant gekleidet, ich komme mir in meinem langen Oberok vor wie ein Seebär, ich lasse ihn auch hier ganz umarbeiten, der Schneider sagt er wolle ihn um 4 – 6 Pfund Watte leichter machen, er meint in Sachsen arbeitete man immer die Sachen so schwer, er sey selbst ein Sachse habe aber das leichtere Arbeiten auswärts gelernt, so eben sind vor unserem Hause auch Buratini angelangt und der Hanswurst macht götliche Faxen. Auch ein Wagen Automat läuft auf einem runden Tische und ein blinder Fidler quält eine schlechte Geige. In das Theater sind wir noch nicht gekommen und Ekermann wollte ohne mich nicht hinein. Morgen ist Don Jouan den wir besuchen werden. So eben geht einer vorbei wie Gille wenn er von Wittichs ermüdet zurük kommt. *Den 25ˡ April.* Soeben kommen wir ½ 12 Uhr von einer Fahrt zurük welche wir in der Stadt herum und in die nächsten Umgebungen gemacht haben. Es ist ein wunderbarer Anblick wenn man Frankfurth seit 17 Jahren nicht gesehen hat und es ist unglaublich was geleistet worden. Ich glaube daß man sich weniger über etwas Großes neues wunderd als über die gänzliche Veränderung eines alten Zustands. Ich kam mir vor wie der selige

Geheimerath Sternberg (vid. die Hagestolzen). Es ist ein herrlicher Sonntags Morgen. Wir fuhren zuerst einen Theil um die Stadt dann zum neuen Friedhoff. Dann zur neuen Anlage am Mayn, dann zum Mühlberg wegen der Aussicht. Die überall wogende bunte Menschenmenge machte einen ungewöhnlichen Eindruck auf mich denn so etwas hatte ich nie gesehen. Wunderbare alte Erinnerungen knüpften sich an manches und erhöhten die Gefühle. Heute aßen wir am Wirthstisch da es mit meinem Fuß wieder ganz gut geht. Uebermorgen gedenken wir abzureisen. Wir waren auch am Dom angefahren konnten es aber wegen mancherley nicht mehr wie 2 Minuten aushalten und fuhren weiter. Unser Kutscher fuhr vortrefflich aber ungeheuher scharf wie es Mode und Etikette ist. Ich begreife oft nicht wie kein Unglück geschicht. Um ein Uhr gingen wir zur Wirthstafel wo in einem großen Sale gegen 200 Personen aßen, das Essen bestand in 8 Schüsseln wofür man incl. 1 Schoppen Wein 1 fl 18 Xth bezahlt. Die Bedienung war magnifique der Oberkellner war in seinem Geschäft ein wahrer Napoleon, er hat aber auch 2000 fl Gehalt u. alles andere frey. Nach Tisch gingen wir auf unsere Stube bis zum Theater wo wir um 5 Uhr hingingen wo die Tühre geöffnet wird. Es war ein solches Gewürge daß den Damen Mäntel, Hüte und Mützen abgerissen wurden; wir hatten einen recht guten Platz in der Fremdenloge. Das Stük wurde im Ganzen recht Gut gegeben. Nach dem Theater gingen wir wieder zu Abendessen nach Haus wo in zwey Sälen ohngefähr gegen 300 Menschen waren. Ich kam neben einen Französischen Officir welcher den Empfang Napoleons in Grenobel erlebt hatte. Es war ein sehr artiger Mann und ich habe diesen Abend meine erste französische Conversation gemacht. Nun schließe ich diesen Brief und resp. Tagebuch und bitte solches Ottilie mitzutheilen, welche ich herzlich zu grüßen bitte so wie die drey lieben Kinder. Ottilie soll nicht vergessen diese Zeilen Gillens mit meinem Gruß mitzutheilen. Schreiben Sie mir nach Genf wohin nun ohne Verweilen abgehen werde.

Leben Sie alle recht wohl und Gesund.

Ihr treu dankbarer Sohn

den 26t Apl. 30
früh 6 Uhr.
Ekermann grüßt alle schönstens

Frankfurth am 26^t Der Morgen ward mit Vorbereitungen zum
Einpaken hingebracht bis 11 Uhr. Dann besahen wir uns die
Messe in allen ihren Zweigen und gingen um 1 Uhr zu Tisch wo
wieder über 150 Personen aßen, den Nachmittag pakten wir ganz
ein damit wir den anderen Morgen ruhig bleiben konnten.
Frankfurt am 27^t Apl. 30 Da wir eine sehr gute Retour Chaise
nach Carlsruhe bekamen so zogen wir vor mit dieser zu fahren da
das Schnellpöstele ungeheuer angreift. Es muß einer ganz gesund seyn um es auszuhalten. Wir genossen bei herrlichem Wetter die schöne Bergstraße und kamen den Abend ½ 7 nach Heidelberg. Ich durchwanderte allein noch die alten bekannten
Straßen fand vieles ganz verändert nur das Haus nicht wo ich gewohnt hatte, es war seit jener Zeit nicht einmal neu angestrichen
worden, gehörte aber anderen Besitzern. Manche Gefühle bewegten mein Innerstes wenn ich dachte daß 22 Jahre verflossen
sind seitdem ich jenes Haus zuerst betrat, der Abend war wun-
derschön. Um 8 ging ich nach Hause wo ich mit Ekermann aß
und bald zu Bette ging. *d. 28.^t Apl 30* Heute früh 6 fuhren wir von
Heidelberg ab, bei schönstem Wetter genossen wir die herrlichen
Gegenden, aßen in *Bruchsal* zu Mittag und kamen Abend 5 Uhr
in *Carlsruhe* an, wir durchwanderten sogleich diese herrliche
Stadt, so etwas habe ich noch nie gesehen. Sie übertrifft wo nicht
an Größe doch an Schönheit und Regelmäßigkeit Berlin und
Dresden, obgleich wir wenig Zeit hatten so haben wir doch die
merkwürdigsten Plätze u. Gebäude gesehen, um alles kennen zu
lernen müßte man Wochenlang hier bleiben. Morgen geht es
weiter nach *Freyburg* und weiter nach *Genf* von wo aus Sie den
ersten Brief wieder erhalten.
Grüßen Sie Ottilie u. die Kinder so wie andere Freunde u. Bekannte und denken Sie zuweilen an

Ihren treuen Sohn
A. von Goethe.

Carlsruhe d. 28^t Apl. 30.

N.S.

Ekermann führt sein Tagebuch ebenfalls nach seiner Art und
empfiehlt sich allen, er ist wie neu gebohren Sie würden ihn
kaum wieder erkennen, ich binn es noch nicht.

Ferner Carlsruhe den 27ᵗ Apl Abends 10 Uhr. Nachdem ich meinen letzten Brief abgesendet gingen wir zum Abendessen und ich hatte die große Freude einen alten Universitäts-Freund von Heidelberg den Geheimenrath Mittermeyer jetzt Professor der Rechte besonders des Criminalrechts daselbst zu treffen. Wir freuten uns an dem Andenken der Alten Zeiten u. schiden gerührt um 10 Uhr, auch lernte ich diesen Abend den Professor Dollinger aus Freyburg kennen. *Den 28ᵗ Apl 30* Früh 6 Uhr fuhren wir mit unserem Hauderer von Carlsruhe ab, aßen zu Mittag in Bühl einer kleinen Landstadt; aber denken Sie welche Gerichte wurden Ekermann und mir *allein* aufgetragen: 1. Suppe, 2. Rindfleisch mit Sauce und Senf pp, 3. Spinat mit Eiern, 4. Rüben mit Kotlets, 5. Spargel, 6. Omlet Soufflé, 7. Junger Hase in Wein gestoft, 8. Forellen, 9. Kalbsbraten, 10. Mandeln, Rosinen u. Confect zum Desert, 11. Butter und Käse, 12. Kaffe. Leider ist mein Appetit noch so schwach daß ich nur weniges genießen konnte; für dieses Mittagessen zahlte die Person incl.1 Schoppen Wein 15 gr 8 d und die Wirthin bat noch daß wir vorlieb nehmen möchten! −! Von da fuhren wir ununterbrochen fort bis Offenburg einem recht lieblichen Städchen. Auf der ganzen Tour dahin sahen wir nichts als Wein-Berge und Weingärten welche von Menschen wimmelten indem sie eben zum erstenmal gehakt u. bearbeitet wurden. In Offenburg machten Ekermann und ich noch einen Gang durch und um die Stadt, es war ein herrlicher Sonnenuntergang und die Berge waren wie in Rosenduft gehüllt. Der ganze westliche Himmel war eine Gluth; um 8 Uhr gingen wir zu Tische wo wir auch recht interessante Leute fanden z. B. einen Professor Münch aus Rotterdam königl. Bibliothekar daselbst. Nachdem er erfahren wer ich sey äußerte er daß er vor einiger Zeit Ihnen einige Poesien zugesendet aber noch keine Antwort erhalten und bat um mein Vorwort. Mit einem jungen Franzosen welcher neben mir saß sprach ich über Italien und zog manche nützliche Notiz ein, um 10 Uhr war ich auf meiner Stube, Ekermann war schon früher hinauf gegangen.

Den 29. Apl 30 Früh 6 Uhr verließen wir Offenburg bei dem schönsten Wetter welches uns schon seit Frankfurth begünstigt hatte, und fuhren wie gestern durch lauter Weinberge im Vor-

dergrund und hohe Waldgebirge im Hindergrund bis Emme-
dingen, wo wir zu Mittag aßen, am Tisch waren besagter Prof.
Münch und ein Transport Schweitzer Gouvernanten welche für
den Norden bestimmt waren, es ging etwas einsilbig her und
wir eilten fort um Freyburg zu erreichen, hier besah ich gleich
den Dom dieses vollendete Kunstwerk Gothischer Baukunst, Sie
kennen ihn, aber erwähnen muß ich noch daß ich von Glaßmale-
rei noch nichts ähnliches gesehen. Alles ist erhalten und wie neu
und man sieht auch gar kein Flekwerk in der immensen Fen-
stermasse, um 3 Uhr fuhren wir wieder von Freyburg ab um noch
Krozingen zu erreichen wo wir auch um ¼ 8 ankamen, hier
machte ich eine interessante Bekanntschaft an Herrn Bodmer
und seinem Sohne aus Zürich. Er ist Director des Handelstan-
des daselbst und kam eben von Frankfurth. Gespräche mancherley Arten wurden geführt und auch über Italien und das Reisen
daselbst mehrere nützliche Notizen eingezogen. Um 10 Uhr
ging es zu Bett. *Den 30ᵗ Apl 30.* Heute früh 5 Uhr ging es fort
gleich bis Basel wo wir um 11 ankamen. Wir säuberten uns vor
Tische gehörig, da im Drang der Reise manches zurükgeblieben
war. Um 1 Uhr wurde gegessen aber wie! und wo! In einem Saal
am Rhein, (in den 3 Königen) welcher eine große Glaßgallerie
bildet und wo ich von meinem Platz die Brüke und eine große
Streke des Rheins übersehen konnte, war eine herrliche Tafel
gedekt in deren Mitte ein Springbrunnen angebracht war,
welcher das Wasser gar lustig in ein Beken auswarf; silberne
Rechaudes standen auf der Tafel und das Diner wurde in
2 Gänge oder zu 8 Schüsselln aufgetragen, das Desert bestand in
16 Sorten ohne das Obst u. Butter u. Käse; hier möchte ich mit
Gnato (Miles Gloriosus von Plautus) ausrufen wer doch zwey
Mägen hätte, ich habe leider kaum einen halben. Nachmittag
miethete ich mir einen Veturin wieder bis Lausanne. Er ist ein
sehr zuverlässiger Mensch und fährt vortrefflich, den 3ᵗ May
hoffe ich dort einzutreffen; dann machten wir einen Gang
durch die Stadt, besahen den Dom wo aber nichts merkwürdiges zu sehen ist außer dem Grabmal von Erasmus von Rotterdam, es besteht in einer ohngefähr 3 Ellen hohen an einer Säule
aufrechtstehenden Marmorplatte mit Inschrift und merkwürdig ist es daß oben der Kopf welcher auf der Kehrseite Ihrer
Münze von Erasmus auf dem Würfel steht auch dort in Bronce

in der Größe eines Tellers angebracht ist. Es sind auch noch mehrere Zimmer in dem Dom, wo in einem alte Phisikalische Apparate aufbewahrt werden, in diesem Zimmer war man auch im Begriff eine Versteinerungs-Sammlung zu ordnen und alles lag ausgebreitet, da wurde mir der Mund recht wasserich. Da es leider regnete so mußten wir wieder nach Hause und ich benutze diese Stunden um diese Zeilen zu schreiben. Die Bewegung thut mir wohl aber ich muß die Schnellpost verlassen da es mich zu sehr angreift, und zu einem Hauderer meine Zuflucht nehmen, welches zwar etwas theurer, aber in vieler Hinsicht besonders wegen dem Beschauen der herrlichen Gegenden und der Bequemlichkeit vorzuziehen ist. Der Rhein geht unmittelbar bis unter unsere Fenster wo wir logiren und das Gewühl auf der Brüke gewährt auch Zerstreuung bei schlechtem Wetter wie es heute ist. So wäre ich denn in der Schweitz Gott helfe weiter. Der Rhein ist ganz voll bis zum Uebergehen aber ganz klar und meergrün was herrlich aussieht, ich kann mich kaum vom Fenster trennen. Grüßen Sie die Kinder alle, auch die gute Ottilie und wer sich sonst meiner erinnert besonders auch die Line und lassen Sie Ihr für die Abschiedsworte danken. Alles dieses ist zur geeigneten und von mir bestimmten Mittheilung geschrieben. Und so leben Sie denn wohl bis auf weitere Nachricht von mir.

Ihr dankbarer Sohn
A. von Goethe.

den 30^t Apl. Abends. 9 Uhr.

N.S.

Sagen Sie auch Ottilie daß wir die beiden Hogs hier getroffen die eben aus Italien kamen. Wir waren aber nur 1 Stunde mit ihnen zusammen da sie mit der Schnellpost weiter gingen nämlich nach London.

Lieber Vater.

So sind wir nun ununterbrochen von Frankfurth hierher gereißt und wollten morgen nach Genf abgehen. Sie wissen daß Genf außer meinem ersten Plan lag. Was soll ich dort? Ich bin in meinem Zustande noch nicht so weit um mich in französischen Gesellschaften herumzerren zu lassen, ich will leben, fahren und sehen. Deshalb faßte ich heute Abend den Entschluß, nicht nach Genf zu gehen und meinem ersten Plan treu zu bleiben, ich theilte Ekermann dieses mit welcher auch darauf gleich einging im Moment des Entschlusses. Da pochte es an die Thüre und es trat ein collosaler Veturin ein welcher morgen früh 7 Uhr von hier bis Mailand geht. Mit diesem schloß ich gleich ab. Er fährt uns beide für 10. Napol. d'or bis Mailand in einem herrlichen Wagen und steht für alles incl. Nachtessen u. Nachtlager, dieß schien mir ein Wink Gottes, Sie waren auch mit der Abweichung nach Genf nicht einverstanden und bloß um Sorets willen wollte ich es thun. Der Mensch denkt Gott lenkt. So hoffe ich denn in 6 Tagen in Mailand zu seyn von wo aus Sie mein Tagebuch erhalten sollen welches bereits skizirt ist. Dort will ich halt machen und mich besinnen. Von Frankfurth bis hierher haben wir nur einen trüben Tag gehabt und ich genoß heute Abend den herrlichsten Anblick der untergehenden Sonne, in der Umgebung des Genfer Sees. Ekermann schreibt an die Silvester und entschuldigt uns indem wir derselben alle uns mitgegebene Briefe zusenden. Bringen Sie Soret diese Sache diplomatisch bei. Ottilien, die Kinder und Freunde grüßen Sie herzlich und denken Sie zuweilen ein wenig an Ihren treu dankbaren Sohn

v. Goethe.

N.S.

Auch haben wir der Silvester bemerkt daß wenn Briefe an uns entweder post restante oder sonst ankämen solche nach Mailand an Mylius zu senden.

v.G.

N.S. 2.

Da ich eben noch nicht schlafen kann so benutze ich die Zeit mein Tagebuch bis heute zu schreiben und sende es mit, es hokt sonst zu sehr auf und man fürchtet sich für die Ausführung.

v.G.

Basel den 1ᵗ May. Abends. Nach Tische besuchten wir die Haupt-kirche. Es ist ein recht schönes Gebäude im Inneren ganz vollen-det, Bilder sind nicht darinn, schade ist es daß die Thürme nicht ausgebaut sind das giebt dem Ganzen ein klägliges Ansehen. Wir wollten noch weiter die Stadt besehen aber es regnete stark und wir mußten in den Gasthoff zurük. Wir blieben auf unserem Zimmer und bereiteten uns zur Abreise.

Sonntag d. 2ᵗ May 30 Früh 6 Uhr reißten wir weiter. Das Wetter war wieder schön geworden und so ging es denn durch diese herrlichen Gegenden schnell aber doch nicht zu überschnellpo-stet. Abend 5. kamen wir nach Solothurn einem sehr schönen Städchen an auf der Promenade beim Herumfahren begenete uns der Engländer   welcher schon seit vielen Monaten mit seinen Eltern hier lebt, er kam sogl. zu uns und bemächtigte sich Ekermanns, ich ließ sie gehen und rüstete mich auch zu einem Spaziergang. Zuerst besuchte ich die Hauptkirche welche dicht am Gasthofe liegt in dem wir logirten. Sie ist im neuern aber edleren Stiel gebaut, das Innere ist auch sehr imposant, die Gemälde sind aus der letzten schlechten französischen Schule. Von da ging ich über die Brüke die Aar war schön und grün, dann um und durch die Stadt und wieder nach Hause. Da kam auch Ekermann wieder und   , welcher sich mit Mineralogie u. Botanik beschäftigt, er erzählte mir, daß ein Hr. Hugi in der Gegend versteinerte Schildkröten gefunden habe und eine Sammlung von 200 Stück besitze, auf mein verlangen sie zu sehen eilten wir dahin fanden diesen Mann aber nicht zu Hause,   hat mir aber versprochen eine an Sie zu senden. Den Abend aßen wir zusammen wo dann viel von Wei-mar gesprochen wurde.

Den 3ᵗ May 30 Um 6 Uhr fuhren wir ab bei schönsten Wetter und als wir auf die Höhe von Solothurn kamen lagen die Schweitzer Alpen im schönsten Sonnenglanze da, der Nießen, die Jungfrau, der große Mönch, der Eiger, der finster Ahorn, das Schildhorn, die böse Frau pp waren alle zu sehen und nur sehr wenig von Wolken bedekt. So kamen wir Mittag nach Bern, wo wir uns ebenfalls umsahen, Bern imponirt sehr es ist eine herrlich solid-gebaute Stadt, und da es eben Messe war so war ein reges Leben. Die 4 Bären im Stadtgraben habe ich auch gesehen. Es sind kräftige und gesunde Thiere, vor einiger Zeit dachte man aus Ersparniß sie eingehen zu lassen da vermachte aber eine alte Jungfrau diesen Bären 50 000 Schweitzerfranken, nun sind es Kapitalisten. Oberwähnte Schweitzer Gebirgskette sahen wir den ganzen Tag und die untergehende Sonne beleuchtete sie gar zu schön. Die Schweitzer Bauernhäuser haben einen gemüthlich friedlichen Eindruck auf mich gemacht. Es ist alles so reinlich, zwekmäßig besonders gefiel mir der regelmäßig in schönsten Zöpfen geflochtene Mist. Abends 7 Uhr kamen wir nach Mur-then wo wir die Nacht blieben. Wir hatten ein Zimmer nach dem See heraus und erfreuten uns der herrlichen Aussicht bei untergehender Sonne und Mondschein. Wo sonst das berühmte Beinhaus von Murthen stand, steht jetzt ein Obilisk mit bezüg-licher Inschrift.

Den 4ᵗ May 1830. Früh 6 Uhr von Murthen ab u. bei schönstem Wetter und abwechselnd herrlichsten Gegenden kamen wir Abend 5 Uhr in Lausanne an, die Schneeberge, Mattenhügel wa-ren herrlich beleuchtet und ich brachte den ganzen Abend auf der Terrasse vor unserem Gasthause zu von wo man den größten Theil des Genfer Sees übersehen kann. Sonnenuntergang und der Aufgang des Mondes waren unvergleichlich. Morgen geht es weiter über den Simplon nach Mailand wo ich den 10ᵗ anzukom-men hoffe und dann weiteres von mir hören lassen werde.

Leben Sie alle recht wohl

treu

v.Goethe.

d. 4ᵗ May Abend 11 Uhr.

N.S.

Sollte dieses Tagebuch etwas flüchtig erscheinen so verzeihen Sie ich bin aber auch wie auf der Flucht gewesen

vG

Meinen Brief werden Sie erhalten haben den ich von Lausanne
am 4ᵗ d.M. schrieb, daher fange ich jetzt mit dem:
5ᵗ *May an.* Wir fuhren um 7 Uhr von Lausanne ab, die Gesellschaft bestand aus 5 Personen, welche in einer geräumigen Ber-
line (ein großer Hoffwagen) zusammen kamen, es war ein *Landmann* aus dem Canton de Vaud, welcher mit seiner 16jährigen
Tochter und einem 12jährigen Knaben nach Rom reißte um seinen Onkel, einen Maler Reinthaler zu besuchen und die Kinder
einige Jahre dort zu lassen. Es war ein tüchtiger Bauer und seine
ungeheueren Hände zeigten daß er sie nie in den Schoß gelegt
hatte; er sprach bloß ein schlichtes französisch doch ging die Unterhaltung nicht ab, indem Vergleiche zwischen unserer u. der
dortigen Landwirthschaft gemacht wurden. So fuhren wir immer den schönen Genfer See entlang und machten Mittag zu Ve-
vey wo noch ein junger Mann Namens Walther, sich an uns an-
schloß um zu seinem Schwager nach Florenz zu reisen wo er die
Kaufmannschaft erlernen will. Er war ein sehr hübscher junger
Mann von etwa 19 Jahren; sehr gebildet, sprach aber nur französisch oder sehr gebrochen schlecht Schweizerisches Deutsch,
doch ging die Unterhaltung flott; so fuhren wir denn fort und kamen am Abend gegen 6 nach Bex, einem Bad wo wir zu Abend
aßen u. sehr gut schliefen.
Donnerstag den 6ᵗ May früh 3 Uhr von Bex abgefahren um 7 Uhr
in St Maurice (*hier* nehmen Sie den Vojage Pittoresque von der
Biebliothek zur Hand, denn es ist alles von *hier* bis Sesto unvergleichlich treu gezeichnet). Es war ein kalter Morgen und der
Wind sauste in den alten Bergen. Hier ist die Gränze wo man in
den Canton Vallis tritt; wir wurden nach den Pässen gefragt doch
unsere guten Freunde aus dem Canton de Vaud gaben uns für
Landsleute aus und so brauchten wir nicht einmal die Briefta-
sche zu offnen. Eine Stunde später langten wir bei dem berühmten Wasserfall Bissevache an, bey schönstem Sonnenschein, es
war ein herrlicher Anblik. Wir stiegen aus, gingen ganz nahe
heran und sahen am Fuß des Sturzes den schönsten Regenbogen.
Wallis ist ein erbärmliches Land ein von hohen Kalkbergen (zur
Juraformation) eingeschlossenes sumpfiges Thal, wo weder leid-
liches Getreide noch gutes Heu wächst, man sieht es auch an

Menschen und Vieh, erstere sind alle klein, blaß und haben fast alle, besonders die Frauen ungeheure Kröpfe; an scheußlichen Cretins der ärgsten Art fehlt es nicht nur nicht sondern sie ekeln einem fast vor jeder Thüre an, sonst scheint es ein gutes und sehr genügsames Volk zu seyn. Den Mittag brachten wir in *Tortemagne* zu, wo auch ein sehr schöner Wasserfall ist; er stürzt in zwei kleinen und einer großen Caskade in sehr enges ganz von Kalkfelsen umflossenes Thal von einer sehr beträchtlichen Höhe herunter und giebt einen herrlichen Anblick; ich blieb mit dem jungen Walther fast eine Stunde sitzen, es war ein warmer Mittag und ein erquickender Anblick. Nach Tisch fuhren wir ab, immer durch das einförmige Wallis, bis wir endlich abends Sion, die Hauptstadt dieses Cantons erreichten, es ist keine alte, aber eine alterthümlich aussehende Stadt, sie ist volkreich und es wimmelte von Menschen auf den Straßen, besonders amüsirte uns das Gedränge von Menschen und Vieh (welches letztere von der Weide, oder der Arbeit kam), Frauen wuschen am Brunnen Ochsen und Kühe, auch Pferde drängten sich dazwischen um zu saufen und keines schien sich um das andere zu bekümmern, auch ging alles ohne schreien und stoßen ab. Da es noch hell war suchten wir einen Punct zu gewinnen um die beiden Schlösser zu sehen, eins ist Ruine und läuft über ¼ Stunde auf einem Bergrüken hin, das andere mit einer Kirche noch von Geistlichen bewohnt; die Hauptkirche besuchten wir auch doch war nichts bemerkenswerthes darinn. Nach gut vollbrachter Nacht fuhren wir:

Freitag den 7. May von Sion ab immer die nämliche einförmige Gegend vor Augen, wo auch nichts zu bemerken ist. Abends kamen wir nach Brig, einem freundlichen Städtchen, da wir aber den anderen Morgen um 3 Uhr aufbrechen wollten, also um 2 aufstehen sollten, gingen wir bald zu Bett.

Sonnabend d 8ᵗ früh 3 Uhr von Brig ab wo der eigentliche Weg über den Simplon beginnt. Von hier war nun jeder Schritt von Interesse in dem man dieses Riesen Werk mit den Augen verfolgen, und zu begreifen vertiefen mußte. Unser trefflicher Kutscher (er hatte auch noch einen Knecht mit) nahm in Brieg 5 neue Pferde zur Miethe bis auf die Spitze des Simplon Wegs und hatte die Seinigen 3 voraus geschickt, damit wir noch Domodosola diesen Abend erreichen sollten; ich hatte mich zu ihm in das Cabriolet gesetzt und konnte von da aus alles sehr gut besehen.

Was soll man aber über einen solchen Punct in der Welt sagen, wo Natur und Kunst sich zu übertreffen suchten, und erstere immer der letztern feindlich gegenüber steht und Vernichtung droht. Oben erwähnte Reise über den Simplon steht zwar über jeder Beschreibung, aber die Wirklichkeit ist so, daß nur das wirkliche Anschauen einen richtigen Begriff geben kann. Die Straße besteht noch von Brieg aus bis auf die höchste Höhe und etwa eine Stunde bergab aus Jurakalk, doch kommt auch Kneis und Thonschiefer vor, aber wenig und in geringen Massen, aber unterhalb des Dorfes Simplon wo wir gegessen haben (das Hospiz ist noch im Bau begriffen und wird ein grandioses Gebäude), tritt der Granit mit Macht hervor; er ist von weißer grauer Farbe und sehr feinkörnig. Die durch die Felsen gesprengten sogenannten Gallerien, sind Riesenwerke, so wie die herrlich und kühn gebauten Brüken, was mir besonders auch auffiel, waren die ungeheueren Birkenbäume mit denen der ganze Simplon bewachsen ist. Es war, außer an den Seiten des Weges, gar kein Schne auf der Straße und die Fahrbahn ganz troken, und vortrefflich, was in dieser Jahreszeit selten ist. Der Tag war übrigens kühl und auf der höchsten Höhe konnte man es sogar kalt nennen. Vom höchsten Punct nahmen wir unsere Pferde wieder und fuhren nun in diese nicht zu beschreibenden unabsehbaren Schluchten und unaufsehbaren Bergen hinunter »*in das Land Italien mir das gelobte*« (Tell 5^t Act) und kamen den Abend nach Domodosola, einem freundlichen Städchen. Schon mehrere Stunden von dort, man kann sagen mit dem Granit, hatte sich die Vegetation geändert, anstadt der einförmigen fast nakten ungeheuren Lerchen kamen Eichen, Buchen, Birken, Erlen aus den Schluchten empor und bedekten auch die hohen Gipfel. Das Grün war so wie ich es noch nie gesehen.

Sonntag d. 9^t May. Früh 5 Uhr von Domodosola ab. Hier sahen wir den ersten großen Feigenbaum im Freyen, von der Stärke eines großen Apfelbaumes. Ihm folgten andere, dann erschienen die Maulbeerbäume, Oliven, Pfirsige als Bäume. Hier zieht man den Wein in lauter Laubengängen, so daß einem die Trauben in den Mund hängen müssen. Der Weinbau ist ungeheuer, auch zieht man die Reben von jenen Lauben an die zwischenstehenden Obst- und anderen Bäume welches Festons bildet, es ist ein Anblick als wenn die Natur sich selbst ein Fest geben wollte; so geht es Stundenlang fort; doch wird das Auge nicht ermüdet. *Mittag* aßen wir in Fariola wo wir vom Balkon des Hauses den *Lago Majore* und die Boromäischen Inseln sehen konnten, es war leider ein Regentag wie ich nicht leicht erlebt, denn von Früh 5 bis Abend spät regnete es beständig fort, doch waren wir immer guter Laune. In der Wirths-Stube spielten Italiener das Spiel mit auswerfen der Finger, ich glaube es heißt alla morra mit fürchterlicher Heftigkeit u. Gebrüll. Nach Tisch fuhren wir weiter immer am See hin und ergözten uns an den herrlichen Villen und deren herrlichen Gärten; hier sah ich auch die erste Pinie und reife Aprikosen und Kirschen. Abend 6 kamen wir in Arona an, bekamen ein herrliches Lager in der Belle Etage gerade auf den See heraus, welcher höchstens 10 Schritte entfernt war und wo wir das Spiel der Welen betrachteten, auch sahen wir von fern die Statüe des heiligen *Boromäus*. In einem nahe gelegenen Garten blühten unsere Tapetenrosen in 30 Fuß hohen Laubengängen, es war wie ein Rosenmeer anzusehen. Als wir den Abend im Speisezimmer zusammensaßen fuhren auf einmal alle Fenster und Thüren auf, ein fürchterlicher Sturm brach los und wir waren im Augenblick im finstern, erst stuzten wir, dann lachten wir, machten die Fenster zu und ließen Licht bringen. Um 10 zu Bett.

Montag d. 10ᵗ May. Früh 5 Uhr von Arona abgefahren, die Maulbeerbaumzucht übertrifft alle Begriffe denn man sieht fast keinen andren Baum mehr. Es ist dieser Baum ein großer Erwerbs-Zweig wegen der Seidenwürmerzucht, in einem Dorfe sah ich auch eine ungeheure Ceder, dann die ersten Reißfelder. In der Nähe von Mailand war eine Alle von Tulpenbäumen in voller Blüthe welches herrlich aussah. Abend halb 8 Uhr kamen wir nach Mailand wo wir im Reichmannschen Hotel abstiegen. Man mußte uns nicht für voll ansehen denn man wies uns in ein Zimmer welches eher einem Gefängniß glich, als einer Stube, denn das Licht kam von einem Gang in der Höhe (vielleicht 12 Fuß hoch) angebrachten Fenstern, für diese Nacht ließen wir es uns gefallen, erklärten aber daß wir wenn wir nicht morgen ein Zimmer auf die Straße bekommen würden, sogleich auszögen. Dieß wirkte und wir bekamen:

Dienstag den 11ᵗ May ein herrliches Zimmerchen mit Cabinet in der 2ᵗ Etage vorn heraus, wo man die ganze Porta Romana, so heißt die Straße wo wir wohnen, übersehen konnten. Wir arangirten nun alles zu einem 8 Tägigen Aufenthalt, die Wirthsleute und Kellners wurden immer zuvorkommender und so geht alles gut, man bot uns sogar nun ein Zimmer in der Belle Etage an, welches wir aber ablehnten. Da man erst um 4 Uhr hier zu Mittag ißt, so durchstreiften wir die belebtesten Straßen der Stadt, man kann aber sagen daß alle Straßen belebt sind denn Mailand hat 150 000 Einwohner. Die Frauen u. Männer tragen sich nach französischem Schnitt, erstere tragen aber, nämlich die nur irgend etwas vornehmeren, schwarze oder weiße Spizenschleier welches recht gut aussieht. Die Gesichter der Frauen haben ziemlich einen Schnitt, eine schöne gebogene Naße, meist zierlichen Mund und glänzend schwarze Augen man kann sie meistens hübsch und viele schön nennen, besonders auffallend sind die schwarzen Haare welche sie in sehr schönen Puffloken tragen und ich möchte behaupten noch keine solche Loke gesehen zu haben. Die Männer sind von starken Bau. Es giebt ungeheuer große Menschen darunter, einen Krüpel habe ich noch nicht gesehen. Auf unserer Wanderung kamen wir auch an den Dom, welchen wir obgleich vorerst nur flüchtig doch von innen und außen aufmerksam betrachteten, wir werden demselben längere Zeit widmen, so ich dann mehr vermelden werde. An der Mittagstafel hörte man mehr deutsch und fast gar kein italienisch, gen uns über saßen drey blutjunge Engländer, meine Tischnachbarin war eine Gräfin Hohenthal mit ihrem Gemahl aus Sachsen, also sogar eine halbe Landsmännin, welche sehr freundlich war und sich auch nach unserer Frau Gräfin Hohenthal erkundigte, und viel theilnahm wegen dem Todt der Fr. Großherzogin Mutter bezeigte. Nach Tisch gingen wir wieder durch andere Straßen, es ist ein Gewimmel wie in einem Ameisenhaufen, Geistliche, Militairs, schöne Frauen und Mädchen, herrlich gebaute Männer, Ausrufer verschiedner Sachen, Prachtequipagen sausen durcheinander und man weis selbst nicht wie man mit fortschwimmt. Wir gingen noch einmal zum Dom um ihn von Außen u. Innen in der Abendbeleuchtung zu sehen. Es war ein erhebender Anblick. Das Theater della Scala ist leider geschlossen, da eine bedeutende Reparatur im Inneren vorgenommen wird, auch sind die besten Sängerinnen u. Sänger auf Urlaub in London u. Paris. Doch giebt es noch ein zweites Theater hier wo jetzt Oper und Ballets gegeben werden, da aber heute keine Vorstellung darinn war, so gingen wir in das Marionetten Theater, wo die Hexen von Benevent und zweitens der Carnevall von Venedig als Ballet gegeben wurde. Es ging alles vortreffl. ich habe viel gelacht, und wünschte Walther u. Wolf recht an meiner Seite. Das Theater faßt ohngefähr 400 Menschen und hat 2 Reihen Logen u. eine Gallerie auch ist eine Loge für den Kaiser u. den Vicekönig darinn; um 10 Uhr waren wir wieder zu Hause, und ich schrieb noch an diesem Brief bis 2 Uhr, da man Tags nicht viel Zeit hat. Ich gedenke 8 – 10 Tage hier zu bleiben, denn so viel wird wohl nöthig seyn um alles ruhig durchzusehen, zwei unangenehme Dinge treffen mich hier nämlich: daß della Scala geschlossen, und Myliussens einziger Sohn in Triest gestorben ist, die Eltern kommen heute an und ich will sehen ob ich in diesen Tagen meine Geldgeschäfte mit diesem Hause abmachen kann denn diese uns befreundete Familie geht bald auf ihre neu erkaufte Villa an den Comer See, die Nachricht über diesen Trauerfall verstimmte mich sehr, da man einen Anhaltepunct für Ober-Italien doch theilweise verliert, und diese guten Menschen in so einem unabsehbaren Unglück sehen muß. Der junge Mann soll an einer Unterleibs Entzündung gestorben seyn, hat sich aber noch im Sterben mit seiner Braut trauen lassen. Die Gegend von Mailand ist äußerst fruchtbar und das Clima ist sehr mild. Wir haben von Weimar bis hierher nur 2 Regentage gehabt, sonst immer Sonnenschein mit abwechselnd bedektem Himmel welches das Reisen sehr angenehm macht. Von Frankfurth sind wir ununterbrochen 14 Tage bis hierher unterwegs gewesen, jeden Morgen um 3 Uhr aufgestanden, und haben jeden Tag wenigstens 14 – 15. Stunden d.h. Schweizer große Stunden gemacht, da ist man dann etwas zusammengerumpelt, doch stehen wir auch hier um 5 Uhr auf um einen langen Tag zu haben. Die Straße in der wir wohnen (Porta Romana) besteht aus lauter Palastähnlichen Häusern. Wir können das Thor aus unserem Fenster sehen, es ist aber über eine Viertelstunde entfernt, die Theater liegen nicht sehr weit von uns. Die Bewirthung ist gut und besteht in 5 Schüsseln mit Wein. In der Schweiz war die Bewirthung unsinnig, in den großen Städten wie Basel z.B. 16 Schüsseln ohne Desert, in den kleinsten Dorf Gasthäusern wenigstens 8, es ist aber auch ungeheuer theuer, und man thuth wohl sehr durchzueilen.

Was das mineralogische betrifft, so verfolgte uns der Uebergangs Kalkstein, oder Rauhkalk vom Eintrit in die Schweitz bis auf den Höchsten Punct des Simplon; er bildete ungeheure mir noch unbekannte Massen, auch kam anfängl. grünlicher Sandstein vor besonders in der Gegend von Bern; aus welchem dort alles gebaut wird. Thonschiefer, Gneis, Glimmerschiefer habe ich wenig in Massen anstehend gefunden, doch muß der zweite nicht fern seyn, da man besonders den Gneis zu vielen Bauwerken besonders z. B. zu Trotoairs angewendet findet welche sehr zahlreich u. breit sind. Ganz Mailand hat dergl. auf beiden Seiten der Straßen und sogar bestehen die Fahrbahnen in den Straßen aus Platten von diesem Material. Der Granit tritt ohngefähr 2 Stunden von der höchsten Spitze des Symblon hervor und bildet unbeschreibliche Massen; er erstrekt sich bis zum Lago Majore wo auch schöner weißer Marmor bricht: und in solchen Massen daß Säulen von 36. Fuß daraus gefertigt werden, wir sehen dergl. 6 Stück theils im Bruch selbst theils an der Straße liegend und eine auf der Chaussee im Transport nach Mailand begriffen, die mit Winden fortgeschafft wurden. Es waren gegen 50 Menschen dabei beschäftigt, 2 von diesen Säulen sind schon in Mailand und sind zu dem von Napoleon angelegten Triumphbogen des Simplon bestimmt, er wird von der jetzigen Regierung nur mit Modification der Basreliefs beendet und soll *ab* 1836 fertig werden. Ich komme noch einmal darauf zurück. Es wird auch sehr viel von Granit gebaut der alle am Fuß des Simplon, am Lago Majore bricht, er ist röthlich und feinkörnig, seine Bestandtheile sind sehr gleichartig gemischt daher er auch nicht leicht verwittert. Nehmen Sie diese Zeilen wieder freundlich auf und denken Sie daß ich bei jedem Schrit Ihrer dankbar liebend gedenke. Grüßen Sie Ottilien, die Kinder u. Freunde welche meiner gedenken. In einigen Tagen folgt die Fortsetzung, denn nun fange ich erst an Mailand zu sehen u. zu begreifen, es ist ein herrlicher Ort und hat sich ungeheuer seit Napoleon verandert und verschönt, die jetzige Regierung läßt es aber an regen Eifer nicht fehlen und hilft nach wo nur möglich

Ihr treuer Sohn A.v.Goethe.

(Von Weimar habe ich noch keine Zeile erhalten.)

Den 12ᵗ May 1830. Um die enferntesten Orte zu besehen und zugleich viel auf einmal abzumachen hatten wir einen Wagen genommen und fuhren mit unseren Lohnbedienten um 8 nach dem
Lazareth des Heil. Boromaeus welches ein ungeheures Vierek
bildet jetzt aber an Privaten vermiethet ist und nichts merkwürdiges enthält. Vonhier aus fuhren wir die Promenaden Um die
Stadt entlang welche mit mehreren Reihen wilder Castanien besetzt sind, welche aber ein viel schöneres Ansehen als bei uns haben. Hier begegneten wir dem Vicekönig Erzherzog Reiner welcher von Monza nach der Stadt kam. Von hier fuhren wir an der
Arena ann welche von Napol. angelegt ist. Es ist ein Ovales Amphitheater und faßt 30 000 Menschen, kann auch in eine Naumachia umgewandelt werden. Es dient zu öffentlichen Spielen als
Wettrennen pp. Dabei ist ein Pallast mit schönen Zimmern aus
welchen man gleich auf die schönsten Plätze gelangt. Hier sind
die Sitze von Granit, die übrigen sind von Rasen und werden bei
Vorstellungen mit Bretern belegt. Es muß ein imposanter Anblick seyn diese Arena mit Menschen gefüllt zu sehen. Von hier
fuhren wir nach einem Landhause Simonetta genannt wo im
Hofe ein Echo ist welches gegen 50 mal bei gutem stillen Wetter
sich wiederholt. Das Gebäude ist eine Facade mit zwey Flügeln
und hinten offen nach dem Garten zu. Das Echo ist, wenn man
davor steht, in der Eke des rechten Flügels, es wurde eine Pistole
losgeschossen und es wiederholte sich der Knall 30 mal, das Jodeln wiederholte es ohngefähr 20 mal sehr deutlich. Ein Engländer hatte vor einigen Jahren dieses Gebäude genau aufnehmen
lassen und es gerade so auf seinem Landgute in England gebaut
und glaubte auch so ein Echo hervorzubringen, es gelang ihm
aber nicht und aus Aerger hat er sich erschossen. Die Besitzer
eine vornehme Familie von Mailand derelinguirten es weil sie
des Echos halber zu viel vornehmen Besuch erhilten welchen sie
bewirthen mußten und es wird nun von armen Leuten in Dach u
Fach erhalten die es bloß wegen der Trinkgelder thun welche
man geben muß sonst wäre es längst Ruine. Es liegt sehr angenehm ¾ Stunden von hier. Unsere Route führte uns nun nach
dem *Triumphbogen des Simplon* der von Napol. begonnen und
von der jetzigen Regierung ausgeführt wird. Er besteht aus
weißen Marmor welcher in der Gegend von Domodosola gebrochen wird. Es ist eigen zu sehen wie bis zur Hälfte des Bogens die

Basreliefs auch Napoleons Thaten mit seiner oft angebrachten Figur haben z. B. seinen Einzug zur Krönung in Mailand pp. Die andere obere Hälfte bezieht sich auf den Befreiungskrieg also auf seine Vernichtung, im Jahr 1836 soll er vollendet seyn. Es ist schon vieles vorgearbeitet und die Arbeit geht vom März bis Decemb. regelmäßig fort. Nun schlug uns das Herz denn wir fuhren nach St. Maria della Gratiae wo wir das Abenmal von Leonardo da Vinci sehen sollten, aber welchen traurigen Anblick gewährt dieses herrliche Gemälde! Es ist beinahe gar nichts mehr zu sehen und kaum die Farben der Gewänder sind zu unterscheiden. Gerade unter Christus ist eine Thüre nach einer anderen Piece durchgebrochen und man hat ihm die Füße mitweggebrochen, ein Maler copirte es in der selben Größe und es war beinahe vollendet nur waren alle Farben viel zu grell wie ich nachher an einer anderen vortrefflichen Copie von Bossi vergleichen konnte, welcher alle Farbentöne sehr richtig behandelt und aufgefaßt zu haben schien. Die Kirche St. M. d. Gratia ist ein schönes Gebäude mit manchen schönen Bildern von Titian, Crespi pp auch einem Altarblatt von Leonardo da Vinci: Zunächst besuchten wir noch die Kirche des Heil Ambrosius die älteste in Mailand. Sie ist noch mit Rundbögen gebaut und macht daher einen Contrast gegen die übrigen Kirchen. Hiernächst liegt auch die Osteria di St. Ambrosio wo wir uns ein Cottlet und einen musirenden Wein wolschmeken ließen der mir so gut wie Champagner schmekte und nur 8 gr. kostete. Auf unserem weiteren Wege trafen wir auch noch eine Collonade von 16 freystehend Corinthischen Säulen aus der Römerzeit von weißen Marmor wahrscheinl. unter Titus errichtet. Sie bilden eine Art Vorplatz vor einer Kirche und es kann eine wohl über 40 Fuß hoch seyn. Hierrauf fuhren wir zum Triumphbogen von Marengo welcher sehr einfach aber in sehr guten Stil erbaut und ganz erhalten ist. Nun ging es noch nach St. Maria di St. Celso od. Madonna presso di St. Celso eine der am reichsten ausgezirten Kirchen in Mailand. Die Gewölbe strozen von goldenen Verzirungen und an Altären, Säulen ist unzähliges Marmor, LapisLazuli und Mosaik verschwendet, wir wohnten hier einer Messe bei, die Kirche war troz ihrer Größe zimlich gefüllt, um 2 kehrten wir in den Gasthoff zurück, um 4 Uhr aßen wir zu Mittag. Nach Tisch besah ich mir unseren Gasthoff näher. Es ist früher ein Pallast gewesen u. bildet ein regelmäßiges Vierek mit einem dergl. oben offnen Hoff von der Größe unseres Schloß-Saals. Rundherum geht eine Colonade von 20 circa 20 Fuß hohen Granitsäulen getragen, in welcher alle auf Mailand bezügl. Bilder, Pläne, Bücher, auch Landkarten von Italien, der Schweiz u. s. weiter aufgehangen sind welches nach Tische eine recht angenehme belehrende Unterhaltung gewährt. Abend 8 Uhr gingen wir in das Theater Canobbiana wo eine Oper von Rossiny, Il Conte Ory, gegeben wurde, die Musiek u. der Text waren nicht ansprechend und Sänger und Sängerinnen dergl. weil wie ich schon gemeldet die besten auf Urlaub sind. Hierauf folgte ein Ballet, die Waise von Genf welches sehr gut war, hübsche kraftvolle Männer, schöne Mädchen machten einem Freude so wie daß mann einmal ein vollkommenes Ballet sah, was mich wunderte war daß man sich hier so wenig schminkt, das Ganze dauerte bis ½ Ein Uhr und wir kamen sehr müde nach Hause.

Donnerstag d. 13ᵗ May. Früh bis 11 Uhr Briefe geschrieben. Dann ausgegangen 1. in das Myliussische Haus, 2. dann in das für Künste u. Wissenschaften bestimmte Local sonst ein Jesuiter Collegium, ein im schönsten Stiel erbautes Gebäude etwas über 100 Jahre alt. Hier besahen wir zuerst die BilderGallerie welche aber leider nicht nach den Schulen aufgestellt ist, sondern es sind die Bilder ganz willkürlich untereinander gehangen. Hier sahen wir nun das Sposalito v. Raphael welches sehr gut erhalten einen lieblichen Eindruck macht, es wurde gerade copirt. Dann zog mich noch eine Handzeichnung von Raphael an wo viele Genien theils fliegend, theils laufend nach einer Herme schießen an welcher ein Schild hängt, mich deucht ich habe bei Ihnen einen Kupferstich davon gesehen. Eine Skize eines Christuskopfes von Leonardo ist auch sehr schön und scheint mir die zum Abendmal zu seyn. Eine Menge Luinos al Fresco guterhalten, Caraccis u. s. w. sind in Menge da und meist gut erhalten, ich werde noch einmal dahin gehen und dann ausführlicher davon melden, das erstemal wird man ganz verwirrt es sind 13 Säle mit Bildern. Hierrauf gingen wir in die Bibliothek, noch dieselbe Einrichtung wie bei den Jesuiten ein schönes Local von einem großen und mehreren kleinen Sälen; sie faßt 100 000 Bände. Hierauf besuchten wir die Gypsabgüsse in ohngefähr 10 Sälen aufgestellt. Besonders zog mich die ganz aufgestellte Gruppe (bis sogar die

Pferdeköpfe) vom Parthenon an. Es ist ein herrlicher Anblick auf die Minerva v. Veletri ganz und mehrer bedeutende Figuren, Büsten und Fragmente. Sodann gingen wir in den Modellirsaal wo junge Bildhauer ihre Stücke machen. Auch hier sind herrliche Abgüsse von Antiken, z. B. der Farnesche Herkules, unsere Juno, der Fechter u. s. w. Von da führte uns unser Lohnbediente in demselben Haus in ein Gewölbe auf Säulen ruhend welches ganz mit altem Gerümpel angefüllt war. Ich wußte erst gar nicht was ich da sehen sollte, als er uns auf einmal auf die in einem Ek dieses Raums liegende collosale Statü von Napoleon aufmerksam machte. Sie ist von Canova modellirt, in Rom in Bronce gegossen und bis auf das letzte ausgearbeitet, sie sollte in den Justiz Saal kommen und kann wenigstens 25 Fuß hoch seyn. Er ist nakt vorgestellt mit nur wenig Draperie behangen und hat in der linken Hand einen Herrscherstab in der rechten eine Victorie auf einer Kugel. Dieser Anblick war ein wahrer Genuß für mich. Alles dieses vorbeschriebene ist in diesem Jesuiter Gebäude vorhanden u. noch mehr z. B. die Münzsammlung welcher Hr. Cataneo vorsteht. Wir wollten ihn besuchen trafen ihn aber nicht, ich werde aber noch einmal hingehen. (In den Sälen der Gipsabgüsse hing auch die herrliche Copie des Abendmals v. L. da V. von Bossi, da sah man erst was dieser Künstler gemalt hatte). Nun ging es in eine Osterie, es war 12 Uhr und der Magen verlangte Zoll, Cottelet, Salat u. Wein waren vortreffl. und wohlfeil. Man giebt auch hier bei den Sachen welche man besieht sehr wenig Trinkgeld das höchste z. B. bei der Bildergallerie war 1 Kopfstük, oft kommt man mit einem halben weg. Von hier ging es in den königl. Pallast wo früher Napoleon, dann Eugen gewohnt hat, jetzt wird er für den Vicekönig S. H. Reiner neu eingerichtet u. erweitert da derselbe eine starke Familie hat. Hier bekamen wir etwas für mich sehr interessantes zu sehen. In einem der unteren Räume nemlich, sind alle auf Napol bezügl. noch in Mailand vorgefundene Büsten, Gemälde u. s. w. sodann auch der Italienische Thron von blauen Sammt mit goldner Stikerey auf welchem er nach der Krönung als König von Italien die Huldigung empfangen; auch der Schemel ist da u. steht vor dem Thron welcher ganz aufgestellt ist, ich setzte mich darauf u. Sie können denken was ich dabei für Gefühle hatte. Es werden hier 18 theils collosale, theils lebensgroße Büsten Napol. aufbewahrt welche ihn in allen Altern und Bezügen vorstellen. Die größte ist ohngefähr 4 ½ Fuß. Der Kopf ist von Cararischen Marmor, das Gewand von grauen, es sollte eine ganze Statü werden wo dann Füße u. Arme wieder von weißen Marmor seyn sollten. Er hat die eiserne Krone auf und er ist ein Meisterwerk, auch sind mehrere sehr gute Portraits von demselben von Appiany, Bossi u. s. w. da so wie das berühmte Originalgemälde von David, der Uebergang über den St. Bernhard, Figur u. Pferd lebensgroß. Der Kupferstich hängt in meiner Stube u. ist mir nun noch einmal so lieb da ich das Original gesehen habe. Wir waren diesen Morgen 5 Stunden auf den Beinen gewesen ohne uns, außer in der Osterie zu setzen u. gingen gleich um 4 Uhr zu Tisch. Da den Abend dieselbe Oper (Conte Ory u. das näml. Ballet) gegeben wurden, welche beide mich nicht interessirt hatten so blieb ich zu Hause u. schrieb am Tagebuche. Der Doctor konnte aber nicht ablassen hineinzuge-hen. *Freitag den 14ᵗ May.* Heute regnete es den ganzen Tag und wir blieben daher zu Hause, theils des Wetters wegen, theils um das gesehene zu recapituliren und die Organe wieder zur Ruhe kommen zu lassen. Abend war Liebhabertheater, wir bekamen Billets von den Wirthsleuten, ich blieb aber zu Hause, es geht erst gegen 10 Uhr an und dauert über 1 Uhr hinaus; Ekermann ging hinein kam aber schon um 11 Uhr nach Hause. *Sonnabend 15ᵗ May 30.* Früh manches in Ordnung gebracht, um 11 ausgegan-gen in der Stadt herumgedämmert, einen Hut und leichte Rei-semütze gekauft, alles ziemlich wohlfeil, ein schöner Seidenhut mit Futteral 2. rt 7 gr. eine sehr bequeme Mütze 4 Kopfstük u. s. w. Wir sahen auch diesen Morgen ein sehr schönes Gemälde von Raphael, eine kniende Madonna welche vom Jesuskinde, das auf einem Rasen schläft den Schleyer nimmt um es dem klei-nen Johannes der sich auf Ihr Knie stützt zu zeigen. Es sind die Figuren ⅔ Lebensgröße. Die Besitzer sind die Gebr. Brocca; sie haben es in Spanien gekauft, ein eigenes Zimmer dazu einge-richtet wo man es im herrlichsten Lichte betrachten kann u. ma-chen sich ein Vergnügen daraus es angesehenen Fremden zu zei-gen. In einer Osterie stärkten wir uns wieder, und gingen dann bis ½ 4 in der Stadt umher um das Leben zu betrachten welches hier sehr viel zu denken giebt. Nach Tisch u. 6 Uhr ging ich noch eine Stunde spaziren, Ekermann war zu den Kunstreitern (nicht meine Sache) und sodann wieder in dieselbe Oper u. Ballet ge-

gangen. Ich blieb zu Hause, schrieb dieses u. legte mich nach
11 Uhr zu Bett.

Leben Sie wohl u. grüßen Sie alle
Ihr treuer Sohn v.Goethe.

Bemerkung: Das Porto ist schrecklich theuer vorichen Brief an
Milius habe ich über 2 rt bezahlt und der letzte an Sie kostet
mich 80 Sous. Daher bitte mir nur das aller nothwendigste zu
schreiben, in meinen Rapporten fahre ich wie zeither fort.

Sonntag d. 16ᵗ May 1830 Früh 5 Uhr aufgestanden gl. angezogen; bedekter Himmel aber himmlische Luft großes Menschengewimmel auf der Porta Romana, welche ich ½ Stunde lang
übersehen kann, von dem Balkon aus unserer Stube. Angelegenheiten mit dem Schneider, man muß alles ändern lassen, die
Schneider in Weimar sind Ochsen. Gegen 11 kam Hr. v. Cataneo
uns zu besuchen, es ist ein herrlicher Mann stark in den 50gn
sehr mild und angenehm, er hat mir viele Empfehlungen an
Sie aufgetragen. Die Unterhaltung war französich und ging eine
halbe Stunde ohne Stoken. Um 12 Uhr ausgegangen, Hr Manzoni
besucht welcher uns mit großer Freundlichkeit, ich möchte sagen Enthusiasmus entgegenkam, auch er empfiehl sich bestens.
Wir blieben ½ Stunde. Die Unterhaltung war ebenfalls französich und ging recht gut. Dann wurden noch bis 3 die Straßen
durchstreift, es war Sonntag und alles sehr belebt u. gepuzt. Um
3 in einer Restauration gegessen, unter andern guten auch Artischoken, welche wir schon seit 14 Tagen hierherum gegessen
haben, sie sind aber nicht so gut wie die Frankfurther, so ist es
auch mit dem Spargel. Seit Frankfurth habe ich keinen wieder
angerührt, er ist ganz unter aller Kritik. Weil die Dinge welche
wir sehen wollten zu weit von einander entfernt waren so hatte
ich für diesen halben Tag einen Wagen genommen welcher uns
¼ 4 von der Restauration abholte, wir fuhren nach der Arena,
doch es war keine Vorstellung wegen ungewissen Wetter. Nun
fuhren wir nach der Villa Bonaparte jetzt Villa Reale Wohnung des Vicekönigs wenn er von Monza kommt. Im Speisesaal
Plafond von Appiani Apoll und die Musen als Fresco sehr schö-

nes Gemälde. Sämtl. Appartements sind nicht prachtvoll aber höchst geschmakvoll decorirt. Ein nicht großer aber schön angelegter Englischer Garten ist dabei wo alles in üppigster Vegetation emporstrebte, Rosen zu Tausenden blüthen, Thränenweiden am Wasser, Platanen, Tulpenbäume, Cypressen, Tuja, Taxus alles in Größter Fülle wetteiferte mit den schönsten englischen Rasen. Der Himmel war bedekt die Luft aber so warm und mild wie ich noch nie eingeathmet hatte, es war ein herrlicher Genuß, hier schwelgte ich zuerst in italienischen Lüften. Von hier fuhren wir nach den Kunstreitern, eine ziemlich gute Gesellschaft, aber weder mit Turniere, Blondin oder de Bach zu vergleichen, ein Junge von 13 Jahren war der ausgezeichnetste u. kann gut werden, er hat ungeheure Courage, die Mädchen waren zwar recht hübsch aber ritten zu zaghaft. Um ½ 8 fuhren wir Corso etwas was ich auch noch nicht erlebt habe: Um die Stadt welche 3 Stunden im Umfang hat geht eine Promenade für Fußgänger, Wagen und Reiter, in der Mitte für Wagen u. Reiter so breit daß sich 8 Wagen bequem ausweichen können. Auf beiden Seiten sind Alleen von 2 Reihen wilder Kastanien für die Fußgänger. Hier wird nun besonders Sonntag Corso gefahren ein haupt Vergnügen der vornehmen Mailänder, diß besteht darinnen daß zwischen der Porta Orientale und Porta Nova sich gegen 600 der schönsten Equipagen bewegen alles von den vornehmsten Familien. Auf der einen Seite fährt man hinauf auf der anderen herunter. Oft hält auch noch eine Reihe in der Mitte und läßt die anderen an sich vorbeidefiliren. Die Streke ist eine halbe Stunde lang und es gewährt einen ganz ungewohnten prächtigen Anblik. Wir schlossen uns mit unserem sehr schönen Wagen an u. fuhren 2 mal herum, die Seitenalleen für die Fußgänger wimmelten v. Menschen und man konnte rechnen daß sich auf dieser Streke von ½ Stunde 20 000 Menschen im Putz bewegten, ein herrlicher Anblick. Von 20 zu 20 Schrit stehen Patrouilen von Carabiniers zu Pferd. Als wir den Corso verließen fuhren wir durch die belebtesten Straßen. Hier war ein gleiches Gewimmel von Herren u. Frauen, die Balkone mit Schönheiten überfüllt, denn jedes Fenster ist Balkon, und ein Gesumse und Getose daß einem hören und sehen verging. So kamen wir weiter. Hier muß ich bemerken daß weder Pracht noch Luxus bei den mittleren Ständen herrscht, aber Geschmack in Kleidung und bei den

Frauen ein himmlisches Arrangemang der natürlichen schwarzen Loken, hier giebt es keine Seiden oder Drathloken womit sich so viele Damen bei uns erst ein Gesicht machen. Hier muß ich Ottilien Gerechtigkeit wiederfahren lassen daß sie so viel auf ihre natürl. Hare hält und nie dazu zu bringen war falsche zu tragen. Ich habe auf meinen vielen Touren durch diese große Stadt höchstens 2 Läden angetroffen wo man falsche Loken feil hate, mehrestens waren es Perüken für Männer. Große Schaals von Wolle sind auch nicht mode. Man trägt Umschlagtuche von Seide hier gefertigt von den schönsten Farben und der schwarze Schleier den die mehresten dann tragen, giebt ihnen nicht nur ein interessantes Ansehen, sondern kostet auch nicht viel, wo bei uns die Frau eines Secretairs für einen Sommer- und Winterhut, ein großes Loch in die Besoldung des Mannes macht. Man trägt allerdings auch Hüte aber jetzt die schönen Mailander Strohhüte, welche aber sehr einfach aufgeputzt sind, mehrentheils gehen aber die Frauen mit dem Schleier am bloßen Kopf. Um 8 kamen wir nach Hause. Ekermann ging noch ins Theater wo immer noch dasselbe Stük und Ballet gegeben wird. Ich blieb zu Hause, schrieb diese Zeilen u. ging ½ 11 zu Bett. Grüßen Sie Ottilien, die Kinder, Rinaldo und Freunde die sich meiner erinnern. Ihre Sendung mit den Berliner Briefen habe erhalten sonst noch nichts. Leben Sie wohl und froh.

Ihr treuer Sohn v. Goethe.

N.S. Mit meiner Gesundheit geht es recht gut ich kann sagen v. Tag zu Tag besser.

Montag den 17^t May 30. Früh bis 11 zu Hause, allerhand in Ordnung gebracht und zur morgenden Reise nach dem Comer- und Längen See vorbereitet. Um 11 auf das Myliussische Bureau Geld geholt. Dann wieder in die *Brera* die Bildergallerie nochmals besucht. Es sind herrliche Sachen da nur verstehe ich zu wenig von Bildern, um ausführl. seyn zu können, ein Maler hat mich aber besonders interessirt nemlich Luino ein Mailänder, seine Gemälde sind meist Fresko und sehr geschickt abgenommen und in der Gallerie aufbewahrt, es sind über 50 große Stüke da. Ich habe außer von Raphael nie lieblichere Gesichter gesehen und die Compositionen sind auch recht gut, man findet auch in allen Kirchen von ihm und er ist mein Liebling geworden, Sie können daher sehen, auf welcher Stufe ich stehe, erwähnen muß ich noch daß ich hier auch die Handzeichnung grau in grau mit etwas weiß aufgehöht, von Mantenga gefunden, wo Christus in einer verkürzten Lage dargestellt ist. Sie besitzen ein Kupfer davon, man sieht die Fußsolen und der ganze Körper gleicht einem Monstrum, es ist nicht erfreulich anzuschauen, dagegen hängt daneben die Handzeichnung von Leonardo da Vinzi, ein Christus Kopf wahrschein. eine Skize zum Abendmahl. *Da* das Münzkabinett welchem Hr. Cataneo vorsteht ebenfalls in diesen Räumen ist so ließ ich mich melden; er nahm mich freundlich auf und zeigte mir was man einem flüchtig reisenden sehen lassen muß, von Griechischen und Römischen Sachen sah ich vortreffliche Dinge, leider ging er davon zu schnell ab und denken Sie unterhielt mich beinahe ½ Stunde mit den verruchtesten Bracteaten und Nothklippen, einem Stekenpferde von ihm, endlich entwischte ich und ließ ein Exemplar Ihrer Jubel-Münze als Andenken meines Besuchs zurük. Nun stärkte ich mich in einer Osterie bis 1 Uhr und ging dann noch bis ½ 4 durch die Straßen von Mayland, da ist ein Leben! Man wird auch gar nicht müde so herrliches Pflaster ist da. Denken Sie sich in den Hauptstraßen, Corsen genannt, welche ohngefähr 25 – 30 Schritte breit sind, gehen an beiden Seiten Trotoirs von Kneisplatten für Fußgänger daß sich 2 Personen bequem ausweichen können dann kommt eine Bahn mit kleinen Kieseln gepflastert, dann eine Bahn von Kneisplaten, wieder Kiesel wieder Kneisplatten, diese Platten sind die Fahrbahnen deren zwei in jeder großen Straße sind, in den mehreren ist nur eine Fahrbahn aber 2 Trotoirs. Bettler sieht man hier gar nicht und für nächtl. Sicherheit ist auch gesorgt; um 8 Uhr finden Sie an den bedeutensten Eken, Plätzen, auch an einsamen Orten Patrouillen von Carabiniers zu Pferde aufgestellt, welche die ihnen bestimmten Streken bereiten. Jeden Abend um 10 werden 500 Mann ungarische Grenadies in der Stadt an den verschiedensten Villen aufgestellt. Sie haben Schilderhäuser welche am Tag wie Klapphüte zusammengeschlagen werden, und keinen Raum in den Straßen wegnehmen. Um 4 zu Tisch, ich hatte eine bairische Familie zu Nachbarn recht artige Leute, man hörte wieder an der ganzen Tafel nichts als deutsch reden und man kommt sich daher recht heimisch vor. Nach Tisch um 6 Uhr ging ich noch ein wenig aus. Ekermann war schon fort, ich ging einige Straßen um nach dem Domplatz zu kommen wo es immer am belebtesten ist, ich ging hinein und ließ mir das unterirdische Grab des Heil Boromäus zeigen so wie den Platz des Domes. Was Kunst betrifft so ist wenig da zu sehen, die ganze Capelle ist beinahe mit gediegenem Silber überladen, und manches aus der Geschichte dieses Mannes dargestellt. Eben so sind im Schatz überlebensgroße Statüen von Heiligen von Silber mit Juwelen gezirt, goldene Kelche ebenfalls mit Edelsteinen, welches alles mehr wegen seiner Masse als seinem Kunstwerth merkwürdig ist. Als ich aus dem Dom trat spielten gerade Buratini, ich trat hinzu und erfreute mich an dem dummen Zeuge, besonders gab es viel Schläge. Nun wurde es nach u. nach dunkel und der Bazar welcher den Dom-Platz umgiebt wurde beleuchtet, alle Boutiken schimmerten herrlich besonders die der Juwelire u. Glaß u. Bronze Händler, ich ergözte mich an diesem Anblick wohl eine halbe Stunde und ging so dann nach Hause. Ekermann war wieder bei den Reitern u. kam spät.

Dienstag den 18ᵗ May 30. Früh fuhren wir in einem Einspänner nach Sesto zu Myliussens. Ekermann ging nicht mit hin, ich fand diese Familie natürlich in der größten Trauer über den unersetzlichen Verlust, die junge Witwe ist sehr hübsch und ist bei den Schwigerältern, sie lassen sich Ihnen, Ottilien und allen empfehlen, ich hielt mich nicht lange auf und fuhr fort nach Monza, den Sommeraufenthalt des Vicekönigs. Es ist ein sehr schönes Schloß daselbst und ein Garten, Park und andern Ländereyn mit Meiereyn, Fasanerien u. s. w. 3 Stunden im Umfang und ganz mit einer Mauer umgeben alles von Napol. angelegt. Auf einem neu erbauten Thurm hat man einen Ueberblik über das Ganze, so sieht man auch von da die Schweizer Schneegebirge, desgl. die Tiroler Berge u. die Apeninen, der Monte Rosa war besonders schönbeleuchtet. Nach dem Mittagessen fuhren wir nach Lecco am Comer See, brachten den Abend bis es dunkel wurde am See zu wo herrliche Aus u. Ansichten sind, es war ein herrlicher Tag fast immer Sonnenschein und nicht zu warm. *Mittwoch d. 19ᵗ May 30.* Früh 6 Uhr von Lecco zu Wagen ab, die neue Straße entlang welche aus Italien nach Tirol Östreich führt, ein ganz ähnliches Unternehmen wie die Symplonstraße aus nur noch viel länger, man hat ebenfalls Gallerien durch die Felsen gesprengt und Mauern gegen die Seen aufgeführt. Von Lecco bis Varena hin geht es immer durch schwarzen Marmor welcher an der rechten Seite der Straße mächtig ansteht, alle Mauern, Brüken, Bedekung der Mauern u. Brüken, sind von diesem Stein der ganz nahe an den Locollon kommt, das sieht ernst aus. Diese Fahrt am See entlang ist über alle Beschreibung schön; auf der Seite der Straße jene schwarzen Marmorberge welche so in die Luft ragen daß man sich den Hals verdreht wenn man den Gipfel sehen will, von Oben herab mit Waldbäumen bedekt, von der Hälfte an aber bis zur Straße mit Weinlauben, Oliven, Maulbeerbäumen, Feigen Stämmen von ungeheurer Größe, desgl. Cypressen, und Lorber geschmükt. Die Straße ist vortreffl. und unmittelbar am See gebaut, so daß die Mauern in den See reichen. Der See selbst ist klar wie Kristall und in der Ferne Smaragdgrün, an der entgegengesetzten Seite erheben sich ungeheure Berge weit mit Bäumen von Unten herauf bedekt, dann kommen grüne Matten, und außer Fellsmassen welche zuweilen hervorragen ist alles mit Vegetation bedekt, in einer solchen Gegend mit den herrlichsten Abwechslungen von kleinen Dörfern, Gasthöfen, Villen fuhren wir 2 Stunden wo wir in *Varena* am See anlangten. Dieses Städchen liegt dicht am Comer See ist gut gebaut und es sind besonders schöne Cipressen von bedeutender Größe sehr malerisch hier gruppirt. Hier nahmen wir ein Bot und fuhren damit nach der Villa Sommariva eine der schönsten Villen am Comer See, sie gehört mit ihren herrlichen Gärten u. s. w. einem Grafen gleiches namens, er lebt aber in Paris und kommt selten in dieses Paradies. Der Garten stößt unmittelbar an den See, ist mit einer Mauer umgeben und mit einem schöngearbeiteten eisernen Thor verschlossen. Ein recht schönes Mädchen öffnete diese Himmelspforte und wir traten in hesperische Gärten. Hier fand man alles was in Ihrem Gedicht: *Kennst Du das Land*, so schön ausgedrükt ist, weiter brauche ich nichts zu sagen. Drey Terassen führten zum Schloß. Beim Ueberblik des Gartens vom Schloß aus sah man doch keinen einzigen Baum oder Strauch welcher bei uns im Freyen aushält, sondern lauter südliche Gewächse. Laubengänge von Citronen, blühende Granaten, stille Mirthe und hoher Lorber wetteiferten, die Mauern der Terrassen waren mit kleinen gefüllten Rosen überzogen, so daß man sich wirkl. verzaubert vorkam. In den Bassins mit Springbrunnen schwammen Goldfische und Fische welche ganz scharlachroth waren, hierzu der schönste blaue Himmel. Im Schloß selbst sind schöne Bildhauerarbeiten neuerer Künstler in Marmor, Statüen, besonders aber ein herrliches Basrelief von Canova welches die sogenannte Vorhalle auf allen 4 Seiten ziert, es war für Napol. bestimmt nach dessen Sturz aber von der Familie Somma Riva gekauft u. hier placirt worden. In den Sälen und Zimmern waren besonders Bilder von neueren italienischen u. französischen Meistern von bedeutender Größe aufgestellt, doch war auch ein Zimmer mit älteren Niederländern angefüllt; hier fand ich auch ein Fresco Gemälde von meinem Freund Luino wo eine Weibliche ganz nakte Figur mit einem Kinde auf dem Arm mich besonders anzog; nachdem wir hier alles besehen und von unserer hübschen Führerin Abschied genommen, stiegen wir wieder in den Kahn und fuhren auf die entgegengesetzte Seite des Sees nach der Villa *Melzi*, wo wir aber nur den herrlichen Garten theilweise durchgingen, wir sahen hier auch eine sehr gute Büste der Laetitia Bonaparte, Marie Luise u.v. Alfieri. Nun fuhren wir nach Bellagio wo wir zu Mittag aßen. Um 3 Uhr bestiegen wir das Dampfschiff (das erste in meinem Leben) um damit bis Torno zu gehen, es ist eine eigene Empfindung wenn es los geht, man spürt fast gar keine Bewegung, und wenn man nicht die Gegenstände am Ufer vorbeifliegen sähe so würde man glauben es stünde still. Die erste Cajüte ist sehr elegant mit den schönsten Meubels u. Spiegeln, man kann schreiben, lesen u. s. w. auch ist noch ein eigenes Zimmer für die Damen da wenn sie sich absondern wollen. Ich war meist auf dem Verdek, es ist merkwürdig die Maschiene arbeiten zu sehen, beschreiben läßt es sich aber nicht. ½ 5 Uhr langten wir in Torno an wo wir ein kleines Bot nahmen und nach der Villa Pliniana fuhren. Sie liegt sehr angenehm in einer kleinen Bucht ist aber nicht sehr gut erhalten, aber der berühmte Wasserfall ist noch immer schön; der Abend war herrlich und die Beleuchtung mayestätisch! Denselben Abend fuhren wir noch bis Como wo wir um 8 Uhr ankamen. Como hat eine schöne Vorstadt den See entlang sonst ist es alterthüml. gebaut. Der Dom scheint aus sehr verschiedenen Zeiten zu seyn und es ist schwer zu bestimmen aus welcher – ursprünglich scheint er nach Art der Basiliken gebaut gewesen, wovon aber nur noch sehr wenig übrig, wir logirten im Engel, unmittelbar am Seehafen wo ein großes Treiben von Menschen war, es ist ein sehr guter Gasthoff. *Donnerstag d. 20ᵗ May 30 am Himmelfahrts Tage.* Früh 6 Uhr fuhren wir ab und genossen bald eine himmlische Aussicht auf die Schweitzer Schneegebirge, besonders war der Monte Rosa wieder herrlich und in vollem Glanze, es war ein ganz heiterer Morgen, alle Leute festl. geschmükt, in der Kirche erklangen Meßgesänge, die Gloken läuteten überall und unzählige Menschen strömten herzu. In Varese gefrühstükt und dann nach Laveno am Lago Maggiore gefahren wo wir um 1 Uhr ankamen. Um 2 Uhr fuhren wir mit einem Kahn nach Isola Madre, wo besonders der Garten sehr schön und auf englische Art angelegt ist, viele nordamerikanische, und südliche Hölzer standen in der höchsten Pracht besonders Magnolien wie bei uns die größten Aepfelbäume. Die Insel besteht aus Gneis und aus den Felsen am See wachsen ungeheure Aloeen und Jucca. Nachdem wir ½ Stunde hier zugebracht fuhren wir nach Isola Bella, mit recht so genannt. Der Pallast ist gut erhalten, und wird jetzt theilweise neu ausgebaut, die Zimmer in Herkulanischen Geschmak ungemein heiterer Anblick; der ältere Theil zeigt von der Pracht und dem Reichthum der Boromeen, auch sind hier viel schöne Gemälde aus allen Schulen. Wir bestiegen auch die berühmten Terrassen, bis zur Bildsäule des Einhorns, das ist alles wahrhaft feenartig und alle Gemälde sind nur Schatten gegen die Wirklichkeit. Nachtigallen schmettern in Unzahl und die mildeste Luft umweht die Menschen, welche von Gesundheit strotzen, schöne Gärtnermädchen offeriren einem Blumen zum Andenken, welche man denn gern gegen eine Kleinigkeit annimmt. Hier steht auch der größte Lorberbaum in ganz Italien wenigstens versicherte man es uns. Nachdem wir uns eine Stunde an diesen herrlichen Sachen beim schönsten Wetter ergötzten, fuhren wir zu Wasser weiter nach Arona wo uns die collosale Bildsäule des heil. Boromäus um 8 Uhr bewillkommte. Wir waren schon auf unserer Reise nach Mailand vom Simplon aus eine Nacht hier gewesen u. logirten in dem selben Gasthoffe u. Stube, es sind sehr gute Wirthsleute. *Freitag d. 21ᵗ May 1830.* Früh 6 Uhr stieg ich allein (Ekermann fühlte sich nicht wohl) zur Bildsäule des Heil. Boromäus hinauf, es ist ohngefähr eine gute halbe Stunde von

Arona aber immer bergauf mit Stufen. Wenn man den Gipfel des Hügels erreicht, findet man ein Seminarium für Geistl., eine Kirche und andere Gebäude hinter welchen, auf einer Anhöhe wohin eine Alle von wilden Kastanien führt die collossale Statüe des Heil. Boromäus aufgestellt ist. Sie ist im Jahr 1624 errichtet worden, ist von Kupfer getrieben u. innwendig ausgemauert. Das Pietestal ist von Granit und 30 Fuß hoch, die Bildsäule selbst ist 72 Fuß hoch, das ganze also 102 Fuß, es ist ein herrlicher Anblick denn sie ist im edelsten einfachsten Stiel gemacht u. hat durchaus nichts manierirtes. Man kann auch hineinsteigen bis in den Kopf in welchem 15 Menschen Platz haben sollen, es ist aber sehr beschwerlich, ja gefährlich. Ich unterließ es daher und benügte mich mit der herrlichen Aussicht von dem Platz aus wo die Statüe aufgestellt ist u. wo man einen großen Theil des Lago Maggiore übersehen kann. Nachdem ich mich mit diesem Kunstwerk gehörig vertraut gemacht hatte, besah ich die Kirche welche nichts bemerkenswährtes enthält, sodann das Zimmer wo der Heil. gebohren worden, u. wo noch mehrere Reliquien von ihm und seine gleich nach dem Todte abgegossene Maske aufbewahrt sind, es muß nach dieser u. allen Bildern welche ich gesehen ein sehr schöner Mann gewesen seyn. Ich ging nach dem Gasthoff zurück, es war sehr warm geworden u. keine Wolke am Himmel, wir frühstükten und bestiegen um ½ 12. Uhr das Dampfbot mit welchem wir nach Sesto Calende fuhren wo wir um 1 Uhr anlangten, nachdem unsere Pässe visirt waren, stiegen wir in die Schnellpost und kamen in guter Gesellschaft von noch 3 Personen worunter besonders ein geistl. Herr von etwa 60 Jahren mit imposanter Phisionomie (er glich Leo dem X[t]) bemerkenswerth war; es ging ungeheuer schnell. Der Wagen ist sehr bequem, u. auf 14 Personen eingerichtet u. wird doch nur mit 3 Pferden gefahren, u. viel schneller als bei uns; um 6 Uhr kamen wir nach Mailand zurük. Sie sehen daß wir nicht dämmern sondern alles so wach als nur möglich abthuen. Jetzt wollen wir ein Par Tage hier ruhen um das gesehene gehörig zu verarbeiten und uns dann auf die Reise nach Venedig machen. Gestern d. 20. May habe ich Ottiliens Brief von 4[t] May erhalten. Grüßen Sie Alle und leben Sie wohl. Die Briefe addressiren Sie nur an Milius fort er besorgt sie mir nach.

Ihr treuer Sohn v. Goethe.

Sonnabend d. 22ten May 30. Früh ½ 5 aufgestanden gl. angezogen
am Tagebuch geschrieben bis 8. Um ½ 10 allein ausgegangen,
ohne eigentl. Zweck, blos um die Stadt und das Treiben der Menschen zu sehen. Ich kam zufällig auf den Fischmarkt; so etwas
hatte ich noch nie gesehen: Die Hauptsorten waren Forellen,
Lachse, Hechte, Ale, Karpfen und kleinere Fische die ich nicht
kannte. Von den 3 erstgenannten Sorten waren ungeheuere
große da, Forelen und Hechte über 16 Pfund schwer Lachse über
20 – 30 Pfund. Ale und Karpfen wie bei uns, auch war Stör zu verkaufen, es war nur noch das Schwanzstük da, nach diesem aber
mußte er wenigstens 10 – 12 Fuß lang gewesen seyn. Die Krebse
waren klein und nicht anlokend, was aber schauderhaft ist, ist
daß die Leute die Frösche welche sie das ganze Jahr verkaufen,
erst auf dem Markte *ganz* lebendig schinden, diese armen
Thiere hüpfen dann ohne Haut in den Körben umher mancher
geräth sogar heraus und taumelt auf der Straße blind umher. Es
war gräulich anzusehen, die Fische sind sämtl. geschlachtet und
damit sie sich bei der Wärme halten mit Eis bedekt. Gleich daneben war auch der Gemüsemarkt welcher einen recht lieblichen
Anblick darbot, alle Sorten frisches Gemüse, z. B. Artischoken,
Bohnen, besonders schöne Radisen, u. kleine weiße Rettige welche äußerst zart sind und gewöhnl. beim Rindfleisch gegeben
werden, so wie unzählige andere Gemüße waren dem Auge angenehm geordnet u. mit Blumen gezirt u. s. w. Nahe dabei ist
auch der Fleischmarkt wo in sehr reinlichen Gewölben das
schönste Fleisch, besonders treffl. Kalbfleisch feil ist, auf der
Straße selbst, werden gerupfte Capaunen, Tauben, junge Hüner
und andere Waldvögel den Vorübergehenden angeboten, besonders lüstern machen einen Gerichte von Hahnenkämen, welche apart arrangirt sind. Was auch recht angenehm für das Auge
ist, das sind die Obstläden, hier sieht man die schönsten Aepfelsi-
nen, bittere Orangen, Citronen, Kirschen aller Art, und besonders schöne Walderdberen und ich wünsche oft den Kindern daß
sie dieser Genüsse theilhaftig werden möchten. Feigen giebt es
noch nicht weil die erste Frucht erfroren ist. Andere Gewölbe
strozen von ungeheueren Spekseiten 4 – 5 Fuß lang, 1 ½ breit und
gewiß 5 – 6 Zoll dik, desgl. herrliche Schinken, Salami- und andere Würste in Unzahl hängen an den Deken der Gewölbe, Oliven in Oel, so wie andere Dinge in Essig in schönen Gläsern rei-

zen den Gaumen, auch sind daselbst in Tonnen Tunfische in Oel
eingelegt zu haben u. s. w.; die Conditorläden sind ebenfalls sehr
schön decorirt und mit allen erdenkl. süßen Lekereien versehen
verdienen aber von mir keine Centime. Ich halte es mit den
Osterien, und da ich beinahe 3 Stunden gegangen war sah ich
mich nach einer um und fand sie dann endl. in einer kleinen
Straße. Sie führte den Namen Primavera, ich ging hinein forderte Coteletto, et un mezo Pocal vino et Strakino, bekam alles
recht gut, der mezzo Pokale reichte nicht und ich ließ mir noch
eine Quartina (ein Viertelchen) geben. Um 1 Uhr ging ich weiter
und kam an die Straße der Goldschmidte. Sie arbeiten in den offenen Gewölben unmittelbar an der Straße und haben zugl. in
Glaßkästen ihre Waaren zierlich geordnet aufgestellt. Ich zählte
in kurzer Zeit über 200, es war ein eigner Anblik; sehr starke
goldne Ketten verschiedene Form Corallenschmuk u. Mosaiken
sind die Hauptartikel, von anderen Edelsteinen sah ich wenig
außer Carneole, von geschnittenen Steinen sah ich gar nichts, so
kam ich dann ½ 4 nach Hause nachdem ich 6 Stunden ununterbrochen gegangen war, ich war müde doch stärkte mich der Mit-
tags-Tisch. Ich hatte einen alten Engländer zum Nachbar wo es
dann mit der französichen Unterhaltung recht gut ging. Nach
Tische machte ich die Bekanntschaft eines jungen Mannes Namens Bendict, er war vor 10 Jahren in Weimar lange Zeit gewesen um sich bei Hummel auszubilden, dann ist er auch mehrere Jahre bei Maria v. Weber gewesen u. lebt jetzt in Neapel wo
seine Compositionen Beifall haben sollen, eine Oper von ihm ist
20 mal hinter einander gegeben worden. Um 6 Uhr gingen wir
in Begleitung dieses jungen Mannes ein wenig aus und ich kam
allein um 9 Uhr nach Hause Eckermann verließ so wie der junge
Mann am Theater *Canobiana*. Ich war sehr müde da ich heute
9 Stunden auf den Beinen gewesen u. ging gl. zu Bett. *Sonntag
d. 25' May 30.* Früh 6 Uhr aufgestanden, am Tagebuch geschrieben
und dasselbe bis den 21^t incl. abgesendet. Da ich noch von gestern
ermüdet, gingen wir erst um 12 Uhr aus: Wir kamen um 1 in eine
Osterie wo wir zu Mittag aßen weil die Musik im Jardin Public
wo sich Sonntags von 2 − 4 eine ungeheuere Menschenmasse versammelt, um 2 Uhr beginnt, u. bei uns erst um 4 gegessen wird,
um 2 Uhr in den der Osterie nahe gelegenen Jardin Publick. Es
ist eine Anlage von ungeheuren Allen wovon die größte 10 Rei-

hen Bäume hat, meist wilde Castanien u. Linden; die vereinig-
ten Musikchöre von 3 Regimentern spielen die neusten Opernsachen vortreffl. Die Menschenmasse die sich hier bewegte, war
enorm und ich glaube nicht zu übertreiben wenn ich sage daß
10 000 Menschen auf den Beinen waren. Nach eingezogener Erkundigung hörte ich daß es Handwerker mit ihren Familien,
kleine Kaufleute u. Krämer wären, ale waren elegant aber nicht
prächtig angezogen, man mußte die schönen Männer, Frauen
und Mädchen bewundern, so wie auch die Haltung und Phisionomien der älteren Männer, die älteren Frauen sind meist sehr
dik. Ich blieb bis 5 daselbst und trieb mich herum sodann ging
ich in das nahe gelegene Caffe a la Porta Orientale von wo man
von einer Terrasse einen Theil des Corso übersehen kann. Ich
genoß einen Becher Eis u. 1 Glas Wein. Um 6 begann das Corsofah-
ren. Es war heute besonders brilliant da es ein herrlicher Tag war,
vorher wird der ganze Corso mit Wasser gesprent damit es keinen Staub giebt, ich zählte in wenig Minuten über 100 prächtige
Equipagen die vorbeirollten, und es können ohne Uebertreibung
wohl 1000 verschiedene Equipagen an mir vorüber gerollt seyn.
Dies ist das Vergnügen der vornehmen Mailänder worauf sie viel
Geld wenden. Die Wagen Pferde sind lauter Meklenburger, und
kostet das Paar wohl 1500 – 2000 rt. Die Reitpferde sind engliche
u. noch theurer. Die Pagen, Geschirre und Livreen meist reich u.
schön. Auf den Trotoirs wogt nun daneben eine unabsehbare
Masse Fußgänger alles bunt u. elegant angezogen. Ich blieb hier
bis ¼ 9 wo ich mich dann nach Hause begab. Ich mußte mich auf
einer Straße die wenigstens 50 Fuß Breite hat erdenklich durchwürgen. Die Entfernung von meinem Wirthshause war ohngefähr bis über Belvedere hinaus, ich ließ mir etwas zu essen geben,
ging dann zu den Wirthsleuten welches sehr angenehme Leute
sind, es wurde viel über Mailand gesprochen und ich hörte den
Unterschied von sonst und jetzt. Auch lernte ich hier einen jungen protestantischen Geistlichen kennen welcher vom Gouvernement berufen war um den protestantischen und reformirten
zur Garnison gehörigen Soldaten die jährliche Predigt zu halten
u. das Abendmahl zu reichen, es sind meist Ungarn, Mähren u.
Siebenbürgen und ohngefähr 700 an der Zahl. Wir blieben bis 12
zusammen und so war ich denn heute 18 Stunden auf den Beinen. Ekermann hatte sich schon früher von mir getrennt und lag

im Bette. *Montag d. 24ᵗ May 30.* Früh 5 Uhr auf, das Tagebuch geschrieben, um 11 Briefe vom Vater erhalten als vom 29. Aprl. mir
v. Genf nachgesendet, und vom 10ᵗ May. Große Freude darüber.
Dann ging ich aus um einiges noch einmal zu besehen was mich
interessirt hatte. Um 1 in eine Osterie z. Frühstük – ½ 2 dann zu
einem Antiquar, über diesen Besuch schreibe einen apparten
Brief und lege Sachen bei die Ihnen gewiß willkommen sind, ich
habe nämlich ein Nest von Medaillen aus dem 15ᵗ, 16ᵗ u. 17ᵗ Jahrhundert, wovon wir noch keine haben. Ich sende sie bald durch
Hr Milius mit Frachtgelegenheit über Frankfurth. ½ 4 nach
Hause um 4 z. Tisch, den Abend laß ich in den Büchern die ich
über Italien mitgenommen um mich über Weitere Reise nach
Brescia, Verona, Padua und Venedig vorläufig zu unterrichten,
ich war sehr müde geworden und ging um 10 z. Bett. *Dienstag
den 25ᵗ May 30.* Nach einer etwas unruhigen Nacht (es war sehr
heiß) um 6 etwas ermüdet aufgestanden; gl. angezogen und dann
am Tagebuch geschrieben. Später Besuch des Antiquar Sangui-
rico der mich einlud seine Sachen noch einmal zu sehen. Um
11 Uhr ausgefahren durch mehrere Theile der Stadt die ich wegen der großen Entfernung noch nicht besucht hatte, zum Hospital der Barmherzigen Brüder. Was soll ich von einem solchen
Institut sagen? Es ist unbeschreiblich. Groß und schön eingerichtet. Das Gebäude ist neu und in seinen Räumen größer als unser
Schloß hat einen herrlich eingerichteten Garten, seine eigene
Apotheke u. s. w. Der Raum, wo die Kranken unentgeltlich ge-
pflegt werden besteht in einem 200 Schritte langen u. 20 – 30 Fuß
breiten Saal. Zu beiden Seiten sind die Betten aufgestellt. Sie haben eiserne Gestelle, jedes 2 Matrazen von dunkelblau und
weißem Zeug, ein reinliches Couvert u. 2 Kopfkissen. Neben jedem Bett befindet sich ein Tisch worauf die Arzney in schön ge-
schliffener Flasche u. ein Porzellankrug mit dem nöthigen Ge-
trank stehen, ein Nachtstuhl ist auch sehr sinnig angebracht. In
der Mitte dieses Saals an der Wand ist ein Altar angebracht,
schön und prachtvoll mit herrlichem Altargemälde. Hier werden die tägl. Messen gelesen und jeder Kranke kann aus seinem
Bett den Priester sehen. Auch befindet sich in diesem Saal ein
schön anzusehender Brunnen wo man durch aufdrehen eines
Hahns immer das frischeste Wasser haben kann. Gerade dem
Altar gegenüber öffnet sich noch ein Saal mit Krankenbetten

so daß es etwa diese Figur bildet: Es sind ohngefähr 100 Betten da und es mochten gegen 60 Kranke da liegen. Der Eintritt ist jedem Fremden ohne irgend ein Trinkgeld gestattet. Es ist eine musterhafte Anstalt. Jede Aprehension gegen Kranke verlirt sich im Augenblik des Eintretens. Wie reinlich sind alle angezogen sogar hatten viele die schönsten Vatermörder um. Die Verwandten dürfen sie besuchen doch wird so leise gesprochen daß man keinen Laut hört. Die Brüder bedienen die Kranken und ich habe keinen Wärter als Geistl. gesehen – bei einem gefährl. Kranken sitzt einer immer beim Bett und lauscht auf jeden Athemzug u. Wink: Es waren lauter männliche Kranke. Kinder, junge Leute, Männer u. Greise. Ueber den Betten, wovon jedes auch noch einen Umhang hat so daß es ganz wie ein Himmelbett verschlossen werden kann geht eine eißerne Gallerie von welcher aus die diese Räume erleuchtenden Fenster geöffnet u. geschlossen werden können, und obgl. viele Fenster geöffnet waren so spürte man doch keine Spur von Zug. Die Luft war rein und kühler wie im Freyen, keine Spur von Geruch weder nach Medicin oder Räucherwerk, es ist eine Ehrfurcht gebietende Anstalt. Dieses Hospital ist durch Vermächtnisse von Privaten gegründet und soll jetzt immens reich seyn u. immer mehr werden, denn es soll kein Jahr vergehen wo nicht mehrere 100 000 Lire dahin vermacht werden. Es ist auch ganz neu aus eigenen Fonds gebaut, die Vorhalle, die Doppeltreppe welche zu dem Saal führt, würde jedes Schloß zieren. Wenn ein Krankes Subjekt aufgenommen zu werden wünscht so meldet man es dem Vorstand, dieser sendet den Spital-Arzt welcher den Kranken untersucht und nach Befinden wird er aufgenommen oder zurükgewiesen. Von sehr anstekenden Krankheiten befallene, Aussätzige, oder unheilbare Kranke werden nicht aufgenommen, da hierzu das große Spital vorhanden welches ebenfalls durch milde Privatstiftungen begründet ist und gegen 3000 Kranke aufnehmen kann, es ist viel größer in seinen Räumen und viel reicher als das erstere, ich komme später darauf zurük. Ich fuhr nun nach der Münze sie war aber diesen Tag geschlossen, doch gab mir der Director Manfredini, als der Lohnbediente ihm meinen Namen genannt eine Charte zu Einlaß in die große BronceGießerey Privat Eigenthum der Gebr. Manfredini, wo jetzt die 6 Collossalen Pferde u. der Triumphbogen nebst Vic-

torie gegossen werden welchen den Arc du Simplon (jetzt Arc de
la Paix genannt) zieren sollen, diese Gießerei liegt ½ Stunde von
Mailand, und wir wurden von dem Hr. Manfredini sehr gut empfangen. Es ist ein Mann in besten Jahren und wurde schon unter
der franz. Regierun nach Paris gesendet um die MetallGieß-
kunst im Großen zu erlernen. Es ist ein ungeheures Unternehmen diese 6 Pferde wovon jedes 14 − 16 Fuß hoch ist und jedes
eine andere Bewegung hat. Es müssen daher 6 besondere Formen gemacht werden. Im Verhältniß groß ist der Wagen u. die
Victorie. Ich sah zugleich modelliren, formen und ziseliren u. sodann schon fertige Theile welche zusammengesetzt wurden. Es
war ein imposanter Anblik; diese verschiedensten Arbeiten machen zu sehen, ich glaube daß in der neueren Zeit in der ganzen
Welt kein größeres Werk in Bronce ausgeführt worden ist. Nachdem ich alles genau betrachtet empfahl ich mich nach einer
Stunde und fuhr nach der Stadt zurük, frühstükte ½ Stunde in
einer Osterie und fuhr dann noch von der Porta Orientale um die
Stadt bis Porta Ticinese, sodann nach dem Gasthoff wo ich halb 4
anlangte. Es ist das zweite mal daß ich einen Wagen genommen,
es ist aber auch nicht möglich solche Touren zu Fuß in dieser
Hitze zu machen. Um 4 Uhr zu Tisch angenehme Gesellschaft
von 3 Obertribunalräthen, lauter Deutsche, ein Schweitzer, ein
Oestreicher und ein Freyburger. Mit Letzteren ging ich nach
Tisch um 6 Uhr in einen neu eingerichteten Lesezirkel wo ausländische Journale und Zeitungen gehalten u. gelesen werden.
Es hat schwer gehalten die Erlaubniß hierzu zu bekommen, doch
hat man es endl. von Wien aus genehmigt. Die Schriften pp, meist
deutsche kommen über Wien von der dortigen Censur genehmigt, ich fand sogar den Freymüthigen und den Kometen u. s. w.
An engl. u. französischen Zeitschriften fehlt es auch nicht. Man
glaubt daß sich dieses Institut immer mehr ausbreiten werde, es
hat ein hübsches Local mit 6 − 8 Zimmern, einen Balkon nach der
Straße und eine Terrasse nach hinten von welcher man die Aussicht in einen sehr schön eingerichteten Privatgarten hat. Nach
einer Stunde empfahl ich mich mit Dank, ging in den Gasthoff
wo ich bis 9 blieb dann ging ich noch um 9 in das Theater Canobiana, wo nach dem ersten Act der schon seit meines ganzen Aufenthalts gegebenen Oper Conte Orry, das Ballet die Waise von
Genf gegeben wurden welches ich zwar schon, aber in einer sehr

ermüdeten Stimmung gesehen hatte, es wurde sehr gut execu-
tirt. Die Röckchen der Tänzerinnen reichen nicht über das Knie
und man sieht bei ihrem schnellen Dren, Sprüngen und sehr
schönen Stellungen die schönsten Waden, Schenkel u. s. w. Um 11
war das Ballet aus und ich ging weg ohne den 2^t Act der Oper abzuwarten, ich hatte gerade für diesen Tag genug. *Mittwoch d.
26^t May 30.* Früh ½ 6 aufgestanden, am Tagebuch geschrieben und
manches geordnet. Dann mit dem Lohnbedienten ausgegangen,
Ekermann hatte Schnupfen u. blieb zu Hause. Wir gingen zuerst
zum großen Hospital einer Stiftung von den Forza welche auch
den Bau des Doms begonnen, er hat sich durch bedeutende Vermächtnisse ungeheuer erweitert. Seine Facade hat 67 Fenster
von enormer Größe ein Hauptthor mit zwei Nebenthoren für
Fußgänger, der innere große erste Hoff bildet ein Quadrat und ist
rings um mit nach dem Hoff offenen Hallen umgeben. Jede
Seite wird von 24 Granitsäulen getragen also 96 im Ganzen welche 2 ½ Fuß im Durchmesser und circa 15 Fuß Höhe haben, hier
befindet sich auf der einen Seite der Eingang wo dann Piecen für
Portiers, Aufwärter, die Küche, das Waschhaus u. s. w. enthalten
sind. Dieser Seite gegen über ist die Apotheke von ungeheurer
Größe, das Laboratorium und mehrere andere Piecen. In den 2
anderen Flügeln befinden sich die Kranken Säle auf dem einen
für männliche auf der anderen für weibliche Kranke. Ich war in
beiden, sie sind in einem gleich schenklichen Kreuz gebaut in
der Mitte der Altar wo wie bei den Barmherzigen Brüdern jeder
Kranke die täglichen Messen hören und den Geistl. sehen kann.
Die kleinen Striche ⊹ bedeuten die Betten das Runde ist der
Altar. Es sind ⊹ die Gänge 200 Schritte lang und
enthalten circa jeder ⊹ 250 Betten. Es sind in den Oberen- und
Nebenräumen aber auch sehr viele Säle und Zimmer zur Aufnahme der Kranken so daß in schlimmen Fällen über 3000 untergebracht werden können. Außer dem großen Hoff wo man
eben Stroh verbrannte welches von Nervenfieberkranken aus
den Matrazen genommen war, giebt es noch 8 kleinere Höfe mit
Einrichtungen zu diesem Zwek, es ist ein eigenes Schlachthaus
Hüner Remise da, so auch sind in dem Gebäude die Wohnungen
des Directors, der Aufseher, Wärter welche unzählig seyn sollen.
Alle sind gut besoldet u. haben alles frey. Durch Vermächtnisse
ist das Capital dieser Anstalt auf fünfzig Millionen Lires gestie-

gen. Die Kranken bekommen alles umsonst und wenn es nöthig 4 – 5 mal frische Wäsche und sonstige Bedürfnisse. 10 Geistliche sind die Seelsorger und so ist nichts versäumt. Aerzte sind auch eine Menge angestellt u. wohnen da. Was die Reinlichkeit betrifft so könnte sie musterhaft genannt werden wenn man das Spital der Barmherzigen Brüder nicht gesehen hätte da kommt es einem aber wie Tag und Nacht vor, ich durchging die Säle noch und besah flüchtig sowohl die männl. als weibl. Kranken. Der Eintritt ist Fremden ebenfalls von 10 – 12 frey und ungehindert gestattet. Nun eilte ich aus diesem Castrum Doloris ins Freie kneipte aber bald in einer Osterie ein wo ich köstlichen Sturione (Stöhr) aß. Es ist das Rindfleisch unter den Fischen. Der erste den ich bis jetzt gekostet und ein gutes Glaß Wein hilft mir ihn verdauen. Hierauf besuchte ich abermals den mich interessirenden Fischmarkt, wo ich einen ganzen Stöhr von 8 Fuß Länge zum ersten mal sah, die unglüklichen Frösche hüpften auch heute geschunden umher. Ein Markt wo nur Butter, Käse, Pratino, Schweitzer u. s. w. verkauft wird interessirte mich auch, er war so groß wie der Töpfermarkt, er war gepfropft voll Buden, die Butter wird hier in großen Ovalen Scheiben von 6 – 10 Pfund verkauft u. ist jeden morgen frisch. Die Verkäufer bedeken die Gefäße mit Eis damit sie immer frisch bleibe. Nahe dabei lag auch eine ganz kleine Kirche St. Bernardino a il Morti welche wunderlich im Innern erscheint da alle Wände Mosaik artig mit wirklichen Totenköpfen und Menschengebeinen belegt sind, sie hat auch ein wunderthätiges Muttergottesbild und bekommt so viele Opfer von Privaten daß sie selbst 12 000 Lire an die Regierung entrichten muß, diß ist von den Franzosen eingeführt worden. Nun ging ich noch zu 2 Antiquaren und kaufte für weniges noch 6 Medaillen für Ihre Sammlung. Ich hoffe Sie werden zufrieden seyn. Eine gute antike Bronze, oder der guten Zeit des Mittelalters ist mir noch nicht vorgekommen, aber treffl. Majolikas aus den besten Zeiten und mit herrlichen Süjets und vortreffl. Zeichnung sah ich in Menge bei dem einen Antiquar. Er hielt das Stük im Durchschnitt Schüssel oder Teller 1 Napol. d'Or. Hier wischte ich mir den Mund besah mir aber alles genau. Es sind enorme Sachen aller Art in solchen Gewölben aufgehäuft; es war Ein Uhr geworden und ich ging nach Hause. Laß die Zeitungen, schrieb dann diesen Tag bis es dann um 4 zu Tische ging. Noch erwähnen muß ich eine Procession, die ich Vormittag sah. Es waren einige hundert Geistliche und zuletzt erschien auch noch der Erzbischoff Graf Cajetan v. Geisrath-Neustedt und segnete die Umstehenden mit freundl. Gesicht. Nach Tisch um ½ 7 ging ich aus um eine ausgestopfte Giraffe zu sehen welches mir auch gelang. Es ist ein junges nur 1 Jahr alt geworden männl. Geschlechts aber gut erhalten etwa 12 — 14 Fuß hoch. Hier waren auch noch andere Naturalien, an Muscheln, Corallen, Fischen u. s. w. zu sehen, es war aber ausgenommen ein getroknetes amerikanisches Armadill nichts bemerkenswerthes dabei. Ich wollte ins Marionetten Theater gehen, es war aber keins, da ging ich denn nach Hause wo ich nach 9 Uhr ankam, ich unterhielt mich noch bis 10 im Säulengang bei herrlicher Kühle mit der reichmannschen Familie u. ging dann zu Bett. *Donnerstag d. 27ᵗ May 30.* Früh ½ 6 auf das Tagebuch vollendet bis 26 incl. Dann Medaillen u. Steine eingepackt — 11 Uhr dann zum Antiquar, aber nichts gekauft. Später nach Hause. Hr Milius besuchte mich. Er geht mit den Seinigen auf seine Campagna am Comer See. Briefe durch Hr Deveux von Weimar erhalten mit dem Postzeichen von Bologna. Desgl. vom Vater durch Hr Milius. Um 4 z. Tisch, gestrige Tischgesellschaft sehr munter viel östreichische Anecdoten von Oestreichern selbst treffl. erzählt, viel gelacht, um 7 auf mein Zimmer geschrieben, um 8 ins Marionetten Theater, sehr schlecht, man konnte kaum lachen, um ½ 11 nach Hause. Ekermann war in die Oper gegangen. Um 12 z. Bett. *Freytag den 28ᵗ May 1830.* Früh 6 auf, starker Regen zweiter Regentag in Mailand, ganz umzogner Himmel. Um 10 Uhr ging ich aus um dem Hr Sangunico in seinem Attelier in der Scala einen Besuch zu machen aber vergebl. Er war abermals nicht da. Hierauf sah ich bei einem Antiquar einen Holzschnit hängen, einen Heiligen der vor einem ✝ betet. Er war außer einigen Fleken gut erhalten. Es stand in der Eke Guid. Rhen. Inven. Barthol: Coriolanus Eques Sculps. Bonon. 1634. Ich fragte nach dem Preiß und da man nicht mehr als 16 ½ Kopfst. forderte, so kaufte ich ihn. Er folgt mit der nächsten Sendung welche durch Fracht übermachen werde. Ich machte auch einen Versuch Hr. Congi zu besuchen aber traf ihn leider nicht zu Hause, so ging es mir ebenfalls mit einem Antiquar welcher noch Medaill. welche in Ihre Sammlung passen haben sollte: So kam die Tischzeit herbei. Ich saß wieder bei meinen Nachbarn, Ekermann hatte sich heute wo anders placirt. Diese Herren kennen sämtl. Ihre Schriften genau und sind sehr angenehme Leute; schade daß sie einige Tage verreißen. Ich habe eine von Ihren Medail. in ein sauberes Rähmchen fassen lassen und selbige durch den einen der Herren welcher mich eingeführt hatte, dem neuen Lese Institut (Cassino genannt) zum Geschenk gemacht. Nach Tisch blieb ich zu Hause schrieb und so verging die Zeit, bald zu Bett da ich mich nicht ganz wohl fühlte. *Sonnabend d. 29. May 30.* Man hatte mir von allen Seiten gerathen ein 2 ½ Stunde von hier gelegenes Kloster die Chartereuse genannt zu besuchen und ich fuhr heute früh 6 Uhr mit Ekermann dahin. Der Weg führt in einer angenehmen Gegend wo man die Schweitzer-Gebirge sehen kann. Neben der Chaussee geht ein Canal welcher aus dem Laco Maggiore kommt und bei Pavia in den Po ausmündet, er war von Schiffen belebt und es gewährte dieß bei *herem* Himmel einen erfreulichen Anblick. Zu Seiten des Canals und der Chausse sind die üppisten Reißfelder welche durch den großen und viele kleine Canäle unter Wasser gesetzt werden. Der jetzige Stand des Reises giebt Hoffnung zu einer guten Aerndte. Um ¾ 9 an. Wir fuhren gleich im Klosterhoff an und wurden von einem Führer empfangen welcher französich sprach. Dieses Kloster wurde von Johann Galeace Visconti 1394 gegründet u. datirt, aber nicht von ihm vollendet geschehen denn er starb schon 1402. Der Reichthum der Stiftung und noch andere Dodationen machten es möglich dieses Gebäude zu einem der prächtigsten in ganz Italien zu machen, denn was Ueberfluß an den herrlichsten Steinarten, Mosaiken, Gemälden, Sculpturen betrifft so wird man es nirgends finden, worüber hier nur eine Stimme herrscht. Ich sage weiter nicht davon sondern Sie erhalten mit gedachter Sendung eine kleine französische Beschreibung mit Grund- und Aufriß. Nachdem wir 2 volle Stunden zu einer doch nur flüchtigen Besichtigung gebracht hatten fuhren wir wieder nach Mailand zurük wo wir ½ 3 ankamen. Um 4 zu Tisch. Abend zu Hause da es mir noch nicht ganz recht war. Leidlich geschlafen. *Sonntag den 30ᵗ May 30 am 1ᵗ Pfingsttag.* Früh 7 Uhr auf, am Tagebuch geschrieben und manches arangirt u. zur nahen Abreise vorbereitet. ½ 12 in den Dom der Predigt zugehört welche der Erzbischoff hielt, es waren auf der ungeheu-

ren Canzel noch 3 Bischöffe und 4 andere Geistl. Der Erzbischoff
in goldner Mütze u. großen Ornat, der Dom war über die Hälfte
gefüllt und das bunte Gewimmel von Sizenden und Stehenden
machte einen Eindruk den man kaum beschreiben kann. Nach
der Predigt war Kirchenmusik nicht besonders u. viel zu schwach
für das ungeheure Gebäude. Dann in eine Osterie behagl. Zustand unter Granit Säulenhallen in römichen Hoff, die Wände
architektonisch perspectivisch gemalt so daß man sich in den
größten Räumen glaubt. Dann nach Hause. Ekermann war schon
vor 10 ausgegangen, und ich fand ihn auch nicht wie ich zu
Hause kam. Ich schrieb am Tagebuch bis z. Tischzeit, es ist ein
herrlicher Tag nicht zu warm und doch ganz Wolkenleerer Himmel. Zum Tischnachbarn hatte ich einen Wiener, einen hier angestellten im Baufache aus Wien. Ich unterhielt mich mit ihm
über das Material, die Arbeitsleute und Hanwerker, wo er denn
besonders die Steinmetzen u. Maurer lobte, über die Art der Bedachung mit den Hohlziegeln klagte er sehr was ich auch begreife da ich gesehen welche last solche Dächer haben und wie
unordentlich sie unterhalten sind: In der Mineralogie schien er
nicht sehr bewandert, denn Granit u. Gneis waren ziemlich eins
in seinen Gedanken. Nach Tisch las ich Zeitungen bis ½ 7 und
schlenderte dann bis ¼ 10 durch die am 1^t Pfingsttag sehr belebte
Stadt, alle Caffes deren es Tausende giebt waren *innen* gefüllt
und vor denselben hielten Equipagen saßen Herren und Damen
welche sich die verschieden Sorbetti wohlschmeken ließen. Als
ich nach Haus kam erhielt ich eine Einladung von unserer
freundl. Wirthin zu einer musikal. Abendunterhaltung im Saal.
Es war niemand zugegen als die Familie, es spielte aber eine Demoiselle Berthaler aus Inspruk welche Töpfer ohngefähr vor
einem Jahre bei Ihnen eingeführt hat und auch bei Ihnen gespielt hat. Mit großem Enthusiasmus zeigt sie noch die von
Ihnen erhaltenen Medail. und die Einladungskarte von Ihrer
Hand. Sie spielte 3 im Charakter verschiedene Sachen ganz vortreffl. Nach ihr sang eine Demois. Roßner ebenfalls eine Deutsche welche hier seit einem Jahr Singunterricht hat ein angenehmes Wesen u. sehr anspruchslos. Sie ist für de la Scala
bestimmt und soll künftigen Winter mit der Pasta wetteifern.
Ehe sie den Mund aufthat dachte ich mir was kann das seyn!
Nachdem sie aber 2 italienische Arien und die Cavatine der

Agathe aus dem Freyschütz gesungen (u. wenn die Wolke sie verhüllt) war man ganz hingerissen u. erstaunt. Die Stimme ist bei
einem sogar etwas leidend scheinenden Aeußern ungemein stark
u. rein ohne irgend gellend zu seyn. Der Saal in dem sie heute
sang ist wenigstens 60 Fuß lang, 30 breit und 20 hoch. So habe
ich die Arie aus dem Freyschütz noch nie singen hören. Es dauerte bis 12 dann gl. z. Bett, etwas unruhige Nacht, wahrscheinl.
durch die Aufregung.

Mailand am 30^t Mai 1830.

Bester Vater.

Obgleich ich hier für mich gar nichts gekauft habe, als einige
Ansichten von Mailand u. der Umgegend, welche zur angenehmen Erinnerung dienen werden, so sende doch hierbey 2 Kistchen u. 1 Rolle. Das eine Kistchen enthält die für Sie erkauften
Medail., es ist eine hübsche Anzahl und der ganze Aufwand nur
8 Napol. d'Or. Es werden wenig Doubletten seyn höchstens 2 od.
3 wo ich nicht genau wußte ob wir sie hatten. Ich hoffe sie sollen
Ihnen u. Meyer Freude machen, es ist nach meiner Ansicht
nichts unbedeutendes darunter. Dann habe ich eine alte Streitaxt
von einem wunderbaren zum Talkgeschlecht gehörigen Stein
und 1 Stük Lapis Lazuli für ein Kopfstük gekauft, auch liegen einige mineralog. Erinnerungen, Ekermann gehörig mit bey, so
folgt auch ein neuer Plan von Mailand, die Beschreibung der
Chartreuse. In dem anderen Kistchen sind einige Kleinigkeiten
für die Kinder, nämlich 2 Halstücher für Walther und Wolf, ein
Kleidchen für Alma und ein weißes Roßenbouket für Ottilie zur
Erinnerung des 17^t Juny. Uebergeben Sie solches allens, wenn es
schon früher angelangt seyn sollte den 17^t Juny an Ottilien zu
weiterer Vertheilung. In der Rolle befinden sich einige Ansichten von Mailand, dem Laco Maggiore u. Laco di Como, dergl.
eine Ansicht des Arc de Triomphe du Simplon, jetzt Arc de la
Paix genannt. Alles dient später zu besserer Verständigung bei
gemüthl. Erzählung. Legen Sie eine eigene Mappe zu diesen
Dingen an, denn es kommt doch wohl noch manches von andern
Gegenden hinzu. Aus meinem Tagebuche werden Sie sehen daß
ich mich nicht hetze sondern alles mit Gemüthlichkeit sehe
und manchen Tag zubringe um das Gesehene geistig zu ver-

dauen. Da ich mein Tagebuch doppelt, näml. einmal ganz kurz mit Bleistift in die Schreibtafel, dann aber ausführlich an Sie schreibe, so giebt mir dieses Stoff zum Nachdenken über die gesehenen Gegenstände und ich bin genöthigt mir alles doppelt zu vergegenwärtigen, auch bei anderen müßigen Augenbliken rufe ich mir das Bedeutende wieder ins Gedächtniß und so denke mit reicher deutlicher Erinnerung zurükzugehen. Im Ganzen ist meine Stimmung sehr ruhig, und ich kann sagen daß ich niemals besonnener, weniger heftig und duldsamer gewesen bin. Der Zustand meiner Nerven besonders hat sich bedeutend gebessert, ich möchte sagen ist ganz im Gleichgewicht, das einzige was mich noch incommodirt ist zuweilen unregelmäßiger Puls und der Druk in der Magengegend, gewönl. beim Eintrit der Hemorhoides Periode beim 1^t Virtel des Mondes wie z. B. jetzt. Ich stehe gewöhnlich um 5 auf, schreibe am Tagebuch, bringe die Geldsachen in Ordnung u. s. w. Vieles was mich interessirte habe ich bereits doppelt gesehen, da die Trinkgelder sich nie über 1 Kopfstük belaufen. Die Reichmannsche Familie (die Wirthsleute) sind vortrefl. gemüthlich behülflich in allen obgl. sie sehr vornehm sind besonders gegen marktende Engländische Familien, und doch kehren alle da ein. Ich habe manchmal mehrere Wagen einer Familie 1 Stunde vor dem Gasthoff halten sehen ehe sie ausstiegen, da wurden erst die Zimmer besehen, nach den Preißen, Trinkgeldern u. s. w. gefragt u. s. w. und dann fuhren sie doch herrein. Hr. Reichmann war auch ein Mitglied der Akademie des Herzog Carl Eugen von Würteberg von welcher Hr. Klenk uns einen Mittag erzälte, und war auch bey der Secularfeyer vor zwey Jahren. Er hat mir zwey bey dieser Gelegenheit geprägte Medaillen und eine Beschreibung geschenkt, wovon eine für Sie bester Vater bestimmt ist; ich habe ihm dagegen eine von Ihren Jubelmedaillen verehrt worüber er sehr glüklich war.

Montag den 31^t May 2^t Pfingsttag. Früh 6 aufgestanden, gl. fertig gemacht u. am Tagebuch geschrieben. Eine Sendung an den Vater durch Frachtgelegenheit vorbereitet. Sie wird in zwey Kistchen, und einer Rolle bestehen, und ein inliegender Brief alles näher bezeichnen. Hierauf das Tagebuch bis 30^t May incl. zur Briefpost gesendet. Alles dieses beschäftigte mich bis gegen

3 Uhr um welche Zeit wir auch heute wegen des Wettrennens in der Arena welches Herr Alesandro Guerra Vorsteher der hier stationirten Reitergesellschaft veranstaltet hatte, es war das erste mal nach 3 Jahren daß in der Arena ein dergl. Schauspiel gegeben wurde. Wir fuhren ½ 5 dahin es ist über 1 Stunde zu gehen. Durch die Güte eines meiner östreichischen Tischnachbarn hatten Ekermann u. ich zwey Erlaubniß Scheine erhalten uns Billets auf die Plätze zu lösen, wo bloß der Mailändische Adel u. die höheren Staatsbeamten zugelassen werden. Die Sitze sind hier von Granit und mit weichen Polstern belegt und da wir früh kamen so nahmen wir gerade in der Mitte Platz ohngefähr im ersten Drittel der Stufenbänke deren 20 übereinander sind. Die übrigen Sitze in den anderen Theilen der Arena sind Raßenbänke welche mit grün angestrichenen Bretern belegt werden. Wir konnten von unseren Plätzen alles übersehen, die Räume waren schon sehr gefüllt als wir ankamen, aber gegen 6 konnte man diesen ungeheuren Raum ganz besetzt nennen. Es waren gegen 28 000 Menschen im hohen Putz aus allen Ständen versammelt (30 000 faßt sie wenn es ganz gedrängt ist). Der Himmel war günstig ein halbbedekter Himmel die Sonne kam zuweilen durch die Wolken und beleuchtete die uns gegenüber stehende lange Seite der Arena mit ihrem Menschengewimmel. Zwey Musikchöre östreichischer Regimenter spielten abwechselnd, und wie einen angenehmen Klang vernahm man 24 Trompeten der Carrabiniers welche gegen uns über schmetterten, wie groß also die Entfernung! Diß alles machte einen großen Eindruk denn so etwas wird man nicht leicht wiederfinden. In der Arena selbst war eine Rennbahn abgeschlagen um welche denn das Schauspiel um 6 Uhr losging. Den Anfang machte ein Knabe Giorgio Cocchi von 13 – 14 Jahren welcher auf 2 ungesattelten Pferden stand und 3 andere an langen Zügeln haltend vor sich her mit langer Peitsche trieb. Er durchrann im vollsten Carrire die vorgezeichnete Bahn 3 mal ohne zu wanken sondern man sah mit welcher Sicherheit u. Energie er die drey ersten Pferde immer antrieb, er wurde natürl. sehr beklatscht und dann noch herausgerufen u. wieder mit Jubel entlassen. Hierauf folgten 5 Jokeis 3 auf Pferden von Privatbesitzern (auch die Jokeis waren in Diensten der Privaten) u. 2 von den Kunstreitern, sie waren in verschiedenen Farben gekleidet, es waren 3 Preise ge-

setzt der 1^t 300, d.2^t 200, d.3^t 100 Kopfstük. Auf ein gegebenes Zeichen verließen sie das Ziel, wie Furien sausten die Kerls fort, einer ganz in weiß behielt immer den Vorrang, doch überholte ihn beim driten Umrennen ein rother, ein blauer war der 3^t beste. Die vier Kunstreiter hatten schon früher das Feld geräumt. Die 3 besten sollten später noch einmal wetteifern und dann die Preiße vertheilt werden. Hierauf erschienen 3 Amazonen sehr geschmakvoll doch ganz verschieden aber sehr brilliant gekleidet, als roth, grün und gelb mit selben Helmen, es war Mad: Schirer eine Deutsche, Melle Carara u. Melle Dupay. Sie stellten sich an das Ziel und auf ein gegebenes Zeichen ging es fort wie ein Blitz, Wildheit und Grazie wechselten, Melle Dupay schien schon beim 3^t Umrennen des 1^t Preises gewiß als der Gurt des Sattels sprang und sie herabstürzte, die beiden andern sprengten über sie hinweg und Melle Carara langte zuerst am Ziel an u. bekam den 1^t Preiß. Es wurde bestimmt daß sie noch einmal rennen sollten. Der Preiß bestand in einer Ehrenfahne mit goldnem Lorber, welchen sie aus der Hand eines Polizey Officianten von einer Tribüne herab erhielt. Nun erschienen 5 ganz kleine Jokeis auf Lithauer Pferdchen wovon 4 zur Reitergesellschaft gehörten und einer ein Privat war. Der Preiß war eine goldene Repetier-Uhr. Sie waren alle verschieden gekleidet und es sah allerliebst aus. Sie machten ebenfalls die Tour dreymal um die Rennbahn und der Privat gewann den Preiß u. eine Ehrenfahne. Hierauf mußten die ersten drey Jokeys wieder heran. Sie stellten sich an und auf das Zeichen ging es fort. Der weiße war wieder der Vorderste, er war sehr besonnen, der rothe zu heftig kam nicht vor, nun wollte der blaue es versuchen und beim 3^t mal wäre es ihm gelungen wenn er nicht Gott weiß wie vom Pferde stürzte, sich 3 mal überschlug u. für todt aufgehoben wurde. Der weiße war zuerst am Ziel, der rothe zu zweit, dem blauen wurde der 3^t Preiß zuerkannt, und er rappelte sich bald wieder auf, erhielt auch seinen Preiß u. eine Fahne und ritt noch einmal als ein auferstandner unter lauten Beifallsruf um die Rennbahn. Nun mußten die Amazonen wieder daran, sie ritten noch verwegener alls das erste mal. 2 verloren die Helme und stürmten mit fliegenden Haren fort. Beim 3^t Umrennen erhielt Melle Carara abermals den ersten Preiß. Nun wurde es nach u. nach schumrig und das Feuerwerk begann zuerst mit Raketen, Leuchtkugeln, Schwär-

merbüchsen u. starken Kanonenschlägen, auf einmal aber spie
der ganze Umfang der Arena Feuer und Tausende von Leuchtkugeln stiegen in die Luft, Feuer-Räder, sich drehende Piramiden
Driangel drehten sich ebenfalls im ganzen Umkreise der Arena
u. man dachte diß wäre das Ende, auf einmal aber ging die
Hauptsache los. Ungeheuere Feuermassen entwikelten sich an
dem einem Ende der Arena und es erschien ein herrlicher
Tempel in Brilliantfeuer mit glänzender Inschrift Viva Milano.
Unter demselben war eine glühende Colonade aus welcher ein
feuriger Wagen mit 4 Pferden heraustoste, die Räder sprühten
Feuer und auf dem Wagen standen Pluto und Proserpina in den
edelsten Stellungen, sie fuhren 3 mal um den gegebenen Raum
und bei ihrer Rükkehr sprühten 100te von Raketen, Schwärmern
u. Leuchtkugeln von den zwei Thürmen neben dem Tempel. Zuletzt entbrannte auf den 3 höchsten Puncten ein bengalisches
Feuer welches alles in das hellste Licht versetzte, aber bei seinem
erlöschen eine desto größere Finsterniß hinterließ. So war dieß
herrliche Spectakel aus, es hat uns sehr gefreut so etwas unter so
günstigen Umstande zu sehen. Die Einnahmen des Hr. Guerra
berechnet man auf 9 – 10 000 Thaler. Im Herbst soll auch die
Arena mit Wasser gefüllt und die Schlacht von Navarie vorgestellt werden. Wir fanden unseren Wagen bald und kamen
halb 10 glüklich nach Hause. Das war ein schöner merkwürdiger
Tag den ich nie vergessen werde. Alles was sich so unmittelbar an
das rege Leben knüpft hat doch was sehr anziehendes. Um 11 gingen wir zu Bett und ich hatte eine sehr gute Nacht. (Es war eine
ungeheure Menschenmasse auf den Beinen von der Arena nach
der Stadt zu und man konnte annehmen daß wenigstens 30 000
Menschen noch außerhalb dem Feuerwerk zugesehen mithin gewiß 60 000 Menschen versammelt waren welche sich nun zer-
streuten, es geht aber alles mit großer Ordnung zu viel Carabi-
nier u. Gensdarmen zu Pferd u. zu Fuß auf allen schwierigen
Puncten mit gezogenen Säbel u. scharf geladen, haltend).
Dienstag den 1^t Juny 30. Früh 6 Uhr heiter aufgestanden. Den gestrigen Tag geschrieben und sonstiges abgethan; bis 12 zu Haus
dann zu Mylius auf das Comptoir Geldsachen für die Reise nach
Venedig abgemacht dann noch herumgedämmert einen Kupferstich bei einem Antiquar gekauft, für 2 gr. (Christus übergiebt
Petrus den Schlüssel). Er muß von einem guten Meister seyn und

das Bild scheint mir im letzten Hälfte des 16^t Jahrhunderts gemalt zu seyn. Dann noch eine Medail. von Pius d. V. gekauft für
2 gr.; um ½ 4 nach Hause dann zu Tisch – nach 6 Uhr. ½ 7. bestieg ich den Dom bis auf die äußerste und letzte Gallerie drang
ich hinauf. Es waren 536 Stufen aber es belohnte sich die Aussicht ist herrlich. Zuerst übersieht man Mailand ganz. Es liegt
unter einem wie der Plan selbst. Die Beleuchtung war gut und
der Sonnenuntergang hinter dem Monte Rosa herrlich. Die Apeninen waren beleuchtet, nur die Berge am Laco di Como u. Laco
Maggiore waren dicht verhüllt; so wie die Sonne untergegangen
war, traten die Schweitzer Gebirge gleich Silhuetten hervor, man
sah den Mont Blanc, Monte Rosa, die Jungfrau u. den großen
Eiger und das finstere Ahorn nebst vielen anderen welche zu
nennen ich nicht weis. Nachdem ich mich an diesem herrlichen
Anblik gesättigt hatte, stieg ich herab besah mir die oberen Bereich des Doms, wo man denn herrlich über dieses Riesenwerk
von weißem Marmor erstaunt. Dach und alles ist Marmor sehr
gut zusammengearbeitet. Die Fortsetzung dieses Riesenwerkes
verdankt die Welt dem Napoleon, und noch jetzt wird täglich
nach dem ersten Plan fortgearbeitet, der Dom hat große Fonds
und von diesen werden alle die Interessen alljährlich theils zur
Besoldung der Geistl. theils zum Bau verwendet, es herrscht eine
ungemeine Thätigkeit und man ist eben im Aufbau der hinteren
noch nicht vollendeten Seite begriffen. Da ich beinahe 1100 Stufen auf und ab gestiegen so meldete sich Durst welchen ich in
einer Osterie löschte. Nach 8 ging ich ins Theater Cannobiana
wo *Aureliano in Palmira* von Rossini recht gut gegeben ward, alles harmonirte: Decorationen, Garderobe u. Schauspieler. Das
Ballet nach dem ersten Act, die Waise von Genf, wurde heute
auch sehr gut aufgeführt und war mit neuen Tänzen ausgeziert,
die Mädchen waren hübscher als je, den 2^t Act wartete ich nicht
aus. Ich war sehr müde und schon ein paarmal eingeschlafen wie
meine Nachbarn denen es eben so ging, es war ½ 1 Uhr als ich
nach Haus kam, denn ich hatte noch eine Viertelstunde bis zum
Gasthoff zu gehen. Die Musik der Oper war gar nicht nach Rossinis Art sondern näherte sich Pär u. Weber.

Mittwoch den 2^t Juny. Früh 6 aufgestanden, Sendung der Kiste
durch Mylius befördert, eingepakt, mich aller Zahlungs-Ver-
bindlichkeiten entledigt denn morgen den 3^t Juny geht es nach

Venedig über *Brescia, Verona, Vicenza u. Padua.* Gott gebe seinen Segen wie bisher. Ich war mit allen bis ¼ 4 fertig und ging beruhigt an den Tisch. Meine freundl. Oestreicher waren theilnehmender als je und suchten mir durch Witze und Späße den Abschied zu erleichtern, es sind vortreffl: Menschen *wahr* und *gut* das ist viel. Wir blieben bis 7 sitzen und schieden *gerührt* und *zufrieden.* Welchen Vortheil besitzt diese gebildete lebensfrohe Nation, ich habe von 4 Menschen welche 8 Tage und mehr neben mir saßen, kein arrogantes und unnützes Wort gehört, Geist u. Heiterkeit belebte die Unterhaltung, leider hatte sich Ekermann von mir *gebettet,* und ich weis nicht an wen *gekettet,* und entberthe sowohl Gegenwart als Erinnerung.

Von Mailand scheidend Euer treuer August.

Mailand den 2ᵗ Juny 1830.
Bester Vater

Ich habe meinen Plan mit dem Paken geändert und alles in eine Kiste gepakt. Schenken Sie auch den Anschlagzetteln einige Aufmerksamkeit und hängen Sie den von der Arena einige Tage im Saal auf damit man doch in Weimar einen Begriff vom hiesigen Leben bekommt. Die Noten sind sämtl. für Ottilie.
Leben Sie wohl

Ihr treuer Sohn
v.G.

in Eil.

Mailand. *Beschluß.* Den 2ᵗ Juny 1830.
Noch etwas über Mailand im algemeinen.
Mailand. Lage. Diese herrliche Stadt zwischen den Alpen und Apeninen in der fruchtbarsten Ebene gelegen, hat ein mildes Clima und macht gleichsam den Übergang zwischen Deutschland u. Italien, sowohl im Clima als Sitten. Durch Canäle ist es mit dem Laco Maggiore u. Laco di Como verbunden, und wird durch dieselben theils bewässert, theils wird durch dieselben der Transport jeglicher Lebensbedürfnisse sehr erleichtert.

Erwerbszweige. Die *Seidenzucht* bildet auch hier wie in der ganzen Lombardei einen Haupterwerb und giebt niederen und hohen reichlichen Gewinn. Der *Reißbau* ist ein Hauptgegenstand und ein Hauptnahrungsmittel aller Stände. Man schreibt den weißen schönen Taint männl. u. weibl. Geschlechts dem beständigen Genuß dieser Fruchtgattung zu, so wie auch das Federvieh besonders fett und weiß ist weil es mit Reiß gemästet wird. Maiß wird auch gebaut aber nicht sehr viel, so auch Korn, Gerste doch nur unter den Wein Lauben welche die Felder theilweise bedeken. Die Fabrikation von Seidenwaaren aller Art ist in Mailand sehr groß u. es werden hier die besten seidenen Strümpfe, u. sehr schöne Zeuge und Tücher gemacht, Bronce und Stahlarbeiten stehen nicht nach. *Holz* ist sehr theuer das Pfund kommt gegen 1 gr. Ein Korb Kohlen von der Größe unserer Schmidekohlenkörbe 2 Spec: Thaler.

Der Grundbesitz um Mailand u. beinahe der ganzen Lombardey ist in den Händen der Großen u. reichen Familien welche die Ländereien an große Pächter geben, welche sie dann wieder in kleinere Parcellen austhuen. Papierspeculationen sind den Mailändern ganz fremd und es läßt einer lieber 100 000 Lire u. mehr im Kasten liegen, als daß er ein noch so sicher scheinendes Staats Papier kauft. *Wein* baut man um Mailand u. der Lombardei in Ueberfluß, es wird aber auch hier etwas getrunken. Nach einer Berechnung werden tägl. 3,84000 Weimarische Maß Wein getrunken. *Bier* fängt auch an, sehr stark zu gehen. Diß mag durch die Menge Deutscher eingeführt worden seyn. Es ist recht gut besonders das Bierra Doppia gleicht dem Ilmenauer, und wäre dessen Freunden zu empfehlen. In den ersten Caffes wird es genossen, neben Eis, Chocolade, Oranchade, Limonade u. den besten Weinen. *Bewässerung* von Feldern und Wiesen, welche aus den vielen Canälen abgeleitet wird trägt hauptsächlich zu der enormen Frucht- u. Tragbarkeit der Felder bei. Man mäht die Wiesen gewöhnl. 5 mal daher auch die starke Viehzucht in der Umgegend und die Fabrikation der *Käse* welche auch einen Theil des Nahrungs-Mitels ausmachen, aber auch unter dem Namen Parmesankäse in die Welt gehen. *Fische* sind hier nicht selten aber ungeheuer theuer, theils wegen der Fasttage, theils weil die Fischhändler im Besitz von Eisgruben sind wo sie die geschlachteten Fische (denn lebendig kommt keiner auf den

Markt) ohne Schaden aufbewahren können und einer dem anderen den Preiß nicht verdirbt. Die meisten Fische alls Forellen, Hechte kamen von Laco Maggior u. Laco di Como, oder die Seefische von Venedig u. Genua. *Die Gemüthsart* besonders der gemeinen Mailänder soll sehr heftig und sie gl. mit dem Stilet da seyn, so fallen auch jährl. mehrere Morde vor welche aber leider sehr leicht bestraft werden, wenn der Mörder es nicht selbst eingesteht, es mögen noch so viele Zeugen gegen ihn seyn, ich habe aber auf der Straße oder an öffentlichen Orten noch keinen Zank gehört welches wohl aus Furcht für dem Militair nicht geschieht. *Musik* hört man wenig. Das weibl. Geschlecht der vornehmeren Classen soll Geschmak daran finden, auch die deutschen Angestellten, die jungen Mailänder aber befinden sich aber besser vor und in den unzähligen Caffehäusern wo sie Zeitungen lesen, Caffe, Bier, Wein und Limonade trinken u. Eis essen, auch stark rauchen. Um sich einen Begriff von der großen Thätigkeit der Mailänder arbeitenden Handwerker Classe zu machen, gehe man nur durch die Straßen. Hier geschieht alles öffentlich, viele hundert Goldschmiedte arbeiten unmittelbar im Angesicht der vorübergehenden in ihrem Gewölbe und haben vorn die schönsten Sachen ausgestellt, eben so der Grobschmit in reinlich ausgemalter Werkstadt, der Schlosser, Gürtler, Schneider, Schuster legen öffentliche Proben ihres Fleißes ab, u. so ist es auch vom Trödler bis zum en Gros Händler in Allen Arten von Waaren. Die Reinlichkeit der Haupt- und bedeutenderen Nebenstraßen ist zu loben, in den kleineren, sieht es sehr schmutzig aus. Nächtl. Sicherheit u. Straßenbeleuchtung sind rar, habe ich schon im Tagebuche Erwähnung gethan. *Bausteine* sind Granit, Gneis und Marmor von außen, so wie eine Art grober Breccie welche besonders bei Substructionen angewendet wird welche im Wasser stehen müssen also an den Canälen u. s. w. Granit, Gneis u. Marmor kommen aus der Gegend von Domodosola am Fuße des Simplon. Granit wird besonders zu Säulen, u. außen Bekleidung des Erdgeschosses verwendet, Gneis braucht man besonders zu Bedekung der Balkone, offenen Gängen in den Höfen, Trotoirs und den so schönen Fahrbahnen in den Straßen, da er sich in sehr schöne große Platten spalten läß. Die inneren Sied Wände werden von Gebäudebaksteinen ausgeführt. Das *Straßenpflaster* innerhalb der Fahrbahnen besteht aus Geröllen alter Flußbetten meist Granit, Gneiß, Porphir und Quarz welche sorgfältig gesondert und v. einer Größe ausgesucht werden. *Die Paläste* sind gewöhnlich vorn heraus unbewohnt und haben, außer den neuerbauten ein sehr düsteres ruhiges Ansehen. Die Herrschaften wohnen immer hinten heraus wo auch die prächtigsten Zimmer seyn sollen. Die Mailänder Reichen sollen sehr Gastfrey auf ihren Villen seyn. In Mailand hingegen ist gar keine Geselligkeit, als im Theater wo man sich gegenseitig in den Logen besucht und da auch schuldige Visiten abmacht. Eine schöne Equipage und das Corso-Fahren ist das einzige Vergnügen der vornehmen Welt wie ich schon früher gemeldet habe. Zur Carnevalls Zeit wo alles hier versammelt ist, sollen zuweilen über 3000 Equipagen den Corso befahren. *Osterien* sind niemals nach der Straße, das Hauptleben ist im Hoff unter den Säulenhallen und daran stoßenden Parterrzimmern. Es ist gewöhnl. für 40–50 Personen gedekt und man kann zu jeder Stunde des Tages bis spät in die Nacht alle Arten von warmen u. kalten Speisen haben. Doch habe ich sie nie sehr besucht gefunden, die Italiener leben überhaupt sehr häusl. Und so scheide ich nun von dieser schönen Stadt von 3 Stunden im Umkreise, mit 150 000 Einwohnern, 80 Kirchen und unzähligen Pallästen, um neue Eindrüke zu sammeln und mich meinem Plan gemäß fortzubewegen und um von der Schnellpost nicht in das Dämmern zu gerathen welches hier sehr verlokend werden könnte.

den 2ᵗ Juni 30

Venedig d. 8ᵗ Juny 1830.
Fortsetzung des Tagebuchs.
Donnerstag d. 3ᵗ Juny 30. Früh 4 Uhr aufgestanden alles zur Abreise bereitet. Um ½ 6 von Mailand mit einem Veturin abgefahren. Wir hatten die Plätze im Fond auf dem Rüksitz ein Vecchio von 80 Jahren aus Verona, ein guter Mann der immer sprach, dann ein Kaufmann, im Capriolet ein junger Mann von guter Erziehung, (später mehr von demselben) und der Theaterschneider von dela Scala welcher französisch sprach und den Dollmetscher machte; da wurde meine Kosakensprache ordentl.

in Anspruch genommen denn keins konnte deutsch, außer dem Veturin: Diesem Manne will ich gleich einige Zeilen widmen: Er war 65 Jahre und nur Kutscher eines Wageninhabers in Mailand, ich wunderte mich aber wie gebildet er war. Er konnte deutsch zwar mangelhaft, französisch leidlich, spanisch und italienisch, er sprach vom Ursprung und Zusammenhang der romanischen Sprachen und ich wußte gar nicht was ich denken sollte da er auch Stellen aus lateinischen Dichtern vorbrachte. Sein Schiksal hatte ihn früher zum geistl. Stande bestimmt und dieser Beruf hatte ihn nach Spanien geführt (er ist gebor. Italiens). Der geistl. Stand behagte ihm nicht, er wurde Militair, auch hier schien ihm Fortuna nicht günstig und so ward er zuletzt Lohnkutscher, er war von Gemüth und Treue ein herrlicher Mann, er accordirte in den Wirthshäusern alles für uns was wir außer unserem Accord mit dem Herrn selbst brauchten und sorgte für uns wie ein Vater; es ist wohlthuend in der fremden Welt solche Menschen zu finden da besonders bei uns die Veturine verschrieen sind, er liebte die deutschen sehr, haßte aber die Engländer bis auf den Tod weil er sagte daß sie die Italiener im Ganzen für Spitzbuben hielten, wir kamen durch ihn sehr billig weg. – Um 10 Uhr kamen wir nach Treviglio wo wir etwas zu uns nahmen, um 1 Uhr ab, fruchtbare Gegend durch Bewässerung. Herrliche Straße hier giebt es keine Chauseehäuser und keine Wegehalter und die vortrefflichen Straßen, wo sich 4 Wagen bequem ausweichen, und welche mit säulenartigen Prallsteinen von Granit garnirt sind. Wohlhäbige Dörfer mit ächt ital. Bauten an den Straßen, der Seidenbau ist geglükt ein großes für die Lombardei, überall frohe Gesichter. Abend 8 Uhr kamen wir nach *Cocaglio* wo wir blieben, Abendessen mit dem Veturin welches so wie das Nachtlager im Accord begriffen war 6 Schüsseln u. jeder 1 Flasche Wein.

Freitag den 4ᵗ Juny. Um 4 von Cocaglio ab um 8 Uhr kamen wir nach *Brescia*. Den Dom besehen schönes Gebäude in neurem Ital. Geschmak, das Rathaus schien aus dem 16ᵗ Jahrhundert es war aber nichts Gothisches daran. Unter dem selben große Hallen, belebt durch Handel u. Wandel. Um 12 v. Brescia ab durch fruchtbare Ebenen mit Wein, Maulberbäumen; dazwischen Mays, Gerste u. Korn. Um 4 Uhr kamen wir nach *Decenzano* am *Garda See* beim schönsten Abend. Der Gasthoff lag am See und wir hatten ein niedliches Zimmer mit gemeinschaftl. Balkon gerade auf den See welcher wenige Schritte von diesem Hause seine leisen Wellen brach. ½ 6 Uhr machten wir eine Farth in den See hinein wo wir Ihres Abentheuers in Malsesine gedachten welches wir zwar nicht sehen aber die Richtung erfragen konnten. Die Grotten des Catull konnten wir nicht besuchen weil es schon zu spät war. Der Gardasee gewährt einen herrlichen Anblik, auf der Nordseite die Tiroler Gebirge, dann sanft ablaufend die herrlichen Ufer nach den andern Himmelsgegenden, er vereinigt die Schönheiten des Comer Sees u. des Maggiore nur daß ihm die prachtvollen Villen fehlen welche jene Gegenden so schmüken. Als wir nach Haus kamen ging der Vollmond auf, herrliches Schauspiel mildeste Luft ohne irgend einen Zug. Auf unserem gemeinschaftl. Balkon befanden sich auch Deutsche, ich glaube Hamburger. Ekermann knüpfte ein Gespräch an, es war Mann u. Frau, ich hielt mich fern und Ekermann erzählte mir hernach, sie hatten von Weimar niemand erwähnt als den *Heiligen Johannes Falk* u. wie er verkannt werde ..!?! −! Jetzt ging es zu etwas Muntrerem, nämlich zu Abendessen mit dem Veturin u. unseren 4 Reisegefährten. Es war ein Souper! 8 Schüsseln u. guter Wein. Der junge gebildete Mann den ich gleich anfangs erwähnt hatte ich glaube durch Ekermann vernommen daß wir aus Weimar seyen. Er ließ mich daher durch den Dollmetscher, den Theaterschneider von Scala fragen, ob Sie lieber Vater noch wohl seyen, und da ich diß bejahte so gab es eine große Freude, und als ich mich so gar als Ihren Sohn decouvrirte da war der Spectakel ganz los. Veturin, Schneider, Kaufmann auch il Vecchio tranken Ihre Gesundheit, i Morti, Schiller u. Wieland wurden auch nicht vergessen. Nun wurde über die Uebersetzungen des Deutschen ins Italienische u. umgekehrt gesprochen und der Theaterschneider war unermüdlicher Dollmetscher, der Veturin begeistert ließ noch einige Flaschen Wein über den Accord auf seine Rechnung anwachsen (das sind Lohnkutscher vergl. Schaller und Harseim), der junge oft erwähnte Mann war wohlhabend, aus Verona gebürtig und ging wegen Herstellung eines Chatarrs auf eine seinem Vater gehörige Villa, er war Poet daher die Auflösung des Räthsels, um ½ 12 zu Bett.

Sonnabend d. 5ᵗ Juny 30. Früh 4 Uhr auf. Heiterster Himmel der Garda See in der Morgendämmerung *»Die Sonn geht auf«* lassen

Sie sich diese Stelle aus Webers Oberon vorsingen und ich brauche keine Worte zu machen, hierzu auch die Meermädchen von Walther spielen. Um 5 von *Decenzano* abgefahren mit der vorigen Gesellschaft, il Vecchio war auch immer munter. Ganz ebenes Land, magere Vegetation, wenige Dammerde kaum 1 Schuh hoch gleich unter derselben Gerölle alten Seebetts von Steinarten aller Art von den Tiroler Gebirgen, groß u. klein, schönste Chaussen, Maulbeerbäume, Wein, Mais pp wachsen dürftig; an den Chausseen schöne Platanen. ½ 10 in *Verona* eine Stadt von 60 000 Einwohnern, belebt. Nach dem Frühstük nahmen wir einen Lohnkutscher u. Lohnbedienten um das merkwürdigste der Stadt zu besehen, ohne dieß ist es nicht abzuthun oder mann müßte 4−6 Tage bleiben und bei 24 u. 25 Grad Wärme bliebe man zuletzt ganz liegen. Zuerst ging es in die Chathetrale. Schöne Kirche im Gothischen Stiel alles aus den schönsten Marmor-Arten, gelb, grün, weiß u. roth. Schönes Gemälde von Titian die Himmelfahrth der Mariea (ich hab es in Kupfer bei Ihnen gesehen.) Einer Priesterweihe beigewohnt welche der Bischoff ertheilte. Ein gefälliger jungendl. Weltgeistl. offerirt mir einen Stuhl und zugl. seine freundl. Dienste mir die Merkwürdigkeiten der Stadt zu zeigen, höfl. abgelehnt, er sprach sehr gut deutsch. Hierauf in die Kirche St. Giorgio Gemälde von Paolo Veronese. Hierauf in das Pallais des *Grafen Justi* schöner Garten mit herrlicher Aussicht über ganz Verona, welche man mit Besteigen von *300 Stufen* in der Mittags-Sonne erkaufte, bei 25 Grad im Schatten, und dennoch ging es mehrentheils in der Sonne. Von hier fuhren wir nach der *Arena*. Welch wunderbarer Anblik von Außen! Der äußeren Arcaden bis auf einen kleinen Theil beraubt, und doch so majestätisch von Innen ganz erhalten bis auf die letzten Sitze 46 an der Zahl. In der Mitte der Arena ist ein sogenanntes Tags-Theater erbaut auf welches ich später zurükkomme, es verdirbt zwar den Totaleindruk, aber zeigt auch die Größe der alten Arena. In eine der Arcaden der Arena durch welche man hindurch muß wenn man sie besehen will hat sich ein Naturalienhändler und Antiquar, welcher zugl. Portier ist angesiedelt. Ich sah dort die schönsten Fisch-Abdrüke von Monte Balko, einen sogar der 2 ½ Fuß lang und bis auf die Zähne vollkommen erhalten war. Ich feilschte um einen 6 Zoll breiten u. 4 Zoll hohen Taschenkrebs versteinert v. M. B. vollkommen erhalten, er forderte 4 Kopfstük, ich bot 2, bekam ihn aber nicht und tröstete mich mit den Worten »das Geld ist theuer«. Unter den Münzen war nichts für uns, so wie unter den übrigen Dingen. Hierrauf fuhren wir nach einem Großen Gebäude in welchem das Theater ist, auf der anderen Seite ist der Sitz der Academia der Künste, den Hoff umschließt eine Säulenhalle in welcher viele hundert um Verona gefundene Basreliefs u. Inschriften zerbrochner Statüen und Säulen aus der Römerzeit theils eingemauert, theils aufgestellt sind. Es waren recht schöne Sachen darunter, besonders ein ganz erhaltener Sarkophag wo mir Ihre Verse »Sarkophagen und Urnen, schmükten die Alten mit Leben« pp gleich ins Gedächtniß kamen. Diese Sammlung rührt von den Grafen Maffei her. Um 3 kamen wir nach Haus, gleich zu Tisch angenehme Gesellschaft: ein ital. Geistl., ein junger Franzose und ein Italiener, sehr feiner Mann, unter Napol. Armee-Cassirer, zuletzt der behaglichste Wirth, die Unterhaltung ward französisch geführt und ging recht gut. Um 5 Uhr fuhren wir wieder aus um das übrige zu besehen, zuerst nach der Kirche –? welche ganz im Bizantinischen Geschmak gebaut ist, die Bronzen an der Eingangsthühre deuten auf die ältesten christl. Zeiten. Das Ganze hatte kein steinernes Gewölbe sondern das ganze der Bedachung war Holzconstruction, was sich von Innen gegen die gewohnten Gewölbe wunderlich ausnahm. Hier ist auch die große *Porphir Schale* welche 13 Fuß im Umfang hat, ein antikes Werk aus Aegyptischen Porphir, dient jetzt zum Weihwassergefäß. Hierauf besahen wir ein Thor ganz im römischen Stiel erbaut jetzt geschlossen und zu Aufbewahrung von Canonen u. s. w. gebraucht. Nun fuhren wir abermals in die Arena um das Tagstheater zu sehen. Es ist so gebaut daß außer einem großen Parterr u. 2 Reihen Logen auch noch ein Theil der alten Arena Sitze zum Zuschauen benutzt werden kann, es waren ohngefähr 5 – 600 Zuschauer meistens Männer aus den geringeren Ständen. Die Schauspieler waren gut u. spielten mit viel Passion, ich kam zu spät u. sah nur einen Act vom ersten Stük, dann stieg ich ganz hinauf bis zu dem letzten Sitz wo man eine herrliche Aussicht über Verona hat. Ich umging die ganze Arena und wunderte mich nicht wenig, als ich wieder in den Bereich des Tags-Theaters kam den alten Fritz auf den Bretern zu sehen, es schien ein Stük auf eine Anecdote aus seinem Leben zu seyn. Der

Beyfall der Menge war groß. Nun fuhren wir noch einmal den Corso auf und ab, eine schöne Straße aber wenig belebt, außer dem Thor schöner Weg zum Fahren und gehen mit Alleen auf beiden Seiten aber auch wenig belebt, um 8 nach Hause um ½ 11 zu Bett. *Sonntag d. 6ᵗ Juny 30.* Früh abermals um 3 Uhr aufgestanden u. um 4 von Verona abgefahren auf herrlicher Chaussée durch fruchtbare, aber dörferlose Gegenden da dieselben an der Brenta liegen, daher ist diese Straße auch unsicher, man trifft oft Stundenlang keinen Wagen und sieht verdächtige Personen, als aber 2 solcher Kerle sich unserem Wagen sehr in Augenschein nahmen, fuhr unser alter Veturin in gestrektem Gallop davon. (In Verona hatten uns neml. 3 Personen verlassen näml. der Poet, der Kaufmann und il Vecchio bloß der Schneider war geblieben). Um 10 Uhr kamen wir nach Vicenza, einer Stadt von 30 000 Einwohnern und Palladios Geburtsort. Man sieht auch gleich beim Eintritt daß dieser große Baumeister hier gewohnt hat. Man konnte vor Hitze nicht ausgehen und wir blieben ruhig bis nach Tisch. Um 4 Uhr mit einem sehr guten Lohnwagen u. Lohnbedienten ausgefahren 1ᵗ durch die Straßen der Stadt an allen Hauptpallästen u. Gebäuden Palladios gehalten und solche so viel es die Zeit erlaubte verweilt, dann nach dem neuen Friedhofe ohngefähr ¼ Stunde von der Stadt ziemlich wie der Frankfurther angelegt, aber in viel Grandioserem Stiel, die Collonaden welche ihn umgeben, sind im edelsten Stiel gebaut, die Säulen in dorischer Ordnung. Eine Seite ist bereits mit diesen Hallen, welches Privat Begräbnisse sind, umgeben und wenn man durchsieht so glaubt man verzaubert zu seyn so grandios ist es, es wahr Palladios Geist noch hier. Die Säulen so wie alles ist von gebrannten Steinen und wird mit Stuk umgeben, welcher dadurch sehr gut daran hält weil man überall 1 Zoll tiefe Löcher einhaute wenn alles aufgemauert ist; die Löcher sind etwa 3 Zoll auseinander, wenn es roh dasteht sieht es wunderlich aus. Von hier fuhren wir nach dem Olympischen Theater welches ganz verstekt in einem Winkel liegt, man sucht dieses Meisterwerk gar nicht hier, es ist wie bekannt von Palladio begonnen, von seinem Sohne fortgesetzt und von Scamozzi vollendet worden. Beschreiben läßt es sich nicht. Ich habe daher ein Büchelchen gekauft worin Grundrisse, Durchschnitte u. s. w. enthalten sind welches zur Erinnerung u. Unterhaltung dienen soll. Von hier fuhren wir auf einen Hügel wo die Villa eines Grafen Conti liegt ebenfalls von Palladio erbaut, sie gleicht mehr einer Kirche als einer Villa. Sie hat nach den vier Himmelsgegenden Austritte mit Säulenhallen, mit den herrlichsten Aussichten auf die ganze herrliche Umgegend und das schöne Vicenza. Die Mitte bildet eine Rotonde, reich aber nicht geschmakvoll gezirt, mit einer Kuppel durch welche das Licht fällt, dieser Raum wird von Zimmern u. Cabinetten umgeben welche Austritte unter die Säulenhallen haben, Möbels und Zimmer Verzierungen alles aus dem Anfang des 18^t Jahrhunderts, daher nicht erfreulich. Nun ging es auf einen hohen Berg wo die Kirche genannt »Unserer Frauen« liegt. Von Vicenza führen 172 bedekte Arkaden, alle von Privaten erbaut hinauf, welche mit Steinplatten belegt und für die Fußgänger bestimmt sind. Die Kirche ist in neueren Geschmak gebaut und nicht groß aber reich verziert und sehr besucht, es ist ein tägl. Wallfahrtsort der Vicentiner auch ist ein Gasthoff in der Nähe. Von hier stiegen wir noch höher in den Garten einer Villa wo man die herrlichsten Aussichten in die Nähe und Ferne hat und es reut einem der Schweiß nicht den man vergießt, der Wagen konnte wegen des schlechten Wegs nicht folgen. Wir besuchten auch noch eine nahe gelegene Osterie um uns etwas zu stärken, das Landvolk war munter und originel, alles trank Wein. Männer, Weiber, Mädchen und Kinder. Nun fuhren wir den steilen Berg von der Kirche nach der Stadt herab. Noch muß ich erwähnen das in einer Halle an gedachter Kirche das Bild von Paul Veronese wovon ich bei Ihnen auch einen Kupferstich gesehen. Ein Papst sitzt an der Tafel Christus neben ihm zur rechten dekt eine Schüssel auf, an der Tafel sitzen mehrere Cardinäle, in einer Säulenhalle stehen links u. rechts zwei Männliche Figuren im Vordergrunde, ein Junge mit einem Hündchen, zur Treppe herauf kommt Volk. Wir befuhren noch den Corso welcher sehr belebt war theils von schönen Equipagen theils wohlgekleidete Herren u. Damen. Um 8 kamen wir nach Hauß und aßen sehr gut mit unserem Veturin u. Schneider, um 10 z. Bett. *Montag d. 7^t Juny 30.* Früh 4 Uhr von Vicenza ab. Schöne Chaussée mit Platanen die Aeker mit Wein u. Getreide bebaut, fruchtbares Land. Um ½ 8 kamen wir nach Padua. Der Schneider nimmt Abschied weil er beim Theater zu thun hat und küßt uns die Hand. Wir besahen nichts weil wir diß auf der Retour thun wollen und eilen nach Venedig. Um 12 von Padua ab nach Mestre unterwegs an der Brenta die schönsten Villen und Dörfer. Unter den ersteren zeichneten sich die des Vicekönigs aus. Um 5 kamen wir nach Mestre. Der Veturin ließ seinen Wagen daselbst und fuhr mit uns auf einer Gondel auf den Canälen nach Venedig wo wir um 8 ankamen. Wunderbarer Anblick dieser Meerstadt mit dem Meere! Wir mußten um nach dem Hotel de L'Europe zu kommen einen langen Weg durch die Canäle machen, passirten auch unter Ponte Rialto hindurch und langten gegen ½ 9 am Ziele an: Unser Wirthshaus liegt gerade an der Ausmündung des großen Canals in den Hafen, es war schon dämmrig geworden; aus dem Speise Saal konnte man alles übersehen. Der Mond ging herrlich auf, doch verließen wir diesen schönen Anblik da wir sehr müde waren, um 11 z. Bett. *Dienstag d. 8ᵉ Juny.* Früh beim Erwachen schien die Sonne freundlich auf den herrlichen Hafen und die Umgebung, denken Sie aus unseren Fenstern kann man folgendes übersehn: unter unserem Fenster den großen Canal, rechts gegenüber die schöne Kirche de la Salute – – Gerad gegen über der Canal de la Giudecca, die schöne Kirche de Celidele, links die Insel St. Giorgio mit der schönen Kirche gleichen Namens von Palladio gebaut, ganz links der Hafen bis an den Jardin Public welcher von Napol. angelegt ist, in der Ferne die Lagunen und Inseln und ganz am Horizont das Meer. Gondeln in Unzahl schwärmen umher größere Kaufarthei-Schiffe liegen in Menge da auch eine östreichische Fregatte von 50 Canonen, ein imposantes Werk, Dampfböte gehen aus und ein und es ist ein eifriges Leben das Gerufe und Gesinge der Gondolire u. Schiffer geht Tag und Nacht fort u. belebt das Ganze noch mehr. Um 11 Uhr ging ich aus natürl. zuerst auf den Markusplatz, besah flüchtig die Markuskirche und ging an den Pallast des Dogen vorüber nach den Hafen zu wo ein großes Gewimmel von Menschen aller Art war, besonders belebt ist es vor den Caffehäusern wo immer eine große Menge Herren sitzen und zu jeder Tageszeit Caffe trinken. Wunderbar und von allem was ich bisher gesehen erschien mir die Markuskirche und der Pallast des Dogen. Erstere besah ich gleich, werde aber noch mehrmale hineingehen u. dann weiter davon melden, den Pallast des Dogen betrachtete ich ebenfalls nur von Außen und den Innenhoffraum, 2 Ziehbrunnen von Bronce aus der Mitte des 16ᵗ Jahrhunderts sind bemerkenswerth. Bis zu Tisch noch herumgegangen. Nach Tisch zu Hause sowie auch den Abend. Ekermann ging noch in die Komedie und kam erst nach 12 nach Hause, da das Theater erst nach 9 Uhr angeht. Eigen kommt es einem vor in einer Stadt zu seyn und kein Pferd, kaum einen Baum zu sehen, besonders wenn man aus den Lombardischen Städten kommt wo schöne Equipagen den Stolz der Vornehmen ausmachen u. Gärten u. Villen in Unzahl sind. Und so will ich denn mit diesem Tage schließen und bald ein weiteres nachsenden. Es ist gar zu herrlich hier und man fängt nun nach dem ersten Erstaunen an zu genießen. Auch ein Gewitter habe ich hier erlebt es war v. Abends 9 – 11. Ich war auf meiner Stube und konnte alles herrlich sehen. Es war ein großer Anblik durch die häufigen Blitze das Meer und die Großen Gebäude umher in düsterer Nacht beleuchtet und wieder verschwinden zu sehen. Nun leben Sie wohl und grüßen Sie Frau, Kinder u. Freunde.

Ihr treuer Sohn
v. Goethe.

Venedig d. 10ᵗ Juny 30.

Venedig Mittwoch d. 9ᵗ Juny 30. Früh 6 Uhr auf. Am Tagebuch geschrieben, heiterer Himmel; später in einer Gondel ausgefahren, den Hafen entlang am Jardin public von Napol. angelegt; die größte Wohlthat für die Venetianer, es standen früher auf dieser äußersten Spitze des Hafens schlechte Häuserchen. Napol. kaufte sie und ließ einen herrlichen Lustgarten von Alleen, Gebüschen u. Rasenplätzen anlegen. Die Alleen sind Platanen. Auf dem höchsten Punct wo man eine schöne Aussicht auf das Lido u. die Lagunen hat ist ein Caffehaus, über dem ist dort noch ein sogenanntes Tages-Theater. Es ist den ganzen Tag geöffnet und wird erst 10 Uhr geschlossen. Nun fuhren wir weiter bis zum Canal von Mestre dann durch den *Großen Canal*, beklagenswerther Verfall der herrlichsten Palläste. ½ 5 z. Tisch von 6 – 7 auf der Stube dann allein auf den Markusplatz, sehr belebt, schöne Musik von den Oestreich. Regimentern, neuste Opernsachen, um 9 nach Haus. Ekermann war ins Theater gegangen.

Donnerstag d. 10ᵗ Juny 1830. am Frohnleichnams-Tage. Früh 5 Uhr auf, geschrieben und den herrlichen Morgen am Fenster genossen mit der beschriebenen Aussicht. Um 10. mit dem Lohnbedienten auf den Markusplatz wo sich alles zur Procession versammelt. Die Arcaden wimmeln von Menschen. Vor den Arcaden rings um den Markusplatz Baldachine mit Festons aufgerichtet unter welchen der Zug geht. Geistl. aller Kirchen mit ihren Insignien, Heiligenbildern, Wachskerzen von ¼ Fuß im Durchmesser zu Hunderten. Der Zug kommt aus der Markuskirche rechts des Haupteingangs geht um den ganzen Platz zuletzt der Patriarch, Benediction an 4 Orten. Musketen Salven mehrerer Batailone Kanonendonner von den Lagunen allgemeines Glokengetümel, alle Fenster der Procurien mit Tepichen behangen schönste Damenwelt versammelt, auf dem Raum des Markusplatzes und der Piazetta wenigstens 80 000 Menschen versammelt, schönstes Wetter. Ekermann hatte sich enfernt und so stand ich unter dieser Masse allein, ein wunderbares Gefühl, doch mir war es wohl *allein* zu *seyn*. Ich habe als Kind in Erfurth das Frohnleichnam gesehen und ich gestehe daß ich mich der Darstellung der biblischen Geschichten durch lebende Menschen gern erinnere. Hier war nichts davon zu sehen und das ganze war zu prosaisch, aber Menschengewühl, Musketen und Kanonen Feuer mit der Grandiosen Umgebung machten dieses Fest erhaben. In den Umgebungen des Markusplatzes der Piazetta des Dogen Pallastes werden eine ungeheure Menge Tauben gehegt, bei jeder Salve flogen diese Thiere zu Tausenden über den Platz so daß die Erde von Menschen und die Luft von Vögeln gefüllt war. Um 2 war das Ganze beendigt. Diesen Mittag aßen wir in einer Osterie und gingen dann in den Jardin Public am Ende des Hafens, von Napol. angelegt u. gemacht. Es ist eine Art Landzunge auf welcher miserable Häußer Standen, Napol. kaufte sie und machte einen Garten daraus, eine herrliche Mauer umgiebt die ganze bedeutende Anlage. Große Alleen von Platanen, Rasenplätze, und englische Anlagen wechseln. Ein gutes Caffehaus am schönsten Punct nach dem Lido, auch ein Tagstheater findet sich, dort wurde aber heute nicht darin gespielt. ½ 8 zurük nach dem Markusplatz in einer Gondel, das rege Leben betrachtet um 9 nach Hause. Ich war heute 16 Stunden auf den Beinen und sehnte mich nach etwas Ruhe und ging um 10 z. Bett. *Freytag d. 11ᵗ Juny 30.* Nach gut durchschlafner Nacht um 5 Uhr aufgestanden, das Tagebuch vollendet bis incl. 8^t Juny u. zur Absendung vorbereitet; um ½ 8 in einer Gondel ausgefahren; zuerst auf den Fischmarkt (weil es Fasttag ist) merkwürdiger Anblik: Stöhre, Meerale, Zungen, Roggen, Sprotten, Sardellen, Karpfen und viele Sorten Fische die ich nicht kannte, von Krebsen ungeheure Hummer, große sogenannte Seespinen, Kraben auf 2 Beinen stol- und stelzirend, Austern, kleine Seemuscheln, und die sogenannten Blaubärte von welchen man eine herrliche Suppe kocht; alles diß war lebendig, außer den angehauenen vielleicht 40 Pfund schweren Stöhren, gerade umgekehrt wie in Mailand wo alle Fische tod zu Markte gebracht werden, nur die die Amphibien repräsentierenden Frösche werden dort lebendig, doch geschunden, wie schon oft gesagt verkauft. Nun fuhren wir nach der Academia delle belle Arti, wo eine Bildergallerie, ein Cabinet mit Handzeichnungen und 2 Säle mit Gyps-Abgüssen befindlich sind. Die *Bildergallerie* enthält mehrere Säle mit den schönsten Gemälden von Titian, den Bellinis, Paolo Veronese, Tintoret, eins der schönsten ist die Himmelfarth Mariä von Titian, es ist vortreffl. erhalten wie beinahe alle hier aufgestellte Bilder. In dem *Zimmer der Handzeichnungen*, welche nach den Meistern geordnet an den Wänden in Glaßrahmen hängen war es sehr interessant, indem man viele Skizen der Größten Meister zu später ausgeführten Bildern fand, von Raphael war sehr viel da und ich erkannte auf einem kleinen Blättchen die Frauensköpfe aus dem Sposalitio ganz in ihrer Eigenthümlichkeit, von Leonardo, Titian, Michael Angelo u. s. w. waren auch viele Handzeichnungen da. *Der Saal mit den Gypsabgüssen* enthält viele Antike Abgüsse von Statüen und Basreliefs aber auch vieles Neue z. B. mehrere Abgüsse wonach Canova selbst gearbeitet, (Hier muß ich noch einschalten daß in dem Zimmer der Handzeichnungen an der Wand eine Marmor-Urne aufgestellt ist in welcher Canovas rechte Hand aufbewahrt wird und unter welcher Canovas Meißel angeheftet ist.) z. B. der Theseus der den Minotaurus erschlägt pp. Unter den Antiken Abgüssen interessirten mich besonders die Aeginetischen, welche der König von Baiern hierher geschenkt hat und ich merkte bald wie vortheilhaft es war daß ich sie früher in Zeichnungen bei Ihnen gesehen, eben so war es bei den Abgüssen vom Parthenon. Es sind noch eine Unzahl Abgüsse hier, denn es arbeiten hier die jungen Künstler, theils modelliren sie in Thon, theils zeichnen sie. Nachdem wir 3 Stunden hier zugebracht, eilten wir zur Stärkung in eine Osterie und von da in *den Pallast des Dogen*: Schon das äußere dieses ungeheuren Gebäudes setzt einen in einen ganz anderen Zustand, denn da man noch nichts ähnliches gesehen so muß man sich erst die Zeit hervorrufen in welcher er gebaut, was nun das innere betrifft, so überschreitet die Pracht und Größe alles was mir bisher vorgekommen, um nur eins zu beschreiben sage ich daß der Saal des großen Rathes 154 Fußlänge u. 74 Fuß Breite u. die verhältnißmäßige Höhe hat. Die eine schmälere Rükwand nimmt ein *einziges* 74 Fuß breites und 30 Fuß hohes Gemälde von Tintoretto ein, es stellt die Glorie des Paradieses vor und faßt viele Tausend Figuren in sich, der Meister hat 7 Jahre daran gearbeitet, so sind nun alle Wände dieses Saals, und auch die Deken mit Gemälden gezirt, was nicht Bild ist, ist ächt vergoldetes Schnitzwerk in reichster Ueberladung, in diesem Saal ist jetzt auch die Bibliothek an den Seiten aufgestellt, sie faßt 60 000 Bände worunter 5000 Manuscripte, gleichfalls sind hier alle Antiken Marmor Statüen u. s. w. aufgestellt welche Venedig aus den verschiedensten Ländern erbeutet. Gleich unter der Deke des Sals laufen die Bilder sämtl. Dogen herum. Am Platz des Dogen Fallieri welcher die Republik umstürzen wollte und deshalb enthauptet wurde ist eine schwarze Tafel mit goldner Inschrift »Hic est Locus Marini Fallieri Decapitati pro criminibus«. In der ersten und zweiten Etage sind nun noch viele Säle und Zimmer von gleicher Pracht und zu ihren Zweken von verhältnißmäßiger, aber immer ungeheurer Größe z. B. der Saal wo der Doge gewählt wird, Saal des Raths der Zehn, der Inquisitionssaal ppppp. Alle sind mit Gemälden an Wänden und Deken von den besten Meistern, als Titian, Paul Veronese, Tintorett gezirt und alles übrige vergüldetes Schnitzwerk, besonders schön ist das Zimmer des Dogen. Nach allem diesen kann man sich einen Begriff von der ungeheuren Pracht u. Größe von Venedig machen, ich glaube es giebt nichts ähnliches in der Welt. Ganz ermüdet und beinahe verwirrt kommt man wieder heraus und eilt um ½ 5 zu Tisch wo man sich wieder erholt. Um uns zu erholen fuhren wir nach Tisch auf das Lido und hatten einen schönen Anblik auf das Adriatische Meer. Die Wellen bespühlten einen den Fuß. Hier liegen eine Unzahl von Muscheln, ich dachte recht an Walther und Wolf, auch sah ich von den Großen Gallertartigen Molusken mit Ihren bunten Armen von denen welche 2 – 3 Fuß groß waren, sie waren bei der Ebbe liegen geblieben, schon umgaben sie die kleineren Seekraben, welche ganz seltsam um sie herumtanzten und sich an der Geleeartigen Substanz dieser Thiere labten, wir brachten beinahe eine Stunde mit Beschauung des Meers und naturhistorischen Gegenstande zu. Um 8 fuhren wir zurük, stiegen an der Piazetta aus und blieben noch bis 10 auf dem Markusplatz, sehr belebt mehrere 1000 Menschen spazirten, alle Boutiken erleuchtet, so wie die unzähligen Caffes vor u. in welchen viele 100^t Menschen sitzen, schönste Militair Musik von 2 Oestreich. Regimentern. Um 10 nach Hause, das war ein reicher Tag und manche Gefühle durchkreuzten sich. Ich war von 5 Uhr früh bis 11 auf den Beinen also 18 Stunden, ohne am Tag zu schlafen; aber nun gute Nacht. *Sonnab. d. 12^t Juny 1830.* Früh 5 Uhr aufgestanden, am Tagebuch geschrieben, um 9 Uhr mit einer Gondel ausgefahren. Zuerst die Kirche *St. Salute* besucht, sie ist von *Dessano* erbaut reich an Sculptur, in der Sacristei Dekenstüke von Titian. Cain, Abel, Abraham, Isak, kostbarer Mosaikboden 2 schöne Bronze Candelaber aus dem 16^t Jahrhundert. Nun gings weiter in die Kirche *del Redentore*, nach *Palladios* Modell erbaut. Schöne Treppe, enthält viele Gemälde von Paul Veron., Bassano u. Bellini, 3 herrliche Altäre von vergoldeter Bronze mit den schönsten Edelsteinen, 3 silberne, massive haben die Franzosen mitgenommen. Von hier zur Kirche St. Maria de Rosario gefahren. Schöne Bilder, am Hochaltar 6 Säulen von Lapis Lazuli 6 Fuß hoch und ½ Fuß im Durchmesser. Die Kirche *St. Giorgio Maggiore* auf der Insel gleichen Namens, herrliches Gebäude nach Palladios Modell erbaut, Altar v. griechischem Marmor, hier wurde Pius d. VII gewählt, Bild desselben in der Kirche über der Eingangsthüre. Hierauf die Stadt ein wenig durchfahren auch in die engeren Canäle, dann in die Kirche St. Rocho et Frari herrliches Gebäude. Hier ist Canovas Grabmal von seinen Schülern in Marmor ausgeführt (ich bringe eine Zeichnung mit). Es war für Titian bestimmt u.v. Canova selbst das Modell gemacht. Jetzt liegt Titian noch unter seinem einfachen Stein gerade gegenüber. Diese Kirche enthält noch viele alte Denkmäler in Marmor, u. besonders ein Chor wo die schönsten Holzschnitzereien an den Stühlen angebracht sind, von einem Deutschen. Zusammenhängend mit dieser Kirche ist die Fraternite di St. Rocho ein herrliches Gebäude aus großen Sälen bestehend, alle Gemälde sind von Tintoretto aber nicht gut erhalten. Die Gesellschaft besteht aus Kaufleuten u. Nobilis u. hat wohlthätige Zwecke, Bilder an Wänden und Deken nebst vergüldeten Schnitzwerk sind ebenfalls hier überall in Uebermaß verschwendet. Es war 3 Uhr geworden und wir fuhren nach einer Osterie wo wir schon früh unser Mittagessen, welches blos aus Seegeschöpfen bestehen sollte bestellt, wir hatten Suppe, von den blauen Seemuscheln noch mit den Schalen sehr kräftig, dann Austern, dann Zungenfische, dann Stöhr, dann Seekraben und zuletzt gebratenen Seeal. Dann tranken wir Caffe im Caffe d'ingleterre und fuhren hernach in den Jardin Public um in das Tagtheater zu gehen. Wir nahmen eine Loge für 2 Kopfstük. Es wurde eine Uebersetzung von Kotzebus Taschenbuch gegeben, doch nicht sonderlich. Es fing an zu regnen, alles im Parterr (welches nicht bedekt ist) retirirte in die Parterreloge. Es war ein lächerliches Schauspiel, der Soufleur floh aus seinem Loche vor dem Regen, aber es wurde fortgespielt. Nach dem 2^t Acte heraus, wie wir die Treppe herunter kamen, kamen auch Groß, Waldungen u. Egloffstein aus dem Parterre. Wir waren sämtl. sehr erfreut uns zu treffen, sie waren am Morgen angekommen und logiren mit uns in einem Gasthoff auf einem Flur. Wir blieben natürl. zusammen, blieben noch im Jardin Public, fuhren dann nach dem Markusplatz und gingen ½ 9 in das Theater St. Chresostemo, es wurde der Barbir von Sevilla gegeben, recht gut besonders der Barbir u. der Basilio, das Theater hat 6 Reihen Logen. Nach dem 2^t Act ein Ballet, Zar Peter unter den Strelitzen sehr gut, besonders 1 Solotänzer u. 2 Solotänzerinnen, der Tanzchor war zwar nicht so gut wie in Mailand aber doch sehr zu ertragen. Den 2^t Act von Barbir warteten wir nicht ab sondern gingen sämtl. nach Hause wo wir um ½ 1 Uhr ankamen, denn es war ¾ Stunde vom Theater bis in den Gasthoff. Ich war also von 5 Uhr früh bis den andern Morgen um 1 auf den Beinen ohne zu schlafen. Es sind 20 Stunden. *Sonntag d. 13 Juny 30.* Früh 6 auf. Unterhaltung mit v. Groß, v. Waldungen u. v. Egloffstein bis 9 Uhr, dann fuhr Ekermann u. ich auf einem Bot mit 4 Ruderern u. 2 Segeln nach den Murazzis. Wir hatten Gegenwind und konnten die Segel nicht brauchen. Auch hinderte uns die Flut welche eben eintrat, dennoch gingen wir schnell durch den Canal der Giudecca, dem Lido entlang nach dem Hafen von Malemocco und kamen nach 3 Stündiger Fahrt nach Palästrina, hier stiegen wir aus und betraten die Murazzis, sie sind mehrentheils in drey Absätzen gebaut und gleichen Festungswerken an den bedeutensten Stellen 30 Fuß über dem Meer. Vor denselben hat man wenigstens noch 30 Fuß in das Meer Ungeheure Steinblöke gewälzt woran sich zuerst die Wellen brechen müssen ehe sie an das wirkliche Mauerwerk gelangen, dieses ist aus ungeheuren Quadern des dichtesten Kalksteins zusammengesetzt und mit Pozzolana gekittet, die Steine hierzu sind alle aus Istrien hergebracht und die Murazzis sind wenigstens 2 Stunden lang und bilden einen Schutz gegen das Meer ohne welchen Venedig steets der Ueberschwemmung ausgesetzt seyn würde. Die Kosten müssen alle Begriffe überstiegen haben. Das Meer war ganz ruhig und ich genoß auch hier den Spaß die Krabben und Patellen sich neken zu sehen und habe selbst manche Patelle mit dem Messer loßgewürgt die ich mitbringe. Nachdem wir eine Stunde dieses Riesenwerk auf- und abgehend betrachtet stiegen wir wieder in unser Bot, die Segel wurden aufgespannt und nun gings mit gutem Fahrwind rasch zurük, wir frühstükten etwas Mitgenommenes und waren ½ 5! zur Tischzeit wieder in Venedig. Waldungen, Groß u. Egloffstein zu Tischnachbarn sehr vergnügt. Die 3 Freunde besahen nach Tisch noch manches, Ekermann ging aus, ich blieb manchen guten Gedanken entwikelnd allein zu Hause. Um 7 mit Waldungen auf den Markusplatz wo wir die anderen trafen, um ¾ 9 in das Theater St. Benedetto wo I Bachanali di Roma eine Oper in 2 Acten, Poesie von Rossi und Musik von Pietro Generali dem Meister von Rossini gegeben wurde. Das Ganze war recht gut und man konnte sehr zufrieden seyn, besonders waren im zweiten Act schöne Gesangsstüke. Rossinis Nachahmung des Meisters in seinen Opern war nicht zu verkennen, ½ 1 kamen wir nach Hause und um 1 Uhr ging es zu Bett, nachdem wir wieder 19 Stunden gewacht hatten. *Montag d. 14ᵗ Juny 30.* Früh 6 aufgestanden, geschrieben u. manches geordnet. Um 9 nach dem Arsenal gefahren. Vor demselben die zwey collosalen Löwen von Marmor betrachtet, welche sonst den Hafen von Athen zierten. Sie sind im herrlichsten Stiel gemacht. Jetzt betraten wir das *Arsenal* diese Ungeheure Anstalt.

Es hat 2 italienische Meilen im Umfange und ist hier alles vereinigt was zur Verfertigung eines Schiffs erforderlich ist, im blühenden Zustande der Republik Venedig arbeiteten täglich 10 000 Menschen darin jetzt etwa 5000. Auch werden die Galeerensclaven hier beschäftigt welche ich zum erstemal zwey u. zwey zusammen geschmiedet sah. Sie sehen gesund aus und sind reinlich gekleidet. Ich will nur einiges von dieser Anstalt bemerken. Sie enthält alle Werkstädten derjenigen Handwerke welche zum Schiffbau nöthig sind als Zimmerleute. Diese ist ein ungeheurer Raum eine Arcade bildend welche unmittelbar an ein Bassin stößt wo das Holz aufbewahrt wird. Sie ist von Palladio gebaut und von unermeßlicher Höhe und Länge, dann die Seitenwerkstatt ebenfalls ein Werk Palladios wird von 2 Reihen Säulen jede zu 4 − 8 Stük getragen und bildet 3 Seilerbahnen wo alles Bauwerk gemacht wird, das Magazin der Taue ungeheuer so wie das Tauwerk, das Magazin für Aufbewahrung von Munition, alles angefüllt. Die Ankerschmiede, ordinaire Schmiede, Tischlerwerkstat, Drechsler Werkstatt, alles Räume wie der Töpfermarkt, eine Werkstat für Mechaniker welche alles bis zum Compaß u. SchiffsUhren machen. Dann die Stukgießereien mit ihren ungeheuren Oefen, die Gewehrfabrik u. s. w. Im Arsenal sind auch ungeheure Bassins mit Wasser angefüllt vorhanden und können Schiffe von der größten Art dort gebaut u. gebessert werden. Eine ungeheure Menge Canonen von den verschiedensten Calibern waren in den Höfen reihenweise aufgestellt, näml bloß die Rohre. Es waren noch welche aus der Napoleontischen Zeit dabei, so waren auch die Kugeln sehr schön geordnet. Hiernächst ist noch die Modellkammer, oder vielmehr Saal merkwürdig wo Modelle aller Arten von Schiffen zu sehen sind und auch das Modell des vernichteten Bucentauer. Zuletzt wurden wir in die Waffensäle geführt, welche reizend geordnet u. 5 an der Zahl waren. Um 2 Uhr gingen wir heraus. Man war ganz verduzt von allen was man gesehen und mußte es sich bei ruhiger Zeit wieder ins Gedächtniß zurükrufen. Da es heute etwas stürmte so beschlossen wir nach dem Lido zu fahren um das Meer in Bewegung zu sehen welches uns auch gelang, die Wellen waren Groß und das ganze gewährte einen herrlichen Anblik. Auch suchten wir Muscheln und ich machte noch andere naturhistorische Bemerkungen an seltenen Käfern u. s. w. Um

½ 4 fuhren wir zurük und gingen gleich zu Tisch, wo wir unsere Freunde trafen, da dieselben diesen Abend mit dem Dampfschiff nach Triest gehen, so blieben wir zusammen und unterhielten uns. Um ½ 9 Abschied von den Freunden, sie bestiegen den Vapore, 10 zu Bett.

Dienstag d. 15ᵗ Juny 30. Früh 6 auf, am Tagebuch geschrieben, um 10 Uhr ausgegangen zum Bankier Hr. von Koepff gegangen artige Aufnahme Geldgeschäfte abgemacht, dann nach der Kirche St. Jean et Paul, vor derselben die Collosale Statüe des Generals Colleoni zu Pferd, auf einem sehr hohen Piedestal von weißen Marmor, vortreffl. gemacht. In der Kirche viele Denkmäler von Dogen, Senatoren, Generalen, letztere zu Pferde meistens über Lebensgröße, auch sind schöne Sculpturen in Marmor und Holz als Basreliefs angebracht, auch herrliche Bilder von Paul Veronese, Titian und ein herrliches Bild von Geov. Bellini. Diese Kirche gewährt besonders Interesse wegen ihrer großen Mannigfaltigkeit der Gegenstände aus den verschiedensten Zeiten, sie ist eine der ältesten Venedigs. In einer Osterie gefrühstükt (es war eine für das gemeinste Volk), sehr gute Sardellen mit Zwiebeln, Essig u. Oel und guter rother Wein alles für ½ Kopfstük. Dann den Markusthurm bestiegen, es geht sehr gut hinauf da es keine Treppen sind die man steigen muß sondern ein sich immer wendender hinaufgehender Weg mit Baksteinen belegt, von der obersten Gallerie herrlicher Ueberblick über Venedig, in der Fern Padua, Treviso, auch das Meer mit den vielen Inseln macht einen herrlichen Eindruk. Es war heiterer Himmel und Sonnenschein und ich erfreute mich eine halbe Stunde an diesem herrlichen Anblik, dann ging ich noch bis ½ 4 auf dem Markusplatz spaziren. Dann nach Hause ½ 5 z. Tisch. Während dem Essen starkes Gewitter u. Regen, welcher auch den Abend fortdauerte, wir blieben daher zu Hause und beschäftigten uns mit Lesen, Schreiben u. s. w. *Mittwoch d. 16ᵗ Juny 1830.* Früh 6 aufgest., bis ½ 9 am Tagebuch geschrieben. Um ½ 10 ausgegangen zu einem Antiquar welcher mir Medail. angeboten, ich suchte 20 Stük aus. Sie waren alle aus dem 15ᵗ u. 16ᵗ Jahrhunderte sehr schöne Sachen besonders von Pisan u. Sperandäus aber die Preiße waren so hoch daß ich gar nicht darauf bot, man denke sich für einen Dogen in Bronce von Sperand. zwar von bedeutender Größe forderte er 38 Kopfstük, und so auch verhältnißmäßig für die übrigen, ich

gab es also auf. Dann gingen wir das Theater Fenice zu besehen.
Es ist nach St. Carlo u. der Scala das größte in Italien, das Innere
ist sehr freundl. ohne Ueberladung reich geziert. Die Bühne sehr
groß, 36 Schritte tief, 18 Schritte breit und ohngefähr 36 Fuß
hoch. Hierauf gingen wir in den Pallast Grimani; gleich im
Hoffe, welchen eine Colonade umgiebt stehen die collosalen
Statüen von Marcus Agrippa u. Jul. Casar wie man sie nennt.
Besonders schön ist die des Agrippa. In den Wänden dieser Hallen sind lauter Antike Basreliefs eingemauert, worunter auch
2 große wirkl. Masken sehr ins Auge fielen. Im ersten Saal des
1ᵗ Stoks befanden sich antike Statüen, Büsten u. s. w., im 2ᵗ mehrere andere schöne Gemälde. Die Einrichtung ist noch aus dem
18ᵗ Jahrhundert wie Meubels u. Tapeten zeigen. Ein großer Saal
mit Familiengemälden folgt hierauf sowie zuletzt ein kleines
von Sansovino gebautes Cabinet worin vortreffl. Antiken als Büsten, bedeutende Bruchstüke und Bronzen aller Art aufbewahrt
werden. Schade daß es nicht benutzt wird. Von der Familie Grimani lebt nur noch die Mutter und der letzte seines Stammes ein
Mann von 35 Jahren, der aber nicht heirathen will. Schade daß
diese schöne Existenz nicht fortgeführt, und diese herrlichen
Räume nicht durch zahlreiche Nachkommenschaft belebt werden. Da es fortwährend regnete so gingen wir nach Hause und
blieben auch da, zu Tisch um ½ 5. Nach Tisch ebenfalls zu
Hause. Sturm und Regen, das Meer braußte schreklich gegen das
Lido dann noch ein Gewitter.
Und so will ich diese Zeilen schließen und dabei bemerken daß
mir die Luft von Venedig sehr gut bekommt. Mein Chatarr der
mich bis hierher hartnekig begleitete ist ohne irgend eine Medicin verschwunden. Andere Uebel die mich quälten sind wo noch
nicht ganz doch so gehoben daß ich große Erleichterung spüre.
Ich konnte früher kaum 20 Stufen steigen ohne auszuruhen und
Athem zu schöpfen jetzt eile ich die 86 Stufen zu unserem Zimmer mit Leichtigkeit 3−4 mal den Tag auf und ab, habe den
Markusthurm bestiegen, ohne nur eimal innezuhalten und er ist
doch 335 Fuß hoch. Ich gehe den Tag 7−8 Stunden und bin gewöhnl. von 5 Uhr des Morgens bis Abends 11 Uhr munter ohne
am Tag zu schlafen. Leben Sie recht wohl grüßen Sie Ottilien,
die Kinder und Freunde. Außer durch Waldungen welcher mir
einen Brief von Ottilien brachte (vom 21. May) habe ich seit bei-

nahe 6 Wochen keine Nachricht, ich möchte doch wissen ob
mein Tagebuch welches ich regelmäßig absende, ordentlich ankommt.

v. Goethe

Donnerstag d. 17ᵗ Juny 30 am Hochzeitstage. Schönster Sonnenschein um 6 aufgestanden, um 9 ausgegangen zuerst die Bar-
füßer Kirche (degli Scalzi) besehen, sie ist von Lunghenn erbaut
und hat viel Marmorpracht, besonders sind sieben Capellen von
Privaten erbaut, welche als Begräbnisse dienen, sehens- und bemerkenswerth. Hierauf gings in die Jesuiterkirche, sie zeichnet
sich durch Einfachheit und Geschmak aus. Wände und Säulen
von weißem Marmor, ebenso Canzel und Draperie alles mit
Verdo antico eingelegt als wenn es ein großes Damast-Muster
bilden sollte. Es macht einen merkwürdigen Eindruk. Von hier
besuchten wir die Gallerie im Pallast Manfrini, wo bedeutende Bilder aus allen Schulen zusammengebracht sind, besonders gefielen mir 2 Gemälde von Carolo Dolce, eine Magda-
lene u. eine Cecilie. Es deutete alles auf eine große und reiche
Existenz besonders der Saal. Dann bis ½ 4 auf den Markusplatz.
Nach Tisch, zu einem Antiquar, wo ich schöne Medail. aus dem
15ᵗ u. 16ᵗ Jahrhundert fand, 12 Stük hätte ich gern gekauft. Er war
aber unsinnig theuer denn er forderte für diese 12 Stük große
und kleinere 100 Kopfstük. Man sieht hieraus daß ich in Mailand
einen guten Handel gemacht habe. Heute besah ich auch eine
Goldschmidts-Werkstatt wo die berühmten goldenen Ketten von
den verschiedensten Caliber gemacht werden, es ist wunderbar
so etwas erstehen zu sehen. *Freitag den 18ᵗ Juny.* Um 9 ausgegangen, zuerst in den Pallast Pisani. Zwey Gemälde: Tod des Darius
von Piazetta, die Familie des Darius zu Alexanders Füßen von
Paul Veronese ein herrlich erhaltenes Bild. Dann in den Pallast
Barbarigo besonders viele Gemälde von Titian 2 Magdalenen
die Hoffährtige u. die Büßende. Schöne Stüke. Nach diesen
Kunstgenüssen sehnte ich mich nach etwas natürl. und da der
Fischmarkt in der Nähe u. es gerade Freytag war, wo er am belebtesten ist so ging ich hin und erfreute mich an den verschiedenen Meerwundern, endl. kaufte ich mir einen Meeral, und

ließ mir ihn in einer nahen Osterie braten und verzehrte ihn nebst einem guten Glas Wein. Nach diesem bestieg ich die Gallerie der Markuskirche und erfreute mich in der Nähe die herrlichen 4 Pferde betrachten zu können. Der Markuskirche selbst widmete ich auch eine Stunde und kann nicht sagen welchen wunderbaren Eindruk dieses Gebäude macht, es ist mir nichts vorgekommen womit es verglichen werden könnte und ist wie Venedig selbst einzig in seiner Art, schon die Mosaikbilder auf Goldgrund welche Gewölbe, Wände, Altäre u. s. w. bedeken, machen den wunderlichsten Eindruk, bemerkenswerth ist noch eine Capelle in welcher der Bischof *Zeno* begraben ist. Das Grabmal ist in der Art gemacht wie das von Peter Fischer im Dom zu Magdeburg, hier ist aber noch ein herrlicher Altar mit den schönsten Bronce Figuren beinahe in Lebensgröße. Nun besahen wir noch das Palais Royal welches 2 Seiten des Markusplatzes und eine Seite der Piazetta einnimmt, alles ist von Napol eingerichtet, eine herrliche Treppe führt hinauf. Auch sind schöne Gemälde in der Capelle von Dürer, Leonardo u. s. w. Zu diesem Pallast gehört auch ein schöner Garten der unmittelbar dahinter von Napol. angelegt worden und gerade an die Lagunen stößt mit herrlicher Aussicht. Hierauf machte ich noch eine Tour den Hafen entlan, wo ich dem Treiben u. Leben der Menschen mit Vergnügen zusah. Nach Tisch ausgegangen, Ponte Rialto, herrlicher Anblik ungeheures Leben auf demselben. Den Abend zu Hause Gewitter um 11 zu Bett.

Sonnabend d. 19ᵗ Juny. Früh 9 Uhr fuhren wir auf der Gondel an die Fregatte welche im Hafen liegt und erhielten Erlaubniß sie zu besehen, der Capitain war ein sehr höflicher Mann. Dieses Schiff hat 62 Canonen von starken Caliber 36 Pfünder und ist besonders jetzt zum Exercitium für die Marine Conscribirten hierher gebracht, die Länge betraf 180 Schritte. Wir wurden überall herumgeführt und bewunderten nebst den 3 Ungeheuren Masten den ganzen Bau, das Tauwerk besonders die Ankertaue und die große Reinlichkeit. Eine ungeheure Menge Canonenkugeln lagen im Vordersten Schiffsraum ich glaube mehr als Ballast als zum Gebrauch. Gleich als wir die Academia delle belle Arti zum ersten mal besahen, beschlossen wir noch einmal dahin zu gehen weil es unmögl. ist alles auf einmal zu sehen u. einen bleibenden Eindruk zu behalten. Wir fuhren daher mit der Gondel bis dahin

wo wir um 11 ankamen. Zuerst besahen wir wieder die Gyps-Ab-
güsse und erfreuten uns abermals an diesen herrlichen Kunstwerken des Alterthums, besonders erregte meine Aufmerksamkeit u. Bewunderung die Collosale Flora. Die Bildergallerie
gewährte uns ebenfalls neuen Genuß da wir mit frischen Sinnen,
frohen Muthe und Ruhe alles besehen konnten: die herrlichen
Gemälde von Titian, als die Präsentation der jungen Maria vor
den hohen Priester. Ich erinnerte mich gleich Ihres großen
braun in braun Holzschnitts, die Himmelfarth Mariä von Titian
fesselte uns beinahe eine halbe Stund, die herrlichen Bilder der
Bellinis, Paul Veronese, u. s. w. entzükten uns zum zweitenmal
mehr als das erstemal wo man ganz Sinnenverwirt, von all dem
herrlichen aus der Gallerie geht. Dem Zimmer der Handzeichnungen wurde auch mehr Aufmerksamkeit gewidmet. Diese
Sammlung rührt von dem verstorbenen Bossi in Mailand her.
Die hiesige Academie hat sie von den Erben für 39 000 Franken
nebst 4 Bildern aus der Venetianischen Schule erkauft, die besten
Sachen von Raphael, Michael Angelo, Leonardo pp. sind unter
Glaß u. Rahmen hier aufgehangen und man kann kaum davon
wegkommen. Mehrere 1000 liegen in den Mappen wohlgeord-
net, doch müßte man Wochen haben um alles zu sehen. Graf Cicogniara zeither Präsident der Academie der schönen Künste hat
seine Stelle wegen Kränklichkeit niedergelegt worüber man sehr
betrübt ist. Nach allen Genüssen wurde eine gute Osterie gesucht, wo wir (zur Krone) herrliche Austern, gute Cotlets u. ge-
bratene Kartoffeln nebst treffl. Wein genossen und so die durch
Beschauung etwas verwirrten Sinne wieder ins Gleichgewicht
brachten. Wir konnten von unserem Platz gerade die Thüre der
Osterie sehen welche in eine Straße führt welche nicht so breit
ist daß 2 Menschen sich bequem ausweichen können, und doch
zählten wir in einer Minute 150 Menschen die sich vorüber bewegten. Das ist ein Leben! Nun dämmerte man noch etwas in
den Straßen umher, ging auf den Markusplatz und so verstrich
die Zeit bis zum Essen. Gegen Abend fuhr ich allein mit einer
Gondel um die Giudecca. Das Meer war bewegt und wiegte mich
in selige Träume der Gegenwart und Vergangenheit. ½ 9 kam
ich an der Piazetta an und traf Ekermann verabredeter Maaßen
in Caffe al Gernio. Nach dem Genuß eines Glaßes Ciperwein
gingen wir noch um 9 in das Theater St Benedetto wo die Hora-

tier u. Curiatier von Chimarosa gegeben wurden. Die Musik war schön, nur die Recitative zu lang und da man schon 16 Stunden auf den Beinen war so stellte sich die Müdigkeit ein, welche den Genuß schwächte. Wir gingen daher nach dem ersten Act nach Hause, wo wir um ½ 12 ankamen; das war wieder ein ordentlicher Tag. *Sonntag den 20ᵗ Juny 30.* Früh geschrieben zu Hause bis 10 Uhr. Dann ausgegangen und manches besorgt, um 12 besuchte ich noch einmal den Pallast des Dogen. Dieses Wundergebäude an Pracht und Seltsamkeit, denn mit einmal besehen ist es nicht gethan weil sich manches im Gedächtniß verwirrt, wollte man es genau betrachten und besonders die Gemälde studiren, so könnte man Wochen zubringen. Ich ließ mich auch heute in die Gefängnisse unter den Bleidächern führen, sie sind geräumig und hell, aber heiß mag es werden können; nach 2 Stunden verließ ich den Pallast mit bleibenden Eindrüken seiner Größe und Herrlichkeit, und durchwandelte noch die Stadt etwas, bis es beinahe Tischzeit war. Den Abend blieb ich zu Hause bis ½ 9 wo ich mit Ekermann in das Theater St. Luca ging, es wurde Tancred von Rossini gegeben und im ganzen ging es recht leidlich, am besten spielte die Amenaide u. Orbassan, der Tancred wurde von einem Frauenzimmer gegeben welches da man es nicht gewohnt war nicht recht ansprechen wollte. Das Theater selbst ist eins der hübschesten die hier sind. Es hat 5 Reihen Logen incl. der Gallerie zusammen 200 an der Zahl. Das Parterre ist im Verhältniß, und sehr groß; nach dem 1ᵗ Act nach Hause denn es war wieder 11 Uhr geworden ½ 12 legten wir uns zu Bett. *Montag d. 21ᵗ Juny 30.* Früh um 9. mit einer Gondel ausgefahren nach Hr v. Köpfe Geldgeschäft, dann noch einige Kirchen besehen, später noch einmal am Hafen entlang, durch den Dogen Pallast, die Markuskirche u. den Markus Platz, um 3 nach Hause. Der Veturin von Mailand meldet sich, Abreise auf morgen verabredet. So stehe ich denn im Begriff diese Wunder-Meer-Stadt zu verlassen nachdem ich 14 Tage hier gemüthlich zugebracht und dabei die Ueberzeugung gewonnen habe, daß sich meine Gesundheit außerordentlich gebessert, die Meersluft thut mir so wohl, die stete Bewegung ist köstlich und die wunderbaren neuen Gegenstände, eines für uns Landratten ganz unbekannten Lebens, erheitern und beleben den Geist. Wir gehen über Mantua, Cremona nach Mailand zurük wo ich hoffe eimal Briefe von

Ihnen zu erhalten und daraus zu sehen ob meine Art die Sachen
zu betrachten Ihren Beyfall hat. Wenn man so 4 – 6 Wochen gar
keine Nachricht aus der Heimath hat so ist es doch ein bischen zu
wenig. Ich martere mich mit dem Tagebuche ab und höre keinen
Wiederhall. Wenn Sie nur alle gesund sind so will ich auch gern
dieß Schweigen ertragen. Es hat mir hier sehr gefallen, aber länger hätte ich gerade auch nicht bleiben mögen und es war mir
lieb als unser Mailänder Veturin uns zum Abmarsch aufforderte.
Grüßen Sie Ottilien, die Kinder und Freunde und denken Sie zuweilen an Ihren

dankbaren Sohn.

A. v. Goethe.

d. 21ᵗ Juni Ab. 6 Uhr.

Etwas über Venedig im algemeinen.

Venedig muß man auf 2erley Arten kennen zu lernen suchen.
1. Zu Wasser mit der Gondel, dann daß man es zu Fuß durchwandelt, nur dann erst kann man sich einen richtigen Begriff von
dem Treiben u. Leben der Venetianer machen. In den ersten Tagen meiner Anwesenheit war ich genöthiget die Gondel viel zu
brauchen theils um schneller zu den zu besehenden Gegenständen zu gelangen, theils weil ich noch nicht wohl genug war
starke Touren zu Fuß zu machen. Ich leugne nicht daß mir hierdurch Venedig öde vorkam, besonders in den kleineren Canälen,
denn auf dem Canale Grande ist viel Leben von Fahrzeugen, welche den Mundbedarf für Venedig herbei bringen, doch trifft man
wenig Gondeln mit Personen. Viele Familien haben Venedig verlassen und wo sonst die Nobilis zu Tausenden umherfuhren läßt
sich jetzt selten ein Privatgondel sehen welche man gl. erkennt
da die Gondoliers Livrée tragen. Die Paläste sind wie verödet, da
in den noch bewohnten die Familienzimmer immer in den Hoff
gehen, die Läden sind geschlossen und man glaubt es wohne kein
Mensch darin, kommt man aber in einen von einer reichen Familie wie z. B. von den Manfrinis, Pisanis pp bewohnten Pallast,
so tritt einem die Pracht der vorigen Jahrhunderte vor Augen,
herrliche Gemälde bedeken die Wände, Antike Statüen, Büsten

und dergl. ziren die Zwischenräume, herrliche Mosaiken bedecken die Fußböden und Ungeheure Kronleuchter sind bereit mit hunderten von Kerzen diesen herrlichen Räumen für die Nacht, dem eigentlichen Lebensmoment der Venetianer, einen neuen Glanz zu geben. Die Meubels sind alle noch aus dem vorigen Jahrhundert, so wie die Stoffe welche die selben, so wie die Wände bekleiden. Man muß so etwas gesehen haben um sich einen Begriff von der Größe und Pracht einer Venetianischen vornehmen Existenz zu machen. Einen desto traurigeren Anblik gewähren die leerstehenden Paläste. Viele Familien haben Venedig verlassen und sind nach Padua, Vicenza, Verona gezogen, ein solcher Pallast steht öde, schmuzige Wäsche hängt aus den Fenstern, Graß wächst auf den Marmorgesimsen, die Gondelpfähle sind dem Ruin nahe und die schöne Pforte welche sonst zum Ein- und Austrit an der Gondel diente ist verschlossen, oder halb geöffnet wo einem dann bleiche abgehungerte Gesichter entgegen bliken. Will man aber Venedig von einer heiteren Seite sehen u. beobachten so gehe man durch die zwar engen doch sehr belebten Straßen, hier ist beinahe kein Haus wo nicht etwas zu erkaufen wäre, oder wo nicht ein Handwerker unmittelbar an der Straße arbeitete. Man findet neben einander Goldschmide, Fleischer, Schmide, einen Grobschmidt, Victualienhändl., u. s. w. Die Thätigkeit ist ungeheuer und um dieß zu beobachten und zu genießen gehe man Nachts zwischen 11 u. 12 durch dieses Straßenlabirinth, alle Boutiken sind noch geschmakvoll erleuchtet, in den Werkstäten der Schuster, Schneider u. s. w. herrscht noch die regste Thätigkeit (obgl. man sie früh um 6 wieder arbeitend findet). Das Menschengewühl ist doppelt so stark wie am Tage, der Markusplatz ist ebenfalls gefüllt und alle Caffees wimmeln von Menschen und die erleuchteten Galanterieläden gewähren einen wahrhaft zauberischen Eindruk. Um diese Zeit ist auch die Rialtobrüke am belebtesten und hat mir mehr gefallen wie am Tage, es ist Brüke und Bazar zugl. Man kann Venedig ganz zu Fuß durch erwandern denn seine 200 Brüken machen auch den kleinsten Winkel zugänglich. –. *Der Menschenschlag* ist in den höhern und mittlern Ständen meist über mitlere Statur, viele sehr groß besonders die Männer, die Frauen sind weniger Groß. Beide Geschlechter haben Anlage zum Starkwerden welches sich auch zwischen den 4oziger u. 5oger Jahren zeigt. Besonders

sind mir die ausgezeichnet großen Naßen aufgefallen, welche
zuweilen, besonders bei der niedern Classe monströß werden, ich
habe mehrere Personen gesehen welche nebst einer ungeheuren
dicken Naße noch 2 Neben Nasen hatten. (Ohne Spaß). Die nie-
dere Classe ist mittlere Größe z. B. die Gondeliers, Tagelöhner
u. s. w. Dabei hager, und sonnenverbrannt mit lebhaften, jedoch
gutmüthigen Phisionomien. Diese Classe hat durchaus Lust etwas zu verdienen welches aber schwer hält, da sich die Reichen
vermindert und die ärmere Classe zugenommen hat. Wenn man
rechnet daß Venedig sonst über 200 000 Einwohner zählte und
jetzt höchstens 110 000 hat so kann man annehmen daß unter der
verminderten Zahl wenigstens ⅔ wohlhabend waren u. die übrigen mit ernährten. Bedenkt man ferner daß nur der Wasserbe-
darf für 100 000 Menschen weniger von den Inseln herbeige-
schafft wird (denn Venedig hat wenig süße Brunnen, und das
Wasser wird verkauft) so kann man denken wie viele Menschen
dadurch brodlos geworden, und so ist es mit allen Lebensbedürf-
nissen, da alles bis auf das Letzte zu Wasser hergeholt werden
muß als Holz, Fleisch, Gemüße, Wein u. s. w. *Kaffehäuser* giebt
es in Unzahl 1ᵗ die besten unter den Arcaden des Markusplatzes,
dann in allen Straßen, der Venetianer bringt beinahe den ganzen
Tag da zu, hier werden Geschäfte abgemacht, man schreibt sogar
Briefe daselbst u. s. w.; im Genießen sind die Venetianer sehr
mäßig denn außer Eis, Caffe, Limonade und Ciperwein bekommt man nichts in den Caffes aber Kaffe wird bis nach Mitternacht getrunken und er ist sehr gut, Ciperwein ein kleines
Bierglas 18 Pfennig. *Osterien* giebt es auch viele und ich habe sie
von den vornehmsten bis zu den niedrigsten durchgekostet,
zuletzt aber die Mittelclasse vorgezogen. Hier kann man alles
haben von der Suppe an eine Auswahl unter vielleicht 20 Gerichten, auch Austern, das Duzend 2 gr. und sehr gut, der Wein
besonders der rothe ist sehr gut u. wohlfeil, das Essen im ganzen
theuer denn man verkneipt doch wenigstens 2 Kopfstük mit
Wein zum Frühstük. Ich habe mich zuweilen in ganz gemeinen
Weinschenken wo nur Fischer, Matrosen u. s. w. waren gesetzt
und ein Glaß zum Schein getrunken, nur um das Leben dieser
Classe zu betrachten, hier sind keine einzeln stehende Bänke
sondern abgesonderte Plätze zu je 4 Personen mit hohen Planken
wo keine Parthie die andere sehen kann. Ich habe nie einen

Streit oder Gelärme gehört; jeder bringt seine gebakenen Fische, Schneken, kleinen Krebse mit, oder kauft sich sie dort und trinkt seinen Wein ohne viel Worte zu machen und man sieht daß der Mensch hier das mühsam verdiente nicht durchbringt sondern den Hunger und Durst nothdürftig stillt. Die *Ausrufer* verschiedener Victualien, besonders aber das ewige schreien Aqua fresca verwirrt einen ordentlich den Kopf; über all hat einer in der engsten Straße auf dem Pflaster etwas feil und brüllt es den Vorübergehenden lobpreißend entgegen. *Gondeln*; wenn diese nur nicht wie schwimmende Särge aussähen! Es ist wirklich schauderös daß man auf dem herrlichen Element des Meeres hier in Trauerhüllen fahren muß, deswegen habe ich auch immer das Verdek abnehmen lassen, kommt man aber z. B. in unsere Auberge die unmittelbar die Treppe auf den Canal hat so stehen 4. 5. solche Verdeke im Vorhaus und man glaubt in ein Sargmagazin zu treten. Besonders machen es die schwarzen Wollbüschel welche längs des Verdeks laufen schauerlich. *Freyhafen*. Seit 4 Monaten ist nun auch Venedig zu einem Freyhafen erklärt und man sagte mir daß sich schon seit dieser kurzen Zeit ein regeres Leben im Handel zeige; freylich werden Jahre dazu gehören mehr und größeres Leben hierher zu bringen, aber Venedigs Lage, seine Häfen vor Malemocco, u. Lido und die Sicherheit für die Schiffe bei Stürmen in den Lagunen werden wohl ihren alten Vortheil wieder gewinnen: Wiedersinnig spricht man von Versandung der Lagunen, von Stinken der Canäle u. s. w. Solche Reisebeschreiber sind wahrscheinl. nur zur Ebbe hier gewesen, wo allerdings die hohen Stellen entblößt werden, und die Canäle stinken nicht, man fährt allen Kehricht, Abraum u. s. w in Barken nach den Inseln wo sie als köstliches Düngungs-Mittel willkommen sind. Man sagte mir in Mailand ich werde es nicht 8 Tage vor Langeweile in Venedig aushalten können und doch bin ich nun 12 Tage hier und weis nicht wo sie hin sind. *Es* giebt nur *Ein* Venedig in der *Welt. Das Meer.* Von meinem Fenster aus sehe ich wie ich schon gesagt über das Lido und einen dunkelblauen Streif des Adriatischen Meers. So eben kommt eine Fregate von Triest von 60 Canonen. Sie segelt am äußersten Horizont so daß man nur die Oberen Segel sehen kann (mit bloßen Augen). Nimmt man das Perspektiv so erscheint sie wie ein Camlus, sie geht heute nach den Hafen von Malemocco, ladet die Hälfte des

Geschützes aus und kann dann erst in die Lagunen einlaufen, was morgen geschehen wird, alles vor meinem Fenster (den 19ᵗ Juny 30. ½ 7 Uhr.) Nachdem ich nun Venedig ein wenig kennen gelernt habe so wundere ich mich nicht wie so viele Romanenschreiber den Schauplatz ihrer Dichtungen hierher versetzt haben, besonders wenn man das frühere Leben hier bei Zeiten des Carnevals u. der Masken bedenkt, Schillers Geisterseher ist mir oft eingefallen, wenn ich Abends Gestalt in Armenischer Tracht umher schleichen sah, auch erinnerte ich mich mancher herrlichen Abentheuer des Casanova so wohl verliebten als betrübten Ausgangs wie z. B. beim Anblik der Bleidächer. *Ponte di Sospiri* wird nicht mehr betreten man hat sie schon unter Napol. vermauert. *Holzverkauf,* vor unserem Fenster liegen immer 10 – 20 Schiffe mit Brennholz beladen und ich erinnere mich oft wenn ich zum Fenster hinaus blike der Erzählung von Götze der sich ärgerte die geschälten Weindholzstäbchen in Bündelchen theuer kaufen zu müssen, und da dieses Bedürfniß tägl. gekauft wird, so ist der Verkehr sehr lebhaft damit.

Venedig Montag den 21ᵗ Juny 30. Anstalten zur morgenden Abreise gemacht, gepact u. s. w. Um 9 mit der Gondel ausgefahren zum Bankier v. Köpff, sehr artige Leute, Geldangelegenheiten geordnet; hierauf noch einige Kirchen besehen aber nichts besonders bemerkenswerthes gefunden, dann noch mit der Gondel ein wenig in den Lagunen gefahren und der Austernfischerey zugesehen. Auch gleich welche genossen, so wie sie aus dem Meer kamen. Noch einmal die Löwen am Arsenal bewundert, dann auf den Markusplatz, alle Umgebungen noch eimal genau betrachtet. Um ½ 5 zu Tisch fidele Gesellschaft aller Nationen, der Wirth ließ auf seine Rechnung Burgunder reichen. Abend bis 10 zu Hause dann noch eimal das rege Nachtleben Venedigs genossen welches einzig in seiner Art ist; um 12 nach Hause. *Dienstag d. 22ᵗ Juny 30.* Früh 7 aus Venedig mit einer Gondel nach Mestre gefahren, an der Dogana sehr gelinde behandelt, um 9 in Mestre angekommen. Hier muß ich noch bemerken daß als wir bei unserer Ankunft in Venedig die gewöhnlichen Aufenthaltskarten lösen wollten, man uns von Seiten der Polizei sagen ließ wir brauchten keine, denn wir wären schon von Mailand recommandirt, und als wir abreißten, ließ uns der Polizeycheff glükliche Reise wünschen, in dem er uns die Pässe zurüksandte. In Mestre fanden wir unseren Veturin, stiegen sogleich in der Wagen und nahmen von den Gondeln und ihren freundlichen Führern Abschied. Um 1 Uhr kamen wir in Padua an und be sahen gleich nach Tische die Merkwürdigkeiten dieser so berühmten Stadt, alles was wir sahen deutete auf die Großen Verhältnisse früherer Zeiten und noch ist ein reges Leben daselbst obschon nur noch 300 Studenten daselbst sind; die Academie ist ein weitläufiges Gebäude, so auch der große Saal gegenüber im Pallazzo della Giustizia, ein ungeheurer Raum denn er ist ganze 200 Schritt lang verhältnißmäßig breit und hoch und hat keine Stüzpuncte als die vier Wände, jetzt wird er als Malersaal für Theaterdecorationen gebraucht, merkwürdig waren am Eingang zwey Egiptische Figuren, sizend, in Lebensgröße, mit Thierköpfen, welche Belzoni der berühmte Reisende ein Paduaner dahin verehrt hatte, sie sind von einem schwarzen basaltartigen Gestein. Finster sieht das Gebäude der Universität aus und giebt zugleich eine traurige Erinnerung an die ehemalige Größe dieser Universität, es hat ungeheure Räume an Sälen, Auditorien u. s. w. wovon aber wenige benuzt werden. Das Physikalisch-technologische Cabinet besahen wir und es war gut geordnet und erhalten, auch manches neue angeschafft. Ob man gleich nicht versäumt an bedeutenden Orten die Hauptkirchen zu besehen, so ist es doch nur Betrachtung für den Moment, denn da sich die Kirchen Italiens hinsichtl. des Stiels in der Bauart ziemlich gleichen, so verwischt ein Eindruk den anderen und nur das Andenken an Kunstwerke der Malerey und Bildhauerkunst rufen einen zuweilen die Localitäten zurük; doch ist es sehr gut sie zu besuchen, man findet immer eine erquikende Kühle und sehr oft erfreuliche Kunstwerke; welche wenn sie auch nicht im Gedächtniß gefesselt werden können doch angenehme Momente gewähren. Obgleich sehr viele defecte Räume alhier sind so baut man doch ein neues Caffehaus was vielleicht Seinesgleichen in Europa kaum haben wird, es ist im edelsten römischen Stiel gebaut und alle Wände im Innern sind von Marmor, so wie die Säulen, der Fußboden u. s. w. Es war bald fertig und ich besah es daher als eine merkwürdige Erscheinung in einer verblühten

Stadt. Den Abend blieb ich zu Hause. Ekermann ging noch in das Theater wo Caritea Regina di Spagna von Pola mit Musik von Mercadante gegeben wurde. Ekermann hat sowohl Darstellung, Gesang, Composition, Garderobe und Ballet vortreffl. gefunden. Ich war aber zu müde um diesen Genuß theilen zu können, denn es dauert bis nach 1 Uhr u. um 3 morgen sollen wir schon wieder im Wagen seyn.

Mittwoch d. 23ᵗ Juny 30. Früh 3 Uhr von Padua weg, Mittag in Vicenza, Gewitter das. abgewartet, Nachmittag passirten wir eine zwar schöne Chausee, welche aber wegen oft in dieser Gegend vorfallenden Straßenraubes und vieler Mordthaten sehr berüchtigt ist; besonders unsicher ist es um die Mittagsstunde und gegen die Nacht; besonders aber will Sonntags diesen District, trotz der zahlreichen Patrouilen welche ihn begehen, niemand bereisen. Raub und Mord ist meistens in einigen Minuten vollbracht und die Nähe unzugängl. Gebirge, sichert die Räuber für Verfolgung in ihre Schlupfwinkel daselbst; die sonst etwas langsamen Veturine, strengen auf dieser Streke ihre Pferde sehr an und fahren sehr scharf, haben auch die Augen überall herum. Wir sind diesen Weg nun 2 mal passirt und haben keine Anfechtung gehabt. Abend gelangten wir nach Villa nova, einem einzeln gelegenen Gasthoff mit Großen öden Räumen, abentheuerlichen Gängen, Hallen, Gewölben u. dergl., unser Aufenthalt erinnerte uns an die Nacht im Walde, doch hier waren es gute Leute. Ein heiteres Mahl mit unserem guten alten Veturin, köstlicher Wein und herrliche Betten machten uns guten Muth und wir brachten eine herrliche Nacht zu. *Donnerstag den 24ᵗ Juny 30.* Früh 4 Uhr von Villa nova ab, zugleich mit der Patrouile nach Verona, das. bloß gefrühstükt, um 12 in Mantua. Nach Tisch die Stadt und ihre Merkwürdigkeiten besehen. 1. Villa Ducale (früher ein Pallast der Familie Gonzaga) ein einstökiges in dem edelsten Stiele errichtetes Gebäude nach einem Plan von Julio Romano gebaut; das Innere entspricht ganz dem Äußeren und hier sah ich zum erstenmal herrliche Gemälde von Julio Romano. Das eine große Zimmer ist durch die Hochzeit von Amor u. Psiche geziert, hier sah ich zum erstenmal etwas grandioses und liebliches und trauerte über die Verschwendung der Talende der Venetianischen Schule und anderer herlicher Meister an Gegenstände wo man nichts als Martern

der Heiligen und ewiges Blutvergießen des Heilandes vorgestellt sieht, man muß erst den Gegenstand überwinden um
Freude am Bild zu bekommen, und bei der kurz gegebenen Zeit
gelingt dieses selten, so wird man von Gemälde zu Gemälde in
Gallerien und Kirchen fort geschleppt und findet selten einen
erheiternden Gegenstand. Ganz anders war es hier. Das heiterste
sinnliche mit dem Größten Geist gedacht und ausgeführt, versetzte einen in die Zeit des schönen götterreichen Alterthums
und man konnte sich kaum von dem herrlichen Anblik trennen,
um in einem anderen Zimmer den Sturz der Giganten ebenfalls
von Julio Romano gemacht, zu bewundern. Im Plafond ist der
Olymp dargestellt aus welchen Jupiter seine Blitze mit finstrem
Antlitz schleudert und die auf den 4 Wänden in den mannigfal-
tigsten Stellungen des Unterliegens dargestellten Giganten vollends zu vernichten. Von hier fuhren wir in den königl. Pallast
welches Gebäude auch früher der Familie Gonzaga gehörte, später, und besonders zur franz. Zeit wurde es zum Absteigequartir
des Viecekönigs Eugen eingerichtet und alles neuere ist aus dieser Zeit, schön und geschmakvoll eingerichtet. Hier sind auch
viele Gemälde und Fresken berühmter Meister, am meisten interessirten mich aber 4 Wände mit Gobelins nach Mustern von
Raphael gewirkt. Jetzt dient es ebenfalls zum Absteigequartir
des Kaisers, u. des Vicekönigs. Ein Theil dieses ungeheuren Gebäudes, welches Ähnlichkeit in der Bauart mit dem Pallast des
Dogen hat, ist seit dem Bombardement und der Einnahme durch
die Franzosen fast gänzl. ruinirt, es hat weder Thüren noch Fenster. Hier waren die schönsten Fresken von Mantenga, welche
aber in der rohen Republikaner Zeit, alle ruinirt worden sind, so
daß man gar nichts mehr erkennen kann. Man braucht wenigstens ¾ Stunde um diesen Pallast wenn auch nur flüchtig zu
durchgehen. Ganz nahe bei diesem Pallast liegt die Kathedrale
nach einem Plan von Jul. Romano gebaut, mit schönen Bildern
von Guerini u. Paul Veronese. Von hier fuhren wir noch nach den
Festungswerken, es war ein herrlicher Abend und die Sonne
ging schon unter. Merkwürdig sind zwey Brüken welche aus
den beiden Vorstädten nach Mantua selbst führen, wovon jede
800 Schritte lang ist, hierauf besuchten wir noch die Kirche
St. Andreä mit schönen Gemälden, einer unterirdischen Capelle,
wo einige Tropfen des Blutes Christi aufbewahrt werden; schon

war es dunkelgeworden und wir fuhren über den Corso nach Hause und gingen bald zu Bett.

Freytag den 25ᵗ Juny 30. Früh ¾ 3 von Mantua, fruchtbare Gegend, besonders Wiesen, schönes Vieh und herrliche Getreide Felder. Mittag in Piadena, und Abend ½ 6 langten wir in Cremona an, wir gingen noch etwas spaziren außer der Stadt, besahen dann noch ein schönes Theater, und die Hauptkirche, ein altes aus vielen Zeiten herrührendes Gebäude. Es war schon beinahe dunkel und wenige Kerzen erleuchteten spärlich die Räume. Nun eilten wir nach Hause, es war sehr heiß und wir schliefen deshalb schlecht. *Sonnabend d. 26ᵗ Juny 30.* Früh ¾ 3 ausgefahren von Cremona Mittag in Lodi. Wir besuchten die berühmte Brüke über die Adda gegen 300 Schritte lang wo Napol. den 10ᵗ May 1796 durch seine persönl. Tapferkeit den Uebergang erzwang und die Oestreicher unter Beaulieu schlug, dieser Uebergang kostete den Franzosen 12 000 Mann, es war ein eigenes Gefühl auf dem Platz zu stehen wo so viele Menschen ihr Leben ausgehaucht hatten. In Lodi und in der Umgegend werden gegen 30 000 Kühe gehalten und die besten Käse der Lombardei gemacht, man kann hieraus auf die Fruchtbarkeit des Bodens schließen. Seidenzucht ist hier weniger. Um 3 Uhr fuhren wir bei 32 Grad Wärme im Schatten, von Lodi ab durch immer gleich angebaute fruchtbare bewässerte Gegenden und langten Abends 8 Uhr zu Mailand wieder im Hotel Reichmann an wo wir sehr freundl. von allen Seiten empfangen wurden und erst nach 12 Uhr zu Bett kamen. *Sonntag d. 27ᵗ Juny 30.* Früh 5 Uhr auf, am Tagebuch geschrieben, Geldangelegenheiten mit Milius geordnet, den Veturin bezahlt und denselben wieder bis Genua accordirt wohin es Mittwoch den 30ᵗ Juny geht und zwar über Turin. Mittag frühere freundl. Tischgesellschaft von Angestellten Oestreichern, Bekanntschaft mit Hr. Professor Mauch aus Berlin, welcher beim Polytecnischen Institut das. angestellt ist und besonders die Herausgabe der Probe- und Musterblätter für Handwerker leitet, Ihnen auch bekannt ist, da sie schon in Kunst und Alterthum seiner lobend gedacht haben, welches er sehr freundl. dankbar bemerkte. Er ist ein sehr angenehmer gebildeter Mann, er reißt jetzt durch Italien zu seiner ferneren Unterrichtung. Um 8 in das Theater Canobiana wo Olivo e Pasquale, eine komische Oper in 2 Acten und das Ballet L'Orfana di Ginevra, welches letztere ich schon früher gesehen hatte gegeben. Es wurde aber heute besonders gut ausgeführt gegeben u. die Mädchen tanzten himlisch. Um ½ 1 Uhr kam ich allein nach Haus. Ekermann war nicht ganz wohl und früher fortgegangen. Ich war in Gesellschaft meiner Oestreichischen Bekannten geblieben, um ½ 2 zu Bett. *Montag den 28 Juny 30.* Früh 5 Uhr auf, geschrieben. Um 10 ging ich allein aus da Ekermann nicht ganz wohl war, ich besah manches was ich schon früher gesehen, um mir es wieder ins Gedächtniß zu rufen und so verging die Zeit bis zu Tisch. Nach Tisch mit George Mylius nach der Villa des verstorbenen Grafen Pationi gefahren, sie ist mit reellem Geschmak angelegt aber wenig oder gar nicht gebraucht worden da der Besitzer Bankrott geworden und später gestorben ist, sie soll verkauft werden, ein schöner englischer Garten umgiebt sie und auf einigen Puncten hat man die herrlichste Aussicht auf die Gebirge am Comer See und die Kette der Schweitzer Alpen. Um 8 kamen wir wieder zurük. Gegen 9 Uhr war in der Straße wo wir wohnen eine große Illumination in der Gegend der Kirche von St. Peter u. Paul wegen des morgenden Festes. Die Kirche war mit Lampen von außen erleuchtet, die Privatgebäude desgl. auch mit großen Kerzen, alle Boutiken waren aufgepuzt und ebenfalls illuminirt. Über die Straßen hingen Festons von bunten Laternen. In dieser Gegend wogten Tausende von Menschen in den Straßen. Ich wurde ordentlich in die Kirche hineingetragen. Die Messe war beendigt und auf der Orgel wurde die Ouvertüre aus Tankred gespielt welches einen wunderbaren Contrast machte. Nun entzog ich mich dem Gewimmel und ging nach dem Domplatz um den Dom im Mondschein zu sehen welches einen herrlichen Anblik gewährte, es war ein schöner *Italienischer* Sommerabend. Diese ungeheuren doch zierlichen Massen von weißen Marmor der dunkelblau fast schwarze gestirnte Himmel bildeten einen wunderlichen Contrast und ich wandelte bis nach 11 Uhr auf und ab und verließ ungern diesen herrlichen Platz. Ich fand noch Gesellschaft im Saal des Gasthoffs und blieb bis ½ 1 Uhr daselbst eilte dann aber etwas ermüdet zu Bett.

Dienstag den 29ᵗ Juny 30. Früh 5 Uhr auf, nach dem Caffe geschrieben bis 10, dann mit Hr. Professor Mauch aus Berlin ausgegangen. Wir besuchten den Dom, einige Kirchen und erfreuten uns an den herrlichen Sachen; es ist derselbe ein sehr angenehmer u. unterrichteter Mann und ich empfehle Ihnen denselben wenn er durch Weimar geht was im September geschehen wird. Gegen 3 kamen wir nach Hause, Ekermann nicht ganz wohl u. daher nicht mitgegangen. Nach Tisch ½ 6 Uhr gingen die Oestreichischen Freunde, Hr. P. Mauch u. ich in die Arena, wo abermals Wettrennen zu Pferde und zu Wagen gehalten wurde; die Wagen waren wie die antiken Bigae mit 2 Pferden und es war ordentlich schauderhaft wie 5 solcher Wagen wetteifernd um die Rennbahn sausten; auch ein Maskenzug wurde gegeben in dem alle italienische Carnevals Figuren vorkamen, Kunststüke eines Equilibristen füllten die Zwischenräume aus und ein Feuerwerk beschloß das Ganze. Es war ein sehr schöner Abend und wir gingen noch nach der Isola bella, einem Gasthoff u. Vergnügungsort nur ½ Stunde von Mailand, der Mond schien herrlich und wir nahmen etwas Wein und Käse zu uns u. unterhielten uns gut und kamen nach 1 Uhr zu Fuß wieder nach Hause. Ich war diesen Tag außer dem Essen, immer im Gang gewesen. *Mittwoch den 30ᵗ Juny 1830.* Früh zu Hause es war zu warm um auszugehen. Ich beschäftigte mich mit Durchgehung der Notizen über die Städte die noch zu besuchen sind u. so kam die Essenszeit heran. Bei Tisch die gewöhnl. Gesellschaft, auch Deutsche. Gegen Abend mit Hr. Prof. Mauch um die Stadt spaziren bis gegen 11 Uhr. Wir sprachen viel über das Gewerb-Institut zu Berlin und er gab mir einen deutlichen Begriff davon. Und so will ich diesen Monat schließen, mit der Bemerkung, daß eine kleine Unpäßlichkeit Ekermanns uns einige Tage länger hier aufhält als ich dachte und wünschte, denn wir wären wenn dieser Aufenthalt nicht eingetreten, schon gestern nach Genua abgereißt, so werden aber wohl noch ein Paar Tage vergehen. Ich sende heute auch ein Kistchen unter Ihrer Addresse ab, welches ich bitte bis zu meiner Rükkunft uneröffnet zu lassen und es auf meine Stube stellen zu lassen. Mit Sehnsucht sehe ich Nachrichten von Ihnen und Ottilien sowie von den Kindern entgegen; der letzte Brief von Ottilien ist vom 21ᵗ May also über 6 Wochen, schiken Sie die Briefe nur immer an Mylius der sendet mir sie nach. Leben Sie wohl u. grüßen Sie Ottilie u. die Kinder. Ihr treuer Sohn

A. v. Goethe.

Mailand den 30ᵗ Juny. 30
Lieber Vater.

Anbei übersende ich ein Kistchen mit Kleinigkeiten die ich theilweise gesammelt oder um geringes gekauft habe. Auch sind darinn mehrere Dinge die ich nicht weiter mitschleppen will, man nimmt immer von Haus zu viel mit. Erst auf der Reise lernt man kennen was man eigentl. nöthig hat und muß dann das Unnöthige über Bord bringen.

Ich bitte dieses Kistchen in meine Stube stellen, und bis zu meiner Rükkehr uneröffnet zu lassen. Meine Tagebücher werden Ihnen hoffentl. regelmäßig zugegangen seyn woraus Sie ersehen werden wie es uns ergangen. Weshalb ich auch hier nichts weiter erwähne. Tausend Grüße an alle.

Ihr treuer Sohn
A. von Goethe.

N.S.
Innliegendes bitte besorgen zu lassen
v.G

Etwas über die Lombardei im Algemeinen

Man mag in dieses Land eintreten von welcher Seite man will so gewährt es einen reizenden und überraschenden Anblik besonders aber wenn man über den Simplon kommt, man trit gleichsam in einen von der Natur selbst angelegten Garten und Fruchtbarkeit, so wie Fleiß der Einwohner, machen einen schönen Eindruk auf den Reisenden. Wenn man bedenkt daß dieses Land alles hervorbringt was zu den gewöhnlichen menschlichen Bedürfnissen gehört, und durch den Seiden-, Reiß- und Weinbau ungeheuere Summen aus dem Auslande bezieht so kann man es mit seinem herrlichen Clima zu einen der glüklichsten der Erde rechnen. Herrlicher Wein aller Arten, das schönste Oliven Oel, die feinsten Gemüße- und Obstarten, Getreide von allen Sorten, Reiß, der schönste Graßwuchs durch künstl. Bewässerung auf den höchsten Ertrag getrieben, denn man mäht jeden Monat und das wohlgenährte Rindvieh gewähren gesunde und kräftige Nahrung. Herrliche meist schöngebaute Städte von starker Bevölkerung wechseln mit den originell gebauten Dörfern und überall ist reges Leben, die Lombarden sind sehr thätig und müs-

93

sen es seyn, denn wenn man bedenkt daß der Landmann wenigsten 12 mal seine Wiesen mähen u. das Heu einbringen muß, daß seine Felder jedes Jahr drey Erndten geben so hat er keinen Augenblik Ruhe sondern eilt von einer Arbeit doch auch von einem Gewinn zum andern. Die Gewerbetreibende Classe ist ebenfalls sehr thätig und arbeitet von Früh bis beinahe Mitternacht welches man am besten dadurch beurtheilen kann da die Werkstätten aller Handwerker unmittelbar an der Straße liegen und man also immer beobachten kann wie lange sie arbeiten. Eben so thätig ist der Handelsstand vom Bankier bis zum Krämer und Obstverkäufer jeder will gern auf rechtliche Art etwas verdienen. Nur die Reichen Adelichen scheuen Beschäftigung und geben sich nicht zu Staatsdiensten her. Die Gasthöfe sind durchaus von den größten Städten bis in die kleinsten Dörfer sehr gut sogar vortrefl. Das Meublement in den Zimmern ist meistens übernatürl. *Prächtig* besonders sind die Gardinen in den reichsten Falten und die Betten meist ebenfalls mit Umhängen versehen welche von vergüldeten Zierrathen gehalten werden. Die Meubels aller Art sind von polirten Nußbaumholz mit Bronze oder Goldverzierungen, die Betten meist 2 schläfrig aber es giebt auch welche zu 4 Personen, sind meistens sehr hoch so daß man einen Stuhl braucht um hinein zu kommen, ist man aber eimal darinn so sehnt man sich nicht wieder heraus, so weich und kühl liegt man darinn, die meisten Zimmer sind heiter gemalt und man sieht die bekannten herkulanischen Verzirungen u. Arabesken. Die Mosaikartigen Estriche geben ein reinliches u. vornehmes Ansehen und werden von Venetianern gegossen, es ist eine ordentliche Unterhaltung für einen Mineralogen die verschiedenartigen Marmorfarben zu mustern. Von Ungeziefer ist mir noch nichts vorgekommen außer zuweilen eine Platta orientalis, aber auch dieß nur 2 od. 3 mal. Das Essen ist vortrefl., in den Großen Städten zalt man am Wirths-Tisch incl. Wein so viel man trinken will 3 Franken nicht ganz 4 Kopfstük und hat dafür gewöhnl. 8 Gerichte excl. Desert. Auch in den kleinen Städten u. Dörfern ißt man gut und wenn es der Veturin bezalt auch billig. Wir haben in den kleinsten Dörfern wo wir übernachten müßen nie unter 6 Gerichten und immer sehr guten Wein gehabt. Die Bedienung ist gut und sehr schnell, fast übertrieben eilig was mich anfangs genirte da ich nachgab, da ich aber einmal merkte

daß man auch langsam essen konnte, *so ließ* ich die Kelner warten. Es giebt davon eine Unzahl in den Gasthöfen und Osterien
und jeder macht sich etwas zu schaffen. Es werden aber auch beinahe alle Arbeiten von den Männern verrichtet und man sieht
nie eine weibl. Bedienung, die Kellner machen die Betten, kehren die Zimmer, puzen Gemüße u. s. w. Was mich wunderte war
überall auch in den kleinsten Osterien u. Wirthshäusern schweres und vieles Silberzeug zu finden; das Tischzeug ist hingegen
grob und unscheinbar. Köchinnen hat man hier gar nicht sondern
blos Köche, welche alle in ihren weißem Anzug recht reinlich
aussehen und meist sehr Groß und wohlbeleibt sind. Die Kunst-
straßen sind überalle Begriffe schön meist so breit daß 4 Wägen
sich bequem ausweichen können. Die Prallsteine Säulenartig u.
von Granit, das Material womit man baut ist Quarz u. anderes
Gerölle welches man in der ganzen Lombardei wenige Fuß unter
aufgeschwemmter Erde findet, es scheint von den Schweitzer u.
Tiroler Alpen hierher geschwemmt zu seyn; die Besserung ist
daher sehr leicht und blos 2 mal im Jahre werden die Chauseen
gebessert daher man auch nie Arbeiter daselbst, außer in jenen
Zeiten, näml. im Frühjahr u. Herbst, antrifft. Die Chauseen sind
mit auf beiden Seiten Bäumen bepflanzt z. B. mit Platanen, Tulpenbäumen und Ulmen, ich kam gerade zur Blüthe der Tulpenbäume, welches einen himlischen Anblik gewährte, wenn man
sich denkt, daß viele Tausende dieser herrlichen Blumen einen
Baum beinah bedekten. *Was die Sicherheit auf* den Landstraßen u.
sonst betrifft so ist solche nicht groß obgleich zahlreiche Patrouillen die Straßen immer begehn. Man hört von öfteren Beraubun-
gen von Reisenden besonders in der Nähe von Städten, und in
einsamen Gegenden, besonders gefährlich ist es Sonntags zu reisen. Vor den Thoren v. Mailand soll es auch nicht rathsam seyn
nach eingebrochener Nacht zu lustwandeln. In Venedig ist diß anders. Man hört nie von einem Raub und kann Nachts durch alle
Straßen mit der größten Sicherheit gehen, besonders schlimm ist
es in der Gegend von Vicenza u. Verona. *Die Theaterlust* ist groß
in Italien, die Reichen benutzen es als Conversationslocal und da
sie zuhause selten Visiten annehmen, so geschieht diß in den Logen, wo auch ein ewiger Lärm ist. Der Geringe erfreut sich auch
im Paterr u. Paradieß des Schauspiels und gefällt sich durch seinen Beifall bei einem Abgang den Schauspieler 2 auch 3 mal wie-

der aus der Coulisse zu nöthigen und seine Verbeugung, welche auch nach jeder wenn auch spärlichen Beifallsbezeugung gemacht werden muß, wohlgefällig anzunehmen, zögert ein Subjekt zuweilen das 3^t mal zu kommen so giebt es einen ungeheuren Lärm mit Rufen, Klatschen, Pochen u. s. w. bis es kommt, sich verbeugt und mit Bravorufen entlassen wird.

Die Kirchen werden fleißig besucht und man trift auch außer der Messe immer Andächtige aus allen Ständen an. Ich glaube daß aber auch manches *Stelldichein* dort verabredet ist und wird wozu besonders die in einem ewigen Halbdunkel schwebende Markuskirche in Venedig, so wie der Dom in Mailand zur Zeit der Vesper die schönsten Gelegenheiten darbieten mögen. Ich war selbst Zeuge eines in erstern von einem Liebespaar gewechselten Kusses. *Das Straßenpflaster* ist überall, besonders aber in Mailand und Venedig vortrefl. Man zerreißt keine Stiefeln u. wird nicht müde und ich begreife nicht wie die unzähligen immer thätigen Schumacher existiren. Ich bin zuweilen 4 – 5 Stunden gegangen ohne mich zu setzen und habe nicht die geringste Spur von Ermüdung gespürt. *Betteley* ist sehr gering und wenn man angesprochen wird geschieht es mit großer Bescheidenheit, es sind meistens sehr alte Leute welche bloß mit einer Verbeugung das Mitleid der Vorübergehenden in Anspruch nehmen, in Venedig habe ich beinahe gar keinen Bettler gefunden, troz des traurigen Zustandes der niederen Classe, hier soll der vorige Patriarch v. Pyrker sehr wohlthätig eingewirkt haben, er wird überhaupt sehr gerühmt und man ist in Venedig sehr betrübt daß er seine Dimission *genommen* und auf seine Besitzungen in Ungarn zurükgekehrt ist, er war algemein geliebt und geschätzt wegen seiner Uneigennützigkeit u. Wohlthätigkeit, auch soll er sich immer sehr offen über die traurige Lage Venedigs gegen die Allerhöchsten ausgesprochen haben und eine Ursache seyn daß Venedig zum Freyhafen erklärt worden ist. *Staatsdienst.* Da wie ich schon erwähnt habe die jungen vornehmeren und reicheren Mailänder wenige Lust zum Arbeiten im Staatsdienst haben, so sind viele Oestreicher angestellt, und haben gute Stellen, so kenne ich z. B. 3 Appellationsgerichtsräthe von meinem Alter sehr feine u. gebildete Leute welche besonders in Ihren Schriften bester Vater sehr erfahren sind. Es sind meine tägl. Tischnachbarn und wir machen auch sonst manche Parthie zusammen. Viele hohe Stellen

sind mit Tiroler Vornehmen besetzt. *Maulber Bäume.* Diese gewähren einen wunderlichen Anblik, heute sieht man auf einer
Spazirfahrt, Stundenlang diese Bäume mit dem üppigsten Laub
bedekt und kommt man ein paar Tage darauf wieder dahin so sind
sie nicht allein ganz kahl sondern auch so beschnitten daß man sie
kaum wieder erkennt und obgl. dieser Baum auf diese Art daß
man ihm nicht nur das schöne Laub gewaltsam zum Futter der
Seidenwürmer abreißt und die Aeste stuzt, so erreicht er doch ein
hohes Alter und sieht immer wieder neu aus; ich habe in 3 Wochen auf meiner Reise solche Bäume ganz abgestreift und beschnitten verlassen und ganz grün wiedergefunden. *Pässe.* Hiermit ist man sehr streng und in jeder Stadt wird er an den Thoren
bei Ein- und Ausgang genau durchgesehn und auf der Polizey visirt, bleibt man über Nacht so schläft er auf der Polizey und man
erhält ihn erst den Morgen wieder, oder er wird den Abend dem
Wirth eingehändigt der ihn aber dem Reisenden erst den anderen
Morgen einhändigt. Wir haben an unsere Pässe müssen Papier an-
kleben lassen da die Weimarischen sehr bald voll visirt waren.

Soviel von der Lombardei.

v. G.

Mailand. Donnerstag d. 1ᵗ July. 30. Heute früh wurde bestimmt
erst Montag den 5ᵗ July nach Genua abzureißen, da Ekermann
nach Bestimmung des Arztes nicht eher reisen kann. Seine
Krankheit war übrigens nicht von Bedeutung, es war starkes
Kopfweh mit Ueblichkeit und Fieber, und mag von der starken
Hitze entstanden seyn welche wir auf der Reise von Venedig bis
Mailand 5 Tage lang ausgestanden haben. Hr. Professor Mauch
bleibt auch so lange um in unserer Gesellschaft zu bleiben, vielleicht gehen wir noch weiter zusammen. Ich machte dann trotz
der großen Hitze eine 3 stündige Promenade durch die schattigen Straßen Mailands, vergebens suchte ich bei Antiquaren nach
etwas Interessantem und mußte wieder nach Hause ohne etwas
für 2 gr. oder ½ Kopfstük gekauft zu haben, dagegen entschädig-
ten mich die hübschen Gesichter der Mädchen und Frauen, welche freilich nicht zum Bereich der Antiquare gehörten. Bei Tisch
waren wir recht munter, und da es später noch immer sehr
drükend heiß war so machten Herr P. Mauch und ich erst um

8 Uhr noch einen Spaziergang durch die belebtesten Straßen und kamen sehr ermüdet um ½ 12 nach Hause. Wir hatten in einer Osterie eine Flasche Vino d'Asti getrunken, ein weißer Wein welcher wie Champagner schäumt und schmekt, da er aber mit Wermuth versetzt ist so ist der Nachgeschmak bitter, er giebt aber dem Magen eine angenehme Wärme und setzt auch das Nervensistem in den Stand sich der großen Hitze zu widersetzen, so daß wir köstlich darauf geschlafen haben, es kostet die Flasche ohngefähr 6 gr: man kann nichts kräftigeres und erquikenderes in der Hitze trinken. *Freytag den 2ͭ July 30.* Früh das Tagebuch nach Weimar abgesendet vom 21ᴸ bis 30 Juny incl. dann gelesen. Ekermann geht es gut. Er soll heute wieder heraus, der Arzt *Dr. Westinger* ein herrlicher Mann von mitleren Jahren, ein Oestreicher war sehr zufrieden, er hat ihm überhaupt nur einmal etwas Medicin verschrieben da sich die Crisis durch strenge Dieät von selbst gemacht hatte. Um 11 Uhr mit Prof. Mauch in die Ambrosianische Bibliothek. Das Local wo die Bücher und Manuscripte sind flüchtig durchgangen, dann in einen Saal wo neuere Bronzen und Gemälde aufgestellt sind. Ein Denkmal für Appiani von Goldbronze war besonders schön u. geschmakvoll so wie mich eine Madonna von Carolo Dolce sehr interessirte, hierauf besahen wir noch 2 Säle, wo in einem Gipsabgusse in den anderen Bilder aufgestellt waren, in ersterem waren besonders viele theilweise Abgüsse von den Gruppen der Colonna Trajani zu sehen welche mich sehr erfreuten. Im Bilder Saal ist der Original Carton der Schule von Athen so wie mehrere recht gute Oehlgemälde und Handzeichnungen berühmter Meister. Mir gefiel besonders ein weibl. Portrait eines jungen Mädchens von Leonardo u. ein Johannes von Luino (Brustbild). Mehrere Handzeichnungen (Brustbilder) von Leonardo waren ebenfalls sehr anziehend. Der Carton von Raphael hat aber sehr gelitten und ist sehr verwischt. ½ 4 nach Hause. Nach Tisch mit Hr. Prof. Mauch nach der Gießerei aber vergebl. weil sie geschlossen war. Dann noch spaziren bis 9 dann in ein Concert der Dem. *Berthaler* welche ich schon früher erwähnt habe. Es war im großen Saal della Scala und wurde mit Beyfall aufgenommen. Auch die Gesangstüke gingen gut. ½ 1 Uhr kamen wir nach Hause. *Sonnabend d. 3ͭ July 30.* Früh Vorbereitungen zur übermorgenden Abreise nach Genua, dann ausgegangen noch manches besehen. Nach

Tisch zu Hause bis 8 dann mit Prof. Mauch spaziren bis 11 Uhr. Die Tage vor der Trennung von einem so bedeutenden Ort sind zwar für den Scheidenden bedeutend aber mann kann wenig darüber sagen, aber fühlt desto mehr was man verläßt um welchen Zustand man entgegen geht; also den nächsten Brief aus Genua. Lebt alle wohl und froh

August.

Sonnabend den 3ᵗ July 30. Früh auf, manches zur Abreise gehörige besorgt, dann gelesen bis 4, dann zu Tisch, Abend noch mit Prof. Mauch spaziren. Es war diesen Tag nichts besonderes zu bemerken. Ekermann ist auf dem Wege der Besserung. *Sonntag den 4ᵗ July 30.* Früh gepakt, Geldangelegenheiten geordnet Abschieds-Visite bei Hr Milius, bei Tisch gewöhnl. Gesellschaft. Hr. Reichmann ließ zum Abschied einige Flaschen guten Rheinwein geben. Dann ließ er uns auf den Corso fahren. Es waren noch 2 Stuttgarder dabei, es war ein schöner Abend und wieder unzählige Equipagen u. Fußgänger. Dann ins Theater bis 10. Es kamen noch die Oestreicher zu mir u. blieben bis 1 Uhr wo sie mich u. Prof. Mauch mit Moßler tractirten. Wir waren sehr heiter und schieden als Freunde. *Montag den 5ᵗ July.* Früh alles berichtigt was noch für Mailand zurük war. Ekermann war ganz wohl und zur Weiterreise bereit und so fuhren wir denn mit unserem alten Veturin und in Gesellschaft des Prof. Mauch nach Genua ab. Abend kamen wir um 8 Uhr nach *Pavia* wo wir die Nacht blieben. Besonders merkwürdig ist eine sehr lange Brüke welche bedekt ist. Der Abend war sehr schön und die Gegend reizend. *Dienstag den 6ᵗ July.* Früh ½ 5 von *Pavia* abgefahren. Vegetation wie in der Lombardei, nur wird der Wein anders gezogen indem man ihn an Stangen in den Weitzenfeldern zieht, so daß immer ein Aker Getreide u. ein Aker Wein abwechseln welches dieser Ebene ein angenehmes Aussehen giebt. Hier wird alles mit Ochsen gepflügt und zwar immer 6 der stärksten vor einem Pflug, der Pflug hat keine Räder und man akert auch sehr tief. Mittag in *Vogera* sehr gut gegessen. Um 3 abgefahren. Wir näherten uns den Apeninen. Abend um ½ 7 in Novi angekommen schöner Abend. Herrliche Aussicht auf einer Anhöhe hinter der Stadt wo ein alter Thurm steht, Panorama der Apeninen u.

Schweizer Alpen. Man sieht den Mont Blanc, den Monte Rosa, die Jungfrau, das finstre Ahorn u. s. w. Die Sonne ging herrlich hinter den Schweitzerbergen unter und der Vollmond hinter den Apeninen auf. Es war ein göttlicher Anblik. Seit meiner Abreise von Mailand hatte ich mich in der Kleidung metamorphisirt, unterwegs ein grauer Staubrok blau gestikt u. dergl. Beinkleider u. Müze machten bei der großen Hitze eine herrliche Wirkung auf den Körper, auch habe ich mir noch andre leichte Sachen machen lassen um in Städten elegant zu erscheinen. Wie leicht ersteige ich jetzt Thürme, Berge und werde nicht satt bis spät in die Nacht zu promeniren; ich fühle mich so leicht wie ein Vogel und das will viel sagen. Nachdem wir diesen herrlichen Anblik genossen gingen wir nach dem Gasthoff zurük wo wir in einem herrlichen Saal ein vortreffl. Souper mit unserem Veturin einnahmen u. dann in herrlichen Betten vortreffl. schliefen. *Mittwoch d. 7ᵗ Jul. 30.* Früh ½ 5 von *Novi* ab fruchtbares Land gut angebaut am Fuß der Apeninen. Nun gings aber immer bergauf auf einer herrlichen Chause. Bald kamen wir in die Schluchten von grandiosen Kalksteinfelsen wo reißende Waldbäche durchsausten, in einem aus wenig Häusern bestehenden Dorfe wurde Mittag gemacht und um 2 Uhr fuhren wir wieder *ab*. Nun gings Bergunter und die Berge wurden immer flacher bis sie endl. in Hügel ausliefen, welche mit den schönsten, zwar etwas wunderlich bunten Villen bedekt waren. Nun bogen wir um eine Eke und das Mitländische Meer lag vor uns, der Leuchtthurm von Genua erschien und in Wenig Minuten genossen wir den Anblik von Genua u. seiner ganzen Herrlichkeit. Bis jetzt hatte ich noch keinen rechten Begriff von Italien aber hier wo ungeheure Aloeen auf den Mauern stehen, Oleanderheken in voller Blüthe sind, Orangen, Cactus alles im Freyen steht da wird es einem wunderbar zu Muth und betrachtete mann nun die terrassenartige Stadt u. das Meer so vergehen einem die Sinne. Wir stiegen im Hotel de Quatre Nationi und befinden uns recht wohl. Ich machte noch eine Promenade um den Hafen welcher Weg auf einer Mauer wegläuft welche den ganzen Hafen umgiebt und von wo aus man Hafen, Stadt u. Meer mit eins übersieht. Um 8 aßen wir. Nach Tisch ging ich noch in das Theater. Es wurde ein Lustspiel gegeben, ich blieb aber nur einen Act und kam nach 11 Uhr nach Hause. Ekermann war nicht mitgegangen. Das

Theater ist sehr schön und weder in Venedig noch Mailand habe ich ein eleganteres getroffen; hin hatte ich mich bringen lassen nach Hause bin ich allein gegangen und habe mich glükl. gefunden, troz daß ich eine halbe Stunde durch verrucht enge Gassen, Gäßchen u. Winkel gehen mußte. Wir haben aus unserem Zimmer eine herrliche Aussicht. Vor uns herrliche hängende Gärten mit allem was das Auge wünschen kann geschmükt, dann die Mauer Promenade das Meer mit den unzähligen Schiffen. Den Leuchtthurm kann ich aus meinem Bette sehen. Wir zahlen für das Zimmer 6 Franken tägl., für Mittagessen incl. Wein 3 Franken. Ueberhaupt sind wir in großen Gasthöfen noch nie übertheuert worden.

Gute Nacht.

Genua.

Donnerstag d. 8ᵗ Jul. 30. Nach einer etwas unruhigen Nacht wegen enormer Hitze sehr früh (4 Uhr) heraus, das Tagebuch fortgesetzt, dann den Veturin bezahlt, ich blieb den Morgen zu Hause weil mich die Hitze sehr angegriffen hatte und erfreute mich an der herrlichen Aussicht auf den Hafen und die Gebirge mit den schönsten Pallästen. Bei dieser Gelegenheit erinnerte ich mich einer Zeichnung von Gore den Hafen vorstellend. Sie ist in dem großen rothen Band auf der Biebliothek, sehen Sie sie doch an. Nach Tisch mit Ekermann u. Mauch durch die Stadt gegangen und das Treiben und Leben der Genueser beschaut, es sieht freilich überall anders aus. Häuser von 8 Stok, ganz enge Gassen. Nun kommt man ans Meer. Bei geringen Wind kamen die Wellen so hoch wie zu meinem Fenster gesprizt. Man kann Stundenlang so einem Schauspiel zusehen. Hier hat man auch eine *Art* Murazzi aber von *Holz.* Es sind ungeheure Straßen mit Steinen gefüllt und an den für Genua gefährlichen Stellen ins Meer gesenkt, auch giebt es an solchen Orten schöne Augen (als ich nun hinausgegangen wo die letzten Häuser sind ?!) Um acht Uhr gingen wir nach Haus. Es war Gott sey dank kühl (denn heute d. 15 haben wir Schirocco und diese Luft kann den Menschen tödten) um 10 zu Bett. *Freytag d. 9ᵗ Jul. 30.* Da ich mir einmal vorgenommen erst von einer Stadt einen Begriff zu bekommen wenn ich allein gehe so habe ich die Lohnbedienten abgedankt und brauche sie nur in so weit als sie später nöthig sind. Es ist ein wunderbares Gefühl sich in ein Treiben fremd, fremder Menschen zu stürzen wo man weder Sitte noch Sprache kennt doch »*ein guter Reiter und ein tüchtiger Regen kommen überall durch*« so dämmerte ich fort und kam zum Dohm ein wunderliches Gebäude, es sieht aus wie eine Hanswurstjake denn ein Quader ist von schwarzen der andre von weißen Marmor, seine Bauart war so daß ich die Zeit nicht bestimmen kann in welcher er ausgeführt seyn mag. Leider war er zu und ich zog ab. Nun suchte ich Ponte Carignano das ist freilich eine Brüke, aber über keinen Fluß, sie verbindet zwey Straßen und 8 Stok hohe Häuser stehen unten wie Maulwurfshügel, die Menschen sehen aus wie Käfer. Der Hintergrund ist das Meer. Sein dunkelblau hält das Auge fest und man folgt nur zuweilen den kleinen Segeln am Horizont. Zufällig sehe ich ein altes rußiges Gebäude wo viel Soldaten standen, ich ging natürlich hinein. Es war der Palazzo Ducale inwendig ein herrlicher Hoff. Alles von weißen Marmor eine Treppe na?! der Große Saal ist die Hauptsache. Das andere gleicht vielen Schlössern. Aus diesem Labirinth sehnte ich mich nach einer Osterie und suchte abermals den Fischmarkt und! fand ihn, dabei ein gutes Kneipchen wo Matrosen und Lazaronis gemüthlich waren. Ich wurde gut bedient. 50 Austern, guter Wein und treffliche Fische schweres Silberzeug wie ich schon erwähnt, ich werde mir den Ort merken (das Ganze kostete 8 gr). Theatro Novo fand ich auch und erfreute mich an der edlen Form. Zuerst hatte ich es bei Nacht betreten und mich am Innern ergötzt aber heute stehe ich vor einem Marmor Colloß im bestem Stiel! Ich kam wieder an das Meer und sah von fern Schiffe welche in den Hafen einlaufen wollten, es interessirte mich und ich ging nach dem Molo (nicht Molum) eine große Menschenmasse lief dahin wodurch ich glauben mußte daß etwas außerordentliches geschah, als ich *dort* schweißtriefend angekommen, hörte ich es kämen 2 Amerikanische Kriegs-Schiffe. Nach einer halben Stunde kam eine herrliche Corvette und kurz nach dieser eine Fregatte von 60 Canonen mit vollen Segeln, das war ein Anblick! Sie liefen in den Hafen ein mit Ruhe und Würde, rafften die Segel und warfen Anker, die große Ruhe dieser Wassercollosse forderte mich auf auch nach Hause zu gehen und in meiner Casa Anker zu werfen. Als wir bei Tisch saßen, fing die Fregatte an mit 21 CanonenSchüssen zu salutiren und von dem Arsenal wurde die Antwort gegeben. Ich konnte alles beobachten: erst den Blitz dann den Rauch zuletzt den Knall welcher so viele Echos gab daß man sie nicht zählen konnte, diese Corvette und Fregate liegen so vor mir daß ich mit *Ihrem* Dollon jede Bewegung der Matrosen sehen kann, welche Thätigkeit herrscht da!! Nach Tisch fuhr ich, Ekermann u. Prof. Mauch ein wenig in den Hafen umher um die vielen Kaufartheischiffe (wenigstens 200) zu umwandeln. Auch um die Amerikaner schifften wir und ich sah zum ersten mal ein reges thätiges Seeleben; nun aber wollte ich auch weiter in das Meer und überließ dem Barkenführer wie *Weit* er gehen *wolle* und könne. Wir hatten frischen Wind, die Wellen gingen hoch so daß ich unten und oben kaum unterscheiden konnte. Ekermann wurde *Seekrank* und spie fürchterlich, mit mir ging es gut ab. Hier sah ich die ersten Delphine. Um 8 Uhr kamen wir nach Haus und nach ein Paar Gläßern Wein schnell zu Bett; es war Zeit nach diesem Tage. *Sonnabend den 10ᵗ Jul 30.* Früh stand ich auf und erfreute mich an dem Treiben der Massen im Hafen. Nun schrieb *ich* an *Freund Sterling* und fragte an wann ich ihn besuchen könnte, doch ehe ich noch die Segel gelüftet war er schon da: *ein sehr frohes erwünschtes Wiedersehen.* Er erbot sich gleich uns als Führer in Genua zu dienen und wir gingen bald aus um die besten Palläste zu sehen. Beschreiben kann man die Pracht nicht, überhaupt muß man jetzt aufhören einzelnes zu bemerken sondern sich nur im algemeinen auszudrücken. Ich kann nur sagen daß es für einen Morgen zu viel war, bei der Pracht und unbändiger Hitze. Sterling aß den Mittag bei uns und wir waren sehr vergnügt, er ist *ganz der Alte nur schöner* und ganz gesund (Gott sey dank). Nach Tisch wurde eine Wasserparthie gemacht wo wir zugl. die Amerikanische Fregatte besahen. Das war ein Leben! Nie habe ich mir einen Begriff von Ordnung, Subordination machen können als hier, und ich erkannte gleich den Red Rover. Der Capitain war sehr höflich und *herzlich* und gab uns einen Officir mit um alles zu sehen, beim Abschied wurde *mir* die Hand durch 3+3+3 gedrükt und ich schied sehr zufrieden. Es war spät geworden. Wir eilten nach Hause und schliefen ohne Träume bis! *Sonntag den 11ᵗ July.* Sterling hatte uns versprochen uns nach den bedeutensten Gärten u. Villen zu führen, es war mörderlich heiß doch würgten wir durch. Hier muß man Genua kennen lernen und überzeugt werden daß ihr der Nahme la Superba gehört. Um 3 Uhr kamen wir zurük und waren zu Sterlings Eltern eingeladen um ½ 5 gingen wir hin und fanden eine vortreffl. Familie; der Vater ein tüchtiger Consul, die Mutter theilnehmend und die Schwester ein ergötzliches Wesen. Ich hatte den Ehrenplatz zwischen Vater und Mutter und war gut aufgelegt; es ging mit dem französisch gut und wo das nicht auslangen wollte machte Charles den Dollmetscher. Sterlings wohnen auf dem Lande und kommen die Woche einige Mal zur Stadt, wie es heute der Fall war. Wir tranken noch The dort und was nachher passiren kann wenn man um ½ 10 nach Hause komt das ist – schlafen. *Montag den 12ᵗ Jul 30* war es so eine Hitze daß man kaum ausgehen konnte, doch wagte ich es, es trieb mich nach dem brausenden Meer u. schönen Augen wo ich denn bis 2 Uhr verweilte. Den Nachmittag verbrachte ich mit Beschauen der ankommenden u. abgehenden Schiffe und als der Leuchtturm angezündet wurde (um 9 Uhr) lag ich schon im Bett. *Dienstag d. 13ᵗ Jul. 30.* Heute badete ich zum ersten mal im Meer, es ist sehr bequem eingerichtet. Eine elegante (nicht schwarze) Gondel fährt einen in das Meer, eine Treppe wird herunter gelassen und man steigt sicher und bequem hinab und sucht sich die Stufe aus auf der man bleiben will, ich ging bis zur letzten, hielt mich an und überließ mich den Wellen, so beschaute ich Schiffe, Badende und Fischer. Ich hatte mir eine Flasche Wein und eine Zitrone mitgenommen und nahm von einem Fischerbot 50 frische Austern, sie im luftigen Hemde verzehrend, dabei erfreute und belehrte ich mich an der eben gefangenen Sepie und anderer Molusken, so wie an den verschiedensten Fischen. Hier ist beinahe alles halb nakt und so genirte ich mich auch nicht so zu erscheinen. Ich verweilte viele Stunden auf dem Meer, dann wurde gegessen, dann geschlafen, so weit geht der heutige Tag. *Mittwoch den 14ᵗ July 30.* Früh 6 badete ich wieder, und erfreute mich an neuen Seegeschöpfen, kam sehr ermüdet nach Hause, da aber fand ich Ihre lang ersehnten Briefe, vom 25. u. 29 Juny, welches Fest für mich! durch die Bestätigung meines bisherigen Verhaltens! Der Anfang von Ottiliens Brief hatte etwas tristes, doch danke ich auch dafür. Bei dieser Gluth verging der Tag im Ruhen auf dem Bett, bis die Nacht kam wo ich schlief aber unruhig. *Donnerstag d. 15ᵗ Jul.* Es kommt der Neumond und da melden sich bei mir manche Uebel; es ist

noch keiner vorüber gegangen seitdem ich abwesend bin, aber Hitze und starke Bewegung reizen auf, ich blieb daher ruhig bis nach Tische, wo ich einige Neigung verspürte mich zu bewegen, ich nahm daher um heftige Bewegung zu vermeiden einen Wagen u. fuhr mit Ekermann zur großen Promenade, dann auf Ponte Carignano und ging dann meiner Wege, u. ließ Ekermann allein fahren. Ich wollte das Meer sehen u. mehr fühlen. – – –
Gute Nacht.

Freytag den 16ᵗ July 30. Ich konnte kaum vor Flöhen schlafen deßwegen stand ich mehrere male auf, trat auf einen Balkon am Meer und bewunderte den Jupiter, und eine nahe Venus, es quälte mich ein ungeheurer Durst. Ich schöpfte aus einem großen Gefäß Wasser und trank viel, dann kleidete ich mich an, nahm Abschied von der Venus da Helios herauf trat, eben kam ein Segel. Es war rosteroth so wie der Leuchtthurm dessen Licht längst erloschen war, da ging ein anderes Leben auf, oder ab.? Wir waren beim Frühstük da meldete der Cameriere zwei Polen? wer war es? Miskewiths und Odynett – – – welche Freude von beiden Seiten Erinnerungen an das Vogelschießen, David, Wehbicht, alles ging durcheinander, da trat Sterling ein und Miskewiths richtete den lang bewahrten Gruß von Ottilien aus, angenehme Unterhaltung eine Stunde lang. Mittag mit Ekermann allein, Prof. Mauch nimmt Abschied. Den Abend zu Hause zugebracht. *Sonnabend den 17ᵗ Jul. 30.* In der Nacht erschienen mir wunderliche Dämonen und wollten mich nach Hause ziehen, aber obgleich nicht wohl faßte den Entschluß aufzustehen. Ich hörte Canonenschüsse und nach einer Stunde lief die Flotille ein welche den König von Neapel zurük bringen soll; es waren 2 Fregatten von 60 Canonen, eine Corvette und eine Brig. Nachdem sie geankert gab die erste Fregatte die Salutation mit 21 Schüssen, aus dem Arsenal wurde darauf geantwortet, alles konnte ich aus meinem Fenster sehen, so wohne ich wie ich schon bemerkte. Dann sah ich von meinem Fenster am Hafen etwas ausladen was ich nicht kannte. Ich klingelte den Camerieri und fragte was es sey. Er sagte es sey Pferdefutter?! Hafer war es nicht, ich schikte hin und er brachte Johannisbrod, ich freute mich zu sehen daß hier die Pferde von dieser Speiße Genießen, welche die Dietendörfer Kaufleute bei uns auf den Jahrmärkten verkaufen. Mittag

waren die Polen bei *mir* zu Tisch, es gab manche gute Unterhaltung. Ich hatte eine Wasserparthie nach Tisch arrangirt; wir fuhren zuerst an die Amerikanische Fregatte wo ich als *Bekannter*
wohl aufgenommen wurde, man zeigte uns alles abermals gern
und *ich* machte den Führer, dann fuhren wir noch eine Stunde in
das Meer sahen Schiffe, Fischer und die spielenden Delphine. Es
wurde dunkel und wir kehrten zurük. Die Polen hatten geglaubt
erst Montag zu gehen und kamen aber noch die Nacht ¼ 12 um
Abschied zu nehmen. Sie gehen in die Schweitz. *Sonntag den
18ᵗ Jul. 30.* Mein Zustand ließ mich nicht schlafen und ich stand
früh auf (3 Uhr). Sonst herrschte schon um diese Zeit große
Thätigkeit in dem Hafen, heute war es Still es war ja Domenica!
Aber bald kamen aus allen Schiffen nakte Menschen und badeten. Es war ein eigenes Treiben unter diesen Menschen, mir kam
es vor es wären Wilde aus dem letzten Mohikan. Kinder in Kähnen wie Nußschalen ruderten, sprangen ins Wasser, und tanzten
darinn, Männer von jedem Alter schwammen und elegante
Frauen, promenirten auf dem Wall!? Man muß seine fünf Sinne
zusammen halten, denn alles ist so natürlich hier daß man in
Versuchung kommt sich auch auszuziehen. Der Tag verging
theils auf der Straße theils im Zimmer, wo ich mit Ekermann
brüderlich lebe. *Montag den 19ᵗ Jul.* Da ich jeden Morgen im
Meer bade so fuhr ich auch heute hinaus und ließ mich daher
einige Stunden auf meinem Element schaukeln. Mittag war
Ekermann und ich allein in guter Unterhaltung. Ich war Sterlings eine Visite schuldig, deswegen machte ich mich um 4 Uhr
auf, und da ich glaubte es wäre schiklich dem englischen Consul
von der Seeseite beizukommen so nahm ich eine Barke, (er
wohnt nehmlich, wie ich glaube schon erwähnt zu haben, eine
Stunde von hier auf dem Lande am Meer). Der Weg zu Meere ist
freilich viel weiter, aber auch viel belohnender als der zu Lande.
Ich mußte den ganzen Hafen umschiffen. Aber welcher Anblik
aller dieser Pallaste, Vllen u. Garten uber der Mauer, und welche
Masse von Menschen welche sich am Ufer badeten!!! Es ist hier
üblich daß Männer und Frauen baden, aber an verschiedenen
Stellen. Mein Barkenführer brachte mich in die Nähe, so viel es
die Brandung erlaubte und ich kann sagen daß ich mit meinem
Opernglaß manches erkennen konnte. Bei Sterlings langte ich
um 6 Uhr an, wurde freundlich empfangen und nach einem

guten Glaße Grok setze ich meine Reise fort um wieder nach Hause zu gelangen, ein sanfter Schlummer wollte die Glieder umfangen, doch ich hielt fest und sang mit Gewalt Vincitore, Vincitrice aus dem Tankred, so wogte die Barke fort. Es wurde dunkel, Jupiter war günstig und ich brauchte heute keinen Seni (Sterndeuter aus Wallenstein). Um 10 Uhr langte ich an und fand Ekermann beim Abendbrod. Wir theilten, dann gings zu Bett, nach mancherlei Besprechung. *Dienstag den 20ᵗ Jul. 30.* Schon mehrere Tage lag die letzte Sendung des Tagebuches bis zum 15ᵗ Jul. da und ich zögerte sie abzusenden. Aber heute hatte ich frischen Wind, spannte die Segel und drükte das Siegel darauf. Sterlings Vater hatte mich zum Frühstük in der Stadt eingeladen (um 9 Uhr). Es ist eine halbe Stunde von meinem Gasthof bis zu ihm, und da ich auch noch zum Bankier Milius wollte so nahm ich einen Wagen, die Menschen hier halten einen für toll wenn man fährt, das thut aber nichts, es geht zwar sehr berg auf u. berg ab, aber noch immer nicht so wie der alte Schurke nach Jena. Die Familie Sterling: Vater, Mutter, Charles, die Schwester und den Kleinsten fand ich schon beim The, Kaffe u. Frühstük. Sie essen und trinken alles unter einander, ich wunderte mich daß man zwischen The, Kaffe nahm, dann Salami dann The dann Beftek, das alles schien Ihnen zu behagen, ich begnügte mich mit einem weichen Ey und einem Beeftek und einer Flasche Burgunder, sehr gut fürs Clima. Nach einer Stunde fuhr ich ab zum Bankier um etwas Geld zu nehmen fand niemand, ließ meine Visitenkarte da und als ich nach Hause kam fand ich schon einen Herrn vom Comptoir. Kurze Unterredung, dann zu Tisch. Den Abend verdämmerte ich in den Straßen am Meer? und mehr? –
Mittwoch den 21ᵗ Jul. 30. Von diesem Morgen will ich weiter nichts erwähnen als daß Ihr Brief vom 5ᵗ Jul. ankam mit der freundlich erkennenden Innlag von Ottilien, vielmal las ich ihn und erfreute mich an seinem lieben Inhalte, ich kam mir vor wie ein Kind beim Zukerbaum am Weihnachts-Abend. Daß Ihnen die Medaillen Freude gemacht beglükt mich sehr, und es thut mir leid, daß die Venetianer so unverschämt in ihren Forderungen waren. Nun kam Sterling und ich konnte nicht umhin ihm Ihren und Ottiliens Brief zu lesen zu geben, denn die Theilnahme von Freunden wie Ekermann und Sterling an solchen großen Dingen vervielfachen in mir die Freude. Ich blieb zu Hause und setzte das Tagebuch fort

was hoffentlich bald in Ihre Hände gelangen wird; nach Tisch hatte ich mir vorgenommen den ganzen Umkreis von Genua inclusive der Festungs-Werke zu besehen und hatte eine Erlaubnis Charte durch Sterlings Vermittlung vom Gouverneur erhalten. Es ist eine Tour von 5 Stunden, und ich nahm daher einen Führer, wir ritten beide auf Maulthieren, ich kam mir wunderlich vor wieder einmal zu reiten. Doch erkannte ich die alte Schule von meinem Meister v. Böhme bald in Führung und Schluß. Es ging gut und es ist ein wunderbarer Anblik Genua auf einmal von der Landseite zu betrachten: Hat man früher vom Meer aus diese terrassenartige Pallast-Stadt bewundert so sieht man sie von hieraus ganz anders, auch das Meer ragt und wogt ferner und man glaubt kaum an die Möglichkeit eines solchen Anbliks. Am Hauptfort wurde ich angehalten, zeigte meinen Schein (wie Scheilok), ward eingelassen, freundlich begrüßt und vom commandirenden Officir mit einem Glaße guten Portwein bewirthet, ich dankte und setzte mich wieder auf mein Maulthier. Von da an ging es berg ab und ich ließ dem Thier den Zügel weil ich bewunderte wie es den sichersten Weg suchte. Doch soll man sich nicht auf andere verlassen, denn es stürzte, und ich rolte ohngefähr 30 Schritte einen Berg herunter, hielt mich aber an einem Felsstük fest, denn sonst wäre es in die *Ewigkeit* gegangen. Wie ich wieder *Lage* hatte fiel mir *Cola* in der Camille in welcher trauernd singt, und der Müller fiel vom Esel und der Esel fiel vom Müller, ich würgte wieder den Berg hinauf und sezte mich nicht wieder auf das Thier da ich merkte daß die Füße nicht sicher waren; nach 2 Stunden zu *Fuß*, so bergab daß ich den rothen Mantel umnehmen mußte. Glüklicher Weise hatte ich frische Wäsche mitgenommen und in der ersten Osterie zog ich mich um, trank ein paar Gläßer Wein und setzte den Weg fort, als ich an das Thor kam begegnete mir der König von Neapel zu Wagen mit der Königin mit Gefolge in 6 Carossen, reichste Livreen pp. Ich eilte ans Meer und mehr, und fand Ruhe bis Jupiter u. Venus bei Helios Ankunft Abschied nahmen.

Guten Morgen.

wie immer die alte
Garde

abgesendet *Genua den 23ᵗ Jul. 30.*

Die Beilage für das Chaos

Separat Fascikel
zu dem Tagebuche
auf einer Reise August von Goethe nach Süden.
1830.

Genua. Donnerstag den 22ᵗ Jul. Früh blieb ich zu Haus. Sterling kam. Wir hatten einen gemüthlichen Morgen und da mich der gestrige Tag sehr ermüdet hatte entschloß ich mich gar nicht auszugehen, ich schrieb am Tagebuche und das Wellenmädchen, übrigens gab es im Hafen wieder Spectakel genug denn es wurde sehr canonirt. *Genua den 23ᵗ Jul* Früh hatte ich eine litterarische Unterhaltung mit Ekermann über deutschen Stiel, und manches andere, und blieb den ganzen Tag zu Haus in dem ich am Tagebuch arbeitete was jetzt in Ihren Händen seyn wird, auch ging ich bald zu Bett. *Genua d. 24ᵗ Jul* Früh ging ich mit Sterling und Ekermann eine Brig zu besehen welche nach Livorno abgehen, und da ich die Absicht hatte mit derselben zu gehen, so wollte ich mich doch erst von allem unterrichten. Sterling rieth mir ab da er sie nicht gut genug fand. Ich folgte, hätt ich es doch nicht gethan wie Folge lehren wird. Der König von Neapel ging ab mit seiner Flottille. Es waren 5 Schiffe und es wurde fürchterlich canonirt, die Schüsse waren gar nicht zu zählen. Den Abend sandte ich meinen letzten Brief ab.

Sonntag den 25. Früh 5 Uhr von Genua ab um über Carara, Pisa nach Livorno zu gehen, es war ein Capriolet für 2 Personen, mein Reisegefährte war ein Bildhauer Gallassi aus Rom, welcher ebenfalls nach Carara wollte. Es ist der schönste Weg den man sich denken kann immer das Meer an der rechten Seite und die herrlichsten Gegenden, mit der üppigsten Vegetation zur linken, die Abwechslung ist groß und man weiß kaum wo man hin sehen soll, Orangen, Feigen, gute Kastanien, Aloeen als Zäune machen einen ordentlich verwirrt, und so wird man fortgerissen, Mittag aßen wir in einer kleinen Stadt und übernachteten zu Borgetto. *Montag den 26ᵗ Jul* fuhren wir um 2 Uhr aus um von der Kühle zu profitiren. Ich duselte etwas ein, da wurden wir umgeworfen, und ich fühlte leider gleich daß ich, das Schlüsselbein am linken Arm gebrochen. Das ist freilich ein dumes Ding, die Bestätigung erhielt ich in Spezia durch einen guten Arzt, der mich verband. Hierher zu kommen müßte ich noch 28 Miglien da machen. Ich bin rechts und links gebunden und komme mir vor wie ein Wikelkind, die rechte Hand habe ich frei. Der Bildhauer hat sich meiner sehr angenommen, so wie die Wirthsleute zu Spezia im Hotel Royal L'Univeri, natürlich hat sich ein Wundfieber eingefunden und ich muß Geduld haben, besonders angenehm ist mir ein Kelner der französisch spricht. Er weicht beinahe nicht von meiner Seite. Auch der Wirth kommt jede Stunde sich nach mir zu erkundigen, und ich werde Zeit haben über manches vergangene nachzudenken. Das Tagebuch wird freilich etwas mager werden, doch setze ich es auch in schlechten Tagen fort. Ich war ziemlich munter und obgleich es beim Verband nicht ohne Schmerzen abging so blieb ich doch ganz gefaßt. Hier will ich nachträgl. bemerken daß Ekermann denselben Tag nach Deutschland zurükgegangen, wo ich von Genua abreißte. Ich habe bisher so viel gutes erlebt daß ich mein Uebel mit Gedult trage. *Spezia den 27ᵗ Jul* nach einer unruhigen Nacht stand ich auf und nachdem ich mich nothdürftig angekleidet, so weit es mein Zustand erlaubte, so fing ich an mit Hülfe des Kellners mein Zimmer zu arangiren, pakte das Nöthige aus und schrieb dann diesen Brief damit Sie nicht etwa aus anderer Quelle eine übertriebene Nachricht über mein Unglük erhalten. Leben Sie vor der Hand wohl, ich schreibe jeden Tag auf, und Sie sollen bald von meiner Herstellung hören. Es ist traurig so hier allein zu sitzen, aber es ist einmal nicht anders. Grüßen Sie Frau u. Kinder.

A. von Goethe

Spezia d. 27 July 30.

Privatblatt.

Ein Malheurgen kommt nie allein, denken Sie was mir noch passirt ist. Ich wache eines Nachts durch ein unerträgliches Juken und Brennen über den ganzen Leib auf und dachte an den Herkules als er das von der Deyanira gesendete Hemd angezogen, hätte ich einen Hylas gefunden er wäre gar nicht ins Meer, aber gewiß zum Fenster hinaus geflogen. Ich dachte es wären Flöhe, aber da ich früher keine gespürt, so mußte ich den Morgen unter furchtbaren Brennen erwarten. Wie ich aufstehe besehe ich das

Bet, es war rein; jetzt gehe ich zufällig vor dem Spiegel vorbei und sehe zu meinem Erstaunen wie Gesicht von einem scharlachrothen Frießel bedekt so daß man keine Steknadel Spitze natürl. Farbe sah, so waren Hände, Arme, Brust u. Rüken doch nur bis an die Hüften, ich sah wirklich aus wie ein nakter Mephisto, erst dachte ich es wäre die Krätze aber die kommt nicht so schnel, dann dachte ich hätte die Pest. Da ich aber kein Kopfweh und keinen Schwindel spürte so war auch hier keine Endekung zu hoffen. Das gelbe Fieber war es auch nicht da ich roth aussah, und so grübelte ich nach, als die Domestiken kamen dachte ich sie würden schaudern, aber Gott bewahre sie sahen mich an wie gestern, nun wußte ich gar nicht mehr was ich sagen sollte, endlich kam der Arzt und mit Begierde fragte ich ihn nach dem Namen und der Sache dieser Metamorphose, er sagte mir es sey eine Krankheit welche in Italien sehr häufig, aber weder anstekend noch gefährlich sey, die Fremden seyen öfters davon befallen und sie heiße Calore; nun dachte ich gute Nacht du hast das Schlüsselbein zerbrochen und auch noch die Calore, das ist doch was zusammen. Ich sehe gräulich aus und danke Gott daß mich kein Weimaraner so sieht, da ich nun einmal wegen Schlüsselbeinbruch zu Hause bleiben muß, so will ich das andere Kind auch mitpflegen. Die Nächte brennt es aber wie höllisches Feuer und da nun noch die Nachtfliegen und kleinen Muskitos, hier Cousins genannt, das kommt von Küssen her, hinzukommen, so kann man es sich nicht besser wünschen. Die Ursache jener Krankheit ist starke Erhitzung und Schrek, beides habe ich freilich in den letzten Tagen gehabt, wenn das Brennen und der Spiegel nicht wären so wüßte ich nicht daß ich eine Krankheit hätte. Meine Rechte Hand spielt nun auch schon den Diener zweier Herrn und vertritt ihren Cameraden Paquale recht gut. Ich bin zwar nicht zu beneiden, aber ich danke doch oft Gott in meiner Klause für alles bisher bescherte. Heute hatten wir ein tüchtiges Donnerwetter, und ich freute mich wieder Musik vom Capellmeister Ratikati zu hören, auch erfrischte der Regen die Luft zu meiner Erfreuung. Nun habe ich schon 8 Tage keinen Wein getrunken, das ist auch närrisch. Indem ich diese Zeilen schreibe fällt mir ein gutes altes Studentenlied ein welches so anfängt: »Sic muß man die Curas Querelasque vertreiben« und zwar bei dünner Limonade. Unter meinem Fenster ist immer ungeheurer Lärm. Es ist eine der frequentesten Straßen und Kerle gehen vorbei die zehnmal mit dem Teufel auf dem Fahrgleise gesoffen haben müssen, doch alles ist heiter, singt und pfeift. Alle Männer und Frauen und Mädchen haben einen noblen Gang und freye aber nicht freche Bewegungen, man glaubt sie hätten alle Tanzen gelernt. Sie werden sich wundern daß Sie Brief an Brief von mir erhalten! Doch es ist mein einziger Trost Ihnen zu schreiben, und immer liegt ein Blatt auf dem Tische an welchem ich schreibe wenn trübe Gedanken kommen wollen. Leben Sie für dißmal wohl und gedenken Sie des Eremiten della Strada maestra. Grüßen Sie Ottilien und die Kinder, ich sorge für meine Erhaltung sehr gewissenhaft glauben Sie. Ich überlasse Ihnen welchen Freunden Sie diesen Brief mittheilen wollen. Ich schreibe bald wieder und sende dann das einförmige Tagebuch.

Ihr treuer Sohn v. Goethe.

Spetia am 1ᵗ Augt. 1830.

Spetia den 1ᵗ August. 1830

Hier sende gleich noch etwas Nachträgliches zu meinem Tagebuche als Privatmittheilung an Sie bester Vater! Wenn einem ein solcher Zufall begegnet, so fängt man an nachzudenken was zu thun sey, und sucht einen Weg aufzufinden, welcher zu Aller Zufriedenheit gereichen solle, man kommt zu sich da man eine Zeit ganz außer sich war, und bedenkt Vergangenheit, Zukunft und Gegenwart; man sucht einen Entschluß zu fassen, verwirft ihn wieder und kommt manchmal bis zum Verzweifeln, jetzt habe ich einen gefaßt mit folgenden zu bedenken. Zu bedenken ist erst der Geldpunct, ich habe geprüft, u. gerechnet und gefunden, daß man weit mehr ausgiebt, als man sich vorgenommen, und es liegt ordentlich ein Kitzel darin, in der Fremde generös zu erscheinen und wie man sagt den großen Mann zu spielen, das habe ich zwar nicht gethan, doch Ihrem Namen keine Schande gemacht. Dadurch habe ich immer freundl. Gesichter gefunden. Geprellt wird man hier nicht, nur von der niedrigsten Classe, und da nur von schlechten Geschöpfen, besonders aber da sich Ekermann von mir trennen wollte, ich ihm auch die Mittel nach Ihrem Willen in Genua in die Hände gab näml. 300 rt., er wird wahrscheinlich später anlangen als ich da er eine Reise in die Heimath machen will.

Das zweite ist das Clima in dieser Jahreszeit, welches so unerträglich ist daß man die Nacht nicht schlafen und den Tag nicht wachen kann, ich bin zwar genötigt einen Theil dieses Monats in Ruhe wegen meines Unfalls in einem schattigen Zimmer zuzubringen und doch sitze ich halb nakt wenn ich irgend ein Gefühl von Wohlbehagen haben will, alles Ausgehen bei Tag ekelt einen an und bei Nacht sieht man nichts, an diß schlißt sich drittens die Zeit meines Urlaubs, welcher im October endet, und es ist nicht gut um Nachurlaub zu bitten, besser früher wieder da zu seyn. Ich hätte erst nach Rom u. Neapel gehen sollen, aber es war nicht möglich wegen meiner Gesundheit, denn ich litt noch in Mailand und erst in Venedig fühlte ich mich recht behaglich so wie bis jetzt, kleine Anstände nicht zu erwähnen, ich hätte also beide Städte nicht mit Behagen betrachten können und also auch keinen Nutzen von der Beschauung gehabt. Sie werden aus meinen Blättern ersehen haben daß ich alles mit frohem Muthe betrachtet und in mich aufgenommen habe, aber zuletzt fühlte ich eine Uebersättigung. Hierbei erinnerte ich mich eines Wortes von Ihnen, nämlich Sie sagten einmal als wir von der Reise sprachen, *der Mensch habe nur ein gewissen Grad von Aufnahmevermögen wenn dieser erfüllt sey so höre jedes Interesse auf.* Wie wahr sind diese Worte wenn man reell reißt und nicht um zu sagen ich bin auch da u. da gewesen! Da ich nun hier in der Nähe den gewaltigen Wink der Götter bekam, der Mensch versuche sie nicht so denke ich kaum mehr an Rom u. Neapel sondern rufe mir die glükliche Vergangenheit in der Lombardei diesem herlichen Lande zurük, hier ist die Natur noch durch Menschen Hände belebt und bearbeitet, aber am Ufer des Mittlandischen Meeres ist sie, gewaltig über dem Menschen, denn Sie giebt ihm alles in dihand, bis zum höchsten Ueberfluß sogar Ueberdruß. Schon Genua ganz aus Pallästen bestehend gab mir zwar einen imposanten, aber keinen lieblichen Eindruk weil es Zustände darbietet von dem man keinen Begriff hat, der Hafen hingegen mit den belebten Schiffen, so wie ein *Eidechspar* – – machten Freude u. Leben. Nach allem vorausgeschikten sage ich folgendes: wenn ich freygestellt bin um reisen zu können so gehe ich über Florenz, das will ich noch sehen, denn in meiner Einsamkeit sammle ich so daß mir die berühmte Stadt gewiß Freude machen wird, dann über Bologna, Ferrara, Legnano, Verona, den Garda See und falle da in die Tour welche auf Ihrer mir so lieben Charte bezeichnet ist durch das gemüthlige Tyrol und München, wo ich einige Tage bleiben will um alles gehörig zu sehen. Welchen Weg ich von da nehmen werde weis ich noch nicht, doch es wird sich ergeben und Sie erfahren es dann gleich. Es ist gewiß daß ich großen Nutzen aus dieser Reise gezogen und erst noch ziehen werde. Wie freue ich mich schon mit Ihnen die Mapen durchzusehen und manchen alten Bekannten zu finden, erst dann werde ich begreifen was ich gesehen. Leid that es mir daß ich so wenig interessantes in Mineralogischer Hinsicht erbliken konnte. Erst immer Kalk Kalk, dann Granit u. Gneis, dann die Apeninen immer wieder Kalk u. Kalk und nicht einmal ein Ammonshorn wie es der Wandrer findet auf den Bergen. Im Tirol hoffe ich mehr Freude in der Art zu finden. Ich habe sehr beklagt die Botanik vernachlässigt zu haben. Es ist manches Schöne ungekannt vorüber gegangen, bei solchen Gelegenheiten findet man erst was man nicht weis und doch wissen sollte. Besonders habe ich mich an den Fischmärkten erfreut wo alles aus jenen Meeren zusammen gebracht wird vom collassalen Stöhr bis zur kleinen Sardelle. Delphine habe ich nun ja auch gesehen, Kriegsschiffe und Molusken. Ich ließ mich immer hinausführen in einer Barke, wo die Fischer ihre Netze zogen und freute mich an jedem neuen denn vieles hatte ich in Naturalien-Cabinetten gesehen u. kannte die Namen. Daß Sie Gillens bei sich gesehen freut mich sehr und ich danke Ihnen dafür. *Sie* hat mir besonders erfreut darüber geschrieben. Ich freue mich sehr auf Ottilïen und die Kinder. Wie sehnt man sich in solch einer Oede, doch da man sagen kann »Vieler Menschen Städte gesehen u. Sitte gelernt« muß man es bis diese kurze Zeit übertragen. Nun leben Sie wohl. In einigen Tagen geht die Fortsetzung des Tagebuchs fort woraus Sie ersehen werden daß es mir gut geht. Zum Gluk habe ich den Band Ihrer Werke mit worin die Epigramme von Venedig stehen. Sie ergötzen mich sehr und ich habe viele erlebt.

Tausend Lebewohl

Ihr treuer Sohn
v. Goethe.

Spetia d. 31ᵗ Jul Sonnabend: Der zweite Verband wurde angelegt griff mich aber sehr an und ich fiel darauf in einen Schlummer der mehrere Stunden dauerte, diese Ruhe hatte mich sehr erquikt, da ich die ganze Nacht nicht geschlafen hatte, weniger wegen der Schmerzen sondern wegen der kleinen Muskitos, hier Cousins genannt, sie sehen aus wie unsere Schnaken, ihr Stich ist aber viel toller; dazu kommen die Nachtfliegen, kleiner wie die unsrigen, aber sie stechen wie Bienen obgleich die Betten mit Mousselinene Vorhängen umgeben, welche nur von einer Seite zu öffnen sind, und beim Schlafen gehn ebenfalls zugebunden werden, so kommen Sie doch hinein und peinigen den Menschen. Der Tag verging langsam, einsam u. stille. *Spetia den 1ᵗ Augt. 30 Sonntag.* Abermals schlechte Nacht, früh Brief an den Vater geschrieben, dann das Tagebuch fortgesetzt welches freylich jetzt einen anderen Charakter annimmt, traurig genug für mich. Wäre der Unfall nicht geschehen so wär ich heute in Rom, so war es berechnet, doch die Götter wollen es anders und ich muß gehorchen. Doch auf etwas anderes zu kommen: um mich zu zerstreuen ließ ich mir heute die Apartements im Hause zeigen, welche Pracht für eine Landstadt, aber alle schönen Zimmer u. Salons im zweiten u. dritten Stok, die schlechteren sind im ersten, gerade umgekehrt wie bei uns. Eine besondere Pracht herrscht in Vorhängen, Betten, Spiegeln und andern Meubels, nicht ganz modern, ein eigener Geschmak, alles sehr massiv mit viel Vergüldung und bloß Nußbaumholz, sonst sieht man hier keins. Was einem auffällt das ist daß in die schönsten Zimmer eine ganz roh gearbeitete Thühre ohne Drüker mit ungeheuren eisernen Schloß führt, man denkt es wird ein Kerker aufgeschlossen und man trit in Säle und Zimmer fürstl. Pracht. Da gerade keine Gäste hier waren so öffnete man mir einen Salon u. Zimmer um zu promeniren, da ich nicht ausgehen kann. Nachdem ich wieder auf meinem Zimmer war, kamen eine Griechische und eine Englische Familie, in ungeheuren Wägen an und das Haus füllte sich, was ich den Leuten gönne; es ist aber auch das erste Gasthaus hier. Was einen aber hier in Italien ganz verwirrt macht ist das ewige gute Wetter, immer blauer Himmel seit 3 Monaten höchstens 7 Regentage und kaum 2 – 3 Gewitter von ganz kurzer Dauer; das ist langweilig und es leiden die Augen von der ewigen Sonne. Doch ist alles so schön außerdem, daß man auch dieß gern erträgt. Da ich gar keine Unterhaltung habe so bin ich viel bei meinem Freund dem Koch in der Küche, und lerne da manches zu künftigen Nutzen. Zu lesen habe ich nicht viel.

Montag d. 2ᵗ Augt: Ich zog um in ein luftigeres Zimmer auf Anrathen des Arztes, es hatte die selbe Aussicht wie mein voriges, nur höher u. bequemer eingerichtet. Ich sah nachdenkend zum Fenster hinaus, da kam ein Capriolet angesaust und wer stieg aus? – Es war Sterling. Er hatte meinen Unfall erfahren und ist gekommen mir einige Tage Gesellschaft zu leisten. Es ist mir ein wahrer Trost in meiner Einsamkeit, er hat mir auch Bücher mitgebracht. Mittag aßen wir zusammen, auch der Abend verstrich unter traulichen Gesprächen. Das schlimmste sind die Nächte. Man kann nicht im Bett vor Hitze bleiben und wandelt immer umher, sinkt manchmal auf einen Stuhl und nikt ein wenig, aber nicht lange denn die Muskitos lassen es nicht zu. Wenn ich nur erst wieder so weit bin ausgehen zu können, die Gegend ist himlisch, der Hafen ungeheuer, so daß nach Sterlings Meinung 400 KriegsSchiffe hier liegen können, Napoleon hatte auch den Plan hier etwas Großes anzulegen.

Spetia Dienstag d. 3ᵗ Augt. KönigsGeb.tag (vorm Jahr war ich in Erfurth! –) Früh nicht aufgestanden da ich nicht zu Bett gegangen, wegen Hitze, Schmerzen und Cusins. Sterling kam um 8 Uhr, wir schwazten, er war schon früh ausgegangen u. beschrieb mir die herrliche Gegend, dann kam der Arzt und gab gute Hoffnung. Mittag aßen wir zusammen, wie natürl. da wir in einem Gasthofe wohnen. Sterling blieb bei mir und war auch beim heutigen Verband freundl: thätig. Um 10 ging er auf sein Zimmer, ich zu Bett konnte es aber nicht aus halten u. stand wieder auf u. brachte theils die Nacht Nachtwandelnd, theils auf dem Stuhle zu. Mehrmals trat ich ans Fenster. Gesänge aller Arten schallten noch früh 2 Uhr aus den Fenstern, alles Nationallieder. Der Mond schien hell und erleuchtete ein altes Castell welches ich aus meinem Fenster über die Dörfer sehen kann; ich hörte die Cicaden schrillen, ein kühler Nachtwind erfrischte mich und ich vergaß momentan mein Leiden. *Spetia Mittwoch d. 4ᵗ Augt. 30* Früh 5 Uhr legte ich mich ein wenig nieder und ruhte angenehm bis 7. Dann kam der Arzt und war zufrieden mit meinem Zustande. Hier auf kam Sterling, wir plauderten, und sahen am Fenster, da kam ein Fischhändler mit wunderlichen Thieren, wir riefen ihn an, er kam herauf und wir kauften 1. einen Fisch Capone (Dikkopf) genannt. Er ist ganz roth, hat einen ungeheuren Kopf, diken Bauch und sehr starke stachliche Bauch- und Schwanzflossen. 2^t kauften wir 2 Muränen, alartige Thiere braun gesprenkelt und geringelt, sie sahen sehr schlangenartig aus. Wir haben ihn auf morgen mit anderen Meerwundern bestellt, in Weimar würde mancher diese Thiere kaum anfassen wollen, wir wollen sie uns heute Mittag gut schmeken lassen, da macht man doch Erfahrungen in der Naturgeschichte auf eine angenehme Art. Die Venetianischen Epigramme werden wechselseitig oft vorgelesen, und über selbstgemachte Erfahrungen in dieser Art, wurden erstaunliche Betrachtungen angestellt. Mittag aßen wir zusammen, wie wir auch den Abend miteinander zubrachten. Um 10 Uhr versuchte ich zu schlafen, es gelang bis 11 Uhr, da mußte ich aber meine Nachtwandeley wieder beginnen, bis 5 Uhr früh. *Spezia Donnerstag d. 5^t Augt. 30* Früh von 5−7 geschlafen, sehr erquickt. Dann der Arzt, zufrieden mit dem Zustand. Mit Sterling gefrühstükt. Heitere und erste Unterhaltungen mit demselben über Poesie, Politik u. s. w. Jetzt kam die Zeitung. Die Ordonanzen über Beschränkung der Presse u. s. w. geben zu manchen Betrachtungen Anlaß. Mittag aßen wir auch zusammen und wir haben alle Tage Fasttag, denn wir leben fast bloß von Fischen u. anderem Seegethier. Nach Tisch zeichnete Sterling die Aussicht aus meinem Kerker, ich bringe das Blatt mit zur Erinnerung. Um 7 kam der Arzt revidirte den Verband, und machte ihn neu, fand den Stand der Sache aber sehr gut. Seit 8 Tagen haben wir beinahe nie unter 28 Grad in den Zimmern zur heißesten Tageszeit, und dazu die Bandage von 30 Ellen um Arm u. Leib, da kann es einen wohl warm werden. Troz manchen Versuchen zu schlafen gelang es doch nur sehr wenig, bis ich gegen Morgen eine Stunde schlief. *Spezia Freytag d. 6^t Augt. 30.* Früh war ich so glüklich einige Stunden schlafen zu können, dann schrieb ich am Tagebuch. Der Arzt kam und war zufrieden. Dann frühstükte ich mit Sterling, und laß den Morgen viel in Ihren Werken wovon mir Sterling, so wie von Schiller, mehrere Theile mitgebracht hatte. Mittag aßen wir wieder zusammen und dann zog Sterling neben mich in ein Zimmer wo wir die Thüren aufhaben und so zusammen leben. Er zeichnete noch etwas an der Aussicht von meinem Fenster aus. Er erzälte mir viel von Sardinien, wo er 5 Monate zu seiner Erholung zugebracht; das muß ein wunderliches Land seyn, mündl. mehr davon. Bemerken muß ich daß es hier viel wahnsinnige alte Bettler giebt die einen eigenen Eindruk machen, es sind Greise, sie tanzen auf den Straßen und sehen fürchterlich aus. Man hatte mir viel von der Menge Wanzen gesprochen die in Italien seyn sollten, bis jetzt habe ich noch keine einzige gesehen, man schreibt es den Bettstellen von Nußbaumholz zu die algemein verbreitet sind. Den ganzen Tag über bedekter Himmel aber denoch sehr schwüle. *Spetia Sonnab. d. 7ᵗ Augt.* Nachts 2 Uhr wachte ich auf und hörte zu meiner Freude daß es regnete. Sie können sich das Gefühl nicht vorstellen mit welchem ich jeden Tropfen fallen hörte, denn es sind über 2 Monate wo es nicht geregnet hat; die Luft wurde erfrischt und ich erwartete Sonnenaufgang am Fenster. Gegen 4 hörte der Regen auf, der Himmel blieb aber bedekt und eine langersehnte Kühle herrschte, Oliven-, Orangen-, Feigen und andere Bäume mit welchen das verfallene Kastell bewachsen ist waren erfrischt und alles sah fröhlich aus. Jeder Strauch strekte seine Blätter neubelebt empor. Nun setzte ich mich und schrieb am Tagebuch bis Sterling kam; wir sprachen, viel über seine Zukünftige Lage welche noch sehr ungewiß ist; so verging der Tag wie gewöhnl: und ich legte mich erfrisch jedoch ermüdet zu Bett und erwachte zu *Spetia Sonntag den 8ᵗ Augt.* früh 4 Uhr. So anhaltend hatte ich lange nicht geschlafen, ich fühlte mich ein ganz anderer Mensch. Gegen 6 wurde es sehr lebhaft auf der Straße, das Landvolk kam die erste Messe zu hören; buntgekleidete Mädchen, mit besonders originellen Halstüchern, weißen Krausen darüber, rothen seid. Netzen auf den Köpfen; Männer die blauen Jaken über die Schultern gehangen, mit rothen Westen u. Mützen, kamen zu hunderten gezogen, es war ein angenehmer Anblik: Alles sah so fröhlich aus, so gewaschen, und so waren Pflanzen und Menschen heute wie neu gebohren. Sogar ich in meinem verpupten Zustande wusch mich reinlich mit einer Hand, ließ mich rasiren und machte eine dem Zustand angemessene Toilette. Lassen Sie sich nur von Vogel eimal die Bandage beschreiben und sie werden erfahren daß es kein Spaß ist 3 Wochen so gewürgt zu seyn; doch dabei ist man fidel und guter Dinge auch voll Hoffnung für die Zukunft. Sterling und ich frühstükten wie gewöhnl. zusammen, der Arzt kam dazu und es gab interessante Gespräche, besonders über Chirurgie u. Medicin. Dr. Gervasi ist ein äußerst unterrichteter Mann und geht mit der neuern Zeit fort, ist auch selbst Schriftsteller in seinem Fach. Mittag waren wir ebenfalls zusammen. Gegen Abend promenirte die schöne Welt in der Hauptstraße in der ich wohne welches auch eine Unterhaltung am Fenster gab, bis es dunkel ward. Den ganzen Tag war der Himmel bedekt und es war sehr schön kühl. Heute erfuhren wir auch die neusten Ereignisse in Paris vom 27. Jul. durch die Genueser Zeitung. Hier will ich noch bemerken daß der Ort wo ich bin auf verschiedene Weise geschrieben und gedrukt vorkommt: näml. auf Ihrer Charte heißt er Spetia, dann schreibt man auch Spezia gewöhnl. aber La Spezzia. Es hat 4.000 Einwohner besonders schön mit Marmorplatten gepflasterte Straßen welche dadurch sehr reinlich sind, daß Kinder von jeden Altern und zu jeder Tages Zeit allen auf die Straßen geworfenen Kehricht emsig sammeln, und wenn nun endl. ein Maulthir mistet so glaubt man sie hätten Gold gefunden; hierdurch werden die engen Straßen $4-5$mal den Tag gekehrt. Die Häuser sind meistens schmal aber selten unter vier Stok hoch viele 5, welches diesem Ortchen ein Grandioses Ansehn giebt. Für heute sey es genug. Leben Sie alle wohl

Treu v.Goethe.

d. 9^t Aug. früh geschlossen.

La Spezzia den 10^t Augt:
Bester Vater.

Um mir eine Freude zu machen laß ich heute Ihre beiden Briefe vom 29^t Juny u. 5^t July wieder, welche ich noch in Genua erhielt und erfreute mich sehr an ihrem Innhalte. In meinem zweyten Briefe von La Spezzia eröffnete ich Ihnen meinen Plan zu schnellerer Rükkehr, da mir der Unfall im ersten Moment nach so viel Glük auf meiner Reise, kollossal vorkam. Einsamkeit und ruhige Betrachtung des Vorgefallenen, haben mich auf einen anderen Standpunkt gestellt und ich will mich kurz darüber aussprechen: –. Bei einem Unternehmen wie das meinige sollte man billig voraussetzen daß nicht alles wie in der Stube zu Haus fortgehen könne, und daß ein sogenannter Einstand gegeben werden muß. So will ich jetzt nun diesen Fall betrachten. Ich habe auch noch manchen anderen Nutzen daraus gezogen, indem ich über den Erfolg und die Zweke meiner Reise reiflich nachzudenken, Zeit genug hatte. Ich gehe also von hier über Carara denn das muß ich sehen, da es nur 4 Stunden außer dem Weg liegt, über Pisa, nach Livorno, finde ich da das Dampfbot, so gehe ich mit diesem nach Civit Vechia und von da nach Rom, ist dieß nicht so gehe ich dann zu Lande über Volterra, Siena, Orvieto, Viterbo pp nach Rom wo ich Anfangs Septemb: einzutreffen hoffe. Mein hiesiger Aufenthalt kann höchstens noch 10 Tage dauern, welches man bei einem Knochenbruch genau bestimmen kann, denn alles geht bei mir seinen ordentlichen Gang der Heilung. Es wäre ja eine Schande nur noch 8 Tage von Rom entfernt zu seyn und es nicht zu sehen. Das zeitherige Resultat ist: Ich habe 4 Wochen (ich sage nicht verloren) mehr Zeit gebraucht und der Aufenthalt hier wird in Geld wie ich genau berechnet mit Cour- und allen anderen Kosten diese 4 Wochen nicht über 80 Thaler betragen. Hierbei habe ich den Vortheil gehabt, die heißeste für Reisende so gefährliche Zeit, ganz ruhig und sehr Diät zubringen zu müssen, welches bei meiner Constitution von Wichtigkeit. Ich rüste mich also mit neuem Muthe und bitte nochmals um Ihren Reisesegen. Mit dem Gelde was mir Mylius angewiesen hoffe ich nach Hause zu kommen. Solte ich das Gentheil fühlen so lasse ich von Mylius etwas nachhelfen −. Nun handelt es sich noch um eine Urlaubsverlängerung. Ich bitte Sie mit Herrn Minister von Gersdorffs darüber zu conferiren, indem es mir in meinem jetzigen Zustande unmögl. ist selbst an den selben zu schreiben. Motive sind ja da! Ich habe ohne mein Verschulden 4 Wochen verloren; um diese handelt es sich jetzt. Auch Herrn Cammerrath Brandt, welcher mein Referat übernommen wäre etwas freundliches zu sagen wegen Vergangenheit und Zukunft. Sie lüden ihn wohl einmal zu Tische ein. Da kann es diskursive geschehen. Auch habe ich dafür gesorgt daß die etwa nach Florenz an mich gesendeten Briefe nach Rom nachgeschikt werden −. Die Hautkrankheit von welcher ich in meinem letzten Brief schrieb ist auch auf der Retour und ich schäle mich schon ganz und so komme ich denn auch mit einer neuen Haut zurük. In Pisa will ich auf Anrathen des Arztes

2 – 3 Bäder nehmen um mich ganz abzuschwemmen. Senden Sie Ihre Briefe von Empfang dieses an nach Rom poste restande ich bitte aber um recht ausführliche Nachrichten. Einen Brief von Sterling welcher heute wieder nach Genua zurük geht lege bei, so wie ein kleines Briefchen an Mad. Gille welches ich zu befördern bitte. Es wird auch während meiner Abwesenheit noch ein Kistchen von Mailand ankommen welches erst bei meiner Rükkunft geöffnet werden sollte; aber öffnen Sie es nur; es sind Kleinigkeiten darinn die ich in Venedig gekauft habe. Die Handzeichnungen von einem Bilderhändler auf dem Markusplatz sind für Sie, keine kostet mehr als 2 gr: der in Holzschnitt mitfolgende Herkules ist ein merkwürdiges Ding, ich habe nicht gewußt wo ich es hinthun soll. Doch scheint es mir aus dem 16ᵗ Jahrhundert, ich habe noch nichts in dieser Manir gesehen. Besonders bitte ich ein goldnes Büchsgen zu bewahren, es sind 2 Gondelchen von Gold als Tuchnadeln darinn zu Geschenken bestimmt. Ein Bronce Köpfchen aus dem 16ᵗ Jahrhundert ist ebenfalls erfreulich. Es kostet ½ Kopfstük –. Die Muscheln sind auf dem Lido von mir selbst gesammelt –. Troz allen Nachforschungen habe ich in Genua nichts von Medail. auftreiben können, ich habe nicht einmal einen ordentlichen Antiquar gefunden. Dieses Blatt lieber Vater wird wohl in den letzten Tagen dieses Monats in Ihre Hände kommen, ich ergreife daher *diese* Gelegenheit anticipendo Ihnen zum 28ᵗ zu gratuliren. Wo mich auch dieser Tag ereilen mag ich fey're *ihn* gewiß und bitte die Götter um dessen Tausendfältige Rükkehr. Nehmen Sie meine kindlichen Glükwünsche gütig auf und reihen Sie dieselben an die vielen Tausende, welche Ihnen heute von fern und aus der Nähe entgegen ströhmen.

Glück Auf.

August.

La Spezia den 9ᵗ Augt: Montag. Nach halb durchwachter Nacht früh 6 Uhr aufgestanden, am Tagebuch geschrieben, dann mit Sterling gefrühstükt. Es erschallt auf einmal vor dem Salon eine Harfe u. Violine und spielen das Jägerchor, welche Gefühle durchkreuzten sich da auf einmal bei diesen Tönen, es waren

2 Neapolitaner Vater u. Sohn. Sie spielten noch mehrere bekannte u. unbekannte Weisen zu meiner Ergötzung, denn auch schlechte Musik erquikt einen in solchen Zuständen. Der Arzt kam und zeigte uns einen Blasenstein den er soeben herausgenommen. Er war von der Größe eines bedeutenden Hünereys nur etwas flächer; er macht diese Operation mittelst eines Einschnits zwischen den Beinen, ich konnte nicht alles verstehen, aber so viel ist gewiß, er hat hier schon über 10 solcher Operationen mit Glük ausgeführt, kein Patient ist gestorben und alle binnen 18 Tagen vollkommen genesen. Er braucht zu dieser Operation eine Minute 30 Secunden. Künftige Woche macht er wieder eine im Hospital dessen Vorsteher er ist und hat mich eingeladen beizuwohnen; wenn es mir gemüthl: dazu ist werde ich es thun. Mittag mit Sterling so wie Nachtisch u. Abends. Um 11 zu Bett. Der Himmel war heiter doch etwas bewölkt.

La Spezia Dienstag d. 10 Augt: 30 Leidliche Nacht, es hatte wieder etwas geregnet und war kühl. Der Himmel sehr bewölkt, gegen Mittag heiter. Ich schrieb den Brief von heute an Sie lieber Vater. Dann mit Sterling gefrühstükt. Der Arzt kommt und verspricht Sonntag den 15 Augt. mich meiner Bande zu entledigen; er ist sehr zufrieden mit dem Gang der Sachen. Nach Tisch ging Sterling nach Genua zurük und ich bin wieder allein, es ist mir aber lieb, ich habe vor meiner Abreise von hier noch manches abzuthun und mich für Rom vorzubereiten was ich denn auch redlich thue. Gegen Abend angenehme Unterhaltung mit dem Arzt über mancherlei Gegenstände wissenschaftl. u. allgemeinen Innhalts. So kam die Nacht heran und ein erquikender Schlummer lößte die Glieder.

La Spezia Mittwoch d. 11ᵗ Augt. 30 Nach einer guten Nacht früh 5 Uhr aufgestanden, es hatte wieder etwas geregnet und der Himmel war bewölkt. Ich schloß das Tagebuch bis incl. 8ᵗ Augt: ab und übergab es der Post. Hierauf schickte mir der Arzt schöne Früchte, als treffliche Trauben, Pfirsigen, so wie auch weiße und blaue Feigen, von dem süßesten Geschmak. Dann kam er selbst und erneute den Verband. Dann schrieb ich am Tagebuch fort. Mittag wie gewönl. allein. Nachmittag über Rom gelesen; Abend 7 kam der Arzt und blieb bis 8, wo denn manches durchgesprochen wurde. Um 10 z. Bett.

La Spezia Donnerstag d. 12ᵗ Augt. 30. Leidliche Nacht, um ½ 6 aufgestanden heitrer Himmel ohne Wolken. Ich sichtete meine Papiere vernichtete das unnütze, und brachte mancherlei in Ordnung; schrieb dann am Tagebuch. So eben geht wieder eine Procession durch die Stadt. Viele hundert Menschen folgen, die Pfaffen tragen brennende Lichter u. die Chorknaben Laternen, so leuchten sie gerade der Sonne ins Gesicht, was es zu bedeuten habe konnte ich nicht erfahren. Jetzt kam mein Frühstük, es besteht in einer guten Suppe, einem weichen Ey und dann Weintrauben, damit kann man es bis 3 Uhr aushalten, wo ich zu Mittag esse. Schon seit mehreren Tagen bin ich der einzige Gast im Hause; ich bekomme jeden Mittag 5 Gerichte, und Obst, weniger giebt man nicht, Wein so viel man will, ich trinke aber den Tag nur 2 mäßige Biergläßer. Hinzu kommt noch das Logis u. Bett, dafür zahle ich 2 rt. unseres Geldes den Tag, auch sind darunter 2 – 3 Flaschen Limonade den Tag begriffen. Der Arzt kommt. Unterhaltung mit demselben über seine Praxis u. s. w. Mittag wie gewöhnl. allein. Nach Tisch gelesen. Um 7 der Arzt, er blieb bis ½ 9, Unterhaltung über die französischen Angelegenheiten, um 10 z. Bett.

La Spezia. Freytag den 13ten Augt. 30. Nach einer leidl. zugebrachten Nacht früh ½ 6 aufgestanden, es war heiterer unbewölkter Himmel, und es scheint sich das Wetter wieder zu bestätigen. Wie man zuletzt in der Einsamkeit auf alles reflectirt, so fielen mir heute die Frauen und Knaben auf welche auf ihren Köpfen dürres Holz zur Stadt brachten, welches sie mühsam ausgesucht, hier dachte ich an die Frauen welche bei grauenden Morgen zum Frauenthor hereinkommen und ihre Holzbündelchen zum Verkauf bringen. Der einzige Unterschied ist daß es hier in Spezia offen, bei uns verstohlen geschieht. Die Lazaronis füllen schon vom frühsten Morgen die Straßen, u. jeder sucht etwas zu verdienen, eben so sieht man den ganzen Tag die Pfaffen umher wandeln, und auch nicht *umsonst?* – ! Der Arzt kam etwas spät, wir sprachen über die verschiedenen Meer- und Landerzeugnisse und ich wurde in manchem belehrt. Es ist eine Freude mit diesem Mann zu verkehren, und obgleich er sich gleich um andere Dinge welche nicht zu seiner Wissenschaft gehören wenig bekümmert, so faßt er doch alles sehr leicht auf und nimmt Interesse daran; so wird denn ein angenehmer Austausch von gegenseitigem Wissen möglich. Mittag wie gewöhnl. allein. Nach

Tisch beschäftigte ich mit Neigebauers Buch über Italien, es ist recht gut, nur ist der gute Mann ein ausgemachter Philister und Plutonist dazu, doch beides setze ich bei Seite und nehme mir das gute u. brauchbare heraus. Später schrieb ich noch am Tagebuch bis der Arzt kam welcher bis ½ 10 blieb, fortwährend gute Unterhaltung, ich mußte ihm etwas von unseren nördlichen Leben erzählen und die Grundzüge des Protestantismus erklären. Er war mit allem sehr zufrieden, Sie wissen die Aerzte sind in allen Ländern immer die aufgeklärtesten Männer. Um 10 z. Bett.

La Spezia, Sonnab. den 14ᵗ Augt. Früh 5 Uhr auf. Heiterer unbewölkter tiefblauer Himmel, Genueser Zeitung gelesen, dann am Tagebuch geschrieben. Dann der Arzt. Bis Mittag über Rom gelesen. Allein gegessen. Abend auf meiner Stube. Um mich recht müde zu machen promenirte ich noch von 10 − 12 in meiner Stube u. Vorsal dann zu Bett. Ich schlief auch gleich ein und erwachte leider wieder zu

La Spezia Sonntag den 15ᵗ Augt 30. Ich hatte den freudigen Gedanken heute meiner Bande los und ledig zu werden und dankte Gott im Stillen dafür. Ja es ist heute der *15ᵗ Augt.* und ich stehe bezügl. auf diesen und die neuere Weltgeschichte auf classischen Boden. Wenige Tagereisen von hier sind die Schlachtfelder von Marengo, Lodi, Montebello u. s. w. Eine kleine Streke Meer trennt mich von Corsika und Elba; hier wo ich gefangen sitze sollte der größte Welthafen und eine Stadt diesem würdig gegründet werden, nun bleibt es La Spezia. Wie mancherlei Gedanken sich einem aufdrängen, wenn man dabei die neusten Ereignisse in Frankreich bedenkt läßt sich leicht begreifen. Heute ist auch ein großes kirchliches Fest die Himmelfarth Mariä, alles ist gepuzt auf den Beinen und eilt der Messe zu. Um 9 kam der Arzt und befreyte mich von meinen lästigen Banden, nur den Arm muß ich noch ruhig halten und in einer Binde tragen. Da heute ein starkes Gewimmel auf der Straße war so sah ich viel zum Fonster heraus und so kam die Tischzeit. Ich hatte mir heute den Arzt eingeladen und es wurde mancherlei durchgenommen. Um 6 Uhr kam eine Procession, man trug die Jungfrau Maria, in einem rosa seidenen Kleide und einem Spizenschleyer angethan unter einem Baldachin durch die Straßen. Die Geistlichen, so wie die Brüderschaft der Capuciner gingen theils vor theils hinter dem Bilde. Zugleich schloß sich eine große Masse Menschen an, besonders aber Weiber u. Mädchen, die mehrsten waren vom Lande. Diese waren alle reinlich gekleidet und hatten weiße Tücher um Hals und Brust, mit welchen das hochrothe Netz auf dem Kopfe, dessen Quaste bis auf den Rüken herunter reicht, sehr angenehm contrastirte. Es waren ohngefähr 4–500 solcher Mädchen u. Frauen und es nahm sich besonders gut aus, wenn man sie von hinten, oder von Oben herab sehen konnte; beides ward mir zu theil. Den Abend war die Stadt erleuchtet und eine Nachtmusik welche dem Postmeister, der mir schräg gegenüber wohnt, gebracht wurde lokte viele Menschen herbei. So war gleichsam ein Doppelfest gefeyert und erst spät nach Mitternacht hörte das Wogen auf den Straßen auf, da suchte ich Ruhe und fand sie.

La Spezia Montag d. 16ᵗ Augt. Nach dem der Arzt alles in Ordnung gefunden kleidete ich mich zum ersten mal nach sauer durchlebten drey Wochen mit Hilfe des Camerieri an, es war ein ganz wunderbares Gefühl, mich wieder in integrum restituirt zu sehen; ich hatte mir längere Gefängniszeit gedacht. Die Italiener sind besonders theilnehmend gegen Kranke und Leidende, so bedauerten meine Vis a Vis Nachbarn schon seit längerer Zeit durch Pantominen meinen Unfall, wenn ich ans Fenster trat, heute war algemeine rege Theilnahme in der Straße als ich ganz angekleidet am Fenster erschien; man grüßte mich freundlich und klatsche in die Hände, sogar die wahnsinnigen Bettler bemerkten meinen veränderten Zustand und empfingen ihre tägl. Centime. Mittag wie gewöhnlich allein. Nach Tisch eine Spazierfahrt zu Wagen mit dem Wirth und seiner Frau nach Porto Venere, welches am Eingang in den Golf rechts von La Spezia liegt. Der Weg dahin ist äußerst romantisch, und ich habe in Italien noch nichts gesehen was ich diesem Anblik vergleichen könnte. Diese Straße ist von Napol. angelegt und führt am Gebirge hin doch schon in einer bedeutenden Höhe über der Meeres Fläche, das Meer bleibt von La Spezia aus zur Linken. Der Hafen von La Spezia hat wenigstens 3 deutsche Meilen im Umfange und in demselben bilden sich wieder gegen 10 kleinere Häfen durch Landzungen welche in das Meer hervorragen und so schöne Buchten bilden; in einer jeden solchen Bucht ist Platz für die größte Flotte und nachdem ich nun mehr Erkundigung eingezogen, so ist allgemein angenommen daß dieser Hafen alle

Flotten Europas fassen könnte, ohne daß eine die andre genirte, es ist der größte Hafen in der bekannten Welt. Napol. wollte hier eine ungeheure Stadt gründen unter dem Namen Napoleonopolis. Allen Marschällen und Großen Frankreichs wollte er aufgeben Palläste hier zu errichten und jede andere Familie, welche einen dergl. hier bauen würde, sollte 100 Jahr von der Conscription befreyt seyn. Da der Hafen wenig zur Einrichtung und zur Erhaltung bedarf, indem die Natur schon alles gethan, so hatte Napol. schon ungeheure Summen zur Erbauung von öffentl. Gebäuden z. B. einem Arsenal, Börse, Theater, Dom u. s. w. bestimmt; es würde in der Zeit vielleicht mehr als Neapel geworden seyn. Alle Berge an diesem Berg Wege sind terrassirt mit Steinmauern, da die Berge aber sehr steil sind so enthalten diese Terrassen nur wenig artbares Land, dieses wird nun mit Feigen, Oliven, Pfirsigen, Aprikosen bepflanzt, an denen wieder Wein in ungeheurer Masse rankt; das Erdreich wird mit Korn besät. Wenn dieses geärndet ist, kommen noch Melonen, Kürbisse, Kohl u. s. w. darauf und so geht es immer fort. Da es hier eine große Seltenheit ist daß das Thermometer auf den Gefrierpunct kommt.

Die haupt Sorte Wein welche man hier cultivirt ist rother, die Trauben u. Beren sehr groß, so wie die im sonstigen treuterschen Garten unter des Hoffmeisters Fenster, doch hat man auch weiße Trauben überhaupt alle Sorten. Auf den Terraßmauern an den Weg hin stehen Aloeen dicht an einander, oft größer wie die in Belvedere. Blühend habe ich noch keine gefunden, desto schöner aber stehen die Capern in Blüthe, welche aus den Mauern wild heraus wachsen und ein herrliches Grün und eine liebliche große Blume haben. Den oberen Theil der Berge bedeken meist ächte Castanien, Cedern und Pinien. Viele Fettpflanzen, bei uns in Töpfen gezogen, sprossen wild aus den Felsen empor und man ist in eine andere Welt versetzt, indem man außer dem Brombeerstrauch keine bekannte Wildpflanze sieht. Das Gestein besteht aus dichten schwarzen Kalkstein mit weißen Adern und an mehreren Orten in der Nähe sind Marmorbrüche, doch kommt auch der Dachschiefer zu Tage, an einigen Stellen vor. Die Oberfläche dekt ein rothgelber thoniger Boden auf dem sich das schöne Grün der Bäume, besonders wenn der Boden frisch bearbeitet ist, herrlich ausnimmt, selbst die trist aussehende Olive hebt sich hier heraus. Kurz vor Porto Venere sah ich auch die erste Palme an einem Bauernhaus, sie war ohngefähr 30 Fuß hoch, schien aber durch den vergangenen auch hier sehr kalten Winter (denn es kam das Thermometer auf 0) gelitten zu haben. Hier ist auch auf einer Landzunge das Lazareth und der Quarantaine Hafen, in welchen Hr. von Müffling bei seiner Rükkehr von Constantinopel 35 Tage zubringen mußte. Porto Venere selbst ist ein kleines altes Städchen; man hat aber von hieraus, wenn man einen Hügel besteigt, auf welchen eine verfallene Kirche von schwarz und weißem Marmor liegt, eine treffliche Aussicht. Den Vordergrund bilden ungeheure in das Meer auslaufende Kalkfelsen. Rechts sieht man in der Ferne Porto Fine bei Genua u. sogar den Leuchtthurm; grad aus Nizza und die Gebirge das. Links liegt in der nähe die Insel Palmeria und am Horizont sieht man Corsika. Die Sonne ging herrlich unter, der Himmel war etwas bewölkt, desto prachtvoller erschien alles, es war in allem eine Gluth welche nicht zu beschreiben ist, der Abend aber war kühl und schön. Um 7. fuhren wir zurück; hier machte mich der Wirth auf die Gebirge aufmerksam hinter welchen Carara liegt, so wie auf einen Theil der Apeninen. Um ½ 9 kamen wir nach La Spezia zurük, es war bereits finster geworden und ich ging bald zu Bett und schlief zu

La Spezia bis Dienstag den 17ᵗ Aug 30 früh 5 Uhr. Ich stand sogl. auf, kleidete mich an und schrieb den gestrigen Tag fürs Tagebuch. Dann kam der Arzt, er war zufrieden und erlaubte schon mehr Bewegungen mit dem Arm zu machen. Hierauf schrieb ich noch an Sterling. Mittag allein. Nach Tisch machte ich eine Fahrt zu Wasser in den Golf von La Spezia; es war schönes Wetter und herrliche Beleuchtung. Dieser Golf hat 20 Migl od. 2 ½ deutsche Meile im Umkreise. Sie können sich also seine Größe denken, da der Golf von Neapel nur 4 Miglien, oder eine Stunde groß ist. Ich habe eine kleine Zeichnung beigelegt wobei nur zu bemerken ist daß auf der Seite links von La Spezia 8 kleinere Häfen statt der von mir angegebenen 5 sind und daß die auf der rechten Seite nicht gebraucht werden, weil die Winde dort stärker wirken. Auch ist der Golf mehr zirkelförmig als oval, ich mußte mich bei meinem Ocularriß nach dem Papier richten. Da ich noch keine Quarantaine Anstalt gesehen hatte, so ließ ich mich an das Lazareth fahren. Dr. Gervasi hatte mir eine schriftl.

Empfehlung an den Comandanten Capit: Giacomo mitgegeben. Ich meldete mich gehörig und wurde eingelassen; der Commandant führte mich selbst herum. Das Ganze besteht aus 8 − 10 großen Höfen mit massiven 2Stökigen Gebäuden umgeben. Unten sind Speicher für die Waaren welche Quarantaine halten müssen und oben Logis für die Menschen, ungeheure Säle für die Kranken und ein ganz eigenes Revir für wirkl. Pestkranken. Hier werden nun auch alle Sachen aufbewahrt, welche bei so einem solchen Fall nöthig sind, als Anzüge von Wachsleinwand für die Aerzte und Wärter. Sie bestehen in einer schwarzen Kutte einer Art Kappe welche auch das Gesicht bedekt, selbst die Löcher für die Augen sind mit Glaß ausgefüllt, desgl. Handschuhe von Wachsleinwand und hölzerne Schuhe die man über die Stiefeln zieht. Wenn einer nicht schon die Pest hat so kann er sie von einem solchen Anblik kriegen. Der Capitan maskirte sich so um mir alles zu zeigen. Dann ist dort eine Schaufel an einem 10 Fuß langen Stiel mit welcher man den Kranken das Essen reicht und ein mit einem 10 Fuß langen Röhrchen versehener Trichter, mittelst welchem Instrument den verpesteten Getränke gereicht werden. Eine große Zange mittelst welcher zwei Menschen die Todten am Halse paken und durch eine Thühre auf den Kirchhoff transportiren. Vieles andere wäre noch zu bemerken, doch behalte ich diß mir mündl. vor. Alle Thühren sind von runden Eisenstäben und bilden Gitter so auch die Fenster. Alles ist luftig und sehr reinlich gehalten jede Berührung mit andern ist unmöglich. Vor drey Jahren ist wirkl. die Pest, auf einem aus der *Levante* kommenden Schiff hier ausgebrochen und sämtliche Mannschaft, außer dem Capitain, gestorben. Nach jedem Pestfall werden alle Utensilien welche gebraucht worden vernichtet u. neue angeschafft. Nachdem ich alles besehen empfahl ich mich dem Capitain und da sich glüklicher Weise im Bereich des Lazareths ein Osteriechen fand (man sieht wie weit der Durst es bringt) so wurde mit meinen Barkenführern und dem Camerieri des Wirthshauses, welcher mich begleitete, die Pest mit einem guten Glaße Wein abgeschwemmt; hierzu aß ich Seeigel die ich mir frisch im Hafen des Lazareths fangen ließ, wo sie zuTausenden an den Steinen und *Pfählen* angeklammert saßen. Sie waren von der blauen Sorte, die ersten welche ich in Italien lebendig gesehen. Man ißt den gelben Stern heraus wenn man sie aufgemacht hat, der Geschmak ist austernähnlich. Nachdem ich mich so gestärkt, ging es wieder in die Barke und ½ 9 waren wir wieder in La Spezia. Noch muß ich bemerken daß dießmal gar keine Kranken oder sonst Quarantaine haltende Menschen u. Waren im Lazareth befindlich sind. Auch ließ ich mir das Zimmer zeigen wo General v. Müffling 35 Tage gewohnt. Ich ging um 10 zu Bett u. schlief trefflich.

La Spezia Mittwoch d. 18ᵗ Augt. 30. Der Morgen verging mit Berichtigung meiner Angelegenheiten hier, als Einpaken, Bezahlen u. s. w. Mittag aß der Arzt noch einmal bei mir. Nach Tisch machte ich noch eine kleine Promenade am Meer und bin aber ½ 9 Uhr im Begriff mich wieder zu legen da ich morgen um 3 Uhr von hier abgehe. Ich reise über Carara, wo ich mich umsehen will, von da über Massa nach Lucca, wo ich die Nacht bleibe; übermorgen über Pisa nach Livorno. Von dort ein mehreres. Sollten meine Tagebücher in den letzten Wochen den Leser gelangweilt haben, so bitte um Verzeihung, was kann aber ein Gefangener schreiben, nun soll es wieder munterer gehen. Grüßen Sie lieber Vater alle Freunde, Ottilien, die Kinder, die Mutter u. Großmama so wie Ulriken und leben Sie recht recht wohl und gesund.

Ihr treu ergebener Sohn
A. von Goethe

Abend. 8 Uhr.

Donnerstag den 19ᵗ Augt. 30. Früh 3 Uhr von La Spezia abgefahren, ich hatte den Wagen aus dem Haus genommen, vierrädrig mit einem Pferd und ihn bis Livorno gemiethet. Der Wirth fuhr mich selbst. Es war noch finster, aber sehr sternenhell besonders wetteiferten Jupiter und Venus. Als der Morgen graute näherten wir uns dem Gebirge, das Meer war dem Auge entschwunden und ich fand mich in einer ganz anderen Umgebung. Es war eine Ebene die sich vom Gebirg bis ans Meer erstrekt. Der Boden ist durchaus kalkig; die Felder waren mit Moos, Hanf und Hülsenfrüchten bebaut, auch sah man an dem wohlbeleibten und starken Rindvieh daß der Akerbau die Oberhand hatte. Demohngeachtet ist der Weinbau noch ungeheuer denn alle

Straßen, auch die kleinsten Vicinalwege sind an beiden Seiten mit Weiden, Maßholder, Pappeln u. s. w. bepflanzt an welchen der Wein gepflanzt und von einem Baum zum anderen wie Festons gezogen wird. Welche unzählige Masse von Trauben, sie beginnen eben zu reifen und es ist ein herrlicher Anblick. Auch ist der Oelbaum nicht vergessen, alle Berge u. Hügel sind damit, mehrentheils in Reihen, besetzt, was im Genuesischen nicht der Fall ist. Nun drangen wir weiter in das Gebirge vor und gelangten schon um 7 Uhr in *Carara* an, wo ich im *Hotel zum neuen Paros* abstieg. Dr. Gervasi hatte mir einen Brief an einen dortigen Bildhauer mitgegeben, namens *Paetro Bienaimé*, welcher für Thorwalsen arbeitet. Er empfing mich sehr freundlich und gab mir seinen Sohn, einen jungen Mann von etwa 25 Jahren, ebenfalls Bildhauer, mit um mir die berühmten Marmorbrüche zu zeigen. Es war ein herrlicher Morgen, der Weg dahin führt durch ein enges Thal von hohen Gebirgen umgeben, alles ist Kalk. Ein Bach durchstromt es und treibt die Marmor-Schneidemühlen. Ich besah davon mehrere, und gewönlich werden durch ein einziges Getriebe, dessen eine solche Mühle mehrere hat gewöhnlich 10 Tafeln auf eimal geschnitten, es geht sehr schnell. So avancirten wir nach und nach und glimten über lauter Marmor Trümmer zum Großen Bruch hinauf. Es wurde gerade ein großer Blok von 16 Fuß Länge u. 6 Fuß im Quadrat den Berg herunter gewürgt, der Wagen u. die Räder waren ungeheuer fest u. collosal und 50 Ochsen waren vorgespannt. Der Weg ist steil und mit Marmor Trümmern bedekt. Manchmal wenn es ans losrumpeln ging dachte ich alles müßte zum Teufel gehen. Trotz allem diesen fand ich diesen Blok bei meiner Rükehr schon auf ebenen Boden auf dem Transport nach dem Meer wo er nach Rom eingeschifft werden sollte. Nun erreichten wir endlich den Bruch, man findet hier die erste u. 2^t Qualität nicht weit auseinander und von dem feinsten Korn. Es machte mir als Mineralogen große Freude eimal einen ganz frischen Bruch von diesem herrlichen Gestein zu sehen. Als ich alles genau betrachtet u. mir die Art des Verfahrens beim Brechen hatte erklären lassen, gingen wir nach Carara zurük um noch einige Ateliers dortiger Künstler zu besehen. Zuerst wurde natürlich das von Hr. Bienaimé durchgegangen. Er und seine Gehülfen arbeiten jetzt hier an Christus und den 12 Aposteln, alles einzelne

Figuren und collossal. Christus und Petrus sind fertig und über 12 Fuß hoch. Es soll so eine Statue 30 000 rt kosten? – Die Modelle sind von Torwalsen und für Coppenhagen bestimmt. In diesem Gebäude ist noch die Academie der Künste im ersten Stock. Sie enthält vorzügl. gute Abgüsse antiker Statüen, Büsten und Ornamente, welche ich aber schon in Mailand u. Venedig gesehen hatte. Hierauf besahen wir das Atelier des Herrn *Guiseppi Rochi* welcher vorzüglich Büsten berühmter Männer u. Frauen des Alterthums, nach antiken und neuren Modellen fertigt, besonders zu bemerken waren Paris u. Helena nach Modellen von Canova von großer Anmuth so wie dessen 4 Tänzerinnen, auch fiel mir die Büste von Cäsar nach einer Antike auf. Nun gingen wir in das Atelier des Hr. Giacomo Varelli welcher besonders für England arbeitet. Hier fand ich die Büsten von Wellington, Pitt Fox, Byron, Georg den IV., ein schauderöses Gesicht, armer Marmor wie dauerst du mich daß man dich in *so* eine Form verwandelt. Auch viele Napoleons waren da in allen Größen und Costüms. Die Engländer prodegiren ihn jetzt nachdem sie ihn verklärt haben. Zuletzt besuchte ich noch das Atelier des Hr. Caetano Sagguinetti welcher fast ausschließlich für Rauch in Berlin nach dessen Modellen arbeitet. Er war lange in Rauchs Atelier in Berlin u. hat mit dem verstorbenen Kaufmann gearbeitet. Ich fand hier eine Collossale Büste des Königs v. Preußen, einen Taufstein mit den Aposteln, den Kaiser Nicolai und den jungen Großfürsten in Arbeit so wie anderes mehr; besonders aber interessirte mich eine zu Zeiten Napol. für Paris bestimmte Büste desselben (über lebensgroß) in spanischem Costüm, sie ist ganz ausgezeichnet. Besonders bewundernswerth ausgeführt war die spanische Halskrause mit ihren tiefen Falten. Meine Augen wurden nach u. nach müde u. der Magen regte sich auch. Da begab ich mich eiligst in das neue Paros – wo ich aber nicht mit Steinen, sondern mit herrlichen Coteletti al Rosto, gutem Wein u. s. w. bewirthet wurde. Nach dem Frühstük besah ich noch einige Niederlagen hiesiger Marmorarbeiten welche zum Verkauf ausgestellt waren. Besonders waren herrliche Cameen von den schönsten Marmor und herrliche Basreliefs das Stük für 100 rt vorhanden, sie gehen meist nach England. Um 2 verließ ich Carara und gelangte über *Pietra Santa* Abends 8 Uhr in *Lucca* an. Logis und Essen waren vortreffl. welches ich auch in meinem Beutel spürte.

Freytag den 20ᵗ Augt. 30. Früh 8 Uhr von Lucca abgefahren. Es war ein heiterer Tag und wir gelangten durch eine fruchtbare Gegend um 11 nach *Pisa.* Ich ging gleich aus um den Dom zu sehen, gelangte über eine aus Marmor gebaute Brüke über den Arno auf die andere Seite der Stadt, welche durch diesen Fluß in zwei Theile getheilt wird. Die Aussicht auf die Quais von dieser Brüke ist herrlich und erinnert an Frankfurth am Mayn wenn man auf der Brüke das. steht. Nun gelangte ich auf einen großen Platz auf welchem sich der Dom, das Batisterium, der schiefe Thurm und das Campo Santo befinden. Der Dom ist nicht sehr groß und enthält außer einigen guten Gemälden von Sodoma u. Salimbeni und den sehr alten Thüren welche ganz von Bronze sind wenig bemerkenswerthes, er ist im byzantinischen Stiel gebaut und mit vieler Bildhauerarbeit von Außen gezirt. Bruskettus ein Grieche erbaute ihn im Jahr 1063. Merkwürdig ist das Battisterium eine freistehende Rotonde von der wunderlichsten Bauart wahrscheinl. aus derselben Zeit wie der Dom; hier ist ein vielfaches Echo wenn man in der Mitte entweder stark ruft oder etwas hinwirft als einen Stein oder eine Bank aufhebt u. niederfallen läßt. Das Campo Santo liegt gleich dabei. Es ist ein längliches Vierek von einer hohen Mauer umgeben und bildet einen Hoff der nach Innen mit einer Colonade umgeben ist, wie die gewöhnl. Klosterhöffe. Die Wände sind mit Fresko Gemälden von Cimabue, Giotto und Orcagna gezirt, besonders fielen mir auf 1. Il Triompho de la Morte und ich erinnerte mich des Kupferstichs gleich den Sie bester Vater besitzen, so wie Werners Gedicht diesen Gegenstandt betreffend; 2 eine Art von Auferstehung, es liegen Leichen von Menschen, aller Stände und beiderlei Geschlechts unter u. übereinander, Päpste, Kaiser, Könige, Mönche, Nonnen, Ritter, Kinder u. s. w. Aus dem Munde eines jeden wird die Seele in Gestallt eines Kindes entweder von einem Teufel oder Engel entbunden und oft rammeln sich ein Teufel u. ein Engel noch um eine *Arme* Sele in der Luft, 3 das jüngste Gericht von Orcagna ist ebenfalls sehr merkwürdig. Die Figuren sind Lebensgröße, aber leider fangen diese Fresken, welche der Luft zu sehr ausgesetzt sind, an dem Verderben entgegenzugehen. Uebrigens sind alle Seiten unterhalb der Bilder mit Monumenten und Grabmälern angefüllt und es giebt viele Figuren die einen recht in das 15ᵗ Jahrhundert ziehen. Hier kann man recht einen Begriff von den Zeiten des Mantegna, Pisan und Sperendeus bekommen (auch in dem Dom sind sehr viele Bildhauer Arbeiten von den Brüdern Pisani welche ihre Vaterstadt sehr geschmükt haben). Auch befinden sich hier viele Sarkophage, Urnen und Büsten, sowie eine menge Basreliefs aus den Römerzeiten, mitunter recht gute Sachen, besonders schön war ein Sarkophag auf welchem die Geschichte des Hipolith pp treff. in Marmor dargestellt war. Der schiefe Thurm gleich am Dom gelegen macht einen unangenehmen Eindruk; man begreift nicht wie jemand auf so eine Tollheit kommen kann. Ich bestieg ihn und hatte eine belohnende Aussicht über das große Pisa, welches sonst so mächtig war und 150 000 Einwohner hatte und jetzt bis auf 20 000 herabgesunken ist, und die fruchtbare mit Bergen begrenzte Umgegend. Nun wollte ich einen Besuch bei Hr. Professor Tantini machen an welchen ich Briefe von Hr. von Frorip u. Hr. von Fritsch d.j. hatte. Er war aber krank u. lag zu Bett. Auf dem Wege dahin kam ich noch an einer Kirche vorbei, man kann es aber nur ein Modell nennen, denn sie war kaum 20 Schritte lang ganz gothischer Bauart von weißem Marmor und von den Gebrüdern Pisan entworfen u. ausgeführt. Es war Essenszeit geworden und ich nahm ein treffl. Diner zu mir und ich will hier bemerken daß man in Toskana viel besser ißt als in ganz Italien wo ich zeither gewesen bin. Um ½ 6 fuhren wir ab. Die Gegend war fruchtbar und diente bloß zum Akerbau, Wein und Oliven hörten ganz auf. Hier sah ich die ersten Büffel. Das Graß welches man hier baut, ist ganz Schilfartig und man sieht daraus weil es dem Hornvieh so gut bekommt daß solches den Sumpfgegenden angehört. Auch sah ich den Maiß auf freiem Felde dreschen, er war ganz orange wie die schönste Apfelsine. Auch das Obst ist im Toskanischen besser als ich es irgendwo in Italien bis jetzt gefunden. Wein, Feigen verschied. Art, Melonen, Pfirsigen, treffliche Birnen, Mandeln und Nüsse, alles in Ueberfluß. Der Arzt in La Spezia hat mir gerathen viel Obst, besonders Trauben zu essen, das bekommt mir herrlich und ich lasse es nicht fehlen, immer steht ein Teller mit Obst in meiner Stube. Noch will ich erwähnen daß auch bei großen Landwirthschaften sehr wenig Gebäude sind. Scheunen giebt es gar nicht eben so wenig Schafställe, weil man keine Schafe hält. Das Ganze besteht gewöhnl. in einem dem Akergehalt angemessenen Hause worinn die Fruchtspeicher, (man drischt alles auf dem Gehöfte aus), die Stallungen für das Rindvieh, Pferde bedarf man nicht weil alles mit Ochsen gethan wird, und die Wohnung höchstens noch eine Remise für Schiff u. Geschirr. Die Gegend durch welche wir jetzt kamen hatte viel Aehnlichkeit mit der zwischen Erfurth und Gotha. Um 8 kamen wir nach Livorno wo ich im Schwarzen Adler abstieg. Als ich eben zu Bett gehen wollte hörte ich unter meinen Fenster den Schlußtanz aus Staberles Hochzeit von einigen Violinen abkrazen; ich mußte aber doch lachen und legte mich mit manchen dadurch wach gemachten Erinnerungen nieder.

Livorno. Sonnabend den 21ᵗ Augt. 30. Nach einer treffl. Nacht früh 6 heraus. Am Tageb. geschrieben und mancherlei geordnet. Um 10 Uhr mit dem Lohnbed. ausgegangen, die Stadt zu besehen. Zuerst besuchte ich eine Lancastersche Schule, von einer Gesellschaft von Kaufleuten gegründet u. datirt; ich hatte noch keine gesehen und es war mir interessant den verschiedenen Uebungen im Schreiben, lesen, rechnen, alles nach dem Commando beizuwohnen. Hierauf besuchte ich die Hrn. Dalgas u. Ott als die Hr. Bankiers an die ich gewiesen bin. Ich brauchte aber kein Geld da ich noch genug hatte um nach Florenz zu kommen. Nun besah ich die Kirche der unirten Griechen ein altes Gebäude mit besonders reich verzirten Allerheiligsten, es fehlt nicht an gebräunten Madonnen und Christusbildern, welche beinahe lebensgroß mit massifen silbernen Gewändern angethan sind. Die Kathedrale welche auf dem Place d'Armes liegt ist unbedeutend. Das Arsenal welches ich nun besuchte hat auch nichts merkwürdiges als daß hier eine collosale Statü des Großherzogs Ferd. d. Iᵗ in Marmor steht an deren Pietestal an allen 4 Eken ein heidnischer Sclave ganz nakt, ebenfalls Collossal von Bronze angebracht ist. Das Ganze ist von Giov. dell'Opera. Auch versäumte ich nicht die berühmten Oelbehältnisse zu betrachten. Sie sind von Stein und dienen zur Aufbewahrung des Oels welches die Kaufleute hier aufkaufen. Das Gebäude ist Massiv und in Kreuzform gebaut wo denn jene Behältnisse theils über theils unter der Erde sich befinden; die Regierung welcher es gehört zieth beträchtl. Miethe davon. Nun besah ich noch die Juden Synagoge eine der größten in Europa; es ist ein großer Raum mit 2 Reihen Emporkirchen für die Frauen, unten sind die Män-

ner u. die Canzel von Marmor und sehr groß, denn man kann
darauf herumspaziren. Es war Gottesdienst, die Predigt wurde in
spanischer Sprache gehalten. Livorno zählt mit den Vorstädten
80 000 Einwohner worunter 20 000 Juden sind. Es ist für seine
Bevölkerung zu klein und man baut jetzt viel neue Häuser. Nun
ging ich in den Gasthoff und um 3 zu Tisch. Es war Wirths-Tafel
ohngefähr 12 Personen. Alles wurde französisch tractirt aber es
waren meist Handels Gespräche die mich nicht interessirten.
Das Essen war vortreffl. und ich fand zum erstenmal gut zuge-
richtete Bohnen. Nach Tisch besah ich mir von einem Thurm
des Castells die Aussicht über Livorno u. die Umgegen u. ergözte
mich sehr. Man hat auf einmal den Blik auf das Meer mit dem
Hafen, die Stadt und die mit Villen gezirten Gebirge in der
Nähe. Den Horizont nach der Meeresseite begränzt theilweise
Corsika und gegen Süden sieht man ganz deutl. Elba liegen. Ich
machte nun noch mit einer Barke einen Abstecher in den Hafen
wo ich die ersten franz. Schiffe mit dem Tricolor traf. Ich rief
ihnen zu Vive La France alles auf dem 1^t Schiff schwenkte die
Hüte und klatschte in die Hände. Mir war es ganz wunderlich
bei dem Anblik jener Farben zu Muthe. Die Regierung von Toskana ist sehr liberall, alle Zeitungen u. Journale haben freien
Eingang. Sie finden in den Caffees den Constitutonel, den Glob,
sogar den Hamburger Correspondenten, die hiesige Regierung
war auch die erste welche den französischen Schiffen erlaubte
mit dem Tricolor in einen ital. Hafen einzulaufen. Nachdem
ich mich eine Stunde auf dem Meer herum getrieben stieg ich
am Quai aus und gelangte auf einen freyen Platz wo ich zu meinem Erstaunen an einem großen Hauß mit collossalen Buchstaben das Wort BIERHAUS, angebracht fand! O liebliche Töne
vom Ufer der Garonne. Ich eilte hin und ließ mir eine Flasche
dieses germanischen Labetrunks reichen. Ich fand es gut und
dem Ilmenauer ähnlich weswegen ich den H. Cammermusikus
Schmidt an meine Seite wunschte; da waren gewiß einige gute
Witze reif geworden. Nachdem die Flasche geleert war, sie kostete 21 d. ging ich in das Theater. Man gab Semiramid von Rossini. Das Haus ist schon besonders freundlich ausgemalt hat
5 Reihen Logen übereinander. Das Stük ging recht gut und ich
erfreute mich einer solchen Vorstellung. Die Decorationen waren etwas ältlich, die Costüms aber recht prachtvoll. Nach dem

ersten Act ging ich nach Haus wo ich um ½ 11 anlangte und mich gleich niederlegte.

Livorno. Sonntag d. 22ᵗ Augt. 30 Um 5 Uhr auf, am Tagebuch geschrieben und alles zur Abreise nach Florenz bereitet. Herr Dalgas besucht mich noch. Ich miethe den Veturin. Um 3 zu Tisch nur wenig Personen. Unterhaltung matt nichts wie von Kaufmannsgeschichten. Um 6 abends kam der Veturin und ich setzte mich in den Wagen, es waren noch 3 Personen mit: ein Geistlicher, ein Arzt, ein Kaufmann. So ging es denn vorwärts die Nacht durch, der Veturin wechselte 3 mal die Pferde. *Montag d. 23ᵗ Augt. 30* Früh 6 Uhr kamen wir in Florenz an. Ich hatte die Nacht gut geschlafen und erfreute mich der herrlichen Natur bei dem schönsten Wetter. Im Hotel Suisse stieg ich ab, richtete mich wöhnlich ein und durchstrich dann einige Straßen um mir einen algemeinen Begriff von dem Leben und Treiben hier zu verschaffen. (Morgen will ich anfangen die Sachen methodisch zu besehen.) Es ist hier viel mehr Geschrei ja Gebrüll als in allen anderen Städten Italiens durch welche ich gekommen bin. Bei Tisch incl. mir nur 4 Personen an der Tafel sehr gut gegessen, besonders gute Carotten u. Schwarzwurzeln auch treffl. Rindfleisch; wenig gesprochen. Um 5 Uhr ins Tagstheater, es wurde die Belagerung von Pultava gegeben wo denn Carl der 12ᵗ u. Zar Peter ihre Sachen recht gut machten. Das Theater ist nicht groß aber sehr hübsch eingerichtet. Um 8 nach Hause. Ich war doch ein wenig Müde u. legte mich bald zu Bett.

Noch einiges im algemeinen

Es ist freylich ein imponirender Anblick eine Stadt zu sehen welche 40 000 Häuser, man kann Palläste sagen, hat, 80 000 Einwohner, außer den Fremden zählt, welche sich auch auf 20 000 belaufen sollen, die herrliche Umgegend von Villen strozend, alles regt zur Freude auf. Man sieht gleich daß man in einer Residenz ist, alles ist wohl- und sehr geschmakvoll gekleidet; Männer Frauen und selbst das Landvolk. Alle Transportwägen bis auf den Karrn auf den das Kehricht aus der Stadt gebracht wird sind bunt bemalt, meist zinoberroth oder hellblau mit Schwarz abgesetzt. Die vorgespannten Maulthiere sind ebenfalls bunt herausgeputzt und haben meist Büsche von bunter Wolle auf den Köpfen. Das Besehen der Kunstwerke wird dem Fremden sehr erleichtert indem man in keiner Großherzogl. Gallerie od. Sammlung etwas zalt, in den Privatpalästen reichen ein paar Paul zur Genüge hin um mit einem freundl. Gesichte entlassen zu werden. Der Großherzog ist sehr geliebt, es herrscht hier die größte Freiheit. Es kommt einem wunderbar vor mitten in Italien einen auf solche Weise regierten Stat zu finden. Morgen habe ich große Dinge vor darum gute Nacht.

Abend 10 Uhr.

v. Goethe.

Privatblatt.

Florenz den 24.ᵗ Augt. 30.

Lieber Vater.

Sie werden sich wundern einen Brief von hier zu erhalten, da es mein Plan war, erst bei meiner Rükkehr von Rom Florenz zu berühren. Aber das Reisen ist wie ein Feldzug, wo man nie weis was der nächste Tag bringt. *Goetz von Berlichingen* sagt »Ich kann nicht nach dem Zettel reiten, man muß die Augen selbst aufthun und weis doch nicht wie es gelingt.« Ich dachte den Vapor in Livorno zu finden, um mit demselben gleich nach Neapel zu gehen. Ja der Vapore war da, aber er kommt von Neapel und geht nach Marseille. Da ich nun auch keine Gelegenheit zu Lande nach Rom bekommen konnte, so entschloß ich mich schnell hierher zu gehen und hier solange zu verweilen bis der Vapor wieder nach Livorno kommt welches den 3.ᵗ Septb. geschieht. Bis dahin habe ich Zeit Florenz kennen zu lernen, und ich nehme diß nun nur voraus. Dabei habe ich mehrere Vortheile: Von hier braucht man nach Neapel zu Lande 11 Tage von Livorno mit dem Vapore 2 Tage u. 3 Nächte, ich erspare daher 9 Tage Zeit und vermeide das Unangenehme des Landreisens; der Preiß ist beinahe derselbe. Dann komme ich auch in der kühleren Jahreszeit nach Rom, wo man mir besonders vor der Malaria, welche bis Mitte Septb. dort herrscht Angst gemacht hat.

In Neapel halte ich mich höchstens 10 – 14 Tage auf und bin wahrscheinlich schon gegen Ende Septemb. in Rom. Dahin also senden Sie alles und lassen Sie mich recht viel finden. Die vergessene Zeichnung des Hafens von La Spezia lege bei. Leben Sie wohl und grüßen Sie Frau u. Kinder so wie Verwandete und Freunde.

Ihr treuer Sohn.

v. Goethe

Nochmals Glük Auf zum 28.ᵗ

N.S.

Mein Arm ist ganz geheilt und ich kann mich wieder selbst bedienen, sogar die Stiefeln wieder anziehen. Auch mit meiner Gesundheit sonst, geht es recht gut und ich habe mich lange nicht so frey und wohl befunden. Ich hoffe daß diese Reise hinsichtl. meiner Gesundheit ihren Zwek ganz erfüllen wird, was für mein ganzes übriges Leben von der höchsten Wichtigkeit reich ist. Was ich sonst an Menschenkenntniß und Fortbildung in Kunst und Natur profitiren werde ist reine Zugabe.

Florenz Dienstag den 24.ᵗ Augt. Früh ½ 5 auf, am Tagebuch geschrieben; man muß sich zusammennehmen wenn man damit nicht in Rest kommen will; dann mich über Florenz unterrichtet und um 10 mit dem Lohnbed. ausgegangen. Unser Weg führte uns nach dem Pallast Vecchio frühere Wohnung der Beherrscher v. Toskana. Es ist ein Castell ähnliches Gebäude, mit einem hohen Thurm. Vor demselben sind die collossalen marmornen Statüen des David von Michael Angelo u. Herkules von Bandinell. Der Innere Hoff ist vierekig und hat eine Colonade von 9 Säulen mit äußerst reich verzirten Schäften. In einen Großen Saal sind die Hauptthaten der Mediceer abgebildet. Jetzt ist dieß Gebäude öffentl. Behörden zu ihren Zweken überlassen. Gegenüber liegt die sogenannte Loggia, ein von Säulon getragener von 2 Seiten offener Raum. Hier stehen folgende Collossale Statüen: 1. Ein Perseus von Benvenuto Cellini, 2. eine Gruppe von weißen Marmor den Sabiner Raub vorstellend von Johann v. Bologna. 3. eine geharnischte Judith in Bronce, von Donatello. Links des Palazzo Vecchio ist ein herrlicher Springbrunnen mit ungeheuren Beken von bunten Marmor; in der Mitte auf einem Pietestal die collos-

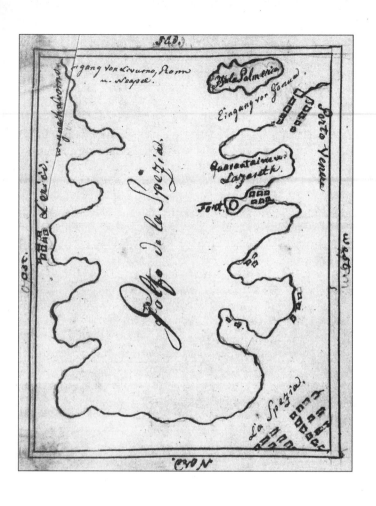

August von Goethe: Golfo de la Spezia,
aus der hinteren Einbanddecke von Fasz. II.

sale Statü eines Neptun (Collosso dell'Ammannato). Um den Brunnen sind noch über Lebens große Nimphen u. Satiren von Bronce angebracht. Neben diesem Brunnen steht nun noch die Collossale Reiterstatü Cosmas des I. von Giov. Bologna. Man geräth in Erstaunen wenn man alles dieses mit einem Blik übersieht. Nicht weit von allem diesen ist der Palazzo degli Ufficii, auch G. H. Gallerie genannt. Es hat ein Quergeschoß von 100 Fuß Länge und zwei Flügel wovon jeder 400 Fuß lang ist. Im Parterr sind Kaufmannsladen unter den Arcaden, im 1^t u. 2^t Stok Bibliothek, Archiv und öffentl. Behörden versch. Art. Der 3^t Stok ist ganz den Kunstschäzen eingeräumt. Wenn man die Treppe herauf kommt so stößt man schon im Vestibül auf herrliche Antiken z. B. einen Eber über Lebens Größe desgl. 2 Wolfshunde in Marmor, eine Statü Trajans und die Büsten der Medicaes u. s. w. zieren diese Vorhalle. Nun tritt man in die große Gallerie. Sie geht durch und um das Ganze Gebäude und hat gegen 1000 Fuß Länge wenn man die Winkel ausschreitet. Hier sind nun antike und neuere Statüen von Marmor, dergl. Büsten in Unzahl aufgestellt, und die Wände wo keine Fenster sind, noch mit Bildern behangen. Im Anfang weis man gar nicht wo man zu sehen anfangen soll und wenn man nun noch erst von einem Custode durch 22 Säle, welche an der Gallerie liegen, geleitet wird, so geräth man ganz außer sich, denn in diesen sind die schönsten Sachen an Bildhauerarbeit u. Malerei aufgestellt. Ich will nur erwähnen daß ich hier heute das Original der Venus Medicis, den Hermaphroditen, die Gruppe der Niobe u. die große Mediceische Vase sah. Ein Sal mit Bronzen, ein Zimmer ganz mit Egyptischen Sachen und die schönsten Gemälde worunter 4 Raphaels, verwirrten die Sinne noch mehr, ich kam wie betrunken heraus. Das Toben der Menge, das Gedränge auf den Straßen, brachte mich aus meinen Zustand der Sinneverwirrung. Toller und voller ist es nicht in den brilliantesten Tagen auf der Leipziger Straße als hier, besonders um die Mittagszeit wo alles auf den schattigen Straßen promenirt. Was sieht man da für hübsche Leute beiderley Geschlechts. Alles ist hier bunt, selbst die Transportwägen sind, bis auf den Drekkarn, angestrichen, meist Zinoberroth oder himmelblau mit schwarz abgesetzt, davor die buntbehangenen Maulthiere mit ihren Schellen und Wollbüschen, alles dieß giebt dem Ganzen Leben einen fidelen Schwung. Welche Menge Läden mit allen was der Mensch nur wünschen kann. Nachdem ich mich so wieder etwas erholt hatte ging ich noch in die Academia delle belle Arti, besah mir daselbst die Studien und ausgeführten Stüke der jungen Künstler, in Bildhauerkunst, Malerei und Architektur. Es hat alles einen großen, der Medicäer würdigen Zuschnitt. Viele Säle mit Gipsabgüssen durchlief ich schnell, weil es lauter bekannte Sachen waren, doch verweilte ich gern und dankbar bei den Laren unseres Hauses, der Juno Ludo visi, Minerva von Veletri, dem Antinous und unserem Jupiter. In einem ungeheuren Saal aber fand ich zu meinem Erstaunen und übermäßigen Genuß den Abguß der ganzen Statü des einen Rossebändigers auf Monte Cavallo. Mir fiel Rudolstadt ein wo ich zuerst den Kopf desselben gesehen hatte und dachte an die, die mit mir gewesen.

Alles was ich bis jetzt gesehen erschien mir wie nichts und es wurde mir canibalisch wohl in der Nähe dieses herrlichen Kunstwerks und ich kam mir ordentlich vornehm vor, daß ich die Erlaubniß hatte demselben meine Visite zu machen. Wunderbarer Weise hatte man den Herkules Farnese gerade gegen über gestellt aber mit dem Rüken nach dem Rossebändiger, es war als schäme er sich vor diesem Helden von Monte Cavallo. Wie glüklich fühlte ich mich in diesem Augenblik, und wie dankte ich Gott, daß ich durch die von Ihnen erhaltene glükliche Natur und Bildung im Stande war dieß Große zu fassen und zu erkennen. In diesen Räumen ist auch noch eine Bildergallerie nach den Jahrhunderten geordnet, es fängt mit dem Bizantinischen an dann schließen sich Giotto, Cimabue, Orcagna, Mantenga an und so geht es weiter fort. Besonders interessirten mich 2 Bilder von Pietro Perugino, Raphaels Lehrer: eine Himmelfahrt Mariä u. eine Kreuzabnahme; die Figuren etwas unter Lebensgröße. Den Saal der Architektur sah ich nur flüchtig. Nun sehnte ich mich nach einem Glaß Wein und fand solchen wie gewöhnlich in einer gemeinen Osterie, wo ich an der Seite eines Lazaroni Platz nahm; in diesen Kneipen bekommt man einen leichten Landwein und für einen Sechser lösche ich mir den Durst und theile das übrige meinem Nachbarn mit. Da es noch früh war, so schlenderte ich nach der Via Larga, Hauptstraße von Florenz, zu. Sie ist gut gebaut aber man hat dergl. besser gesehen. Dann über Ponte Vecchio, dem Rialto vergleichbar aber bei weitem nicht so schön. Alles von Goldschmidten besetzt. Um 4 zu Tisch. Fade Gesellschaft, ich spielte den Stummen von Portici. Nach Tisch ging ich in den Circus des Herrn Tourniere, doch er ist *todt* und *Madam dirigirt*. Im Jahr 19 sah ich dieße Gesellschaft mit Ottilien zuerst in Dresden, wo auch ein Rhinoceros dabei zu sehen war. Von der ganzen Gesellschaft war niemand mehr als besagtes Rhinoceros geblieben, doch hatte es in den 11 Jahren nicht mehr Falten im Gesicht bekommen. Die Kunstreiter machten ihre Sache zwar gut, aber ich liebe solche Sachen nicht und hatte alles besser gesehen. Ich eilte daher ins Freye wo ich bei Sonnenuntergang Fiesole mit der ganzen Umgebung sehen konnte. Geht auf das Schloß seht den Hakert im rothen Zimmer vor der Gallerie, doch denkt auch die Abendbeleuchtung wie sie Hakert im gegenüber hängenden Stük von Ponte molle dargestellt hat. Die Ganze Gegend war Rosa lasirt; das war ein Anblik, man konnte beten. Es war 7 geworden und ringsum dunkelten die Pfade. ½ 8 kam ich nach Hause und als ich mir es bequem gemacht schrieb ich noch diesen Tag, *Euch* alle die mir lieb sind hierher wünschend.

Florenz Mittwoch den 25ᵗ Augt. 30. Früh ½ 6 auf. Das Tagebuch bis incl. 23 Augt. geschlossen und der Post übergeben. Um 8 mit dem Lohnbed. ausgegangen. Zuerst in Kirche *Sta. Croce* auf einem großen rechtwinklichen Oblongen Platz gelegen, Facade nicht vollendet. Sie ist besonders wegen der Denkmäler berühmter Männer merkwürdig, als das von Dante, Michael Angelo, Machiavelli, Gallilei Alfieri und Aretin. Welch ein merkwürdiges zusammen Treffen Großer Männer nach ihrem Ableben. Besonders ausgezeichnet ist das von Dante, erst vor wenig Jahren auf Subscription errichtet; alles ist Collossal daran, ich will keins beschreiben, sondern verweise auf die Monumenti Sepolcrali della Toscana 1819. mit Kupfern. Die Kirche *St. Lorenzo* ist ein würdiges Gebäude. Hier fiel mir besonders ein Gemälde al Fresco von Bronzino auf. Es bedekt eine ganze Wand und stellt den heiligen Lorenz vor wie er al Rosto zubereitet wird. Die Composition ist herrlich und die Figuren im Vordergrund weit über Lebens Größe. Ich glaube Sie besitzen den Kupferstich. Zwei Grabmäler von Mediceer von Michael Angelo sind ebenfalls hier in einer besond. Capelle vorhanden und sehr bemerkenswerth. Hinter dieser Kirche wird schon seit mehreren Jahrhunderten an einer Großen Capelle für die Grabmäler der Mediceer gearbeitet.

Diese Capelle hat schon viele Millionen gekostet und wird deren noch viele kosten. Hier findet man keinen Marmor, sondern nur Granit, Porphir, Jaspis, Achat, Chalcedon, Lapis Lazuli, Carneol u. s. w. angewandt, es ist eine enorme Verschwendung; ist sie ganz vollendet so wird nur eine Mauer der Kirche niedergelegt und sie bildet dann das Chor von St. Lorenzo. Die Kirche *St. Michael* enthält einen ganz in Gothischer Art gearbeiteten Hauptaltar von weißen Marmor mit Basreliefs u. Figuren von Orcagna, von besonders schöner Ausführung, auch hier ist die Facade nicht ausgeführt. Der *Palast Pizzi* jetzt Residenz des Großherzogs ist ein Gebäude von 100 Fußlänge u. hat außer dem Erdgeschoß noch 2 Etagen jede 20 Fuß hoch. Es ist von einem gelbl. Kalkstein ganz in Rustica ausgeführt und mit flachem Dach. Hier befindet sich in 8 Sälen und 20 Nebenzimmern auf der linken Seite dieses Schlosses, eine vortreffl. Bilder Gallerie aus allen Schulen. Ich brauchte über 2 Stunden um mich nur flüchtig umzusehen, denn man muß mehrere male hingehen sonst hat man so gut als nichts gesehen. Hier ist auch die Madonna della Sedia von Raphael und noch eine andere Madonna von demselben. Auch sind die neueren Fresken womit gewöhnl. die Deken gezirt sind von besonderer Schönheit und ein Saal wo die Thaten und das Leben des Herkules vorgestellt sind erregt Erstaunen und Bewunderung. Der Plafond stellte die Vermählung mit der Hebe vor. Der ganze Olymp ist versammelt; die eine Wand den Kampf mit den Centauren auf einer Brüke, die 2^t Wand wo er als Kind die Schlangen würgt, die 3^t wo er dem Admet die Gemahlin wieder zuführt. Die Wand zwischen den Fenstern war nicht bemalt sondern ein großer Spiegel bedekte sie. Ueberall ist Pracht mit Geschmak vereinigt und alle Meubels nach neuester Mode. Besonders fielen mir auch die gemalten Estriche auf und es erinnerte mich an unseren früheren Fußboden im großen Zimmer mit der Meduse. Hat man sich nun an allen diesen Schätzen der Malerei müde ergözt, so wird man auf die rechte Seite des Schlosses geführt, wo die Apartements der Großherzogl. Familie sind. Die Einrichtung ist theils aus früheren Zeiten, theils sehr modern und Geschmakvoll. Hier sieht man auch in einem runden Salon die Venus von Canova, ein Meisterstük neuerer Plastik. Ich ging nun aus diesem Zauberpallast und da ich einmal a gesagt hate so sagte ich auch b. und besuchte die Große Gallerie zum zweitenmal. Ich fand mich schon bekannter. Der erste Rumpel war vorbei und ruhige Betrachtung trat an die Stelle des früheren Erstaunens. Zuerst durchging ich die Gallerie und betrachtete Büsten, Statüen und Bilder mit Ruhe. Da ich aber den Saal, die Tribüne genannt offen fand, so ging ich hinein, setzte mich ruhig auf einen mit rothem Damast überzogenen Lehnstuhl und betrachtete mir die mediceische Venus, den jungen Apollo, den L'Arretino, die Cottari, den Faun. An Bildern zogen mich 2 überlebensgroße ausgeführte Darstellungen einer liegenden Venus von Titian an, ganz nakt vom herrlichsten Colorit. Auch sind hier 4 Originale von Raphael u. ein treffl. Perugin, alles kann man mit einem Blik übersehen. Es waren einem ordentlich die Füße an den Boden gefesselt und man hat mühe sich loszureißen. Als ich dieß gethan betrat ich den Sal der Niobe, das erste was ich erblikte war der Engländer Robinson und noch ein anderer Engländer der auch in Weimar gewesen ist. Wir erfreuten uns an der Erinnerung der verlebten Tage in Weimar. Er empfiehlt sich Ihnen lieber Vater, Ottilien, Hr. von Frorip und lud mich auf morgen zum Caffe ein. Nun fuhr ich in meiner Betrachtung der Kunstwerke fort konnte aber der Niobe mit ihren Umgebungen nicht recht viel abgewinnen. Es war 2 Uhr geworden und ich ging noch auf den Piazza Vecchio, gleich neben der Gallerie und besah mir dort die schon erwähnten neueren Statüen. Wie gratioes ist der Perseus von Cellini! Nun besuchte ich noch einige Antiquare, sie haben schöne Sachen aber ich bin nur bei 5 gewesen und habe keine Spur von Medail. für unsere Sammlung gefunden. Auch die kleineren Trödler besuche ich und krame in ihrem Wust, da findet man doch manchmal was. So habe ich für wenige Paul 3 Stük schöne Nielkiesel, 2 Köpfchen in Bronze, einen kleinen Amor, einige Stufen von Elba Eisen und s. w. gekauft, das ist meine einzige extraordinäre Ausgabe und es macht mir viel Spaß. Gegen 4 ging ich nach Hause, die Beine thaten mir weh, denn ich hatte sie bereits 7 Stunden strapazirt und in der ganzen Zeit nur ein Viertelchen in einer Lazaroni Kneipe hintergeschlukt. Um 4 zu Tisch, langweilig. Um 5 auf meiner Stube − 6, dann spaziren − 8, dann einen Becher Eis genommen u. halb 9. war ich auf meiner Stube. Ich schrieb am Tagebuch, und unterrichtete mich dann weiter über Florenz. Ich möchte mir gern ein Oelbildchen kaufen um ein Andenken an Italien in meiner Stube zu haben, doch ich finde nichts, als Madonnen, schrecklich behandelte Heilande und auf alle Arten gemarterte Heilige, wenn ich nur etwas liederliches, so in Rossos Manier finden könnte, aber das kommt nicht leicht vor und uns bleibt höchstens ein Ecce Homo.

Florenz Donnerstag den 26ᵗ Augt, 30. Früh ½ 5 auf. Präparation auf den heutigen Tag bis 9 Uhr, dann zu Robinson zu Caffe. Er wohnt mit einem jungen Engländer zusammen welcher auch in Weimar war u. deutsch spricht. Es kam manches zur Sprache über Litteratur, Politik, Religion u. s. w. und Sie kennen ja den tollen Robinson. Ich suchte mir so gut zu helfen als ich konnte, denn was geht mich jetzt das alles an. Ich will fidel reisen und suche immer die Mönchsregel zu befolgen, davon wollen aber diese Seeschwalben nichts wissen. Nachdem ich mich losgemacht, ging ich das Naturalien Cabinet zu besehen. Es ist nach dem Line geordnet die Mineralien nach Werner. Ich beschäftige mich nur mit Durchsicht der Zoologischen Sammlungen fand aber wenig bedeutendes. Eben so war es bei der Mineralogie. Hier wurde ich erst gewahr was Jena in allen Zweigen für Schätze aufzuweisen hat. Das Vorhandene bewahrt man hier sorgfältig und elegant auf, aber es scheint mir daß wenig neues nachgeschafft wird. Hier will ich noch einiger bedeutender Stük im Mineralien Cabinet gedenken 1. einer Stufe von Lilorit von Elba etwa 3 Fuß lang u. 2 Fuß breit ganz ringsum cristallisirt. Sie sah aus wie ein Seeigel mit Stacheln nur daß die Cristalle meistens über einen Zoll dik und 2−4 Zoll lang waren. Auch einige Prachtstufen von dem Cristallisirten Eisen von Elba und ein herrliches Stük Eisenbluthe von ungeheurer Größe waren da. Auch schöne Smaragde u. oriental. Granaten fand ich hier. Ein osteolog. Zoolog. Museum war leider nicht hier, so wie zu meinem Erstaunen keine Versteinerungen. Ich komme mir in letzterer Hinsicht wie behext vor, denn ich habe nicht das geringste davon auf meiner Reise gesehen als bei Antiquaren Sachen von Monte Bolca. Das Anatom. Cabinet ließ ich links liegen um mir die Einbildungskraft nicht zu verderben und bei Beschauung von herrlichen Statüen und Bildern nicht an zerlästerte Menscheit erinnert zu werden. Anatomie und Osteologie kommen mir vor wie der Tact in der Musik man muß ihn fühlen darf ihn aber nicht von einem wilden Capellmeister ungeschikt auf das Notenpult schlagen hören. Eben so ließ ich das Phisikal: Museum unbesehen, denn was helfen mir Instrumente ohne die Wirkung davon zu sehen. Es kommt mir vor als wenn ich Canonen sehen müßte die nicht los geschossen werden. Nun eilte ich in meine liebe Gallerie Ducale und warf mich in einen rothdamastenen Lehnstuhl der Venus Medicis gegenüber, dann wechselte ich den Platz und nahm die herrlichen Raphaels ins Auge. Auch entging mir Titians Venus nicht auf die ich manchmals einen Blik warf, den ich der Madonna des Raphael abstahl. Ich blieb einige Stunden hier. Es ist kühl und eine herrliche Promenade in der großen Gallerie, welche mit ihren Winkeln 10 Minuten lang ist. Man ist ganz ungenirt und überal sind die kostbarsten Ruhesessel gestellt um auszuruhen u. immer an bedeutenden Kunstwerken. Eine Menge Fremde sind immer da und es fehlt nicht an Unterhaltung. Ich nahm meinen gedrukten Wegweiser zur Hand, und ging die Folge der Kaiserbüsten durch; besonders schön fand ich 2 Büsten von Cäsar und besonders die von der der Kopf von Bronce war, schien mir bedeutend und aus der selbigen Zeit. Auch von *August*, *Tiber*, Trajan, Titus pp waren schöne Büsten da zu sehen, sehr anmuthig erschien mir die Julia, Titi Filia. Statüen, Sarkophagen, Altäre sind ebenfalls in Unzahl da. Wer wollte alles beschreiben. Einer Copie der Gruppe des Laocoon will ich aber erwähnen. Sie ist von Marmor u. 1560 von Baccio Bandinell ausgeführt, ganz bewundernswürdige Arbeit. Alles rüstete sich zum Aufbruch und ich merkte erst daß es schon 3 Uhr war. Ich ging noch einige Straßen durch; stöberte bei den kleinen Antiquaren herum und fand ein Köpfchen in Bronce das mich in Erstaunen setzte, ich fragte nach dem Preiß; man forderte 2 Paul. Ich bot, ob mir gleich das Herz pochte, für Begierde es zu besitzen, ½ Paul und erhielt es. Es muß ein Portrait seyn und aus dem 16ᵗ Jahrhundert. Ich hielt es erst für ein Portrait von Dürer in seiner Jugend, aber das scheint es nicht zu seyn, vielleicht entziffern Sie es od. Meyer. Ich kaufte noch andere Kleinigkeiten z. B. Mineralien, die ich Groß mitbringen will. (Halten Sie mir ja das Köpfchen in Ehren bis ich komme. Eine Sendung alles dessen was ich gekauft, geht nächstens an Sie ab. Legen Sie wieder alles appart.) Um 4 zu Tisch; nach Tisch eine Spazierfahrt in die Umgegend gemacht herrlicher Abend. *Sonnenuntergang. Italienische Luft.* Ach wie war es mir so wohl und wie frey war die sonst beklommene Brust, keine Heiserkeit kein Husten störten mich. Um 8 nach Hause,

mein gewöhnliches Eis verzehrt. Da fand ich zu meiner Verwunderung im Caffehaus den Figro (Paris. Journal) vom 18ᵗ Augt. mit
einer famosen Vignette. Sie erhalten ihn ja. Sehen Sie doch nach
und diß ist mit Erlaubniß der hiesigen Regierung. Hier ist alles
erlaubt. Dann schlenderte ich noch durch die erleuchteten und
menschen durchwogten Straßen. Es begeneten mir mehrere Leichen Züge von den Barmherzigen Brüdern geleitet. Diese sahen
mehr wie Teufel als wie Menschen aus, schwarzbraune Kutten
und Nebelkappen die das Gesicht bedeken und oben in ein Horn
ausgehen. Der Conduct geht sehr schnell daß man kaum folgen
kann; es war mir interessant dieß zu sehen. Der Mond schien hell.
Es war ein herrlicher Anblik von der Ponte Vecchio auf den Arno
und die prächtigen Quais. Um 11 zu Bett.

Freytag den 27ᵗ Augt. 30. Früh 6 auf. Geschrieben bis 8. Dann mit
dem Lohnbed. aus. Zuerst nach St. Maria Novella: Prachtvoll
schöne Glasmalereien, Gute Bilder von Orcagna, Cimabue pp. Die
Kirche sehr reich verzirt: Hier ist die Facade vollendet. Alles ist
schwarz und weißer Marmor, auch der Platz worauf sie liegt ist
groß, das Kloster zu dem sie gehört ist sehr reich, es sind Franzis-
kaner und haben eine besonders gute Apotheke, auch verfertigen
sie einen Liqueur al Hermes genannt, von besonderer Güte, diß
soll ihnen viel eintragen. Dann ging es nach der Kirche *Del Car-
mine*, besonders schöne Fresken von Giordano u. Masaccio; sie
liegt auf dem linken Ufer des Arno und man muß die Brüke Ca-
raga passiren. Nun ging ich über Ponte Vecchio zurük, nach dem
Dom, welchen ich heute zum erstenmal mit Aufmerksamkeit
betrachtete. Es ist ein ungeheures Gebäude und bildet ein latei-
nisches ✝, hat eine Cuppel von bedeutenden Umfang und überhaupt ein grandioses Ansehn. Der Bau wurde 1298 durch einen
gewissen Capio begonnen und von Brunellesco vollendet, welcher auch diese Riesenmäßige Kuppel baute. Vom Fußboden der
Kirche bis zum Ende der Kuppel sind es 361 Fuß, die Länge
der Kirche beträgt 467. Zwey Säulen Reihen tragen das Ganze
Gewölbe. Im Stern zu Weimar würde man sich das Ganze ab-
schreiten können, wenn man das große Rondel als die Cuppel
annähme. Außer einigen Fresken aus der Zeit der Republik,
Generale vorstellend, (sie erinnern recht an Mantegna, Speran-
daeus u. Pisan) sind wenig Gemälde hier. Das Aeußere ist von
weißen und farbigen Marmorarten zusammengesetzt und kann

als eine Collossale florentiner Mosaik betrachtet werden. Man fängt jetzt an ihn wieder abzuschleifen, das giebt nun einen wunderlichen Contrast zwischen neuem und alten Ton und ich fürchte das jetzt neu abgeschliffene wird schon wieder verwittert seyn, ehe man ganz fertig ist. Schade daß die Facade auch hier noch ganz im rohen steht, und es wäre besser diese zu vollenden (welches in wenig Jahren geschehen könnte da alles sehr einfach gehalten u. keine gothischen Schnörkel auszuarbeiten sind) als jetzt die Arbeit des Abschleifens zu beginnen, welche man doch in einigen Jahren liegen lassen wird. Neben der Facade, doch getrennt, steht der Glokenthurm von Giotto 1334 begonnen, er ist viereckig u. hat 258 Fuß Höhe, ebenfalls wie der Dom aus weißen und anderen Marmorarten erbaut. Gegen über der Facade des Doms liegt das 8 ekige Batisterium, von schwarz u. weißen Marmor die 4 Thüren sind von Bronce und aus verschiedenen Zeitaltern, doch sehr schön, die Cuppel ist Glaßmosaik wie in St. Marc zu Venedig. Leider ist es im Dom wie hier sehr finster und man muß die besten Augen recht aufthun wenn man sich einen bleibenden Eindruk verschaffen will. Von hier ging ich noch zur Kirche *Della Anunciata*. Der Platz vor derselben ist groß und von würdigen Gebäuden umgeben; zwey Springbrunnen und die collossale Reiterstatüe von Ferdinand d. I. in Bronze, von Tacca, zieren diesen Platz. Die Kirche selbst ist schön und reich aber 10 einander gegenüberliegende Capellen geben derselben ein noch prächtigeres Ansehn. Die Vorhalle ist mit Fresken gezirt so wie die Kreuzgänge des Klosterhoffs, mehrentheils gut erhalten und geschichtliche Gegenstände darstellend, wo man denn endl. vom Märtirertod ausruht, den man wirkl. immer mit erleidet. Der Lohnbedie wollte mich noch als Reiseopfer in einige Kirchen schleppen, aber ich opponirte mich stark, und entließ ihn mit einigen Aufträgen. Nun suchte ich wieder belebte Straßen, bunt ausgeschmükte Läden, hübsche Gesichter und so schwanden endl. die Säulen, Leute und erbildeten Menschen vor der Wirklichkeit. Hier zu noch ein Lazaroni Kneipchen und ich war wieder ein ruhiger Mensch: Es war schon ½ 5 als ich nach Haus kam und ich eilte zu Tisch. Den Nachmittag brachte ich ruhig auf meiner Stube zu bis es kühl wurde. Dann eilte ich ins Freye bis mich die Nacht nach Hause trieb, doch schien der Mond so feierlich daß ich den heiligen Abend vor dem

28ᵗ AUG. feyerte

und an diesem Tage früh 5 Uhr mit manchen heimischen Gedanken erwachte. Mein erster Gedanke war, wie alles sich jetzt im Vaterhaus rege, um Ihnen bester Vater zu diesem Tage Glük zu wünschen. Ich sah Ottilien und die Kinder gepuzt mit Blumen u. Glükwünschen vor Ihr Bett treten und ob ich gleich 200 Meilen entfernt bin, so glaubte ich mich doch auch dort. Nun regt es sich in der Stadt; Freunde, Verehrer, Freundinnen kommen, ich sehe den Saal mit Blumen geschmükt und manche freundl. Gabe auf gestellt. Sie schreiten umher, sagen manches freundl Wort und manche Thräne der Freude glänzt in den Augen der Theilnemenden. (Geht es mir doch auch nicht anders indem ich dieses schreibe). Aber unter uns und für die für welche diese Blätter bestimmt sind hatte ich mir auch etwas ausgedacht: Schon gestern bestellte ich mir Blumen und Grün aller Art. Schon um 7 Uhr heute hatte ich die herrlichsten Sachen. Frische bescheidene Mirthe mit unzähligsten Blüthen, funkensprühende Granate, ein Chameleon von Nelken, Oleander und sogar Rosen sollten mir diesen Tag schmüken. Doch auch von den schönsten Früchten dieser Jahreszeit sollte mein Zimmerchen prangen und so hatte ich mir selbst die trefflichsten Pfirsichen von verschied. Sorten Feigen, Weintrauben enormer Größen, den täuschenden Granatapfel und eine Melone. Alles Blumen und Früchte ordnete ich auf verschiedene Schüsseln u. Tellern. So feierten Flora u. Pomona, zwei freundl. Laaren, diesen Tag mit mir; die übrigen Götter des Olimps mögen ihm Tausendfältige Rükkehr bereiten. Ich fand mich behaglich und spazirte singend zwischen meinen hängenden Gärten, trank wie natürl: Ihre Gesundheit, doch mußte ich äct Katholisch communiciren, indem ich leider den Wein allein trinken mußte. Doch hatte ich mir 2 Gläßer eingeschenkt um doch wenigstens anstoßen zu können und meine linke Hand freute sich bei dieser Gelegenheit der rechten ihren Dank, für, bei früherer Untauglichkeit geleistete Dienste abstatten zu können. – Da ich aber heute noch einiges sehen wollte so entrükte ich mich diesem Behagen u. eilte um ½ 1 Uhr nach dem *Palast Corsini* einem prachtvollen Gebäude. Eine herrliche Bildergallerie ziert die Zimmer. Alle Gemälde sind sorgfältigst conservirt, besonders ziehen einen die Carolo Dolces an, deren 10 in einem Zimmer hängen; freilich trägt das Köpfchen (die Poesie genannt) den Sieg davon, aber auch die anderen Stüke sind von größter Bedeutung. Man trifft selten Sachen von Carolo Dolce an und hier gleich 10 Stük, es war ordentl. zu viel. Noch muß ich bemerken daß hier der Original Carton Raphaels hängt, nach welchen derselbe das schöne Portrait eines Papstes welches in der großen Gallerie befindlich ist gemalt hat. – Nachdem ich diesen Pallast verlassen begab ich mich wieder in die große Gallerie und ließ durch den Platzbedienten bei einem der Directoren anfragen, ob ich nicht das Cabinet der Broncen und Gemmen *allein* sehen könne; ein freundl. Herr kam mir gleich entgegen (nachdem er die Charte eines sächsischen Cammerherrn gesehen) und führte mich zuerst in das Cabinet der Broncen; dieses besteht aus 2 Abtheilungen, näml. aus wirkl. Antiken und aus den Kunsterzeugnissen des 16^t Jahrhunderts. Zuerst führte man mich in das letztere. Hier sind Copien nach Antiken und selbsterfundene Gegenstände aufgestellt, doch ist es so reich daß man nur bei dem merkwürdigsten verweilen kann. Daher machte mich mein Führer zuerst auf einen Helm und Schild von Cellinis Arbeit aufmerksam, beides war Stahl mit feinster Gravur Arbeit und erhöhten vergüldeten Verzierungen. Dann war eine collossale Büste von dem I^t Großherzog in Bronce hier auch von Cellini, die Original Modelle meines Lieblings, des Perseus in Wachs und Bronce sah ich auch hier; ein Merkur ebenfalls von Bronce von Gio. Bologna ist das gratiöseste was man sehen kann. Wenn man nun sowohl die Marmor Bronce als Maler Arbeiten betrachtet, welche bei dem Wiederaufleben der Kunst in Italien, wo man wieder zur Antike zurükkehrte, entstanden, so fängt man an zu begreifen welcher ungeheure Schritt damals geschehen. Wie kindl. ist noch Mantegna, Pisan; Sperandäus geht schon mehr heraus, wie unser Herzog von Urbino in der Medail. Sammlung zeigt. Nun erscheinen in der Malerei Perugin, dann Raphael und endl. die, man möchte sagen alles erdrükenden Riesen, Jul. Roman u. Michael Angelo, daneben ein Leonardo und andere sanfte Menschen. Freilich ist die Zeit zu kurz zugemessen um alles genau und Folgegerecht zu *verstehen*, aber auch schon dieß ernstl. flüchtige Beschauen, giebt einen ungeheuren Begriff. Das Zimmer der Antiken enthält ebenfalls die schönsten Sachen des Alterthums; alles ist herrlich geordnet z. B. alles auf die verschiedenen Gottheiten zusammengestellt, dann alle Hausgeräthe, Utensilien u. s. w. auch Luxusartikel und Chirurgische Instrumente, sind appart in Schränken zierlich geordnet. Ein Collossaler Pferdekopf in Bronze von leichtem Guß ist herrlich und scheint mir besser wie die Venetianer Pferdeköpfe. Die lebensgroße Statue eines Orator so wie viele andere verdienten beschrieben zu werden. Hierauf führte man mich in das Cabinet der Gemmen. Ich glaubte Antike geschnittene Steine zu finden aber irrte mich sehr. Es sind meistens Dinge aus dem 16^t u. 17^t Jahrhund. und besonders merkwürdig durch die Größe. Vasen, Pokale, Urnen und andere Geschirre aus Lapis Laz., Heliotrop, Achat., Bergkristall u. s. w. sind hier in Unzahl und von, für diese Steinarten, ungeheurer Größe. Drey Schalen von Bergkristall mit emaill. Arbeit von Cellini waren über alle Begriffe schön u. geschmakvoll: Ich empfahl mich meinem freundl. Führer, doch er ersuchte mich ihm in sein Cabinet zu folgen, um ihm einige unverständl. Stellen aus Füßlis Künstlerlexikon zu übersetzen. Nun da dachte ich das wird schon gehen, doch ich erinnerte mich an den Ranunculus Socleratus von Richter und half mir gut durch. Er dankte mir sehr und bat mich ihn oft zu besuchen weil er noch manche Stellen im Füßli aufgelößt wüßte. Durch ihn werde ich vielleicht auch das Medaillen Cabinet zu sehen bekommen was mit Schwierigkeiten verknüpft ist, daher soll mich das Uebersetzen nicht verdrießen, denn er hat mir auch zugesagt mir jedes Zimmer der Gallerie wie ich es begehrte und zu jeder Stunde für mich allein zu öffnen; ich machte beim Abschied die gehörigen Salama-Milekas und wir schieden als Freunde. Dann nach Haus gewöhnl. indifferentes Tischleben, lauter Ladenschwengeley und nichts nobles. Dann auf meiner Stube geschrieben u. gelesen. Abend wie gewöhnl. in den Straßen unzählige getödte Hüner wer will sie essen. Doch es werden jeden Monat 30 000 Hüner hier verzert. Erschreken Sie nicht über diesen Tagebuchs Wasserfall, es ist der Ausbruch von dem Beschauen von Florenz und 4 Wochen Ruhe in La Spezia. Aber auch ohne mich zu rühmen und auf Durst und Ehre keine Kleinigkeit so 4 u. ½ Monat sich und anderen Rechenschaft von seinem Thun und Treiben *Wahrhaft* zu geben. Die Götter mögen diesen Tag segnen,

August.

Florenz d. 28^t Augt. 14 Uhr

Lieber Vater.

Halten Sie alles was in dem Kistchen ist zusammen aber schenken Sie meinem Köpfchen mit den langen Haren einige Aufmerksamkeit. Ich löse mich eben von Florenz ab und gehe nach Livorno. Guten Morgen.

Ihr treuer Sohn
A. von Goethe.

den 2^t Septb. 1830.

Florenz Sonntag den 29^t Augt. 30 Früh 6 Uhr auf. Dann das Tagebuch bis incl. *28. Aug.* abgeschlossen und der Post selbst übergeben. Es war eine Arbeit und dauerte bis 12 Uhr. Ich ging dann in die Gallerie wo ich mich immer wohl befinde. Mittag aß ich einmal in einem andren Gasthoff bei Mad. Hombert und fand es sehr gut. Man muß wechseln. Nach Tisch fuhr ich aus um die Umgegend ein wenig zu sehen. Das ist nun freilich etwas. Alles betrachtete ich mir. Welcher Reichthum von Natur und Schöpfung der Menschen dieser unzähligen Villen. Zurük fuhr ich durch einen Lustgarten eine Art Prater wo die vornehmen Familien Abends lustspaziren fahren, aber es ist kein Vergleich mit Mailand. Um 8 nach Haus dann mein Eis gegessen, Promenade durch die Stadt. Die Brüken sind herrlich und das zunehmende Meer das giebt Licht u. Schatten. *Florenz den 30^t Augt: 30.* Früh 6 auf, dann zu Haus bis 8, dann mit dem Lohnbedienten in die Werkstatt wo für die Capelle von St. Lorenzo alle Mosaikarbeiten gemacht werden. Es ist eine Anstalt die dem Großherzog angehört. Schon seit 10 Jahren arbeiten hier wenigstens 50 Menschen blos für die Capelle von St. Lorenzo. Sie sollten aber diese Arbeiten sehen. Wie weit ist man in der Florentiner Mosaik vorgeschritten, da ist nichts Kleinliches! alles nach antiken Mustern. Alle Sorten Steine sind schon vorgerichtet, in Tafeln u. Täfelchen geschnitten und es war mir als Mineralogen sehr interessant auch diese rohen Steine zu sehen. Ein sehr artiger Mann der mich herum führte freute sich auch daß ich alle Steinarten kannte. Besonders schön waren die Nielkiesel u. Bandjaspisse pp, alles in Glaßschränken es war wie eine Conditorei. Es ist sehr schwer das Cabinet der geschnittenen Steine und Medaillen zu sehen, aber der sächsiche Cammerherr Schlüssel öffnete mir auch dieses; überhaupt gilt er überall und es kommt mir immer vor wie in der kleinen Oper. Il Bondocani, der Cammerherr gilt wie dort dieser Mann für Harun al Rihid, bei Duenen und überall. Doch nun komme ich auf die erwähnte Sammlung der geschnittenen Steine und Medaillen zurük. Welcher Reichthum. Wie soll man alles beschreiben? Das ist nicht möglich, nur eines Steines will ich erwähnen. Es war der große Carneol mit dem Bildniß von Savonarola wo ich den Gipsabguß in Ihrer Sammlung weiß. Dieses Porträt hatte mich schon längst sehr interessirt und heute sah ich Original Griechische Römische Gemen, Cameen und Intaglios in Unzahl. Nun bat ich mir aus die Medaillen aus dem 15ᵗ, 16ᵗ u. 17ᵗ Jahrhundert zu sehen, und man öffnete mir die Schränke. Alles ist nach den Staaten geordnet; zu erst die Päpste u. s. w. Ich fand herrliche Sachen doch kann ich Ihnen lieber Vater versichern daß ausgenommen 30 Exemplare wir alles besitzen. Besonders sind die Mediceer schön. Drey Custoden begleiteten mich und hatten große Freude an meiner Kenntniß und Liebe zur Kunst. Hier will ich noch bemerken daß man in Florenz keinen Pfennig ausgiebt um die öffentlichen Sammlungen, Gallerien, Schlösser u. s. w. zu sehen. Es ist eine Liberalität wovon man keinen Begriff hat. Es war 3 Uhr geworden und ich ging nach Haus und legte mich ein wenig auf das Bett und schlief bis zur Tischzeit. Es war abermals eine Gesellschaft die mir nicht gefiel. Deswegen retirite ich mich schnell und durchwandelte die Straßen. Da sieht man schöne Männer und schöne Frauen und das ist etwas. Es wurde Nacht und der Mond stieg herauf. Ich stand eben auf Ponte Vecchio in der Mitte wo die Oeffnung nach dem Arno ist und erinnerte mich eines Bildes was der junge Preller gemacht. Eine Madonna von einer Laterne beleuchtet. »So stand ich da, halb Wonne trunken« – 11 Uhr und ging nach Haus und schlief –.

Dienstag den 31ᵗ Augt Zu Florenz wo ich bis um 9 Uhr zu Haus blieb, dann mit dem Lohnbedienten ausging um eine Alabasterfabrik zu besehen. Der Besitzer war ein Tiroler nahmens Imsom und auch ein tüchtiger Künstler. Er führte mich in sein Atelier, in seine Niederlagen. Wir wurden gute Freunde und als ich zu jodeln anfing kamen dem Mann die Thränen in die Augen, ich las mir den kleinen Hermaphroditen aus und fand dort die Medail welche ich zuletzt aus Florenz schikte. Ich hoffe daß sie Ihnen Freude machen wird. Hierauf besah ich noch die Kirchen Sta. Maria della Novella und Tutti Santi wo in den Klosterhöfen herrliche Fresken sind. Am Haus des Americus Vesputius verweilte ich auch, ebenso besah ich in der Nähe eine Fabrik von Strohüten was sehr interessant ist. Mittags aß ich im Hotel Hombert und machte dort Bekanntschaft mit einer Frl. Klaproth und Frl. Winnig aus Münster. Beides sehr angenehme Frauenzimmer. Sie besuchen auch Italien und ich werde sie wahrscheinlich in Rom wiederfinden. Nach Tisch zu Haus um 7 noch spaziren – 10.

Florenz Mittwoch den 1ᵗ Septb. 30 Früh 6 Uhr mit einem Baierischen Baron von Oefele ausgefahren. Zuerst nach Fiesole, wo eine herrliche Aussicht auf Florenz und die Umgegend ist. Eine Kirche daselbst hatte sehr schön erhaltene Gemälde aus der bizantinischen Zeit, wie ich noch keine in Italien gesehen. Hierauf die Alte Stadt mit ihren Ruinen gesehen, so wie das herrlich liegende Karthäuserkloster. Hierauf noch nach einem Großherzogl. Schloß mit vielen Zimmern, Gemälden. Dann wurde auch die Chatara mit ihrer herrlichen Aussicht besehen. Das ist ein Land wie der Himmel und herrliche Menschen wie in ganz Toscana. Um 2 kamen wir nach Haus um 4 zu Tisch. Den Abend brachte ich zu Hause zu u. ging bald z. Bett. *Florenz Donnerstag d. 2ᵗ Septb. 30.* Früh bis 11 Uhr zu Haus, dann noch einmal auf die Gallerie in den Pallast Pitti und die Acad. di Belle Arti worüber ich schon manches gemeldet. Nach Tisch durchwandelte ich noch einmal die Straßen von Florenz und bald nach Hause.

Florenz Freytag den 3ᵗ Septb. Den ganzen Tag zu Haus zugebracht, am Tagebuch geschrieben und Alles zur Weiterreise bereitet. Und um 7 Uhr Abends mit einem Veturin nach Livorno zu gefahren um das Dampfbot Ferdinand zu erwarten um mit demselben nach Neapel abzugehen wo man in 48 Stunden seyn kann.

Livorno Sonnab. d. 4ᵗ Septb. 30 Früh 8 Uhr angekommen. Ich ordnete alles in der Hoffnung das Dampfbot zu finden. Widrige *Winde* hielten es jedoch in Genua zurück. Ich fuhr noch auf das Meer es war ein herrlicher Abend. Um 7 nach Haus u. sehr bald zu Bett.

Livorno Sonntag d. 5ᵗ Septb. 30. Die Nacht fühlte ich mich unwohl und fuhr deswegen ein wenig auf die See. Es war sehr stürmisch und ich wurde ordentlich geschaukelt. Als wir über den

Leuchtthurm hinaus waren wollten die Barkarolis nicht weiter
weil es stürmisch war. Ich kehrte daher um, es war als ob man auf
dem reinsten Silber wogte, die Sonne schien herrlich und ich war
ganz in diesem Anblik versunken. Nach Tisch fuhr ich mit dem
H. v. Oefele nach Monte Nero wo wir eine herrliche Aussicht genossen und mit dem schönsten Sonnenuntergang zurükkehrten.
Auf dem großen Platz war schöne Musik und wir blieben in einer
Eisbude bis 9. Dann nach Hause. *Livorno Montag d. 6ᵗ Septb. 30.*
Das Dampfbot war angelangt, ich bestellte meinen Platz bis Neapel und fuhr noch ein wenig auf dem Meer, dann mit dem Bankier alles in Richtigkeit gebracht; darauf zu Tisch, es wurde mir
aber nicht recht wohl und brachte den Abend auf meiner Stube
zu. Morgen soll es dann also abermals weiter gehen, Gott gebe seinen Segen. Leben Sie alle recht wohl. Von Neapel das weitere.

v. Goethe.

Livorno d. 6ᵗ Septb. 30.

Verzeihen Sie das schlechte Papier.

Livorno Dienstag den 7ᵗ Septb. 30 Ob ich gleich die Nacht schlecht
geschlafen, so machte ich mich doch früh heraus, um alles zur
Abreise mit dem Dampfbot nach Neapel vorzubereiten. Wie ich
noch in bester Arbeit war, wurde angekündigt, daß das Dampfbot wegen zu stürmischer Witterung nicht abgehen könne.
Nichts desto weniger vollendete ich das Einpaken und ließ bloß
den Nachtsak mit dem Nöthigsten offen. Da ich mich noch nicht
wohl fühlte, so hielt ich mich ruhig auf meinem Zimmer, las in
Ihren Gedichten lieber Vater und merkte mir immer mehr der
Venetianischen Epigramme an, deren Innhalt ich wirklich erlebt. Auch gab mir die Lesung des Constitutionel manche Gelegenheit zu Betrachtungen und ich verglich das Gelesene mit
dem Sturmbewegten Meer das ich von meinem Fenster aus sich
an den Murazzis von Livorno brausen sehe. So verging der Tag
ohne weitere Berührung mit der Welt blos betrachtend und er-
kennend. Um 9 zu Bett.
Livorno Mittwoch d. 8ᵗ Septb. Maria Geburt. Das Lärmen auf
den Straßen, das Läuten aller Gloken wekte mich schon früh zu
diesem festlichen Tage. Alles war geschmükt. Das Landvolk,
Stadtbewohner, Gondoliers, Lazaronis sahen freundl. aus u. da
eine Hauptkirche nicht weit von mir lag so wimmelte die Brüke

vor meinem Fenster steets von Menschen. Schon dieß gewährte eine angenehme Unterhaltung. Aber gegen 9 Uhr fing es auch an auf den Canälen munter zu werden. Die Barcaroles hatten sich in vier Partheien getheilt welche sich durch verschiedenfarbige Schleifen auf den Hüten unterschieden. Das sogenannte Barkenstechen war unvergleichlich aber welcher Lärm u. Schreien! Um 10 wurde abermals angesagt der Vapore ginge wegen widrigen Windes nicht ab, und so blieb mir nichts übrig als − zu warten. Das Meer ging sehr hoch und sprang zuweilen über die Mauern am Castell welches ich genau sehen konnte. Nun wendete ich meine Aufmerksamkeit wieder auf das Volksleben und freute mich wie alles, bis auf die kleinsten Kinder Theil am Feste nahmen; was mir aber ängstlich wurde war das: Man hatte an Barken welche mit Wimpeln geschmükt waren kleine Kähne angehängt, nicht größer als eine Kinderbadewanne, in einem solchen Kähnchen saß ein angepuztes lebendiges Kind wie Allma allein (natürl.). Es schaukelte sich wie in einer Wiege; ich dachte jeden Augenblik es müßte umschlagen, aber die kleinen befanden sich wohl. Ich blieb wegen meines Befindens noch zu Hause, mich am regen Leben fortwährend erfreuend. Um 5 Uhr war in einem der belebtesten Theile der Stadt eine *Cucagna* angekündigt, und da ich mich leidlich befand so wandelte ich dahin. Es war im großen Areal wo die Pfähle oder vielmehr Mastbäume aufgerichtet waren, gerade wo sich 2 Canäle kreuzen. Die Ufer waren mit Gerüsten für die Zuschauer besetzt, wo man für den Platz 18 Pfennig zalte. Es waren 2 Bäume, der Eine etwas kleiner der andere sehr hoch. Am ersteren hingen Lebensmittel an einem Reif, er wurde auch bald von einem tüchtigen Kletterer erklimmt, welcher das Gewonnene freundl. zu sich nahm. Am großen Baum aber welcher die Höhe eines 4 stökigen Hauses hatte waren 4 starke Seile gespannt, nämlich von den vier Seiten. Oben war eine Fahne auf gestekt auf deren Abnahme ein zimlich hoher Preiß gesetzt war. Nun kletterten an den Seilen von vier Seiten vier Männer empor, sie kamen mir vor wie Spinnen die an ihren Fäden emporlaufen. Einer errang den Preis. Es schauderte mir, als ich es sah wie sich 3 zugleich bemühten die Fahne zu ergreifen. Musik, Menschengetöse, Bravo-Rufen, Pfeifen, alles ging durcheinander. Denn ich glaube daß ich über 20 000 Menschen übersehen konnte, bunt geschmükt u.

fröhlich. Mündl. mehr davon. Als es beendigt, ging ich zu Haus. Die Menge wogte bis früh 2 Uhr auf den Straßen und das Getöse ließ mich kaum schlafen.

Livorno Donnerstag den 9ᵗ Septb. 1830. Gleich früh beim Aufstehen wurde mir angekündigt daß der Vapore um 11 Uhr abgehe und man daher präcis 10 Uhr an Bord seyn müsse. Ich zog mich daher schnell an und nach einem soliden Frühstük, stieg ich mit meinem Reisegefährten Hr. von Oefele in eine Barke am Canal und fuhr schon um 9 Uhr nach dem Vapore um der erste zu seyn und das Gedränge zu vermeiden, das war wohl gethan. Wir langten nach 10 Minuten am Bord an, nahmen unsere Plätze in Augenschein und ordneten unser Gepäk. Ich war in der großen Cayüte und hatte ein Bett in der ersten Reihe –, es sind näml. zwei Reihen übereinander wie Bücherbreter, alles war, elegant Meubels von Mahagony, Betten herrlich überzogen, seidne Deken u. s. w. Nach und nach füllte sich das Schiff bis die Menge der Passagire auf 84 gestiegen war, alle Nationen Deutsche, Russen, Spanier, Franzosen, Portugisen u. s. w. sogar 4 Böhmen. Gegen ½ 12 wurde das Gedränge am Tollsten. Da kamen die immer etwas trödelnden Damen, mit Koffern, Schachteln, Hutkisten, Beuteln, Körbchen u. s. w., alles wurde von rohen Lazaronihänden herumgewürgt, da gab es ein Schreien u. Klagen, besonders war eine Dame über einen neuen Florentiner Strohut untröstlich dem ein Lazaroni fürchterlich mitgespielt hatte. Nach dem sich das Getöse gelegt und alles geordnet war gab der Capitain das Zeichen; die Anker wurden gelichtet und dieses lebende und unwiederrufliche Meer-Kunstungeheuer begann mit Schnaufen und Toben seinen Lauf aus dem Hafen, punct 12 Uhr Mittag. Der Himmel war heiter der Wind aber zimlich conträr, aber dieser Meerbezwinger von 80 Pferden Kraft durchschäumte die widerstrebenden Wogen. Jetzt betrachtete ich mich als Gefangenen des großen Elements und dachte, »*Herr dein Wille geschehe*«. So fuhren wir dahin und verloren bald Livorno aus dem Gesicht; die Küsten Italiens blieben uns zur Linken und die Zeit verging im Anschaun der Dinge. Seegewohnte Engländer gingen auf dem Dek umher als wären sie im Zimmer. Wir andern Seenovicen taumelten wie Betrunkene umher. Bald aber fingen zuerst die Gesichter der Damen an Seehisterisch zu werden, näml. blaß und eine nach der andern rannte ihrem Ruhepuncte zu, um das

Lästige loszuwerden, bald begannen aber auch die Männer gräßliche Gesichter zu schneiden und das Speien ward algemein, man genirte sich nicht mehr und übergab den Wogen das mehr- oder weniger Genossene. Ich blieb noch frey von diesem Übel so wie mancher andere, dachte aber im Stillen: – na wann wird es denn an dich kommen. Doch stärkte ich mich mit einigen Viertelchen ächten Sicilianer und etwas Weißbrod. Um 3 Uhr ward auf dem Verdek an 2 Tafeln gespeißt wo freilich manche fehlten, es war ein herrlicher Abend. Wir passirten gerade den Canal zwischen Piombino und Elba und konnten Porto Ferajo ganz deutl: sehen. Wir Gesunde waren fröhlich und die Kranken würgten sich in ihren Zellen ab. Die Sonne ging hinter Elba unter und ich stand sinnend und an Euch alle ihr Lieben, die ihr diese Blätter lesen werdet, herzlich denkend da. So ward es nach und nach finster, die Sterne leuchteten himmlisch herab. Ich blieb auf dem Dek bis 11 Uhr und legte mich dann in meine Gruft. Das ungewohnte Schwanken ließ mich aber nicht schlafen, doch spürte ich nichts von Uebligkeit, sondern befand mich sogar besser wie an Land.

Auf dem Ferdinand, Freytag den 10^t Septb. 30. Zwischen Orbitello und Civita Vecchia. Schon um 4 Uhr hatte ich mich herausgemacht um den Sonnenaufgang zu sehen, er war herrlich und belebte auf eimal die noch kalt da liegende Meeresfläche. Nach und nach kamen auch die anderen ganz Gesunden so wie die halb Genesenen hervor und wir tranken gemeinschaftl. unseren Caffe. Um 10 Uhr langten wir in Civita Vecchia an wo wir sämtl: ans Land stiegen und in verschiedenen Osterien frühstükten. Von hier gingen gegen 20 Passagire nach Rom ab und wir blieben noch einige 60. Die Stadt ist schlecht, das Volk sieht verwegen aus und ich dankte Gott wie uns der Canonenschuß um 2 Uhr an Bord rief. Um ½ 3 von Civita Vecchia ab mit ziemlich starken Gegenwind, doch bei heiteren Wetter. Hier verloren wir beinahe die Küste gänzl. aus den Augen und es war ein wahres Meerleben; ich war immer noch frey von der Seekrankheit was ein Glük ist, denn die Menschen die sie haben sind in Verzweiflung und gleichen betrunkenen Leichen. Um 6 Uhr treffliches Diner auf dem Dek von 8 – 10 Schüsseln, trefflichen Wein, doch war das Schwanken des Schiffs so stark, daß man sich kaum auf dem Stuhl halten konnte. Die Sonne ging wieder herrlich unter und die Wogen kamen so hoch daß man einem Wellenmädchen die

Hand hätte reichen können. Heute konnte ich schon besser gehen und that es fast den Seekundigen Britten gleich. Um 9 Uhr ging ich zu Bett, und schlief besser.

Auf dem Ferdinand Sonnab. den 11ᵗ Septb. 30. Zwischen Ostia und Gaeta. Früh 6 Uhr den Caffe auf dem Verdek getrunken. Der Gegenwind ward immer stärker, weshalb auch das Frühstük um 11 Uhr in der Cajüte genommen wurde, da es auf dem Dek zu stürmisch war. Es waren nur wenig Theilnehmer da beinahe alles noch Seekrank in den Betten lag, und zwar in demselben Local wo wir frühstükten, das genirt aber nicht. Gegen Mittag fing der Himmel an sich stark zu bewölken und der Wind wurde immer stärker gegen uns. Die Wellen schäumten fürchterlich und das Schiff gerieth in ein ewiges Schwanken, jedoch arbeitete es sich noch mit seiner Kraft durch. Gegen 3 Uhr stiegen Gewitter von allen Seiten auf und ½ 4 hatten wir *completten Sturm*, mit Blitz, Donner und Platzregen. Das Schiff arbeitete bei verstärkter Feuerung fürchterlich, stieg und fiel Häußerhoch, das muß man erleben, da reicht keine Sturmbeschreibung von Cooper hin, und obgleich einem das Herz schlug, so war es doch ein unvergleichlicher Anblik, von dem man sich nicht trennen mochte. Nach und nach wurden aber selbst die Gesichter der Seegewohnten, sonst so frechen Inselbewohner, etwas lang und der Capitain sah sehr ernsthaft von seinem Posten herab; eine algemeine Stille herrschte unter den Menschen und ließ dem Tobenden Element allein das Wort. Nur des Capitains donnernde Comando-Stimme hallte durch die Sturm durchheulte Nacht. Hier erwachten in mir wunderliche Gedanken, und ohne Furcht zu fühlen, nahm ich doch von allem was mir auf der Welt lieb ist Abschied. Wir kamen nicht mehr vorwärts troz der Kraft der Maschine. Des schlechtesten Wetters ohngeachtet hatte sich alles auf dem Verdek versammelt, Mütter mit den Kindern und traurige Familien Väter. Selbst die keke männliche Jugend stand schweigend und erwartend da. Die immer fortdauernden Blitze erhellten diese Sinne und zeigten momentan die ernstbleichen Gesichter Ich ließ mir ein Viertelchen geben, denn ich dachte: sollst du einmal Meerwasser schluken, so soll es doch mit Wein vermischt seyn. So kommen einem manchmal in der höchsten Noth dumme Witze in den Kopf. Obgleich noch immer heftig, wurde der Wind doch für uns günstiger und der Capitain ließ, um vorwärts zu kommen, noch 4 Segel aufspannen, das war eine Arbeit für die Matrosen!! Aber in einem Nu war es geschehen. Nun ging es pfeilschnell vorwärts und wir sahen Ischia beim Leuchten der Blitze; es war 10 Uhr Abends geworden. Gegen 11 Uhr sah ich zu meinem Erstaunen in der Cajüte Vorbereitungen zu einem Souper und dachte mir es sey die Henkersmahlzeit. Um 11 Uhr wurde wirkl. zur Tafel geleutet und man folgte den bekannten Ton, in einer gewissen Dumpfheit und Abspannung, doch alles war sehr still am Tisch; da verging die Zeit. Da hörten wir auf einmal die Ankerkette rasseln und in wenig Minuten hörte jedes Schwanken des Schiffs auf, der Capitain trat zu uns und sagte: wir seyen glüklich im Hafen von Neapel eingelaufen; algemeiner Jubel!; es war gerade Mitternacht. Alles suchte ihre Schlafstellen so auch ich.

Neapel auf dem Ferdinand Sonntag d. 12ᵗ Septb. 1830. Welch ein Anblik, im Gegensatz von der vergangenen Nacht! Der herrlichste Sonnenschein beleuchtete diese Feenähnliche Stadt. Eine Menge Schiffe, das Castell St. Elmo, der Vesuv alles lag wie auf einem Zauberschlag vor mir. Da dankte ich Gott im Stillen und blieb lange beschauend und rükdenkend stehen. Um 8 Uhr erhielten wir Erlaubniß uns auszuschiffen, nachdem unsere Pässe von Polizeyoffizianten revidirt und in Beschlag genommen wurden (wogegen wir Scheine erhielten). Eine Unzahl von Barcaroles umschwebten das Schiff und jeder war, wie ein Teufel auf eine arme Seele, auf einen Fremden versessen. Sie kletterten bis an Bord und wurden mit unbarmherzigen Stokschlägen von den Matrosen zurük getrieben. Ich ersah mir einen in der Entfernung liegende Barke mit einem ältlichen Mann; der mir weniger zudringlich erschien, winkte ihn herbei, er kam an Bord, weil ich ihn verlangt, es wurde über die Summe des Transports accordirt und als wir einig waren kamen noch 2 Hanfeste Lazaronis mit verbrannten und verwegenen Gesichtern und bemächtigten sich meiner u. v. Oefeles Effecten. Im Nu war alles in der Barke und nachdem ich dem an der Ausgangsthüre stehenden Polizeyofficianten einige abgetragene Achtgroschenstüke in die Hand gedrükt, ließ er uns vor allen andern passiren, visitirte mir aber höflich erst die Taschen. Schnell kamen wir an die Dogana da ging der Teufel von Neuem los. Nein so ist mir noch nichts vorgekommen!? Die genauste Untersuchung jedes Stüks, nicht um der Kleidungsstüke willen, nein wegen Bücher und Schriften. Ich bedauerte die unglüklichen Engländer welche ganze Reisebibliotheken mit sich führten alles von Büchern wurde in Beschlag genommen. So verbrachte ich 3 Stunden in einem Getümmel und Gewühl von Reisenden, Lazaronis u. s. w. bis es an meine Armseligkeiten kam, da man mir aber gleich am Gesicht ansehen mußte, daß ich einer aus Ihren Vögeln sey, von denen man sagt: *»wir wissen nichts wir wissen nichts wir haben nichts gelesen,«* so kam ich in einigen Minuten davon. Einem Lord Douglas mit 4 Coffern ging es erbärml. Alles wurde umgewühlt und Scripturien, Bücher, Reisemappen bis auf weiteres zurükbehalten; mündl. mehr von dergl. Scenen. Meine Freunde die Lazaronis hatten alle unsere Effecten auf eine Art großen Schubkarn gepact und so wandelte ich mit ihnen am königl. Schloß vorbei, die Chiaia entlang, nach den Albergo de la Vittoria, wo ich vor der Hand in einem Zimmer Parterr Platz genommen, von dem ich aber doch einen Theil des Meers und Ischia sehen kann, auch liegt der Lustgarten dicht vor meinem Fenster. Es war gerade Mittag alls ich anlangte und da ich mich seit 4 Tagen nicht rasirt hatte, so nahm ich dieses, so wie eine totale Reinigung und Umkleidung gleich vor. Dann frühstükte ich tüchtig und begab mich allein unter die wogende Menge, welche diesen Theil der Stadt heute belebte. Es sollte näml. eine große Parade von allen Garden und nahen Linien Regimentern gehalten werden. Die Regimenter stellten sich vom königl. Pallast längs der ganzen Chiaia, an Infanterie und Cavallerie ohngefähr 25 000 Mann. Alles im höchsten Glanz. Es ist ein schön gehaltenes Militair. Auf dem Platz wo ich wohne war ein Quarre gebildet. Dragoner, Cürassire, Husaren, Lancios, Artillerie war aufmarschirt, die Schweizerregimenter ebenfalls. Um 5 kam die ganze königl. Familie, excl. des Königs welcher krank ist, mit ihren Umgebungen in 23 Staatswagen; der erste war leer, ganz vergüldet mit 8 Pferden bespannt, die Kutscher mit Alongeperüken gepudert u. ohne Hüte. Dann folgten mehre Große des Reichs, dann die Königin mit dem Kronprinzen, ebenfalls 8spännig in vergüldeten Wagen. Oben eine Krone und Straußenfedern auf den Eken der Wagen; voraus 20 himmelblau und weiß gekleidete Läufer, Hellebarden, Nobelgarde; dann die mit königl. Geblut angefüllten übrigen Wagen ohne Zahl; Kanonendonner vom Fort St. Elmo. Aber kein Hurra oder Vivat. Der Zug fuhr durch die aufgestellten Trupen und kehrte ½7 zurük; alles konnte ich herrlich von meiner Stube aus sehen. Um ½ 8 hatte sich alles aufgelößt und ich durchstrich die Volk und Soldaten-durchwogte Stadt allein − ½ 12 Uhr. Souppirte dann u. ging zu Bett. Welcher Contrast mit Gestern. Ich komme mir vor wie Ulliß auf seinen Irrfahrten »*Vieler Menschen Städte gesehn und Sitte gelernt*«. Glüklicher Weise habe ich weder eine Kirke noch eine Calypso gefunden. So schließe ich für heute. Gillens Brief hat mich unendl. erfreut. Es war ein rechter positiver Lichtpunct aus der Ferne.

Leben Sie wohl. Bald ein weiteres über Neapels Kunst u. Natur-schönheiten.

Ihr treuer Sohn v. Goethe.

d. 13ᵗ Septb.30. früh geschrieben.

Neapel Montag den 13ᵗ Septb 30. Früh ½ 6 Uhr auf, gleich angezo-gen, heute schmekte mir der Caffe zum erstenmal wieder sehr gut. Ich schrieb am Tagebuch und bereitete dessen Absendung bis zum 12 incl. vor. Bankier Klentze ein sehr artiger Mann be-suchte mich und lud mich ein für allemal zu seinen Abendge-sellschaften ein. Um 1 gefrühstükt dann mich noch mit Lesen über Neapel bis 4 Uhr beschäftigt. Da klopft es auf einmal an meine Thüre und Professor Zahn aus Berlin trit ein; es war ein freudiges Wiedersehen; manches über das Vergangene wurde durchgesprochen, und Pläne zum Leben in Neapel entworfen. Zuerst gingen wir aus, um ein anderes das heißt ein Privat Quar-tir für mich zu suchen, welches wir auch am Golf, in der Strada Sta. Lucia bald fanden. Der Einzug wurde auf Morgen früh be-stimmt. Dann in eine Elsbude, das berühmte Eis in Pezzis gege-sen, ganz vortreffl. Abend aßen wir in einer deutschen Tratorie, wo lauter deutsche waren, man ißt gut und wohlfeil da. Um 12 nach Hause.

Neapel Dienstag den 14ᵗ Septb. 30: Früh 5 Uhr auf, alles zum Aus-zug vorbereitet; um 7 kam der Fakino, holte meine Sachen und um 8 bezog ich mein neues Quartir, in der Strada Sta Lucia No 21. unmittelbar am Golf. Ich habe die schönste Aussicht von der

Welt und will nur kurz aufzählen was ich mit einem Blik über-
sehe: Den Golf von Neapel, den Leuchtthurm gegenüber Portici,
Resine (worunter Herculanum verschüttet liegt), den Vesuv in
voller Pracht, dann Torre del Greco, Torre del Anunciata, Camal-
doli della Torre, und die Gegend in welcher Pompeyi liegt, weiter rechts Castel Mare, den Berg St Angelo, Vico und bis gegen
Sorent hin; den Schluß dieses Panoramas macht das ganz nahe
bei mir gelegene alte Kastel Ovo. Man kann nichts reizenderes
sehen und man wird es mir nicht verdenken wenn ich jeden
übrigen Moment am Fenster zubringe. Ich packte alles aus und
richtete meine Stube und Kabinet wohnlich ein. Wenn ich mitten in der Stube stehe so füllt gerade der Vesuv die Aussicht aus
meinem Fenster welches zugleich Thüre ist und auf einen Balkon führt, es ist herrlich göttlich, man findet keine Worte. Um 10
kam Zahn und ich ging mit dem selben zu dem Preuß. Gesandten Grafen von Purtales, und gab den Brief vom Grafen Bernsdorf ab. Ich wurde freundlich empfangen. Von hier in das Museum. Zuerst die Fresken aus Herkulanum und Pompeyi besehen. Welcher Reichthum! 3 ungeheuere Säle sind damit angefüllt und man weis gar nicht wo man anfangen soll. Wie fühlte
ich den Vortheil gerade in diesen Dingen so vorbereitet zu seyn
und wie herrlich kommt mir zustatten, daß ich die Zahnschen
und Ternitschen Copien kannte. Ich fand manches bekannte
liebe Bild, so auch das Original des Köpfchens was Sie lieber Vater mir in meine Stube gegeben haben. Aber wie erstaunte ich,
als ich vor das Original des großen Bildes kam auf dem sich das
säugende Roh mit dem Kinde befindet; ich stand wie versteinert
da, das ist eine Pracht, und wie gut erhalten!, auch das Opfer der
Iphigenia, der Genius auf dem Delphin und andere alte bekannte entgingen mir nicht und wekten manche schöne Erinnerung. Welche Naivität herrscht auch in den kleineren Dingen.
Wie natürl z. B. sind Gruppen von Vögeln und Einzelne, ganz
ihrem Character gemäß dargestellt; die Küchenstüke erinnern
einen an die Niederländischen Gemälde dieser Art, und wie ist
man verwundert, nach 2000 Jahren an Fischen, Krebsen, Vögeln,
Früchten pp alles abgebildet zu finden, was noch jetzt auf den
hiesigen Märkten verkauft wird. Besonders schön erhalten sind
auch die Mosaiken welche in einem eignen Saal aufbewahrt
werden. Vieles herrliche fand ich noch dort und verweilte bis

2 Uhr. Dann ging ich mit Zahn in die Tratoria di Milano, wo man sehr gut für 12 gr. incl. Wein ißt. Ich kostete auch den Lacrimae Christi welcher mir sehr behagte, die Flasche kostet im Gasthoff 6 gr. Nach Tisch in das Caffe d'Italia. Gegen Abend mit Zahn nach Capo di Monte gefahren von wo aus man eine herrliche Aussicht auf Neapel und das Meer hat. Hier besahen wir auch die Villa des Fürsten Ruffo, mit einem schönen Garten und einer eleganten Meyerei. Wir schickten den Wagen zurük und gingen zu Fuß, es war ein himmlischer Abend, um 9 Uhr kamen wir wieder in unsere deutsche Kneipe, wo wir bis 11 Uhr unter traulichen Gesprächen blieben. Man kocht hier ganz auf deutsche Weise und ich ließ mir Bohnen und Bratwurst schmeken. Als ich nach Hause kam sah ich mit Freuden daß der Vesuv leuchtete und zuweilen einen Feuerstrahl auswarf, ich blieb bis 1 Uhr in diesem Anblik verloren. *Mittwoch den 15t Septb. 30.* Früh ½ 6 Uhr fuhr ich mit Prof. Zahn und einem breslauer Bildhauer namens Freytag aus, es war ein herrlicher Morgen. Nachdem wir das bewegte Neapel verlassen kamen wir nach Portici, welches gleichsam eine Vorstadt von Neapel bildet, dann nach Resina; beide sind auf Herculanum erbaut welches 10 Fußtief von Lava und Asche bedekt ruhig seiner Auferstehung harrt. Von hier aus wird auch gewöhnlich der Vesuv bestiegen, wir aber eilten vor der Hand, durch, über Torre del Graeco, Torre del Anunciata nach – !! Pompeyi. Das erste was ich dort erblikte war das Haus der Familie Diomedes, ein schönes guterhaltenes Gebäude. In einem Theil desselben ist das Waschhaus. Von hier traten wir gleich in die Gräberstraße. Welch herrlicher Anblik dieser auf beiden Seiten errichteten Monumente im edelsten Stiel, welch herrlicher Gedanke der Alten, gerade diese Prachtdenkmäler an die Heerstraße zu setzen, wo sie gleich von jeden mit Andacht und Bewunderung angeschaut werden konnten. Auch hier traf ich manches mir schon bekannte und erfreute mich nun wirklich auf diesem classischen Boden zu stehen. Ehe man noch an das Thor gelangt sieht man die Ruinen einer Villa, von welcher man sagt sie habe Cicero gehört, jedoch ist es ungewiß. Welch ein wunderbarer Anblik ist es wenn man durch das Thor in diese dem Licht der Sonne wieder gegebene Stadt tritt! Alles ist reinlich die Straßen schön gepflastert, die Trotoirs meist mit Mosaik belegt, die Häuser zwar ohne Dach doch ebenfalls wie gekehrt.

Alle Fußböden, selbst die der kleinsten Gemächer mit Mosaik schön ausgelegt, die Wände geschmakvoll auf das heiterste gemalt, die Farben meist so schön als wäre es erst gestern fertig geworden, Kaufläden mit den eingemauerten Gefäßen zu Flüssigkeiten, als Oel und Wein u. s. w., Handmühlen, Baköfen alles so erhalten daß man sich wundert wie dieß nach beinahe 2000 Jahren möglich sey. Es ist wunderbar, bei mir machte alles dieses keinen traurigen Eindruk, es war mir als wenn Vergangenheit und Gegenwart sich freundlich die Hand reichten. Zuerst besahen wir das Haus des tragischen Dichters in welchem das Opfer der Iphigenie, Achilles und Briseis und, der Genius auf dem Delphin an der Wand gemalt waren, die Bilder sind herausgenommen und ich habe sie schon im Museum gesehen. Das Haus selbst war gut erhalten und eins der schönsten hier, die Eintheilung sowie die Verhältnisse musterhaft. Die Häuser sind ziemlich alle auf eine Art, bald größer bald kleiner erbaut. Zuerst tritt man in einen Hoff in dessen Mitte immer ein Bassin von Marmor ist, an welcher gewöhnl ein Tisch von Marmor steht; an den Seiten sind Zimmer, dann tritt man in das Besuchzimmer von 2 Seiten offen, dann in einen mit Säulenhallen umgebenen 2ᵗ Hoff in dessen Mitte der Fischbehälter ist und wo unter den Hallen ebenfalls Zimmer und Kabinetchen angebracht sind, hieran stößt gewöhnl das Triklinium (Speißesaal) und die Küche. Alle Fußböden sind mit den schönsten Mosaiken gezirt und die Wände bunt bemalt, jedoch in dem schönsten Geschmak, besonders beliebt scheinen die Hochrothen, und blauen Farben als Grund gewesen zu seyn jedoch auch schwarzer Grund nimmt sich herrlich aus, wenn man sich die bunten Verzierungen und die herrlichsten Gemälde darauf denkt. Nun gelangten wir auf das Forum, einem lang}ᵗ Vierek an dessen Nordseite der Tempel des Jupiter steht. Das ganze Forum war mit weißen Marmorplatten belegt; hiernächst ist auch das Pantheon, das Haus der Priesterin Eumachia welches eine große *Waschanstalt* zur Reinigung der Gewänder der Prister u. Pristerinnen war. Dann besahen wir die beiden Theater, den sehr netten Tempel der Isis, den Tempel des Aeskulap, das ziemlich große Amphitheater, das Forum Nundinarium, das Forum Triangularum, den Tempel des Herkules, die Basilika. Nachdem dieses alles geschehen begaben wir uns dahin wo die neusten Ausgrabungen gemacht werden. Man war eben beschäftigt die Ausgrabung des Hauses des Meleager zu vollenden. Es ist eins der bedeutensten Gebäude die man bis jetzt gefunden; es war herrlich anzusehen, denn der Besitzer scheint sehr reich und ein Mann von Geschmak gewesen zu seyn. Ein herrlicher Marmor Tisch von Greifen getragen am Bassin entzükte mich, so wie ein halb noch in der Asche stekendes Wandgemälde, wo man nur die Köpfe sehen konnte, Pallas und Merkur waren nicht zu verkennen, Zahn hielt es für vortreffl., und die erste Abzeichnung sollen Sie gleich bekommen. Hierauf führte man uns noch in mehrere andere und ausgegrabene Häuser von ähnlicher Bauart, jedoch an Malerei und Mosaiken steets ganz verschieden. Merkwürdig war es mir auch das Haus des Salust zu betreten, ebenfalls gut erhalten und angenehm eingerichtet. Ohnweit der neuen Ausgrabungen liegt eine Meyerey in welcher Prof. Zahn früher gewohnt, wir gingen dahin, er fand manches verändert, den Besitzer todt, miethete aber seine alten Zimmer wieder auf mehrere Monate, denn er will alles neue gleich wieder abzeichnen. Nun gingen wir durch diese verödete Stadt zurük an das Thorhaus, wo wir uns von einem alten Soldaten ein Mittagessen hatten bereiten lassen, es bestand in einer guten Suppe, Rindfleisch, rohen Zwiebeln, Cottelets al Rosto, Kaese und Früchten. Es schmekte uns herrlich denn wir waren 5 Stunden in Pompeyi herumgewandelt, der Wein war am Vesuv gewachsen und ganz vortreffl. Ueberhaupt finde ich den Wein hier außerordentl. gut. Um 3 Uhr fuhren wir ab, tranken in Torre del Anunciata Caffe und kamen nach Resina. Hier stiegen wir zuerst in das theilweise ausgegrabene Theater hinab, es liegt über 40 Fuß unter der jetzigen Oberfläche und ist mit der härtesten Lava ausgegossen. Man hat mehrere Theile ausgegraben, das Ganze muß man aber wie ein Bergwerk mit Licht besehen, es ist ein sehr großes Gebäude gewesen wie man nach der Länge des Orchesters beurtheilen kann, welches ganz ausgegraben ist. Dann besahen wir die anderen Ausgrabungen, sie gleichen ganz denen in Pompeyi; doch ist man noch nicht weit gediehen, da wenig Arbeiter hier beschäftigt sind. Besonders erregte meine Aufmerksamkeit ein großes Haus mit einem schönen Säulenumgebenen Hoff. Es war schon 5 Uhr geworden und wir wollten noch auf den *Vesuv*. Man widerrieth uns die Parthie mit Eseln zu machen, da der Weg vom Wasser gar zu sehr zerrissen sey.

Wir begannen daher das Werk zu *Fuß!?* So stiegen wir denn aufwärts anfangs immer zwischen Weingärten mit Mauern. Nach 1 ½ Stunde kamen wir ins Freye und mit Sonnenuntergang langten wir beim Eremiten an. Da der Vesuv auswarf, so beschlossen wir noch diesen Abend ganz hinauf zu gehen, um das Schauspiel bei Nacht in der Nähe zu genießen. Es war ein kühnes Unternehmen. Zwey Führer mit Wein und Brod, so wie mit Fakeln versehen geleiteten uns; es ging alles gut, bis an den Kegel, denn bis dahin war noch fester, wenngleich sehr schlechter Weg. Besonders hatte die Lava von 22 beinahe alles ungangbar gemacht. Aber vom Fuß des Kegels an war kein fester Fuß mehr zu fassen, ich hielt mich an einen Strik den mein Führer um den Leib gebunden hatte fest und ließ mich halb hinauf zerren. Die Fakel leuchtete so, daß man wenigstens sehen konnte wohin man trat. Aber so etwas fatigantes hatte ich noch nie erlebt, zuweilen kam ich ordentlich in Verzweiflung, doch da wurde gehalten und ein paar Gläßer Wein getrunken, dann gings wieder weiter, dieser crasse Weg dauerte eine Stunde. Ich war wie tod als ich oben ankam doch wir wurden belohnt, der Vesuv arbeitete ordentlich und von 10 zu 10 Minuten erfolgte eine Eruption, die Steine flogen bis nahe zu uns herüber. – Die Dunkelheit der Nacht erhöhte das Schauspiel, und das unterirdische Donnern war erhebend. Wir tranken Ihre Gesundheit, und dann, *was wir lieben.* Alle Sorgen waren vergessen und nach einer Stunde traten wir den Rükweg an. In 10 Minuten hatten wir den Weg zurückgelegt wozu wir früher eine Stunde gebraucht; auch überwanden wir noch die Streke bis zum Eremiten, wo wir einige Augenblike bei einer Flasche Lacrimae, ruhten und dann nach Resina zurükeilten. Hier setzten wir uns schnell in den Wagen und kamen um ½ 1 Uhr in Neapel an. Hungrig wie die Wölfe erzwangen wir noch den Einlaß in eine Tratorie, wo uns junge Hüner und guter Wein ganz auf die Beine brachten, so daß ich ½ 3 Uhr in meinem Logis anlangte und herrlich schlief, bis ich dann *Neapel Donnerstag den 16ᵗ Septb.* früh 6 Uhr frisch und munter erwachte, mich wunderte den gestrigen Tag durchgemacht zu haben, denn ich war beinahe 24 Stunden ununterbrochen auf den Beinen. Wenn ich so den Vesuv aus meinem Fenster rauchen sehe so ist es mir wie ein Traum daß ich schon oben gewesen binn. Der Caffe schmekte mir unvergleichlich. Ich schrieb am Tagebuche, Prof.

Zahn besuchte mich und blieb bis 11 Uhr. Ich blieb zu Hause bis
12 frühstükte dann in einer Tratorie am Golf, ohnweit meiner
Wohnung Fische (frische gebakene Sardellen), Austern u. Cotlets
so wie auch Früchte, dazu guten Wein; ½ 1 wieder nach Hause
geschrieben bis 3 Uhr, dann in die Tratoria di Milano wo ich
Prof. Zahn traf; wir aßen zusammen u. trennten uns nach Tisch;
jeder ging seines Wegs, ich in ein Caffe wo ich 1 Tasse trank, dann
wandelte ich umher und trank einige Gläßer Eiswasser, das ist
was treffliches hier: Mann findet überall dergl. Es ist das kühle-
ste was man denken kann und schadet nichts. Ueberhaupt ist der
Schnee für Neapel von großer Wichtigkeit. Der Pächter dieses
Unternehmens, näml. Neapel mit Schnee zu versehen, muß
200 000 hißige Ducati Caution stellen, welche er verlirt wenn es
einen einzigen Tag an Schnee fehlen sollte. Dieser wird im Winter auf den hohen Gebirgen gesammelt, in Gruben eingetreten,
und mit Laub u. Zweigen bedekt. Jede Nacht wird frischer
Schnee auf Maulthieren nach Neapel gebracht, wo eine ungeheure Consumtion ist, denn man trinkt kein Glas Wasser was
nicht vorher in Schnee gestanden und bei Tisch thut man allemal die Hälfte Schnee in das Glas und gießt dann den Wein darauf, was nicht allein sehr angenehm schmekt, sondern zugleich
den etwas starken Wein verdünnt. Abends promenirte ich in
der Straße Toledo, der frequentesten in Neapel. Sie ist über
½ Stunde lang und stets mit Wagen und Menschen ganz angefüllt. So ein Gewimmel und Getöse ist mir noch nicht vorgekommen, denn man muß sich durchwürgen, dabei die zahllosen Kutschen welche pfeilschnell dahin rollen machen einen vollends
verwirrt. Die Parterrs aller Häuser sind Läden, wo etwas verkauft wird schön illuminirt und ausgeputzt; es kommt einen wie
ein Feenland vor. Freilich sieht es in einer Stadt von 40 000 Häusern und 500 000 Menschen anders aus wie bei uns. Ich befinde
mich sehr wohl in dieser wogenden Menschenmasse wo jeder
froh und schnell seine Zweke verfolgt. Um 10 Uhr ging ich nach
Hause und legte mich zu Bett, aus welchem ich den Vesuv sehen
kann, er ist heute recht ruhig, denn er leuchtet beständig und so
schlafe ich denn in Bewunderung dieses herrlichen Schauspiels
sanft ein und ermuntere mich

Neapel Freytag den 17ᵗ Septemb. 30. um 4 Uhr. Ich schrieb am Tagebuch. Gegen 6 Uhr ging die Sonne herrlich zwischen dem Ve-

suv und der Somma auf es war ein großer Anblik. ½ 9 Uhr kam Prof. Zahn und holte mich ab um das Museum zu sehen. Zuerst besahen wir die Marmor Statuen u. Büsten. Es sind 6 – 8 große Gallerien und Säle, voll der schönsten Sachen; ich will nur den Farnesischen Herkules, die collossale Flora, die Gruppe mit dem Stier (sie stand sonst im Garten der Villa Reale) und die beiden Reiterstatüen der Balbos, Vater und Sohn, welche früher zu bei den Seiten des Proscenium im Theater zu Herculanum stan den, erwähnen. Der Reichthum an diesen Dingen ist unüber sehbar und man braucht Stunden um nur einen Ueberblik zu bekommen, eben so ist es mit den Statüen und Büsten in Bronce. Deren ebenfalls mehrer Säle voll, vorhanden sind. Besonders schön war ein collossaler Pferde Kopf; an Egyptischen Sachen ist man hier reich und sie füllen ebenfalls 2 große Säle. Hierauf besah ich das Cabinet wo die in Herkulanum u. Pompeji aufge fundenen Gegenstände von Gold u. Silber aufbewahrt werden, es sind theils Hausgeräthe theils Schmuksachen. Hier wird auch die farnesische große Onyxschale aufbewahrt, ein treffl. Kunstwerk. Interessant sind auch die in Pompeyi aufgefunden u. erhaltenen Eßwaaren, als Brod, Früchte, Oliven noch in Oel, Bohnen, Reiß u. s. w., welche alle in Glaßkrügen aufbewahrt werden. Nun besah ich die 6 Säle mit den Bronzenen Geräth schaften, alles ist schön geordnet, nach den Gegenständen, erstens Küchengeschirr, dann Hausgeräthe als Lampen, Wagen, Cande laber, u. s. w., dann Waffen, Akergeräthe u. s. w. Man müßte Tage hier zubringen um alles genau zu sehen. Hierauf besah ich noch die Unzahl antiker Vasen ebenfalls in mehreren Sälen ausge stellt, da weis man nicht was man sagen soll über die Zahl und Schönheit derselben. Das Cabinet der Obscönen Gegenstände wurde ebenfalls gesehen, mündl. mehr darüber. Man muß das Museum mehrere Male besehen; und zwar jedesmal nur eine Sammlung dann erst kann man Genuß haben. Heute verschaffe ich mir nur einen Ueberblick über das Ganze und werde nun alle Tage einen Besuch dort machen. Um 3 Uhr gingen wir zu Tisch in die Tratoria di Milano. Nach Tisch fuhr ich mit Zahn ein we nig aus – 7. Dann nach Hause geschrieben – 9. Dann in die deut sche Kneipe zum Abendessen, wohin auch Prof. Zahn kam. Bis 12 daselbst, dann zu Bett. *Neapel Sonnabend d. 18t Septb. 30.* Früh 6 Uhr auf. Ich blieb den Morgen zuhause, schrieb am Tagebuch und erfreute mich dann an meiner herrlichen Aussicht. Um 12 Uhr fuhr ich aus um beim Bankier Klenze, einem Deutschen, einen Besuch zu machen und etwas Geld zu holen. Er war nicht zu Hause, ich machte aber die Bekanntschaft seiner Frau welche sehr liebenswürdig ist; sie ist eine Lübekerin und freute sich sehr einen Deutschen kennen zu lernen. Ich wurde gebeten recht bald wieder zu kommen welches mir nicht schwer fallen wird. Ich hatte noch mancherlei zu besorgen und kam erst um 3 Uhr zu Tisch in die Tratoria di Milano, wo ich auch Prof. Zahn fand. Nach Tisch fuhren wir spaziren nach der Strada Nova welche am Golf herführt, auf der anderen Seite sind hohe Felsen, alles ist mit Landhäusern bedekt und man genißt der herrlichsten Aussichten. Angenehme und belehrende Gespräche wurden gepflogen und eine Parthie nach Ischia, Procida, Baja u. s. w. verabredet. Es wurde Nacht und wir fuhren durch das neapolitanische Menschengewimmel bis an den Largo di Castello von wo aus wir in unsere Lieblings Kneipe gingen und fröhlich zu Abend aßen. Es ist für mich in jeder Hinsicht erfreulich und höchst nützlich, Zahn hier gefunden zu haben, denn er kennt alles in- und auswendig u. leitet mich so an, daß ich, wenn er nach Pompeyi geht, mir dann selbst forthelfen kann. Ich gedenke wenigstens 3 Wochen hier zu verweilen; eine ist vorüber, doch ich habe schon viel erlebt, erfahren, genossen und rufe immer aus Vede Napoli et poi mori. Es ist mir sehr lieb nicht bei dem Sturm mit dem Dampfbot untergegangen zu seyn. Ich hätte einen großen Genuß entbehrt. Ehe ich hierher kam glaubte ich, Neapel mit seinem ungeheuren Treiben würde mich verwirren, aber es ist gerade das Gegentheil; so ruhig u. besonnen bin ich auf der ganzen Reise noch nicht gewesen, und ich glaube daß die Herrliche Natur diese große Beruhigung hervorbringt. Ich wohne in einem der belebtesten Theile der Stadt; von meinem Fenster ist es wie Jahrmarkt; das Meer wimmelt von Schiffen und Kähnen und der Vesuv raucht beständig. Wenn ich manchmal die Nacht nicht schlafen kann (was jedoch selten geschieht) so sehe ich aus dem Bett den Eruptionen des Vesuvs zu, welche immer von 10. zu 10 Minuten erfolgen und habe so eine herrliche Unterhaltung. Morgen wird das Blut des heiligen Januarius fließen und so sehe ich denn auch dieses Wunder. Ich habe Glük in diesen Sachen denn immer finde ich in den bedeutensten Städten, bedeutende

Feste, von welchen man das Menschenleben u. Treiben recht erkennen kann und wo das nationale recht hervortrit. Besonders schön sind die Boutiken wo frische Blumen verkauft werden. Die Sträuße sind treffl. zusammengesetzt. Es gefielen mir vorzüglich die *rosa Lilien*, welche ich zum erstenmal in meinem Leben gesehen habe; es ist das zarteste was man sich denken kann, ich will sehen einige zu Zwiebeln zu erhalten und mitzubringen. Um ganz gewiß zu seyn, unverfälschte Milch zu erhalten, ist hier die Einrichtung daß man frischmelkende Kühe mit dem Kalbe in der Stadt herumführt und wenn jemand Milch bedarf, so wird die Kuh auf der Stelle in Gegenwart des Käufers gemolken, das ist practisch und ächt italienisch. Die Consumtion von Feigen ist über alle Begriffe. Es ist jetzt die 3^t Erndte die man verkauft; sie werden in Körben auf dem Kopf herumgetragen und sind zierlich mit Blumen geschmükt. Sogar die Züchtlinge sind hier fidel, neulich sah ich zwei schwer mit Ketten beladene auf der Straße miteinander tanzen, der Wächter sah ruhig zu und rauchte seine Pfeife. Sie haben die Lazaronis sehr richtig in Ihrer Reise nach Italien beurtheilt, sie sind ehrliche Menschen und es muß hart hergehen ehe sie Stehlen, können sie aber den Fremden bei ihren Dienstleistungen grollen so thun sie es gern, wie alle Italiener, und rühmen sich noch damit. Nun ein herzliches Lebewohl. Bald ein weiteres.

v. Goethe.

Sonntag den 19ᵗ Septb. 30 Früh 5 Uhr auf, am Tagebuch gearbeitet. Um 10 Uhr kam Professor Zahn, wir gingen zusammen in die evangelische Kirche?!, im Haus des preußischen Gesandten. Es wurde französich gepredigt. Den Prediger kannte ich denn er war mit mir auf dem Dampfbot nach Neapol gekommen und hatte beim Sturm ungeheure Manschetten. Er ist aus Genf und heißt Valette. Um 11 Uhr war die Sache abgethan und ich eilte mit Zahn nach der Domkirche wo eben das Blut des heiligen Januarius floß. Ich würgte mich bis an die Bariere und da man es mir vor den Mund hielt, so küßte ich dasselbe und wurde gesegnet. Es war ein Teufelsspectakel in der Kirche. In solchen Momenten muß man Curage haben, sonst geht alles zu Grunde,

Schnupftuch, Geldbeutel u. Uhr. Doch ich brachte alles wieder heraus. Nun ging es zum Frühstük welches mir nach solchen geistigen Wundergenüssen trefflich schmekte. Es gab ein Donnerwetter und troz diesem fuhren wir um 3 Uhr nach Pozzoli ab. Es ging durch die Grotte des Pausilip und um ½ 5 waren wir in Pozzoli. Wir suchten eine fidele Kneipe, nahmen einen Führer und nun gings wieder los. Zuerst erstürmten wir den Tempel des Jupiter Serapis, ein grandioses Gebäude. Besonders interessirten mich 4 noch stehende Säulen von grünlich, röthlichen Marmor. Sie waren über 40 Fuß hoch und gerade in der Mitte von den Volaten (Bohrmuscheln) an und durchgestossen. Ich erinnerte mich daß Sie lieber Vater in Girgent in Sicilien ein gleiches gesehen. Das ist ein *Problem*, man begriff nicht wie das Wasser bis dahin gedrungen. Jetzt fort in ein sehr verwüstetes Amphitheater, wobei aber eine herrliche Weinkneipe war. Fideles Leben hübsche Mädchen im Costüm des Landes, machten uns heiter. Die Mädchen tanzten mit Castagneten nach einem Tampurin. Es war göttlich. Nun zwang uns der Führer noch in die Capelle wo der heilige Januarius einer fröhlichen Auferstehung entgegen harrt, es war nichts dabei zu bemerken. Weiter ging es zur Solfatara. Schwefeldampf im alten Crater, für mich sehr interessant als mineralogischen Neptunisten. Endlich kamen wir zurük in die Kneipe (Gott sey dank). Denn wir hatten viel durchgemacht. Zahn ist ein Kerl wie ein Mauerbrecher und kann einen andern ruiniren. Doch ich würge mich durch. Nach einer gut durchschlafenen Nacht erwachte ich *Montag den 20t September zu Pozzoli*. Da spielte das Stük gleich wieder. Nach dem Caffe gings ins Schiff, nun hatte der Mensch etwas Ruhe, doch dauerte es nicht lange denn wir landeten und sahen den Lago Lucrino in welchen man in einem Tag 100 Centner Fische fangen kann; auch sind hier treffliche Austern und der Suitie Cicero hatte hier eine Villa. Ueberhaupt muß Cicero ein Teufelskerl gewesen seyn denn, wo man hinsieht, hatte er eine treffliche Villa und ich dachte, wie kann so ein Mensch das Buch De Officiis schreiben, mit dem man sich auf den Schulbänken so quälen muß. Nicht weit von hier war auch der Lago d'Averno mit einem Tempel des Apoll und gleich dabei die Grotte der Sybille. Eine Fakel wurde angezündet, wir gingen hinein, aber man sieht nichts, da kommt man an ein Wasser, zwey Kerle paken einen unter den Hintern tragen einen durch. Hier erscheint etwas Architektur. Doch ist es bloß Ironie, denn solche Löcher kann man überall machen. Ich rief: *Dunkel wars im Anfang, daß eine Katze vor die andere sprang. Und es lachten alle Achaier.* Nie habe ich einen so reinen Wasserspiegel gesehen wie des Lago d'Averno. Die ganze Landschaft stand zwar auf dem Kopfe, doch wenn man den Kopf zwischen die Beine hatte, so wußte man kaum was oben oder unten war. Jetzt ging der 3^t Act an denn wir kamen zu der Therme des Nero. Das ist eine verfluchte Geschichte! Ich zog mich ganz Nackt aus um hinein zuwürgen, bloß ein blauseidenes Schnupftuch um die verschämten Theile. Es war wieder dunkel! Eine nothdürftige Fakel leuchtete vor. Nach zwei Minuten verlor ich den Muth. Die Hitze wurde so stark daß ich glaubte der Schlag würde mich rühren. Doch ich hatte es einmal angefangen und rief Vive L'Empereur und stürmte durch. Wir kamen an die Quelle, heiß wie die Hölle, der Führer sott drey Eier in 2 Minuten und wir eilten zurük. Das war ein Schwitzbad!! Ich dachte an Reiman, an der Niedermühle (armer Junge). Man troknete sich ab, zog sich an, aß Eier, trank viel Wein und nun vorwärts. Wir stiegen in die Barke und rasaunten durch die Wogen. Es war wie ein Schattenspiel. Denn alles kam nach und nach. Zuerst die Villa des August, Tempel der Venus, Diana, Villa des Pompejus, Marius, Lucull. Diese Kerls hatten sich hier eingefressen wie Volaten oder Filsläuse. Jetzt erscheint Baja!

»Hast du Baja gesehn, so kennst du das Meer und die Fische, hast du Venedig gesehn so kennst du den Frosch und den Sumpf.« Baja erschien mir wie ein alterthümliches Festungswesen; es war ein erhebender Anblick. Hier sind die Cento Comarelli und darunter die Gefängnisse welche Nero für seine Verbrecher brauchte!? Nun besahen wir die Piscina Mirabilis des August. Was haben die Alten nicht für tolles Zeug gemacht! Es ist ein Ding wie eine kleine Stadt. Wenn ich mir den Hofffischer in Weimar denke mit den kleinen Fischkästen an der Burgmühle! Eine Menge Mädchen empfingen uns und hatten alterthümliche Dinge, man könnte sich blos durchretten, wenn man Küsse austheilte. Jetzt wieder in das Barkchen am Lago Misseno vorbei an das Mare Morte. Die Eliseischen Felder durchwandelt. Ueberall Gräber. Was nützen solche Dinge? Wieder in die Barke. Vorwärts und wir langen in Procida an, essen in einer Lazaroni-Kneipe. Wir hatten

Fische gekauft, besonders Muränen. Die Amazonen von Procida wurden bewundert und für 3 Carlini (ein Carlin ist 3 gr.) warfen sie sich in den Nationalputz. Das ist auch hübsch. Hier ist ein Leben wie bei Herr Gott von Mannheim. Wir hatten noch mancherlei erlebt und kamen um 4 Uhr nach Ischia. Esel wurden gleich gemiethet und da ich kein Glük mit diesen Bestien habe so stürzte der Meinige nach wenig Minuten und dennoch umritt ich die Insel. Wir besahen die warmen Bäder. Ich gedachte des Königs von Baiern welcher hier seine kostbare Gesundheit wieder herstellt; freute mich aber der Meinigen. *»Nie ohne dieses und immer derjenige welcher.«* Beim Rükweg gerieth ich unter ein Pfaffenheer mit dem Esel, zwei kamen zu Falle. Das Volk lachte und ich ritt weiter in die Kneipe wo ich zu Abend aß und auf diesen *wirklich* collossalen Tag trefflich schlief, bis ich: *Ischia den 21ᵗ Septb. früh* 4 Uhr erwachte, auf den Esel stieg, und einen Weg hinauf ritt den der liebe Gott im Zorn erschaffen hat. Ich bin kein Vulkanist, aber ich fand die tollsten Lava – braun, gelb, roth und grau. Nach anderthalb Stunden gelangten wir drey beim Eremiten an der noch schlief. Er mußte heraus. Wein, Schinken und ein verhaltener Capaun, auch Eyer wurden verzehrt. Beim ersten Glaß Wein wurde Ihre Gesundheit lieber Vater getrunken und dann von allen Freunden und Lieben in Weimar. Nachdem dieses geschen erstiegen wir den Gipfel des Hipomeo. Da war etwas zu sehen! Niemand kann es beschreiben, denn Sie sagen ja selbst in Ihrer Reise nach Italien: *»Wenn ich Worte schreiben will, so stehen mir immer vor Augen: das fruchtbare Land, das freie Meer, die duftenden Inseln, der rauchende Berg und mir fehlen die Organe dieß alles darzustellen.«*
Ich will diese beiden Blätter absenden. Seit dieser Zeit ist viel geschehen und ich muß mich sammeln um wieder zu schreiben. Troz allem bin ich wohl und denke an die Rükkehr. Es muß auch seyn denn Rom habe ich noch vor mir.

Guten Morgen am 1ᵗ October 1830.

v. Goethe.

Dienstag den 21ᵗ noch auf dem Hipomeo. Mein letzter Brief endete auf dem Gipfel dieses Berges; jetzt geht es wieder herunter, durch Weinberge, und sehr bedeutende Weidenanpflanzungen, ich begriff erst nicht warum man hier Weiden so sorgsam pflegte, der Führer sagte mir aber man brauche sie zum Verbinden der Weinstäbe. Hier will ich ein Bild beschreiben: Freitag ein fideler Bildhauer, sitzt auf dem Esel mit der Tabakspfeife im Munde und die Weinflasche in der Hand; es war das naiveste was ich je gesehen. Wir kommen an eine Kneipe, halten an um 3 Wachteln zu kaufen, diese waren noch lebendig; der Bildhauer will sie nicht tödten lassen und stekt sie in die Tasche. Zwei ernste Pfaffen sitzen da und ich biete denselben eine Priße an; sie stehen auf, schnupfen u. danken. Wir reiten weiter. Auf einmal werden unsere drey Führer arretirt und wie mir ein Diener der Gewalt vertraute, weil sie Fremmde geprellt. Doch wir behielten die Esel und ritten nach Ischia zurück, gaben diese Bestien in dem Gasthoff mit der ausgemachten Summe ab und bestiegen eine Barke, auf welcher ich nach solcher Anstrengung einschlief und erst in Pozzoli wieder aufwachte. Von hier geht es gleich in den Wagen und um vier Uhr sind wir in Neapel. Ich blieb zu Haus bis mich Zahn um ½ 8 abholte, wir aßen zu Abend in der schon erwähnten deutschen Tratorie. Es kamen 5 Musikanten, wir wurden fidel und um 1 Uhr (die Nacht) gings nach Haus mit der Musik voraus, ½ 2 langte ich auf der Strada *Sta* Lucia No 21. an und legte mich zu Bett. *Mittwoch den 22. September 30.* Da ich etwas müde war so stand ich erst um 7 Uhr auf und sendete das Tagebuch bis incl: 18ᵗ Septb. ab. Ich revidirte alles und bezahlte bis zum heutigen Tag. Mein Quartir ist so schön daß ich zu Haus blieb u. erst um ½ 3 in das Hotel de Londre ging, wo ich Zahn nach der Verabredung traf. Wir waren sehr vergnügt und fuhren nach Tisch durch Neapel. Welches Treiben, welches Leben, welche öffentliche Liederlichkeit. Um 8 Uhr in die Eisbude, Abends im Hotel de Londre. Nachdem noch manches durchgetrieben, »*aber alles mit Liebe und Güte Herr Erbförster*« sagt Kilian im Freyschützen. Um 12 Uhr nach Haus. *Donnerstag der 23ᵗ Septb. 30.* Ich wollte nun gern die Reise *Am* und *durch* den Golf von Neapel machen, da nun Zahn noch Geschäfte hier abzuthun hatte, verabredete ich mich mit dem fidelen Bildhauer aus Rom. Er miethete Plätze auf einem Schiff welches nach Capri abgehen wollte und um 9 Uhr hatten wir uns das *Stelldichein* auf dem Largo di Castello gegeben. Troz eines starken Regens und Windes finde ich mich dort nach gewohnter Weise ein, treffe aber meinen Begleiter nicht. Ich wollte nicht untertreten, und finde einen leerstehenden Stuhl mitten auf dem Platze, lege den rothen Mantel darauf und setze mich hin, das Volk geht lächelnd vor über u. ich lache über mich selbst. Da entsteht hinter meinem Rüken ein fürchterliches Gebrüll; zwei Weiber sind sich in die Hare gerathen u. zausen sich mitten auf dem Platze. Volk und Polizey sieht ruhig zu. Endlich trennen sie sich unter höllischen Verwünschungen und ich warte immer noch. So geht es hier zu!? Da kommt der Bildhauer, wir gehen nach dem Molo und ich besteige das Marktschiff, den Bildhauer sende ich noch nach Wein u. Lebensmitteln. Es hatt gar keinen Anschein einer Abfahrt. Der Bildhauer kehrt zurük, bringt Wein und gebratenen Stokfisch wir essen und warten *fünf* Stunden. Unter dieser Zeit gefiel mir ein Knabe mit dem man respective zu sagen Schindluders spielte, weil er ein Bastard war. Ich wollte ihn kaufen und bot 10 Piaster aber der Junge wollte in kein anderes Land. Da hatte er Recht. Nun wurde uns angesagt das Schiff könne wegen widrigen Winden nicht abfahren, da stiegen wir aus; ich gehe nach Haus. Da man in Italien die Briefe immer selbst auf die Post befördert, so nahm ich einen Wagen und fuhr dahin, dann in die Albergo di Roma, um Zahn oder den Bildhauer zu treffen, welche beide dort wohnen; doch ich traf bloß den Bildhauer u. blieb mit ihm zusamen bis 8 Uhr. Dann gingen wir aus aßen Eis. Zu Abend im Hotel de Londre, wo auch Zahn war um 2 Uhr früh in meinem Quartir. Ich schrieb neulich Neapel hätte in mir eine Beruhigung hervorgebracht –! Jetzt ist es anders. Man wird ganz des Teufels und wenn man nicht den rothen Mantel mit hätte, sonst ging alles unter. Ich gebe Nachricht und Rechenschaft von jeden Tag und meinem Leben hier, aber zuweilen wird es mir sauer zu schreiben, da man dadurch Zeit verlirt und das Leben nicht genießen kann. Man wird hier Clair Voyant über Vergangenheit, Gegenwart und Zukunft.

Freytag den 24ᵗ September 1830 Früh am Tagebuch geschrieben bis 9 Uhr. Dann kam der Bildhauer Freytag zu mir, wir frühstükten zusammen und verabredeten die gestern verhinderte Reise nach Pestum u. s. w. Der Wagen wurde gemiethet und um 1 Uhr ging es fort. Wir hatten noch nicht gegessen u. hielten deswegen in Portici an wo wir etwas gebratenen Stokfisch und Wein zu uns nahmen; ein alter Soldate wurde mit zu Tisch geladen. Nun ging es weiter und um 6 Uhr kamen wir in Pompeji wieder glüklich an. Ich dirigirte den Wagen nach dem Haus des Diomedes, fand die Wachen als Freunde und einen in Neapolitanischen Diensten stehenden Nassauer Officir, da wurde etwas getrunken. Ich durchging Pompeyi in Begleitung der Ciceronis welche darauf sahen daß man nichts *rettet wie Rößel sagt.* Das Haus des Meleager wurde zuerst besucht und ich fand das erwähnte Wandgemälde ganz ausgegraben. Der Director der Ausgrabungen war so freundlich mir dieses Vergnügen zumachen, denn die Pforte war verschlossen. Welche Freude! Dieß Gemälde stellt das Urtheil des Paris vor. Nie habe ich etwas schöneres gesehen, besonders schlau erscheint Merkur welcher hinter dem Paris lauernd steht. Ich gedachte des Bildes in meinem Cabinet, aber wie anders hier! Das meinige ist von einem Niederländer gemahlt aber hier müssen lauter Oberländer gehaust haben. Hoffentlich ist eine Durchzeichnung bald in Ihren Händen. Ich biete alles auf um Ihnen diese Freude zu machen, es kostet aber Wege, Muth u. – Geld. Hier ist alles verboten, aber auch alles erlaubt. Geld öffnet jede Pforte deswegen drang ich auch in das zuletzt ausgegrabene Haus. Von Wandgemälden fand ich nichts bemerkenswerthes. Aber die Wände mit den Arabesken, Stuk und Farben sind die schönsten welche ich in Pompeyi gesehen. Das Liederliche Haus mit den obscönen Wandgemälden (Sie bekommen auch Durchzeichnungen davon) sah ich auch, es ist alles in der Welt gut, heut wie morgen. Nun ging ich da es schon zu dämmern anfing nach dem Vitello, einer kleinen Meyerey, die ich schon erwähnt. Die Leute empfingen uns gut und ich war sehr müde, legte mich daher mit Stiefel und Sporen auf die Maismatraze. Da fühle ich auf einmal daß ich am Bein gezerrt werde und sehe mich um: Es war der gute Bildhauer der mir die Stiefel auszog und meinte es wäre doch besser so zu schlafen; ich dankte ihm und schlief weiter. Da nur ein zweyschläfriges Bett in der Stube war so kam mein Freund auch nachgekrochen und wir schliefen zusammen (das erste mal daß ich mit einem männlichen Subjekt in einem Bett zugebracht). *Sonnabend den 25ᵗ Septemb. 30* Ich ermuntere mich früh 4 Uhr um eine Terra Cotta zu retten welche unschuldig vor dem Fenster lag. Man hatte uns eingeschlossen. Ich stieg aber zum Fenster im Hemd hinaus und rettete. Schnell wieder zu Bett. Da kamen schon die Diener der Gewalt welche uns bedienen wollten denn sie brachten den Caffe und wekten uns. Der Isis Kopf aber war schon im Nachtsak. Nachdem wir Pompeyi *abermals* ganz durchwandelt und in der Waschanstalt der Eumachia gefrühstükt, so durchging ich noch einmal meinen Lieblingsort, das Forum Nundinarium und dann gings ½ 12 in den Wagen weiter, durch ein herrliches Land, was ist hier zu beschreiben, kommt selber und seht. Wir erreichten Salerno und noch Evoli wo wir die Nacht blieben. Das Abendessen bestand in einem sehr harten Huhn und einer weichen Taube und Wein. *Sonntag den 26ᵗ Septb. 30.* Beim Frühstük wurde mit der Wirthin einige Unterhaltung gepflogen, welche einige Sehnsucht nach den *Östreichern* bliken ließ. – !? Dann fuhren wir weiter. Ich sah die erste große Büffelherde von etwa 300 Stük. Das Land ist sehr gut, aber sehr wenig bevölkert und sehr schlecht angebaut. Da sieht es in der Lombardei anders aus. Hier kam auch ein Punckt wo ich die Augen sehr aufthat denn es ist die unsicherste Gegend, mündlich mehr davon, doch ich kam glüklich durch. Jetzt kommt aber mein Glük! Ich lange in *Pestum dem weitesten Ziel meiner Reise wirklich an. Gott sey dank.* Wer mir zuerst in den Wurf kam war der Oberpriester des Orts (ich meine den Pfaffen). Ich begrüße ihn freundlich und lade ihn zum Frühstük ein. Er geht mit in die Kneipe alles geht seinen Gang. Nach eingenommenen Collationen, wo ich mir auch schon die Wachen zu Freunden gemacht, fangen wir an zu wandeln, der Prister macht den Cicerone und dann geht es in den – – *Tempel des Neptun* – welch ein Anblik! Welche Größe mit den einfachsten verbunden! Welche Architectur! Die nebengelegene Basilika wurde ebenfalls durchgangen, durchsehen und bewundert. Sodann ging es noch in den Tempel der Ceres; da ist es wieder anders, nett, schlank aber man ist überall zu Hause. – Nachdem ich alles gesehen, bewundert, aber auch *gefühlt* ging es zum Mittagessen. Der Obermönch ging natürlich mit. In der Kneipe fanden wir viel Gesindel, auch 2 Capuziner, welche aber gleich Reißaus nahmen wie wir eintraten. Ich revidirte alle Gesichter, einige spielten Karten andere saßen nachdenkend da, auch zählte ich die Häupter meiner Lieben. Ich dachte am besten ist es du läßt die Kerls recht saufen. Ich kommandirte daher 25 Flaschen Wein für diese Lazaronis. So ein Volk muß man auch in der Trunkenheit kennen lernen. Nun gings los, auch der Obermönch wurde knill, sang Schumperlieder, die Kerls fingen an zu tanzen, und einen Fieberkranken der nichts mitmachen konnte trugen sie auf den Schultern umher. Erst nannten sie mich Eccelenza, dann Comte, zuletzt rief mich der Oberpriester zum Duca di Pesto aus; leere, halbvolle Flaschen schmetterten über meinen Kopf weg an die Wand. Da stand ich auf, nahm mein Glaß und rief Viva il Re und im Augenblik war alles ruhig. Dieß nahm ich wahr und schnell bin ich im Wagen. Ich dankte Gott aus dieser Geschichte zu seyn. Aber der Teufel plagt einen immer. Die Dämmerung fängt an, nachdem wir viele Miglien gemacht und der Veturino hält an einer Kneipe. Es war Nacht geworden. Ein Feuer brennt im Hintergrunde und da es Sonntag war, sitzt das ganze Nest voll verfluchter Kerls, grauenvolle aber schöne Gesichter. Mein Freund der Bildhauer wollte nicht aussteigen. Ich sagte aber *Vorwärts* und so drang ich auch in diese Nachtscene. Welch ein wunderlicher Anblik. Ich ließ allen Anwesenden wieder Wein reichen, sie wurden fidel, das gefiel mir, ich aß einige Sardellen, doch behielt ich alle im Auge, auch eine recht Junonische Gestalt — welche mir sogar einen Wink gab die Nacht da zu bleiben. Da ich kein Freund weder von der Circe noch Calypso binn so ergriff ich den ersten günstigen Augenblik und entwischte in den Wagen, rief dem Veturin Subito Subito zu und kam um 10 wohlbehalten in Salerno wieder an. Ich war wie hin u. legte mich gleich zu Bett. *Salerno Montag den 27ᵗ Septb. 30.* Früh 6 Uhr regnete es sehr doch hatte ich Hoffnung zu besserem Wetter und prophezeihe um 9 Uhr Sonnenschein. Es hängt ein wunderbar, auf Glaß gemaltes Madonnenbild in unserem Zimmer. Ich wollte es gern kaufen aber um keinen Preiß wurde es mir troz aller Kunstgriffe überlassen. Der Wirth hätte es mir gegeben, aber die Frau welche im Hause herrschte, war nicht zu bewegen. Da fuhr ich ab, das Gesicht aber vergesse ich nie. Es ging abermals, aber ohne Aufenthalt durch Pompeyi nach Castella-Mare wo wir die Nacht blieben.

Dienstag den 28ᵗ Septb. 30 Ein Hauptzwek dieser Tour war auch die Gräfin *Julie* in Sorent zu besuchen und mich an einer Landsmännin und Jugendfreundin zu erfreuen, deswegen nahm ich schnell eine Barke und fuhr um 7 Uhr von Castella Mare ab. Herrlicher Anblik der Gegend, welche nicht zu beschreiben. Um 1 Uhr langte ich zu Sorent an, erhole mich, esse, ziehe mich ordentlich und frisch an und um 5 Uhr lange ich mit meinem Freund Bildhauer bei der Gräfin an. Sie ist zu Hause! Ich lasse mich melden, werde natürlich angenommen und ich kann nicht versichern was ich für eine Freude hatte. Der Abend und die halbe Nacht vergingen in Gesprächen mancherlei Art und um 12 Uhr schieden wir, nachdem ich eingeladen worden den anderen Morgen um 7 wieder zu kommen. Nach einem Weg von einer halben Stunde nach Hause gelangt, ging es schnell zu Bett.

Sorent Mittwoch den 29ᵗ Septb. Früh 7 Uhr fand ich mich bei der Gräfin ein, es wurde eine Parthie nach Amalfi zusammen verabredet, da aber englische Familien mit ins Spiel gebracht wurden, so schied ich allein, doch versprechend den Abend in Amalfi zu seyn (was auch geschah). Ich besah mir das Haus des Tasso – nun der hat sich nichts schlechtes ausgesucht –. Dann stieg ich zu Pferd, die Bestie stürzte aber nach 10 Minuten und ich revidirte meinen Körper, da ich aber fühlte daß nichts gebrochen war, so sagte ich zum Bildhauer welcher auf einem Esel saß, nun geht alles zu Fuß. Er stieg auch ab und wir behielten bloß unseren Cicerone und das Maulthier mit dem Gepäk. Es war ein schöner aber grasser Weg *berg auf*, der Bildhauer wurde Müde, legte sich gerade an die Straße und da ich auch kaum mehr fort konnte, so legte ich mich auf ihn und schlief ein. Nach ¾ Stunden circa höre ich etwas trappeln, raffe mich auf, da kommen Priester und eine Todten Baare. Nun denke ich, es ist Zeit weiter zu gehen, weke mein Kopfkissen den Bildhauer und so ging es vorwärts bis auf den Gipfel des Bergs. Eine Barke erwartete uns am Meer; aber ehe wir dahin gelangten – !! so bergunter (nicht Burgunder) da glaubte ich wirklich unter zu gehen. Es war kein Spaß mehr es war Ernst, die Knie versagten zuletzt beinahe den Dienst aber ich würgte mich doch hinunter, bis in die Barke mit 4 Ruderern. Es war schon spät und ich merkte gleich daß wir starken Gegenwind hatten. Der Wind wird immer stärker und steigert sich zum Sturm, es donnert u. blizt. Das kleine Ding von Barke wankt immer mehr der Brandung zu, die Felsen in jener Gegend kennen Sie, die Wellen schäumen und brechen sich häuserhoch: Was war zu thun? Ich nenne mich Arimbiörn der Seekönig und fange an zu commandiren, das heißt ich biete jeden der Barcaroles 5 Flaschen Wein, Makaroni und buon Mano: Nun gings, die Kerle arbeiteten wie die Besessenen, wir kamen aus der Brandung und Abend 8 Uhr nach Amalfi. Ich dankte Gott und legte mich schnell zu Bett, heute war es näher am Ersaufen, wie auf dem Dampfbot.

Amalfi den 30ᵗ Septb. 30 Ich sah Amalfi, aber die Gräfin nicht weil sie auf einem zu *hohen Punct* zeichnete, ließ ihr aber melden daß ich versprochenermaßen da gewesen wäre, nahm gleich eine Barke mit 6 Ruderern, Mundvorath und fuhr so um 10 Uhr von Amalfi ab. Der Weg nach Neapel ist herrlich u. schön, langweilt aber doch auf die *Länge*, denn es wurde Nacht ehe wir Neapel erreichen konnten. Belohnend für alle Strapazen war die Einfahrt in den Golf. Der Mond ging hinter dem Vesuv auf, die Sonne sank, feuerrothe und schwarze Wolken waren im Westen, wo man wirklich in die Hölle zu sehen glaubte. Der Vesuv war so artig wieder ein Schauspiel zu geben. Um 8 Uhr landete ich bei Sta. Lucia und fand mich in meinem Hauß und Stube auf No. sicher; ging gleich zu Bett.

Freytag den 1ᵗ Octob 1830 Früh 7 Uhr auf, alles revidirt, Wäsche abgezählt, alles in Geld berichtigt und am Tagebuch *ernstlich* gearbeitet wie Sie sehen. Ich esse auch zu Haus. Da höre ich auf der Straße einen Dudelsakspfeifer, der die Buratinis an den Beinen dirigirt. Das hatte ich noch nicht gesehen und lasse ihn zu mir kommen und auf dem Balkon sein Faxen machen. Das Volk versammelt sich und ist erfreut. Hierrauf lesen Freitag u. ich Ihre Epigramme von Venedig und finden überall bekannte. Abend spielte ich Guitare, sang alte und neue Lieder, fange an zu Improvisiren. Auf einmal höre ich vor meinem Fenster auch eine Guitare und andere Musik. Es waren die Musikanten aus der deutschen Kneipe welche gehört hatten daß ich wieder zurük sey u. da ich sie früher gut belohnt hatte, so brachten sie mir ein Ständchen. Ich ließ sie herauf kommen, es wurde bis Mitternacht musicirt und besonders freute ich mich, daß zwey englische Familien deswegen nicht schlafen konnten. Das Volk hatte sich vor meinem Fenster versammelt, tanzte, die Kerls schlugen Räder, es war ein ordentlicher Aufruhr. Ich schike den Camarieri hinab mit Kupfergeld. Die Menge wird immer Toller alles Tanzt selbst die Soldaten; besonders bringt die Tarantella alles in Bewegung. Der Vesuv leuchtet röthlich, und der Mond scheint lieblich. So vergeht die Zeit. Ich wandle in meiner Stube auf und ab, trete wieder auf den Balkon und man ruft Viva il Duce, ich sage Taci Signori, alles schweigt und ich rufe Viva il Re! Alles *stimmt ein* und geht auf eine einzige Handbewegung nach – Hause. Die Musik wird belohnt, verabschiedet. Ich ins Bett.

Neapel Sonnabend den 2ᵗ Octob. 1830. Ich revidire, bezahle den gestrigen Tag. Freytag geht nach Pompeyi wo er hin *muß*. Dann arbeite ich am Tagebuch über meine Kräfte. Die Leser werden alle bemerken daß es viel ist wenn man so bei der Klinge bleibt. Ich kaufe Bilder, d.h. Ansichten von Neapel, um weniges Geld, ach wenn ich sie Euch nur erst zeigen kann. Ich esse zu Haus, schlafe nach Tisch bis 7 Uhr. *»Ich bin so müde« aus der Ludlamshöle von Oelenschläger.* Der Mond ging hinter dem Vesuv auf es war ein großer Anblik: ich nahm die Guitarre und singe – ? *»Es schlug mein Herz geschwind zu Pferde«* (Goethes Werke Ausgabe von 1821 Pag 44.) Ich gerieth in Thränen. Empfinde es wer es will und kann.

Sonntag den 3ᵗ Octob. 30. Ich blieb den Morgen zu Haus, arbeitete am Tagebuch. Um 12 nahm ich einen Wagen für die übrige Zeit des Tags denn ich hatte das Sitzen im Hause satt, fuhr an die Post u. wollte den Brief absenden, aber sie war geschlossen, weil es Sonntag war. Ich fuhr zur deutschen Kneipe u. frühstükte dort dann ließ ich mich durch das bunte Menschengewimmel über den Toledo fahren. Wie schön sind hier die Menschen! und alles so bunt angezogen. Ich fuhr bis Capo di Monte kam ohne Schein in die Villa Reale weil ich sagte: Ich kenne den Fürsten Ruffo und gab 2 Carlini Geld (es ist immer ein Erlaubnißschein nöthig). Nun ging es retur wieder über den Menschenbewegten Toledo. Ich holte Stuznäßchen Naso Storto ab (mündlich mehr davon) und fuhr wieder auf den Toledo auf u. nieder, dann zurük. Den Abend brachte ich in der Schweitzerkneipe zu, wo es toll herging; es wurde commersirt, Officire, Kaufleute alles unter einander, lauter Deutsche. Sogar wurde Schillers Räuberlied gebrüllt. *»Ja so gehts hier zu, keiner hört auf den andern.«* Um 12 war ich in meiner Stube und auch gleich zu Bett.

Montag den 4ᵗ Octob 30 Früh 6 Uhr wekte mich ein Kanonenschuß vom Castel Ovo. Meine Fenster zittern, ich springe aus dem

Bett und denke?, ja eh ich dachte ging es von der andern Seite los. Alle Castelle feuerten; die drey Fregatten auch, man mußte sich zusammennehmen, um die Gedanken zu behalten. Ich klingle um den Camarieri zu fragen was das vorstellen soll. Er kommt und sagt es sey der Namenstag des Königs. Da legte ich mich wieder ins Bett und lasse schießen. Sie haben ja auch lieber Vater bei der Belagerung von Mainz geschlafen. Um 8 Uhr stehe ich ruhig auf, man schießt wieder, ich kehre mich nicht daran u. schreibe am Tagebuch, bestelle aber beim Camarieri eine Illumination zu Ehren des Tags für diesen Abend vor meinen Balkon u. Fenster. (Die Lampen werden schon von früh durch die Stadt feilgeboten und es kostet beinahe nichts). Der Vesuv raucht ungeheuer. Mittag aß ich in der Schweitzer-Kneipe fand deutsche, denn kein andrer kommt dorthin; ließ mich nach Tisch mit einer Nachmittagsruhe ein, welche bis 7 Uhr dauerte. Dann gingen wir mehrere nach der Caserne des 1ᵗ Schweizerregiments welche sehr gut illuminirt und mit Transparents geschmükt war. Herrlichste Musik von 50 Trefflichen Regimentsmusikanten, wieder zu Rudolph in die Kneipe, zu Abend gegessen. Dann nach St. Carlo wo Rosamunde eine neue Oper gegeben wurde. Das Haus war ganz voll alles im Höchsten Schmuk wegen dem heutigen Fest. Die brillanteste Beleuchtung, 6 Reihen Logen über einander alle mit den schönsten Damen gefüllt, viele Tausend Wachslichter, ein großer Kronleuchter, ein Parterr wie ein kleiner Markt vollgepfropft von Menschen. Ich drang bis an das Orchester und blieb einen Act. Ich konnte nicht mehr. Die Schauspieler kamen mir vor wie Puppen so groß ist alles und ich beschäftigte mich mehr mit dem Anschauen des Parterrs und der Logen als mit der Bühne. Sänger und Sängerinnen waren mittelmäßig. Ich stieg in den Wagen und kam um 10 nach Haus, so müde daß ich beinahe umfiel, doch legte ich mich noch zu Bett. So ist es die Zeit hergegangen. Mir wirbelt der Kopf, doch man muß ihn auf der rechten Stelle behalten. Ich schließe diese Blätter und wünsche daß sie bei den wunderlichen Ereignissen in Eurer Nähe alle munter und wohl treffen mögen. Hier ist alles ruhig außer dem Vesuv. Denkt an Euern entfernten Freund

v. Goethe.

Neapel Dinstag den 5ᵗ October 1830

Früh um 7 Uhr aufgestanden, am Tagebuch geschrieben, es ist eine harte Arbeit, aber es mußte seyn damit man weis wo Zeit und Geld hinkommt. Es dauerte bis 1 Uhr. Der Banquer Klentze besucht mich und giebt mir Nachrichten aus Deutschland. Dann durchging ich noch mehrere Sträßchen der Stadt und Abends fand ich mich in der Deutschen Trattori ein. Blieb dort bis 11 Uhr. Ich habe von gestern etwas vergessen zu erwähnen: Nehmlich den freundlichen Händedruk des Amerikaners den ich in St. Carlo traf, denn dieselben Schiffe die ich schon in Genua gesehen, liegen auch hier wieder vor Anker.

Neapel Mitwoch den 6ᵗ October 1830

Früh 6 Uhr auf, alles revidirt und bezahlt. Das Tagebuch vollendet und um 10 Uhr nach Pompei abgefahren, ich hielt nicht an bis am Thorhause (Haus des Diomedes) und fand die fidele Wache lauter alte Garde welche mich mit Jauchzen empfing; ich ließ ihnen wie gewöhnlich Wein geben und suchte den Professor Zahn auf welchen ich auch in Vitelli bey Tisch, nebst Freund Freitag antraf. Wir waren recht vergnügt machten einen abermaligen Gang durch Pompeyi. Es ist wunderbar daß einen eine todte Stadt so fesseln kann. Die Nacht schlief ich in Vitelli.

Pompeyi Donnerstag den 7ᵗ October 1830.

Früh 8 Uhr auf, Bildhauer Freitag fängt mein Bild an in Wachs zu kopiren, auf die Art von Posch, es wird späther fertig werden und nach Weimar kommen: Der Direktor der Ausgrabungen kommt meinetwegen von Torra di Annunziate nach Pompei. Es werden in einem neuerstandenen Hause Nachgrabungen angestellt, man findet eine bronzsene Schale mit einem Sthiel welcher einen Widderkopf hat, es war ein schönes Ding, ich hätte es gern gerettet aber es ging nicht. Zugleich fand auch das Skilet eines Ibis u einer Eule welches höchst merkwürdig ist da es wirklich ein Prachtzimmer war in welchem diese Thiere exestirt haben mußten. Es haben in Pompei blos Kaiser von Östereich u. der König von Preußen Häuser welche ihnen zu Ehren ausgegraben worden sind, da ich aber einmal hier bin so wollte ich versuchen ob es nicht möglich sey, auch zu Ihren Ehren lieber Vater ein Haus aus der Asche wieder an das Licht zu fördern. Durch Zahns Bemühungen gelang es und schon am andern Morgen

Pompei den 8⁺ October 1830

wurde angefangen an Goethes Haus die durch Asche verschüttete
Pforte zu öffnen, nach einigen Stunden bemerkte man schon daß
es eines der schönsten und wichtigsten zeither an das Licht geför-
derten Häuser seyn würde, denn man fand gleich eine Schale auswendig mit Gold belegt inwendig von Blei. Die Architektur gleich
beym Eingange war ebenfals so prachtvoll als merkwürdig, denn
der gewöhnliche Sims machte schon ein Coridor mit neten ko-
rinthischen Säulchen, das ganze wurde getragen von vergoldeten
Sfingsen, die Wände von gewöhnlich mit brillanten bunten Farben zeugten sich. Ich gehe wider nach Vitelli und schlafe ein wenig da ich sehr müde war. Es wird mir gemeldet die Gräfin Julie v.
Ecklofstein sei angekommen und da ich ihr noch eine Wahrheit
von Amalfi schuldig war so entledigte ich mich dieser, in Gegenwart meiner Freunde und ihrer englischen Umgebung, lud sie ein
in Goethes Haus zu kommen, und ging selbst dahin. Die Arbeit
war schon wieder vorwärts gegangen. Ich hatte einen Dudelsacks-
pfeifer mit genommen, das todte Pompei erschien lebendig denn
Custoden und anderes Gesindel folgten mir, ich kahm mir vor wie
der Rattenfänger von Hameln. Sie tanzten vor dem Hause. Gräfin
kahm ich reichte ihr eine Apfelsine um dieß neu ausgegrabene
Urtheil des Paris bildlich darzustellen. Ich saß auf einem alten
Sims sie stand vor mir mit der ganzen Suite. Entfernte sich dann
und ich ging nach Vitelli zurük. Ich hatte Musik bestellt von Torre
anunziate, das ganze Volk von Pompei folgte mir es wurde ein
mord Specktakel alles tanzt auf einer Terasse. Madam v. Gerlach
geb. Martin kommt, das Kind fängt auch mit an die Taratella zu
tanzen. Es kommt ein Lazaroni herauf und ich fange selbst mit
demselben die Taratella zu tanzen, man bewundert meine Kenntniß dieses Tanzes (den ich nie getanzt habe). Das Ding wird immer toller und da es eben zu dämmern anfing so entwischte ich in
die todte Stadt, durchging dieselbe besonders meinen Lieblings
Orth das Forum Nundinarium. Ich kehrte zurück und leider war
unter dieser Zeit die Gräfin Julie auch in Vitelli gewesen und
hatte trotz ihrer Abneigung gegen den Tanz mit Professor Zahn
einen Walzer entwickelt. Ich kahm leider zu späth um ebenfalls in
einem Landler alte Erinnerungen aufzufrischen und nachdem ich
die Musick und alles Gesindel mit Wein und Geld abgefertigt
legte ich mich zu Bet.

Pompei Sonnabend den 9ᵗ October 1830

Da man immer hier bewacht ist, so versuchte ich heute früh allein Pompei zu durchwandeln. Es gelang mir und ich wandelte wie ein alter durch die veredeten Straßen, keine Wache, kein Custode, kein Anhang, das ist hier viel. Es begeen mir englische Familien die rumgetrieben werden, ich geh allein und ruhig die Wachen und Custoden rufen mir zu: buon Giorno Sig. Conte was hier eine Ausnahme ist. Ich ersehe meinen dicken Custode. Er führt mich nach meinem Wunsche in den Tempel des Merkur wo ich noch nicht hinsollte. Hierher sind alle neuausgegrabenen Sachen gerathen Terra cotten, Bronzen, antikes Glas, einer Unzahl antiker Weinkrüge waren aufgehäuft, ich besah mir alles, merkte mir vieles und ging wieder nach Hause d.h. Vitelli. Hier legte ich mich ein bischen hin und schlief einige Stunden, bis mich der Dudelsakspfeifer wieder aufweckte. Das Volk von Pompei war abermals versammelt, man tanzt man trinkt abermals auf meine Rechnung; das thut nichts denn hier ist es wohlfeil. Ich entwische dem Tumult und schlafe bis früh.

Pompei Sonntag den 10ᵗ October 1830.

Der verfluchte Pfeifer sitzt noch immer da, macht Musick andere Kanaglien auch welche noch etwas Geld haben wollten. Alles wird abgelohnt; ein Wagen kommt von Torre di Anunziate und ich fahre mit Freitag ab. Da es aber Sontag ist so war die Welt und das Treiben so bunt daß man rein in Verwirrung gerieth, Kaputziner in einen Kapriolet hinten der Veturin mit der Kutsche, Kapriolets für zwei Personen eingerichtet, vorn aber sieben Sitzen; in der Mitte eine Frau mit einem säugenden Kinde, daneben ein Pfafe, hinten stehen ein Soldat u. ein Bauer auf dem Teil, im Netz liegt eine alte Frau wieder mit einem Kinde, auf beiden Triten hengen wieder Monschen, wie sonst die Pagen an dem Hofwagen. Der Veturin sitz vorn wo man garnicht glaubt daß ein Mensch sitzen könnte. So geht es fort im sausendem Gallopp. Aber so geht der Teufel hieben und drüben immer los, man denkt ein Wagen müsse den andern umreißen, so würgt sich alles, sie fahren aber an einander vorüber daß man glaubt kaum eine Messerklinge dazwischen legen zu können. So werden auch die Fußgänger behandelt, schön angezogene Leute. In Weimar ist das Schnelfahren verbothen weil es wenig Menschen dort giebt, hier ist es erlaubt weil 50 000 hier leben und die Sträßchen wie Bienenschwärme wimmeln.

Um 1 Uhr langen wir in Neapel an. Der Portie am Hause des preußischen Gesandten wird begrüßt, es wird angehalten, er kommt an den Wagen und meldet daß Geheimer Rath v. Bunsen Minister und Gesandter bey Heiligen Stuhl, angekommen sey. Wir fahren nach St. Lucia No 21 d. h. No. sicher, kommen an und sind Menschen d. h. wir ziehn uns an und machen die gewöhnlichen menschlichen Reinigungen und versuchen ein Besuch bey Herrn von Bunsen, er war nebst seiner Frau Gemahlin nicht zuhause und wir gingen deswegen weiter, aßen Mittag bey Rudolph in der Schweitzerkneipe, fuhren dann den Toledo auf und ab, besuchten Naso Storto, aßen den Abend bey Rudolph. Um 10 Uhr waren wir in St. Lucia N° 21.

Neapel Montag den 11ᵗ October 1830.
Früh fangen wir an zu packen. Der gute Freitag hat die Gefälligkeit das Packen der Küste von den Kleinigkeiten zu übernehmen, welches schon in einem Briefe welcher vor oder nach mir nebst der Kiste ankommen wird. Ich packte einen Koffer und richtete alles zur Abreise ein, schließe mein Tagebuch übergebe es der Post; ordne meine Angelegenheiten mit Klentze (Bankqieur). Wir essen zu Hause dann mit Freitag spatzieren, Abend bey Rudolph um 10 Uhr zu Hause, wir lesen die Römischen Elligien und gehn um 12 Uhr zu Bet.

Neapel Dinstag den 12ᵗ October 1830
Diesen Tag verbrachte ich theils um Neapel zu genießen theils um alles abermals zur Abreise vorzubereiten. Der Veturin nach *Rom* wurde gemiethet. Es wurde sehr viel am Tage Buche gearbeitet. Abends in der Schweitzerkneipe, um 8 Uhr zu Haus und schnell zu Bet treflich geschlafen bis

Neapel Mitwoch den 13ᵗ October 1830
Den ganzen Morgen zu Hause am Tagebuch gearbeitet. Freitag fährt fort an meinem Portrait zu arbeiten, weswegen wir auch zu Hause bleiben; fröhliche Gespräche verkürzen die Zeit, bis zum Abend, wo ich Gräfin Julie, welche angekommen war besuchen wollte. Ich fand sie leider nicht zu Hause, doch da Madam Gerlach geb. Martin heimisch war so verbrachte ich mit derselben, in Erinnerung alter Zeiten, einen angenehmen Abend; schied

um 10 Uhr und ging sogleich zu Hause, wo ich mich auch sogleich zu Bet legte.

A. von Goethe.

Wenn einige orthographische Fehler seyn sollten ich habe diese
Blätter dictirt!!

Mittwoch den 13ᵗ Octob. 30. Diesen Tag wendete ich noch an, um
drey Dinge zu sehen, nemlich: Canal doli, wo die schönste Aussicht ist, dann Castel St. Elmo und die Catacomben. Aussichten
kann man nicht beschreiben, eben so wenig unterirdische Hölen
und Gänge mit Gebeinen angefüllt und da ich wenig Zeit habe,
so will ich nur bemerken, daß ich da war, mündlich mehr davon.
Den Abend wollte ich Gräfin Julie besuchen fand sie aber nicht,
sondern blos Mad. Gerlach geb. Martin. Ich blieb bis 10 Uhr in
angenehmer Unterhaltung und ging dann nach Hause, wo ich
meinen Bildhauer fand. Ich ging bald zu Bett. *Donnerstag den
14ᵗ Octob. 1830.* Da gleich am Morgen wieder geschossen wurde,
so gedachte ich *der Schlacht von Jena*, stand auf, beschäftigte
mich mit Vorbereitungen zur Abreise und schrieb am Tagebuch;
ging dann zum Bankier Klentze, welchen ich nicht fand, sondern
nur seine angenehme Frau, von welcher ich zugleich Abschied
nahm. Ich aß zu Hause da noch mancherlei zu thun war. Nach
Tisch besuchte mich Hr. Klentze und ich ordnete meine Geldangelegenheiten. Dann wurde noch der Platz in den abgehenden Schnellwagen gemiethet. Der Abend wurde zu Hause zugebracht und da es Morgen um 3 Uhr fortgehen soll, so ging um
9 Uhr zu Bett.
Freytag den 15ᵗ Octob 30. Da dieß der *Geburtstag von Frau von Pogwisch* ist so gratulirte ich aus der Ferne. ½ 3 Uhr früh kam der
Wagen mich abzuholen. Er war zu 6 Personen eingerichtet 4 im
Wagen 2 im Capriolet. Ich hatte einen Platz *im Fond* und der kostet 14 Scudi bis Rom, wo man auch dafür 1 mal beköstigt wird. Es
war Nacht und ich konnte meine Reisegefährten daher nicht erkennen. Da ich sehr müde war, schlief ich ein und erwachte erst
in Capua, wo umgespannt wurde. Es war 8 Uhr. Ich trank Kaffe
und dann ging es weiter. Es waren 6 Passagire: 2 Römer, 2 Neapo-

litaner, ich und der früher erwähnte Baron Oefele. Man fährt hier fürchterlich schnell, es wird einem himmelangst. Mittag aßen wir in Mola di Gaeta, Abends kamen wir nach Terracina, die Nacht ging es durch die Pontinischen Sümpfe, welche ich daher nicht beschreiben kann, nur hörte ich von Fern Büffel darin brüllen und wilde Schweine grunzen. Troz aller Mühe konnte ich mich des hier verbotenen Schlafs nicht erwehren, ich trank daher vorher eine halbe Flasche Wein, zog die Bärenmütze über das Gesicht und oben darüber noch den rothen Mantelkragen und schlief herrlich bis ich morgens *Sonnabend d. 16ᵗ Octob. 1830.* bei *Genzano* am Lateiner Gebirg im Hein der *Diana* erwachte, eine der herrlichsten Gegenden die ich bis *Jetzt* gesehen. Die alterthümliche Stadt, die Tiefen Abgründe mit immergrünen Eichen! ein etwas schlechter Weg ganz steil hinunter, das Tolle fahren der Postillions, machte einen beinahe verwirrt. Ich dankte Gott wie wir in Albano um 8 Uhr morgens ankamen und frühstükte eine gute Suppe, Macaronis nebst einem Trunk köstlichen u. sehr wohlfeilen Genzano Wein. Nun ging es wieder fort und um 11 Uhr hielten wir an einem Wirthshaus *im alten Rom beim Aquaduct.* Hier kneipte ich nicht sondern sah mich um: *Und Bagdad lag vor mir* (aus Oberon). Die Kuppel von St. Peter glänzte in der Morgen-Sonne und das neue Rom breitete sich vor meinen Bliken aus. Die Pferde waren angespannt und nun gings wieder fort. Um 12 Uhr langten wir an der Porta St. Giovanni an. Schon die Kirche *St. Giovanni in Laterano* gebot Ehrfurcht, aber nach wenig Augenbliken stand das *Collosseum* vor meinen Bliken. Ich that die Mütze ab und dankte Gott HIER zu seyn. Das Campo Vacino entfaltete sich mit seinen zertrümmerten Herrlichkeiten, immer gings weiter am Foro Trajani vorbei, herrlicher flüchtiger Anblik der ungeheuren Säule, nun durch die Stadt. Welch ein unterschied gegen Neapel, wie wenig Menschen in den herrlichen Straßen. Endlich kam ich auf dem Spanischen Platz an, wo gleich in der Strada di Condotti das Hotel d'Almagne ist (bei Franz einem Schweitzer). Da stieg ich ab. Ich war munter, aber doch müde. Es war eine Teufelstour, doch hier darf man nicht dämmern, denn Zeit u. Geld gehen einen unter den Händen weg. Ich schikte sogleich nach Preller, den Bankier Bronkedari (von welchen ich 2 Briefe aus Weimar erhielt, wie mein Brief gemeldet). Schnell stieg ich die Spanische Treppe hinauf um den Sonnenuntergan am Obilisken auf *Trinita del monti* zu sehen. Rom lag vor mir und die Sonne ging hinter St. Peter unter, alles war wie ein Rosenflor. Ich kehrte zurük, fand Preller, mit dem ich den Abend auf meiner Stube souppirte. Um 10 Uhr legte ich mich erfreut u. beglükt nieder. Gott gebe ein fröhliches Fortschreiten meines Wirkens und Treibens in dieser Weltstadt.

Bald ein mehreres. »Lebt alle wohl und wenn ihr könnt so lebt beglükt.«

August.

Ich warte mit Sehnsucht auf Nachrichten von Ihnen.

Rom den 16ᵗ Octob. 30.

Bester Vater.

Mein Tagebuch, den Abgang von Neapel betreffend werden Sie wahrscheinlich schon erhalten haben und es wird Ihnen zeigen wie es mir ergangen und was ich gemacht. Jetzt bin ich hier in 26 Stunden von Neapel bis Rom gefahren, mit einer neu eingerichteten Schnellpost von *Acraziano*, einem Privatmann. Mein Tagebuch wird das weitere melden. Ich muß mich erst sammeln und das geschieht eben, da ich an Sie lieber Vater schreibe. Ich hoffte Briefe von Ihnen hier zu finden (den letzten vom 5ᵗ August erhielt ich in Neapel) aber vergebens, doch fand ich einen Brief von Mad. Gille, vom 6ᵗ September welcher mir gewisse Kunde gab daß es in unserem Hause wohl stehe. Gott sey dank! Ich habe auch heute an dieselbe geschrieben, und sie gebeten, Ihnen den Brief mitzuteilen. Da es mir von höchster Wichtigkeit war Nachrichten von Weimar zu erhalten, so hat mich natürlich dieser Brief sehr erfreut. Zugleich erhielt ich einen Brief von Soret mit einer Inlage an Ekermann vom 23ᵗ *April?* Wer ist von uns beiden in den April geschikt? Ich nicht denn ich bin in *Rom.* Ich sitze in einem kleinen Zimmerchen am Caminfeuer und erfreue mich der Vergangenheit, wie der Zukunft. Mein höchster Wunsch ist erfüllt! Ich habe Italien gesehen und genossen, bin Reich an Kenntnissen von Kunst, Leben, Treiben und Natur geworden und da Sie mir schrieben auf einige Kugeln am Rosenkranze käme es nicht an, *so habe ich sie gut verwendet.* Preller habe ich gesehen und mir theilweise zum Cicerone erkoren; er war entzükt, erwartet aber auch eine kleine Unterstüzung. Können Sie es machen so thun Sie es. Mein Tagebuch wird Ihnen zeigen daß ich mit der alten Garde Schritt und Trit halte, giebt es einmal eine Batterie zu nehmen, so geht es freilich auch im Sturmschrit − − (nemlich im besten Sinn), da erwirbt man sich Ansehn. Und das ist in dieser Zeit nöthig. Durch Herrn Kästner den Hanöverschen Gesandten, bin ich heute von allem unterrichtet worden was sich in unserem lieben Vaterlande ergeben. Bis jetzt war ich so unschuldig wie das Kind im Mutterleibe. Doch sehe ich daß es überall Toll gegangen, da man aber keine Actio in Distans hat so kann man auch nicht helfen! Deßwegen verfolge ich meine Zweke, Italien zu sehen u. kennen zu lernen, ich hoffe es gelingt mir und ist für meine ganze künftige Existenz sehr wichtig. Menschenkenntniß und höhere Kunst- und Naturbildung sind etwas Großes. Es ist das erste mal, *im 40ᵗ Jahre*, daß ich zum Gefühle der Selbstständigkeit gekommen, und unter fremden Menschen Lazaronis, sogar Räubern, Barcaroles und andern, auch vornehmen Gesindel. Man wollte mich heranziehn, *Spiel, Mädchen, Frauen.* Die drei letzteren Dinge hatte ich verschworen. So kehre ich frey und frank zurück, wenn ich auch bei anderen Gelegenheiten etwas mehr Geld ausgegeben als andere. Kunst, Natur und Volks-Leben kennen zu lernen war mein Zwek und den habe ich so weit meine Kräfte reichen, erreicht. *»Vieler Menschen Städte gesehen und Sitte gelernet.«* Und so will ich heute diesen Brief schließen und wünschen daß es Ihnen, dem ich dieß Glük danke so wie allen den Uebrigen wohl ergehe. Leben Sie wohl und grüßen Sie Frau, Kinder, Verwandte u. Freunde.

Ihr treuer Sohn
A. v. Goethe.

Rom
Sonntag d. 17ᵗ Octob. 1830. Ich hatte mir vorgenommen Rom einmal schnell zu durchfahren um einen algemeinen Begriff und eine Uebersicht zu erhalten, deswegen hatte ich mir mit Hülfe des gekauften Plans die Wege vorgezeichnet welche ich machen wollte. Um 9 Uhr kam Preller mit dem Wagen und wir fuhren

nun gerade vom Spanischen Platz nach Porta del Populo. Der Platz um den Obilisken ist ganz neu arangirt mit Terrassen, Statüen, Bäumen an den Seiten, es ist ein schöner Anblik. Dann fuhren wir duch die Strada Ripetta nach der Engelsbrüke an der Engelsburg vorbei nach St. Peter. Ich stieg auf dem Platz zwischen den Colonaden aus und eilte die bequemen Treppen, man kann sie kaum so nennen, hinein. Es wurde gerade Messe gelesen, ich stand wie verzaubert, wie klein kommt man sich in diesem herrlichen einfachen dennoch collossalen Gebäude vor. Nach genommenen Ueberblick, eilten wir im Wagen nach dem Campo Vacino, fuhren durch um das Collosseum herum, unterwegs das Haus gesehen wo Raphael gestorben. Dann nach Monte Cavallo, einen Augenblick ausgestiegen, die Collosse, meine Freunde und Lieblinge begrüßt, dann nach dem Capitol, zuletzt an der Rotonde gehalten aber nicht hinein gegangen. Dabei liegt eine sehr gute Osterie, etwas flüchtig genossen, dann auf Monte Pincio gefahren, ein Logis gemiethet. Den Hanöverschen Gesandten Hr. Kästner besucht, die herzlichste Aufnahme gefunden. Dessen Egyptischen Sachen, die Terracotten, und Vasen flüchtig besehen. Er lud mich und Preller zum Essen um 6 Uhr ein. Um 2 kam ich nach Haus. Ich arbeite am Tagebuche fort, um 5 kommt Preller mich abzuholen. Wir gehen noch ein wenig auf der Pincio Promenade und hören in Trinita di Monti den göttlichsten Nonnengesang. Das war ein Genuß, solche Stimmen habe ich noch nie gehört, das Ora pro nobis brachte einen bis zu Thränen. Um 6 zu Hr. Kästner, wo wir einen sehr genußreichen Abend vollbrachten. Die ausgezeichneten Kenntnisse dieses Mannes, seine Liebenswürdigkeit und freundschaftlichen Erweisungen steigerten den Genuß dieses Abens. Ihrer lieben Worte wurde viel gedacht und aus einem äcft Egyptischen Becher Ihre Gesundheit getrunken. Um 11 Uhr ging ich nach Haus.

Rom

Montag d. 18ᵗ Octob. Schlacht von Leipzig.

Ich arbeite fortwährend am Tagebuch. Es dauert bis 11. Preller kommt mich abzuholen. Ich bringe meine letzten Briefe selbst zur Post (das ist in Italien üblich). Wir durchstreifen noch einige Straßen, Kneipen etwas, um ½ 2 nach Haus. Hr. Kästner kommt mich zu Wagen abzuholen um mich in den *Vatican* einzuführen. Wir durchgingen heute die unendliche Reihe von Gallerien,

Sälen, Zimmern wo die Antiken, Statüen, Büsten u. s. w. aufgestellt sind, das gränzt an Wahnsinn und man wird ganz Turmlich,
dennoch würgte ich mich durch, sah manchen alten bekannten
z. B. den Laocoon, Apoll v. Belveder u. s. w. Welcher Reichthum
und welches Local!! Wir kehrten um und hatten eine gute Viertelstunde zu gehen bis wir wieder, u. das ganz schnell, an das äußerste
Ende der ersten Gallerie kamen. Wenn man nun bedenkt, das alles
von Statüen, Büsten, Basreliefs auf diesem Weg doppelt und drei-
fach an, ja überfüllt ist so kann man sich den Reichthum denken.
Ich werde wenn ich einmal die Hauptsachen gesehen nun mehr in
das Detail eindringen. Es war schon schummrig geworden, wir
fuhren noch über den Piazza Navona und an der Fontana di Vir-
gine vorüber. Den Abend blieb ich zu Haus u. auch allein, arbeitete am Tagebuch und ging um 10 zu Bett.

Rom
Dienstag den 19ᵗ Octob. 30.
Früh 6 auf, am Tagebuch gearbeitet. Um 9 kommt Preller mir zu
melden wie er erfahren daß Briefe an mich bei der Preußischen
Gesandtschaft lägen. (Ich war noch nicht da gewesen weil Hr.
von Bunsen in Neapel ist). Ich eile zu Wagen dahin, man hatte sie
aber an Hr. Kaestner gesendet da man meine Wohnung nicht
kannte, nun eile ich dorthin und finde Ihren lieben Brief bis zum
30ᵗ September, so wie Innlagen von Ottilien, Rinaldo und den
Kindern. Keine größere Freude konnte mir in Rom werden. Tausend Tausend Dank. Ich sang: *Kommt e Vögli geflogen setzt sich
nieder auf mei Fuß. Hat 2 Zetterl im Gohcherl und im Herzen e
Gruhs.* Hierauf fuhr ich nach Haus und wechselte mein Quartir
indem ich auf Monte Pincio zog. Die Luft ist dort weit gesünder
und ich lebe viel wohlfeiler weil ich leben kann wie ich will. Ich
habe ein schönes großes Zimmer gute Wirthsleute. Meine Aussicht ist zwar beschränkt aber ich sehe doch mehr als aus meinem
Kerker im Hotel d'Amagne. Auch war ich heute beim Bankier
Brancadori einem sehr artigen Mann um etwas Geld zu holen.
Abends richtete ich mir mein Zimmer wohnlich ein, revidirte
alles u. vermißte nichts. Preller besuchte mich, er wohnt in meiner Nähe. Er hat mir dieß Quartir ausgemacht. Ich zahle monatl.
4 Scudi incl. Bedienung. Bemerken will ich noch daß ich auch
heute die Rotonde von Innen gesehen, schade daß dieses so
großartige, ganz einzig in seiner Art sich darstellende Gebäude,

durch die Schlechten neueren Statüen und Altäre so verunglimpft ist. Heute zogen auch die Demoiselle Klapproth aus Berlin und Demiselle Wennig aus München deren Bekanntschaft ich schon aus Florenz erwähnte hier mit ein, wir sind Zimmernachbarn.

Rom

Mittwoch d. 20ᵗ Octob 30.

Da das Wetter so schön, man aber auf lange Dauer nicht rechnen kann, so nahm ich mir vor sobald wie mögl. die entferntesten Puncte zu besuchen. Ich setzte mich daher mit Preller um 8 Uhr in den Wagen um nach *Tivoli* zu fahren. Es war ein sehr schöner aber sehr kalter Morgen: Nachdem wir an den Trümmern der Bäder des *Diocletian* vorbeigefahren und die einen ewig umgebenden Gartenmauern Roms verlassen, so breitete sich die ungeheure Campagna di Roma vor uns aus. Ein wunderbarer Anblik. Welch schöner fruchtbarer Boden und wie wenig bebaut. Die Abwechslung der kleinen Hügel, die Ruinen der alten Grabmäler, die spärlichen Meyerhöfe geben dem Ganzen einige Mannigfaltigkeit, und Farbenpracht bei diesem schönen Morgen war ungemein. So fuhren wir dahin 3 Stunden immer in dieser Einförmigkeit, bis wir uns dem Gebirg näherten und bei der *Villa* des *Hadrian* abstiegen. Eine ungeheure Kaiser-Zustands-Zertrümmrung, wird durch gangen. Die Natur hat sich Allem bemächtigt und in ihre mütterlichen Arme genommen. Arenen sind mit Weinreben und Oliven bewachsen, in Naumachien weiden Ziegen u. Esel, im griechischen Theater wächst Herzkohl und Brocoli; kaiserliche Zimmer, Tempel, Bäder sind von Epheu, wilden Wein und anderen Schlingpflanzen umrankt, aus den herrlichsten Gemächern ragen Feigen- und Orangenbäume hervor. Die Centi Camarelli (sonst eine Caserne) sind am besten erhalten. *So sieht es aus.* Ich würge mich zu Fuß 3 Stunden durch diese Gewinde von Brombersträuchern, Aloeen und Mirthen Gesträuch. Es war eine Tour wie von Weimar bis Mellingen und zurük. Der Cicerone, ein simpler Bauer machte seine Sache vortreffl. und setzte mich Anfangs wirklich in Erstaunen. Zum Glük hatte ich etwas Wein, Brod u. Wurst im Wagen welches bei der Rükkehr in denselben verzehrt wurde. Nun gings nach Tivoli vorwärts wo wir um 3 Uhr anlangten, und im Gasthoff in dessen Hoffe u. Bereich der herrliche Tempel der Vesta liegt. Wer

Lust hat ihn zu sehen, der gehe auf die Bibliothek wo er im Kork-
modell steht. Die ganze Villa Hadrian ist in dem Gartenhause im
unteren Garten an die Wand in Kupferstich auf genagelt, da
kann man sich einen Begriff machen. Vom erwähnten Tempel
hat man die herrlichste Aussicht und Absicht: oben das wirklich
ganz italienische Tivoli, dann die Tiefsten Abgründe mit den in
Frazen ausartenden Kalkfelsenmassen den ungeheuren Bernini-
schen Wasserfall im Hintergrunde. Ich stieg sogleich zu besag-
tem Wasserfall hinab, drang in die Grotte des Neptuns, welches
Tosen welches Brausen, wie quält, drängt und stürzt sich das
Wasser durch diese baroken Felsen, man wird betäubt und erstaunt zugleich. Und welche üppige Vegetation, Farrenkräuter
und sonstiges Gepflänze im üppigsten grün lachen einen ruhig
und freundlich unter diesem Natur u. Kunst-Ungetüm an. Mich
ergötzte besonders das kleine Taubenhaus im Felsen welches ich
so oft auf Kupferstichen u. Gemälden oben im Felsen gesehen.
Wir stiegen zurük und nahmen unsere Bronze, dann ging es wieder vorwärts, in die Villa des Mäcen. (Hier fiel mir die Ode des
Horaz an den *Maecen* ein wo mit ich meinen Primaner Examen
beim alten Schulrath Schwabe bestehen mußte, ich glaube sie
fängt so an: Maecenas atavis edite Regibus). Ungeheure Wassermassen sprudelen, strömen und fließen hier in überwölbten
Gängen. Wir konnten uns aber nicht lange hier aufhalten, weil
es zu feucht u. kühl war und weil wir nach Sonnenuntergang in
der Villa d'Este weilen wollten. Es gelang; die Sonne war eben im
Sinken, die ganze Campagna lag im Rosenduftigen Schleier, Tivoli glühte und am Horizont ragte St. Peters Kuppel. Wir durchgingen noch den Feengarten dieser Villa, doch es wurde zu kühl
und wir eilten in das Gasthaus, das Scheiden war schweer. Den
Abend verbrachte ich in Gesellschaft des preußischen Gesandt-
schafts-Secretairs Hr. Rebnitz welcher auch Maler ist und Preller,
Angenehme Unterhaltung – 11 dann schnell zu Bett.
Tivoli Donnerstag den 21ᵗ Octob. Früh 7 auf. Schnell angezogen
und mit Preller in ein Caffe um dort Caffe zu trinken, denn im
Gasthoff bekommt man keinen, es war schon ganz voll da weil je-
dermann d. h. *Mann* den Caffe außer dem Hause trinkt, Pfaffen,
Beamte, Bürger alles war schon dabei. Es war sehr kalt. Nun
gingen wir nach den Cascadellen. Himlisch sich schlängelnder
Weg am Abgrunde, wo man nach und nach, bei allen Windungen

des Bergwegs Tivoli von allen Seiten, wenigstens von den vortheilhaftesten sehen kann. Ich fand ein Ammonshorn im Apeninn u. Kalk, die erste Versteinerung in Italien, ich bringe es mit. Am Hauptpunct den Cascadellen gegen über angelangt, stiegen wir zu dem Malerischsten Punct hinab. Bunte Schmetterlinge, erschienen mir wie fliegende Blumen. Doch welche Empfindungen erregen die in 14 verschiedenen Cascaden herabstürzenden Wassermassen!!! Wenn man unseren Schloßthurm in die Tiefe stellte in welche sie sich hinabtoben so würde er lange nicht die Höhe des Punctes erreichen von welchen sie sprudelnd hervorragen und sich von dieser Höhe über gewaltig gestaltete Felsmassen schäumend dem Abgrund kühn vermählen. Ruhig schlängelt sich dann diese Wassermasse durch Weingärten, Oliven- und Orangenwäldchen, bis es zur Tieber gelangt.

Unter den Papieren, welche nach des Vaters Tode aus Rom kamen.
Wolfgang von Goethe.

August von Goethe: Vorarbeiten und Notizen
zum Tagebuch, aus dem ersten Notizbuch.

August von Goethe: »Spelunce« von Genua.
La Spezia 8. August 1830.

August von Goethe: Vorarbeiten und Notizen
zum Tagebuch, aus dem letzten Notizbuch.

Moritz Steinla: August von Goethe.
Rom 1830.

Sonntag d. 17ᵗᵉ Octob. 1820. ...

August von Goethe: Auf einer Reise nach Süden,
letztes Blatt des Konvoluts.

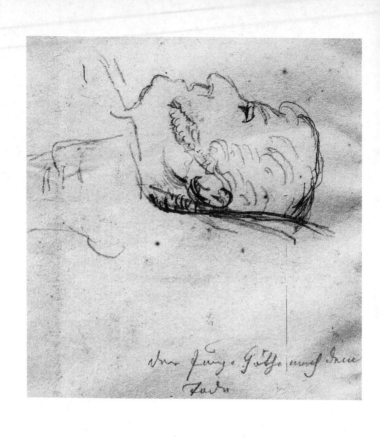

Friedrich Preller d. Ä.:
Der junge Goethe nach dem Tode. Rom 1830.

GOETHE FILIVS
PATRI
ANTEVERTENS
OBIIT
ANNOR XL
MDCCCXXX

Bertel Thorvaldsen: Inschrift und Medaillon auf dem
Grabmal August von Goethes im Cimitero Acattolico.

Johann Wolfgang von Goethe:
Pyramide des Cestius bei Vollmondlicht.

Vorarbeiten und Notizen zum Tagebuch

⟨*1*⟩ *GSA Weimar, Signatur 37 / XII,6*
Donnerstag den 21ᵗ Octob. ⟨...⟩
Von diesem Punct sieht man auch die Villa des Mecän und die
dort wieder herabstürzenden Wassermassen. Herrlichste Beleuchtung dieser Naturscene. Um 10 waren wir wieder zurük, frühstükten etwas Warmes. Setzten uns in den Wagen u. fuhren an
der Villa d'Este an. Ich wollte sie auch in der Morgenbeleuch-
tung sehen. Welcher Anblik! Dieser FeenGar wo Pinie, Cipresse,
Mirthe in den herrlichsten Gruppen wetteifern, wo man zwischen den Orangenheken wandelt, wo das Wasser welches ich
heute seinen natürlichen Gang nehmen sah in Canäle, gezwungen sah welche hunderte von kleinen Brunnen bilden, dann darüber wieder 100ᵗ von Springbrunnen aus den verschiedensten Figuren hervor tanzen. Große Wasser Massen die an ungeheure
Schalen ströhmen über denen FlußGötter und Nymphen in
Grotten thronen wo sich Seen entfalten, ja da könnte es einem
schwürblich werden. Ich genoß dieses herrlichen Anbliks welcher noch dadurch erhöht wurde daß gerade heute diese Feen-
welt von schöner Gesellschaft reich besucht wurde. Die schönsten römischen Frauen und Mädchen bewegten sich anmuthig
darin und ihre Naivität entzükte mich. Schnell eilte ich in den
Wagen und fuhr in 2 ½ (das ist ungeheure Gefahr) nach Rom
zurük wo ich ½ 4 Uhr ankam. Schnell rassirte ich mich, zog
mich um und ging mit Preller welcher ein gleiches gethan in die
Villa Borgese wo zur Zeit der Octoberfeste die großen Volksmas-
sen, so wie die vornehme Welt versammelt ist. So sah ich die
Volksthümlichkeit und die feinste Welt mit einem Blik. Ländli-
che Tänze nach dem Tampurin, und StaatsCarrossen in Unzahl,
in diesem ebenfalls feenartigen Brauch es wurde kühl wir eilten
nach Rom zurük in die deutsche Künstler-Kneipe wo ich präsi-
dirte. Es wurde gesungen Vaters Gesundheit. Ihre Gesundheit
erklang ich dankte. Dann der *König von Tule, mich ergreift* »Was
hör' ich *draußen vor dem Saal*« u.s.w. Aber auch heitere Lieder,
deutsche u. Italienische wurden durchgemacht. Es ist ein herrlicher Sängerchor und ein Verwandter von Eberwein ein Land-
schaftsmaler Hr. Nerly, ein genialer Mensch dirigirt die Musik.

Lassen Sie es doch Eberwein wissen auch daß ich seinen Brief er-
langte. Auch lernte ich den Hrn. Van Bree den Bruder des Nie-
derl. Malers einen sehr feinen Mann kennen. Um ½ 11 war ich
wieder auf Monte Pincio in meinem Zimmer u. schlief nach
diesem wohl angewendeten Tage bis

Fortsetzung des Tagebuchs.
Rom den 22ᵗ Octob—

Freytag den 22ᵗ Octob. 30.
Früh 6 auf, am Tagebuch gearbeitet. Der Grieche Demetriny besucht mich und ladet mich ein seine Egyptische Sammlung zu
sehen. Um 11 Preller. Wir gehen bei Kästner, dessen geschnittene
Steine gesehen von höchster Wichtigkeit. − 1 Uhr dort. Dann
nach Haus. Um ½ 3 wieder bei Kästner wir besuchen Torwalsen,
herzlicher Empfang. Dann zu Kästner in die Villa Albani gegangen, herrlicher Anblik. Der Garten obgl. in franz. Geschm. doch
sehr reizend ungeheurer Monats-Rosenflor. In der Villa selbst
außer einer Unzahl von Statüen, Büsten, Basreliefs u.s.w. bes. zu
bemerken. Das Großbasrelief den Antinous darstellend, eine
Statü des Aesop ungeheure Masken. Dann der Plafond von
Mengs, Apoll mit den 9 Musen. Welche Farbenpracht. Um 5
zurük ich fuhr in Kästners Wagen, er ritt. Bei St. Maria Majore
gehalten Sonnenuntergang. Welche schöne Basilika und welch
einfacher reiner Stiel! Die Sonne fiel gerade durch die Fenster
im Chor hinter dem Hochaltar es war ein göttlicher Anblik.
Kästner ritt noch spaziren ich ging nach Hause. Pfaffenheere
durchwimmeln die Stadt, Eremiten taumeln auf den Plätzen
umher und alte Nonnen durchkrochen die Straßen. Es ist nicht
zu leugnen daß die Römerinnen die schönsten Frauen in Italien
sind, nie habe ich etwas ähnliches gesehen. Ihre Gestalt ist schön,
die Haltung stolz und die Gesichter immer nobel wenn sie auch
nicht gerade schön sind, die Augen durchbohrend. Ich habe auch
viele schöne Männer gesehen, doch sind die Mailänder schöner
und es giebt eine größere Anzahl. Preller erwartete mich schon
zu Haus ich machte die Bekanntschaft einiger deutscher Künstler die im Hause mit und da bei Nacht in Rom nichts vorzuneh-
men ist so ging ich mit in die Tratoria Fiano wo sich alle abend
die deutschen Künstler versammeln. Es sind über 30 immer da

lauter sehr gebildete und treffliche Menschen, *keine Nazarener.* Es wird über manches ernste gesprochen, doch sind sie auch wieder sehr fidel und ich in Italien noch keine so vergnügten Abende zugebracht wie unter diesen Männern. Um 10 Uhr wird gewöhnl. Schiff gemacht u. ½ 11 war ich zu Hause denn ich habe ½ Stunde bis zu meinem Hause. Da beinahe alle deutschen Künstler auf dem Monte Pincio wohnen so zieht das ganze Heer zusammen ab und es wird gewohnl. bis nach Haus gesungen und gejodelt. Das ist alles hier erlaubt. Preller blieb die Nacht auf meinem Kannapee weil er seinen Hausschlüssel vergessen. *Sonnabend den 23ᵗ Octob.* Früh 7 auf. Am Tagebuch gearbeitet – 12. Dann mit Preller zur Post das Tageb. abges. –. Montag d. 16ᵗ Octob. incl. abges. dann gefrühstükt – 1. Dann nach Hause am Tagebuch fort gearbeitet –.

Aus den Papieren des Vaters, welche nach seinem Tode aus Rom kamen.

> *Wolfgang v. Goethe.*

Weitere Briefe August von Goethes

⟨2⟩ *An die großherzogliche Kammer, Konzept, GSA Weimar,*
Signatur 37/XII,5

Der
Großherzogl. S. Hochpreißlichen Cammer
alhier
Weimar den 2ᵗ Juny 1828. Der Cammerherr u. Geh. Cammer-
Rath von Goethe bittet um Urlaub von Mitte August bis Ende
October d. J.
Großherzogl. S. Hochpreißl. Cammer

Es ist in mir der Wunsch rege geworden in diesem Sommer und
Herbst eine Reise nach Oestreich und Oberitalien zu unternehmen theils um mich in manchen zu unterrichten, theils meiner
Gesundheit wegen, welcher eine fortgesetzte Bewegung sehr zu-
träglich seyn wird. Demgemäß bitte ich ein Hochpreißliches
Cammer-Collegium Sich bei Sr. Königl. Hoheit dem Großherzog
meinem Gnädigst regierenden Landes Fürsten u. Herrn dahin
zu verwenden daß mir gedachter Urlaub von Mitte August bis
Ende October d. J. gnädigst ertheilt werden möge.
Zu Unterstüzung dieser meiner gehorsamsten Bitte, füge ich
hinzu daß ich seit neun Jahren ununterbrochen bis auf einige
kleine Excursionen in die Nähe in Weimar anwesend gewesen
bin, auch Herr Cammer-Rath Brandt sich freundlichst erboten,
in meiner Abwesenheit mein Referat gefälligst zu übernehmen
und meine Stelle bei G. H. Oberbaubehörde zu vertreten.
In dem ich dieses mein Gesuch zu geneigter Rücksichts-Nahme
ehrerbietigst empfehle verharre ich als eines Hochpreißl. Cam-
merCollegii unterth. Gehorsamster Diener pp

mund. d. 2. Juny 1828.

An
Großherzl. S. Hochpreißliche Cammer allhier.
Weimar den 22. März 1830.
Der Cammerherr und Geheime Cammerrath von Goethe bittet
um Urlaub vom Anfang Mai bis Ende Oktober d. J.
v.G:

Großherzl. Sächs. Hochpreißl. Cammer!

Schon im Jahre 1828 bat ich ein hohes Cammer-Collegium, Sich
bei der höchsten Behörde hinsichtlich eines dreimonatlichen Urlaubs huldreich zu verwenden und wurde mir damals auch gedachter Urlaub gnädigst verwilligt.
Eingetretene unerwartete Umstände aber erlaubten mir nicht,
von dieser höchsten Gnade Gebrauch zu machen. Jetzt aber erfordert meine Gesundheit theils den Gebrauch eines südlichen
Seebades und sodann eine unausgesetzt fortdauernde Körperliche Bewegung. Ich wage es daher, ein hohes Cammer-Collegium hiermit zu ersuchen, Sich bei Sr. Königl. Hoheit dem gnädigst regierenden Großherzog dahin gütigst zu verwenden, daß
mir vom Anfang Mai bis Ende Oktober d. J. ein Urlaub zu einer
Reise nach Italien verwilligt werde.
Ich hoffe umso weniger hiermit eine unbescheidene Bitte vor-
zutragen, da ich seit meiner jetzt beinahe neunzehnjährigen
Dienstzeit, außer eines achtwöchentlichen Urlaubs im Jahre
1819 ein hohes Collegium mit Urlaubsgesuchen auf längere Zeit
nicht behelligt habe. Zugleich bemerke ich ehrerbietig, daß
Herr Cammerrath Brand und Herr Cammerrath Rott sich
freundlich erboten haben, in dieser Zeit mein Referat bei Grhzl.
Cammer-Collegium gefälligst zu übernehmen. Indem ich einer
gnädigen Gewährung vorstehender Bitte entgegensehe, nehme
ich als
Grhzl. S. Hochpreißlr Cammer
unterthänig-gehorsamster
G.

mund. 22. 3. 30

⟨4⟩ *An Christiane Gille, Goethe-Museum Düsseldorf, Anton-und-Katharina-Kippenberg-Stiftung, Signatur KK 3446; gedruckt in Stern, S. 193 f.*

Offenburg im Breisgau d. 29 Aprl 30.

Abend 6 Uhr.

Guten Abend.

Sie werden wohl schon manches durch mein Tagebuch von mir erfahren haben und so erwähne nur noch einiges. Von Weimar bin ich mit recht schwerem Herzen abgefahren denn das Losreißen von so vielen mir theuren hatte mich ganz hingerichtet, auch war ich sehr leidend. Obgl wir sehr gute Gesellschaft und sehr bequeme Plätze hatten so konnte man doch kein Lächeln abgewinnen. Das Wetter war kalt, besonders in der Nacht vom 22^t auf den 23 d. M. Fürchterl. Regen, ungeheurer Sturm wüthete so daß die hinter uns kommende Schnellpost vom Sturm umgeworfen ist. Die fürchterliche Uebereilung beim Frühstüke, Mittag, Abendessen machten mich vollends caput so daß ich nicht mehr konnte, eine Verletzung am Fuß beim Einsteigen zugezogen machten das Ganze voll. Wegen letzerer mußte ich in Frankfurth einige Tage verweilen u. konnte 2 Tage das Zimmer nicht verlassen, doch machte mir der Meßspectakel unter meinen Fenstern Spaß. Ich bin nun mit Retour-Chaisen von Frankfurth sehr bequem hierher gelangt und gedenke mit solchen auch bis Lausanne zu gehen. Die Gegend ist hier himmlisch und manchmal habe ich Sie, Gille und Marichen hergewünscht. Da fällt mir etwas ein! Gestern Abend an der Wirthstafel in Carlsruhe wurde viel vom dortigen Hofftheater gesprochen und von mehreren Carlsruhern geäußert daß mann eine *erste* Sängerin suche, es sey aber immer daran gescheitert daß diese Personen zu viel verlangt hätten z. B. die Scheihern 5000 Gulden Rtl. Der Großherzog habe den Grundsatz ausgesprochen der ersten Sängerin nicht mehr als den ersten Tenoristen H. Heizinger (welcher sehr brav seyn soll und 3000 Gulden Rl. hat) geben zu wollen. Sollte sich Marichen nicht um diese Stelle bewerben, wenn sie andres in Weimar nicht wieder abgeschlossen hat? Theilen Sie doch dieses der Schmidtschen Familie mit meinen Grüßen mit. Das Theater in Carlsruhe wird in ohngefähr 6 Wochen wieder eröffnet bis dahin ließen sich vielleicht Schritte thun. Noch etwas muß ich Ihnen doch mittheilen, nämlich die Schüsseln welche wir heute in einer kleinen Landstad Bühl beim Mittagessen hatten: 1. Suppe 2. Rindfleisch mit Senf u. grüner Gresse 3. Spinat mit Eyern, pp 4 weiße Rüben mit Cotlets, 5. Spargel mit Sauce u. Servelatwurst, 6 Omlet Soufflé, 7. Jungen Hasen mit Wein gestoft, 8 Forelle 9. Kalbsbraten mit Sallat 10. zum Desert Mandeln, Bisquit, Confect. 11 Butter u. Käse 12. Kaffe. Für dieses alles sehr reichlich nur für mich u. Ekermann allein aufgetragene Essen nebst einem Nösel recht guten Wein zalte diesem 15 gr. 8 d. Dieß müßte man unsren Wirthen unter den Fuß geben. Hierbei bat noch die Wirthin heute so vorlieb zu nehmen. Verzeihen Sie daß ich Sie mit diesem langeweile. Lassen Sie die meinigen wissen daß Sie von hieraus Nachricht von mir haben und daß ich mich recht wohl befinde. Grüßen Sie Gille, Nanny, Carl, Marie u. Melanie und denken Sie zuweilen an Ihren

Treuen alten Freund
v.Goethe.

N.S. wollen Sie mir einmal ein paar Zeilen widmen so schiken Sie sie nur zu meiner Frau!

⟨5⟩ *An Ottilie von Goethe, GSA Weimar, Signatur 37/XI,11; gedruckt in Oettingen II, S. 246–249*

Mailand den 13ᵗ May: 1830.

Liebe Ottilie.

Ich bin nun 150 Meilen weit von Dir entfernt und will Dir doch auch ein vertrauliches Wort zukommen lassen, welches Dir meinen Zustand klar machen soll. Ich ging wirklich so krank aus Weimar daß ich nicht glaubte Frankfurth lebendig zu erreichen, durch die Anstrengung in den letzten 8 Tagen hatten sich alle meine Uebel so gesteigert, daß ich in einem verzweiflungsvollen Zustand den Postwagen bestieg, wie es aber Gott immer mit dem Menschen gut meint so schickte er mir auch hier einen Trost: es war ein gewisser Docter Wapritz Regiments-Arzt beim 1ᵗ Garde

Regiment in Berlin, welcher nach Paris reißte, ein sehr gebildeter und zugl. lustiger Mann. Ich dachte wenn dir also etwas zu-
stößt so hast du doch ärztliche Hülfe und das gab mir neuen
Muth. Bis Frankfurth kam ich also obgleich sehr angegriffen
und ohne kaum etwas genossen zu haben denn sogar das Kauen
wurde mir beinahe unmöglich schlucken konnte ich auch kaum.
Meine Füße waren mir an den Fußsohlen so wund geworden daß
ich kaum von der Post in den Gasthoff forthinken konnte und so
mußte ich denn in Frankfurth 4 Tage liegen bleiben. Den Rath
des Arztes und einige Tage Ruhe stellten mich in einigen Tagen
soweit her daß ich abreisen konnte. Wir bekamen eine gute
Retour bis Carlsruhe, von da eine dergl. nach Basel, und von da
wieder nach Lausanne. Genf habe ich vermieden die Ursache
war 1. daß sich mir eine herrliche und wohlfeile Art darbot nach
Mailand zu kommen und daß ich mich noch nicht wohl genug
fühlte um in Genf Gesellschaften zu besuchen, welches doch unvermeidlich gewesen wäre. Ich bin von Frankfurth die Nächte
ausgenommen ohne Rasttag jeden Morgen von 5 Uhr bis Abends
7 Uhr gefahren und habe also 14 Tage ununterbrochen in Bewegung und frischer Luft zugebracht. Es wurde mir sehr sauer nur
eine Treppe zu steigen, der Chatarr quälte mich Tag und Nacht
und raubte mir oft die wenigen Stunden der Ruhe, doch ich ließ
nicht ab, und es ist mir gelungen.
Seit ohngefähr 8 Tagen bessert es sich von Tag zu Tag, alle Sy-
steme kommen ins Gleichgewicht und ich habe die beste Hoffnung *ohne Arzney* ganz hergestellt zu werden wenn es so fort
geht, wozu Gott ja seinen Segen geben wird. Wie ich von Weimar
abging kannte ich meinen Zustand genau und es war die Wahl
zwischen einer Parthie durch das Frauenthor in die Nähe des
v. Posekschen Hauses oder in die Weite Welt. Da bin ich nun und
sehe mit Freude daß mein Gefühl richtig war. Nicht Üppigkeit
oder Neugier konnten mich aus meiner Familie reißen, die
äußerste Noth trieb mich um den letzten Versuch zu meiner Erhaltung zu machen Manche die mich in Weimar zuletzt gesehen
mögen das nicht begreifen, aber mein damaliges Benehmen war
eine verzweifelte Maske. Ich wollte Du könntest mich jetzt beobachten, welche Ruhe im Gemüth ist eingetreten, wie stark fühle
ich mich wieder, mit welcher Leichtigkeit steige ich die 54 Stufen zu meinem Zimmer! Dir danke ich alles dieses, denn Du hast

doch den Entschluß befördert und das Ganze gemacht, ich will es in der Zukunft zu vergelten suchen, könnte ich nur mein früheres Unrecht gegen Dich auch austilgen. Mein Tagebuch wird Dir zeigen daß wir uns rasch bewegen und hier beinahe in 24 Stunden 14 im Freyen zubringen. Bis jetzt habe ich noch keine Nachricht von euch Gott gebe daß es allen wohl geht, wie sehne ich mich oft nach euch und wünsche mich in eure Mitte und nur die Hoffnung auf meine völlige Herstellung kann mich bewegen, die Bewegung noch fortdauern zu lassen, es wird auch wohl noch mehr Geld kosten, denn es ist sehr theuer und vom Gastwirth bis zum Bettler hält alles die Hände auf, bis jetzt ist noch alles gut gegangen Gott schenke mir ferner seinen Segen zur Weiterreise. Mailand ist so schön daß man sich ungern trennt, auch kommt man sich heimisch vor, es wird viel deutsch gesprochen, wir haben einen deutschen Lohnbedienten, eine deutsche Wäscherin, die Wirthsleute sind deutsche u. s. w. Der Engeländer dessen Namen ich neulich im Tagebuch ausgelassen ist Shuttleworth. Was machen denn die Kinder? Der Vater und die übrigen Verwandten? Ich war Dir diese Erklärungen schuldig und überlasse Dir wem Du Mittheilung davon machen willst. Es ist eigen mit welcher Ruhe ich alles dieses mir doch ganz Fremde betrachte und wie alles sich an mir vorbeibewegt, vieles hat mich erfreut vieles erhoben, erstaunt bin ich aber noch nicht. Lebe wohl küsse die Kinder, grüße den Vater, die Großmutter und Mutter auch Ulriken und denke zuweilen wohlwollend an Deinen

August.

⟨6⟩ *An Christiane Gille, Goethe-Museum Düsseldorf, Anton-und-Katharina-Kippenberg-Stiftung, Signatur KK 3444; gedruckt in Stern, S. 194*

Mailand den 13ᵗ May Abends 11 Uhr.

Guten Abend

So wäre ich denn nun 150 Meilen von Ihnen entfernt! Welcher Zwischenraum! Seit meinem letzten Brief bin ich ununterbrochen bis hierher fortgereißt, wo ich den 10 d. M. Abends angekommen. Mailand ist eine himlische Stadt und ich wünschte daß ich sie mit den Leipziger Reisegefährten durchwandern könnte. Mit meiner Gesundheit geht es viel besser beinah ganz gut. Der Aufenthalt wird mir hier durch den Unglüksfall verbittert den die Myliussische Familie erlitten; sie haben den einzigen Sohn verloren er starb zu Triest wo er mit seinen Eltern und Braut war um sich trauen zu lassen an einer Unterleibs Entzündung hat sich aber noch sterbend trauen lassen. Myliussens sind daher gar nicht hierher gekommen sondern gleich nach ihrem Landgut am Lago Majore 6. Stunden von hier gegangen. Ihren Gruß habe ich daher schriftl. abgetragen. Ich werde noch einige Zeit hier verweilen um einige Parthien in die Nähe zu machen, auch später wenn ich von Venedig zurükkomme wieder hier ansprechen ehe ich nach Neapel u. Rom gehe welches etwa in 6−8 Wochen geschehen kann. Lassen Sie auch etwas von sich u. den Ihrigen hören. Grüßen Sie Gille, Nanny, Carl, Marie, Melanie und Schmidts.

Der alte
v.G.

⟨7⟩ *An Ottilie von Goethe, GSA Weimar, Signatur 37/XI,11*

Mailand den 28ᵗ May 1830.

Liebe Ottilie.

Diese Zeilen nebst den weißen Rosen sind dem 17ᵗ Juny gewidmet und ich wünsche nur daß alles zu rechter Zeit anlangen möge. Dieses Simbol möge auch für die Zukunft Freude bedeuten, indem Du siehst daß ich in der Ferne eines Tages mit Rührung gedenke, den ich noch oft mit Dir zu durchleben hoffe. Die anderen Kleinigkeiten, als die Halstücher sind für Walther u. Wolf bestimmt das Kleidchen für Emmi-Minzi, grüße die Kinder herzlich und küsse sie in meinem Namen. Aus meinem Tagebuch wirst Du ersehen haben wie ich es treibe und daß ich alles mit Ruhe u. Besonnenheit genieße. Seit meiner Abreise bin ich mir keiner Heftigkeit bewußt und ich komme mir eher etwas niedergeschlagen vor. Die herrlichen Dinge aber die man sieht

heitern einen wieder auf. Es macht mir einen ordentlichen
Genuß das Tagebuch zu schreiben weil daß ihr alle es theilnehmend aufnehmen werdet. Des Vaters Briefe an mich sind heiter und befriedigend mehr braucht es nicht für mich. Bei den
Jungens sieh doch einmal wieder nach den Köpfen, Du verstehst
mich, so auch sorge für Reinhaltung der Zähne bei denselben.
Daß Ulrike so leidend ist schmerzt mich sehr. Grüße sie ja recht
von mir, so wie auch Mutter u. Großmama. Ich lege allerley
Comedien u. Anschlags-Zettel bei, hebt sie auf es ist eine hübsche Erinnerung. Das weiße Rosenbouquet habe ich müssen auseinander nehmen lassen weil es sonst einen zu großen Raum
eingenommen haben würde, man kann es aber sehr leicht wieder zusammensetzen. Für den Vater habe ich recht schöne
Medaill. gekauft u. ich hoffe sie werden ihm Spaß machen. Für
mich kaufe ich nichts als höchstens ein kleines bleibendes Andenken an diese Reise. In der Rolle an den Vater sind auch Noten
für Dich meistens für die Pasta. H. Benedict von dem ich im
Tagebuch geschrieben hat sie ausgesucht und es war mir lieb
jemand vom Metier zu finden der mir diese Gefälligkeit er-
zeigte. Die Noten sind aus der ersten Musikhandlung Italiens
welche hier in Mailand ist und sich Gio. Riccordi schreibt. So
lebe recht wohl

Grüße alle.

Dein August.

d. 2ᵗ Juny. geschlossen.

⟨8⟩ *An Johann Friedrich Gille, GSA Weimar, Signatur 37/XII,9*

Mailand. den 31ᵗ May. 1830.

Theurer Freund

Der erste Theil Ihres lieben Briefes hat mich nicht im geringsten befremdet, Sie haben sich ausgesprochen wie ein wahrer
Freund und unsere Zustände nicht allein real, sondern auch mo-
ralisch beleuchtet. Glauben Sie daß mich die von Ihnen ausge-
sprochenen Gefühle von Weimar wegtrieben, denn dort konnte

mit mir keine Aenderung vorgehen, nach meinen Charakter häuslicher und anderer Lage suchte ich das Weite und eine fremde Welt, um mir in beiden das Gefühl zu erwerben wie Unrecht man oft zu Hause thut. Ich kann Ihnen als aufrichtig ergebener Freund versichern daß ich mir oft die bittersten Vorwürfe gemacht habe wenn ich von Ihnen nach Hause kam und bedachte wie Sie und die Ihrigen, meinen durch Krankheit und Hypochondrie bedrängter Körper und Geist, belästigt haben mußte, und doch war Ihr Haus, Ihre Gesellschaft ein großer Trost für mich, und wird es bleiben.

Ich habe meine Verhältnisse alle in moralischer Hinsicht rein verlassen, nach 20 jähriger Dienstzeit habe ich mir keinen Vorwurf gegen den Staat zu machen ich habe meine Fähigkeiten und meine Kraft so weit ich beides besaß gern und ununterbrochen für denselben verwendet; als Sohn habe ich seit meiner frühsten Jugend mehr als mancher andere gethan und mehr als mancher andere in meiner Lage, entbehrt. Als Gatte u. Vater habe ich den meinigen zu genügen gesucht, als Freund steets offen und treu gehandelt, doch im letzten Fall habe ich bittere Erfahrungen gemacht. Doch die Scheelsucht läßt auch den nur scheinbar glüklichen nicht in Ruhe sondern drükt mit spitzem Zahn den Geifer in die feinsten Adern des Lebens, und wenn dann sogar Menschen an einem freveln denen man nur Gutes zu thun bemüth war, dann steigt in dem Menschen eine Verachtung der Mitwelt empor, die in einem kleinen Verhältniß, wo man tägl. mit dergl. Subjekten in Berührung kommt, nur zur gänzlichen Abschließung führen kann. Doch hoffe ich bei meiner Rükkehr manches meiner Persönlichkeit schädliche abgelegt und einen froheren Lebens-Sinn gewonnen zu haben.

Was Weimar selbst betrifft so gratulire ich mir zur Collegenschaft in der Oberbaubehörde. Es war ein langer Wunsch von mir daß ein Mann wie Sie ihr beigestellt werden möchte. Ich freue mich zu hören daß alles leidlich gut geht nur thut es mir sehr leid daß Ihre Frau kränkelt. Der schöne Sommer, denn hier haben wir wenigstens herrliches Wetter u. bis jetzt nur 4 Regentage seit 5 Wochen gehabt, wird wohl auch sein Gutes thun. Grüßen Sie sie schönstens so wie auch Nanny, Carl, Marien und Mela. Daß Marichen Schmidt bleibt ist mir recht lieb wir würden viel verloren haben, denn Stimmen wie die Ihrige sind selten wie ich bemerkt habe. H. Cammermusikus Schmit und Frau, so wie Mariechen, bitte schönstens zu grüßen und ersteren zu sagen daß es hier ein Bier gäbe welches dem Ilmenauer ganz gleich käme, doch ist es theurer als recht guter Wein und ich weiß nicht was unser Freund vorgezogen haben würde. Sollten Sie den Hr. Oberkammerherrn sehen so bitte ich mich ihm zu Füßen zu legen. Ich hoffe Sie bekommen mein Tagebuch regelmäßig. Hieraus können Sie mein Treiben und Leben ersehen es ist ganz gut u. mäßig ich übernehme mich in nichts denn ich habe Zeit. Mein Vater scheint auch nach seinen Briefen mit meiner Art die Reise zu betreiben zufrieden u. so ist denn alles gut. Töpfern bitte zu grüßen und ihm zu sagen daß ihn eine Favorite von ihm eine gewisse dell. Berthaler aus Inspruk grüßen lasse u. sich entschuldige noch nicht für alle ihr von Ihm erwiesene Gefällig schriftl. gedankt zu haben. Mit Tausend Wünschen für Ihr und der Ihrigen Wohl steets Ihr

aufrichtig treu ergebener Freund
v. Goethe

⟨9⟩ An Rinaldo Vulpius, Goethe-Museum Düsseldorf, Anton-und-Katharina-Kippenberg-Stiftung, Signatur KK 3447

Lieber Rinaldo.

Ich danke Dir sehr für Deinen Brief u. Deine fortgesetzte Thätigkeit im Hauswesen, welches letztere mir meine Reise erst angenehm macht. Aus meinen Tagebüchern wirst Du sehen wie es mir geht, in Venedig ist es herrlich und man sehnt sich gar nicht weg. Laß Dir ja mein Tagebuch geben.
Sonst habe ich nichts auf dem Herzen. Grüße Deine Mutter und Braut so wie meine Freunde wenn Du sie zufällig sehen solltest als Töpfer, Gille, Waldung, Wagner, Groß.

Lebe recht wohl
Dein

August.

d. 11^t Juny 183.

⟨10⟩ *An Christiane Gille, Goethe-Museum Düsseldorf, Anton-und-Katharina-Kippenberg-Stiftung, Signatur KK 3444; gedruckt in Stern, S. 194 f.*

Mailand den 1ᵗ July 1830.

Dieser Brief wird wohl spät in Ihre Hände kommen da er mit einer Sendung theils durch Frachtfuhre theils durch Post nach Weimar gelangen wird. Da ich hoffe daß meine Tagebücher Ihnen nach meinem Wunsche mitgetheilt werden, so haben Sie wohl daraus ersehen daß es mir zeither wohlergangen und ich keine Reise Mißhelligkeiten gehabt habe. Auch mit meiner Gesundheit geht es gut, besonders hat mir der Aufenthalt in Venedig sehr wohl gethan und es scheint mir besonders die Seeluft zu bekommen; aber auch die große Bewegung die ich mir täglich zu Fuß mache, denn manchen Tag gehe ich 10 – 11 Stunden, mag dazu beitragen. Nur wenige Reste meiner Alten Uebel spüre ich leise und ein neues ist nicht hinzugekommen. Es ist freilich ein wunderbares Gefühl eine Zeit lang ganz sein eigener Herr zu seyn, und man muß sich in acht nehmen sich nicht zu sehr daran zu gewöhnen. Ich stehe sehr früh auf fast immer vor 5 Uhr bedenke mir dann was den Tag über Angenehmes zu treiben ist und da ich beinahe niemand kenne so hänge ich gänzl. von mir ab. Ich beschaue mir die dargebotene Welt u. deren Zustände nach Möglichkeit und finde immer etwas Interessantes zu bemerken. Wenn man so ohne anderen Zwek als sich zu bewegen und zu vergnügen den ganzen Tag in einer Stadt wie Mailand oder gar Venedig umhergeht so findet mann so viel daß die Zeit verstreicht man weis nicht wie, und besieht man noch dazu Kirchen, Bildergallerien u.s.w. so ist ein Tag vorüber ehe man es sich denkt und dannach verweilt man in Theatern, auf Promenaden, selbst in den Straßen bis nach Mitternacht und genießt dann eines erquikenden, von mir früher lange entbehrten Schlafes. Wie oft wenn ich recht froh bin und Dinge betrachte die mich in freudiges Erstaunen setzen wünsche ich Sie, Gille, die Meinigen und andere Freunde um mich; als ich zu erst das Meer befuhr hatte ich eine große Barke für mich allein, mit 4 Ruderern, schöne Bänke, ein netter Tisch, ein gutes Frühstük; es hätte alles für 6 gereicht; da dachte ich an Leipzig und Il-

menau und mit dem Wunsche sie alle hierher zaubern zu können, verlor ich mich trotz dem Gebrause der schäumenden Wogen in Träume der Vergangenheit. Die Tage von Leipzig traten
mir Mitte Juni recht vor Augen und ich erinnerte mich des
kleinsten Umstandes und mancher guten Witze. So wird es mir
Ende Juli u. den 3ᵗ *August* (Königs Geburtstag) gehen; Wer weis
wo ich da bin wahrscheinlich in Neapel. Von den Seebädern in
Genua u. Neapel hoffe ich eine besondere günstige Wirkung
und gänzl. Befestigung meiner Gesundheit; denn da ich bis jetzt
Gott sey dank noch keine Medizin gebraucht u. mich wohl
fühle, so wird fortgesetztes Verhalten u. Bewegung gewiß noch
das beste thun. Grüßen Sie Gille, Carl, Nanny, Marie u. Mela, so
wie Schmidts sämtl., auch bitte ich mich Sr. Excellenz dem Hr.
Oberkammerherrn von Wolfskehl ins Gedächtniß zu rufen und
mich unterthänigst zu empfehlen. Auch Töpfern grüßen Sie
freundlich und vergessen Sie den Wanderer nicht; manchmal ist
es mir doch sehr erquiklich wenn ich unter ganz fremden Menschen denke: daß man doch in Weimar mich nicht ganz vergißt.
Leben Sie recht wohl! Gott behüte Sie und die Ihrigen, denn es
gehört zu meinem Frieden zuweilen zu hören, daß es ihnen allen wohl ergeht.

Wie immer die alte Garde
August v. Goethe.

⟨11⟩ *An Christiane Gille, Goethe-Museum Düsseldorf, Anton-und-*
Katharina-Kippenberg-Stiftung, Signatur KK 3444; gedruckt in
Stern, S. 196 f.

Genua. Morgens 11 Uhr. Den *23. Jul. 1830.*

Guten Morgen

So eben erhalte ich Ihren Brief, wie freue ich mich zu erfahren
daß alles in Ihrem Hause wohl ist, und Gille so freundlich bei
Holteis Anwesenheit meiner gedachte. Carls theilnehmende,
fühlende Zeilen, haben mich eben so fröhlich gemacht wie die
so herzlichen von Nanny; tausend Dank beiden. Marien hoffe
ich recht gewachsen zu finden so wie Mela auch aber in ihren

Schlafröckchen. − Ich sitze hier in einem beinahe fürstlichen Zimmer, die Aussicht auf den Hafen wo 200 Schiffe liegen worunter 6 Kriegsschiffe, das ist ein wunderbarer Anblik für eine Landratte wie ich! warum ist es so weit von Weimar! und das Meer am Horizont so blau. Ich wünschte Sie, Carl, Nanny, Gille, Marichen und Mela nur eine Stunde hier, wie oft thut es mir leid alles dieses allein genießen zu müssen. − Mein Tagebuch mag Ihnen wunderlich erscheinen! aber ich bleibe immer die *alte Garde*, es geht heute mit diesem Brief ab, und ich hoffe es kommt beides zugleich in Ihre Hände. Nun muß ich Ihnen einen Traum erzählen den ich neulich auf dem Meer hatte: Ich wogte eines Abends auf dem Meer, erfreute mich des Lebens, denn alles war Bewegung. Schiffe liefen ein und aus, Fischer waren thätig und Delphine zeigten sich mir freundlich; ich kam mir vor wie ein Kind in der Wiege und schlief ein, den Linken Arm auf dem Rand der Barke. Da sah ich träumend eine schäumende Welle, sie ward zum Schleier den zwei schöne Arme emporhoben; Augen! ein holdes Gesicht blikten mich an. Sie legte die rechte Hand auf meine Linke; ich fühlte den sanften Druk der Theilnahme an meinem Meerleben. Wir sahen uns in die Augen lange lange −. Sanft entschwand Sie, die liebe Hand entschlüpfte, die meinige war in die Wellen gesunken. − − −. Die Theilnahme Sr. Excellenz des Herrn Oberkammerherrn an meinen Zuständen freut mich sehr, es ist ein Mann den ich verehre, wenn auch im Stillen, nicht als ein gewöhnlicher Visitenmacher. Ich wünschte nur etwas von dem Regen und Kühle; das ist das einzige was hier fehlt, gar keine Abwechslung im Wetter immer blauer Himmel; seit meiner Abreise von Weimar habe ich 5−6 Regentage gehabt, und jetzt ist eine Hitze daß man verzweiflen möchte. Ekermann geht morgen ab und ich stehe allein in der fremden Welt, wie wird es mir vorkommen? Doch ich muß durch es koste was es wolle, doch ich hoffe nicht das Leben. Daß Sie in unserem Hause einige frohe Stunden verlebt giebt mir die frohe Ueberzeugung einer fortgesetzten Berührung unserer Existenzen. Schmidts Gruß und Gedanke, daß ich nicht so viel lache als wenn wir zusammen reißten haben mich erfreut, es ist beides recht und wahr. Marichen und die Mutter Schmidt grüßen Sie entweder schriftlich oder mündlich da ich nicht weis wann diese Zeilen zu Ihnen gelangen. Lassen Sie bald wieder etwas von Sich hören und fürchten Sie nicht daß ich das Postgeld scheue. Grüßen Sie auch Töpfern von mir. Nun will ich schließen Gott gebe Ihnen und den Ihrigen Gesundheit ich bleibe wie immer derselbe

v.Goethe.

Nachschrift.

Soeben geht der König von Neapel hier ab und im Hafen Donnern von allen Kriegs-Schiffen, so wie von den Festungswerken die Kanonen, man kan es eine See- und Landschlacht nennen, die ich von meinem Fenster sehe; O wärt ihr alle hier!!

v.G

Ekermann grüßt tausend mal.

⟨12⟩ *An Johann Wolfgang von Goethe, GSA Weimar, Signatur 28/354d, 2. Faszikel, Blatt 11 f.*

So eben kam Sterling an um mich in meinem Unglük zu trösten, es war mir eine erfreuliche Erscheinung, es gab mir Muth in meinen Leiden er bleibt ein paar Tage hier Gott sey dank eine bekannte Seele, mit mir geht es gut das kann ich versichern, nur Geduld muß man haben. D. 3.ᵗ Aug. 30. Gratulieren Sie Ottilien zum Königs Geburtstag
Diesen Brief bitte zu secretiren und höchstens Ottilien unter dem Siegel der Verschwiegenheit mitzutheilen, welches ich Ihnen überlasse. Ich weis nicht wann dieser Brief zu Ihnen gelangen wird aber auf jeden Fall schreiben Sie mir ein paar Worte nach Florenz *Poste restante*. Dahin komme ich gewiß. Manche Sorge habe ich um Sie alle mit mir geht es gut, nur dauert die Sache lange, ich wollte lieber den Arm gebrochen haben als diesen Theil die Lage in der man sich befindet ist unangenehm u. schmerzlich, die Leute im Haus benehmen sich fortwährend theilnehmend. Leben Sie wohl.

v.G.

d. 2ᵗ August.

⟨13⟩ *An Christiane Gille, Goethe-Museum Düsseldorf, Anton-und-Katharina-Kippenberg-Stiftung, Signatur KK 3445; gedruckt in Stern, S. 197*

La Spezzia d. 9ᵗ Aug 30.

Werthe Freundin

Meinen Unfall werden Sie wohl nun erfahren haben, es war viel zu ertragen, ganz allein in einem fremden Lande des Gebrauchs des Arms beraubt eingewürgt um den ganzen Körper in 30 Ellen Bandage, da galts Gedult. Doch nun ist es bald überstanden, noch 7 Tage in diesem Zustande dann bin ich wieder frey, und in 9 Tagen gehe ich so Gott will nach Rom ab wo ich anfangs September eintreffen werde. Lassen Sie sich doch von Carlen meinen Verbannungs Ort auf der Landcharte zeigen es ist ohngefähr 200 Meilen von Ihnen. Ich hoffe Sie erhalten mein Tagebuch? Schiken Sie doch ein paar Zeilen für mich an meinen Vater, er wird sie gern in seine nächste Sendung nach Rom beischließen. In den letzten Tagen des Juli und den 3ᵗ August (gerade meine schlimmste Zeit hier) dachte ich recht an unsere frohe Parthie nach Ilmenau u. Erfurth, *Schmidt hat recht* ich habe in 4 Monaten kaum einmal herzlich gelacht. Mein Stübchen habe ich mir recht wöhnlich arangirt. Sterling (ein junger Engländer der lange in Weimar, und tägl. in unsrem Hause war) ist nun 8 Tage bei mir welches mir sehr wohl thut, wir wohnen neben einander und haben die Thüren immer offen, er ist ein herl. Mensch (der Sohn des engl. Consuls in Genua). Wie geht es Ihnen allen? Grüßen Sie Gille herzlich, so wie Nanny, Carlen, Marie und Mela, auch Herrn Obercammerherrn bitte ich mich unterthänigst zu empfehlen. Wie gern unterhielt ich mich noch schriftl mit Ihnen wenn dieß Blättchen nicht so klein wäre, aber nehmen Sie alle auch dieß Wenige als sicheres Zeichen daß mir Ihr Haus in steetem Andenken ruht und kein Tag vergeht wo ich Ihrer nicht gedächte.

Wie immer der Alte

v.Goethe.

Von Rom ein Mehreres.

⟨14⟩ *An Martin Christian Viktor Töpfer Konzept, GSA Weimar,*
Signatur 28/354d, Konzept, 2. Faszikel, Blatt 21

Lieber Freund

Diese wenigen Zeilen werden wahrscheinl und hoffentlich vor
dem 28ᵗ Augt. in Deine Hände gelangen und ich will Dich hiermit bitten im Fall sich die Freunde des 28ᵗ wieder versammeln
meinen herzlichen Gruß allen darzubringen und in meinem Namen die Gesundheit der Versammlung auszubringen, die Ausführung überlasse ich Dir so wie die Wahl herzlicher Worte, Du
kennst mich ja ganz und niemand kann besser aus meiner Sele
und meinem Herzen sprechen. Ich sitze hier noch fest in der
Bandage aber Sonntag den 15ᵗ d. M. werde ich frey und hoffentl
feyre ich den 28ᵗ in Rom. Es sind Wochen starker Prüfung doch
sind sie mir nicht ohne Nutzen verstrichen in vieler Hinsicht.
Nun lebe wohl grüße Gillens, Waldungen, Wagner u. Groß, auch
Hemleb bitte nicht zu vergessen und Prädari. Gedenke zuweilen
Deines jetzt einsam stehenden 200 Meilen von Euch entfernten
Freundes ich bin wie immer der alte und treue
                                        Goethe.
La Spezia d. 10ᵗ Augt. 30.

Aus den Papieren des Vaters, welche nach seinem Tode aus Rom
kamen
                                Wolfgang v. Goethe.

⟨15⟩ *An Johann Wolfgang von Goethe, GSA Weimar, Signatur*
28/354d, lag dem Konvolut bei

Montag den 13ᵗ Septb. 30. So eben tritt Professor Zahn in mein
Zimmer dieß giebt meinem hiesigen Leben einen anderen
Schwung. Er empfiehlt sich allen bestens und wird ehstens
schreiben.
Gräfin Julie habe ich noch nicht gesprochen, sie ist in Sorent wohin ich in diesen Tagen zu gehen gedenke. Es ist herrlich hier man
ist von der Natur ganz verblindet, ich habe das Quartir gewechselt
und habe den Vesuv vor mir liegen, er dampft recht ordentlich.
Das Tagebuch wird das weitere melden nochmals lebewohl
                                        v.G.

⟨16⟩ *An Christiane Gille, Goethe-Museum Düsseldorf, Anton-und-Katharina-Kippenberg-Stiftung, Signatur KK 3444; gedruckt in Stern, S. 197 f.*

Neapel Mittwoch den 22^t Septbr 1830 (auf meinem Balkon im Angesicht des Vesuvs)

Gillens Brief erhielt ich hier, wie war ich erfreut! So herzlich, theilnehmend und lieb, ich kann Ihnen gar nicht sagen wie glücklich ich war. Danken Sie Ihm herzlich und bitten Ihn noch eine Morgen Stunde an mich zu wenden. Mein Tagebuch wird Ihnen sagen wie ich lebe und bin, immer der Alte aber sehr thätig im Sehen, Lernen und Empfinden. Es ist keine Kleinigkeit hier zu seyn. Man muß sich sehr zusammennehmen, sonst geht man auseinander. Man wird ordentlich vom Leben gerammelt; doch ich setze die Bärenmütze auf und rufe Vive L'Empereur. Das Tricolor weht auch im Hafen und da kann es ja nicht fehlen. Könnte ich Euch nur ein Frühstük in meiner Stube geben! ich esse keinen Bissen und trinke kein Glas Wein ohne nicht Eurer zu Gedenken und Gott im Voraus zu danken, für die traulichen Abende die ich im November Schnee bei Euch zubringen werde. Ich bin nirgends fremd der gute Mensch findet überall Brüder und Gleichgesinnte und sollte es unter den Lazaronis seyn (einer verschrienen aber gute Menschen Race). Nur muß man sagen! Leben und leben lassen, dann geht alles gut; ein Paar alte Achtgroschenstücke mehr oder weniger das ist ja nichts! Grüßen Sie Gille, Nanny, Carl, Marie un Mela. Schmidts empfehlen Sie mich und den Herrn Oberkammerherrn rufen Sie den Entfernten freundlich ins Gedächtniß. Ich bin glücklich, kehre aber eben sogern zurük und freue mich auf ein Weimarleben. Lebt wohl Kinder und gedenkt des Abwesenden freundlich.

Ihr
Treu ergebener
Goethe.

Neapel. 13ᵗ Octob 1830.

Lieber Freund

In Neapel binn ich nun zimlich fertig aber noch nicht fertig die Geldangelegenheiten sind abgethan und ich reise morgen oder übermorgen nach Rom ab. Das mir geborgte Geld bringt Freitag mit so wie sich selbst. Was das Andere betrifft Dose und bonaman für Wachen, u. Custoden liegen bey Kläntze bereit wenn daß Haus von Goethe ausgegraben und der Name auf einer Schiefertafel darauf geschrieben ist. Erst muß ich so etwas in der Zeitung gelesen haben eh ich es glaube den ich binn in Italien u. früher keinen Groschen. –
Da ich sehr wünsche daß das Bild aus dem Hause des Meleager so schleunig wie möglich in den Händen meines Vaters sey so laß es durch Freitag durchpausen und schicke es mit der Post an meinen Vater.
   Lebe wohl sey fleißig ich binn immer
     der alte
       Junge Goethe.

Heute bin ich in Rom angekommen nachdem ich 4 Wochen in Neapel, einer ungeheuren Weltstadt verlebt. Ich habe meine Tage gut und ehrlich zugebracht. Zum Beweiß daß ich an Sie gedacht lege ein Paar Ciclamens aus dem Haus des *Tasso in Sorrent* bei, welche ich eigenhändig pflükte. Daß ich Später komme als ich versprach ist natürlich da ich 4 Wochen durch den Armbruch verloren. Da ich einmal das Geld daranwende so will ich Italien ganz kennenlernen. Es ist ein wunderbares Land und es gehört der Entschluß der *Alten Garde* dazu, sich von einem Orte loßzureißen um zum anderen zu kommen; deswegen bin ich auch in 26 Stunden von Neapel nach Rom gereißt, wozu ein gewöhnlicher Reisender 3 ½ Tage braucht. Nun bin ich hier es ist das höchste Ziel meiner Reisen und wenn ich es mit *Nutzen* durchgetrieben, kehre ich ohne Unterlaß zurük. Es ist die erste, aber wahrscheinlich auch die letzte Reise die ich mache, darum kann es auf ein Paar Tage mehr oder weniger nicht ankommen. Heute Abend stand ich auf dem Obersten Punct der spanischen Treppe am Obelisken von Santa Trinita del Monte wo man beinahe ganz Rom übersehen kann. Die Sonne ging hinter Sant Peter unter es war ein göttlicher Anblik. Ich dachte könnten nur Gillens hier seyn, Nanny nicht zu vergessen! Ich habe schon meinen Plan gemacht Rom kennenzulernen. Es ist groß, ungeheuer. Wenn man zwar aus Neapel kommt, welches viel viel kleiner ist, so kommt es einem hier Todt vor; denn Neapel hat 500 000 Einwohner, Rom nur 150 000. Daß sind die ersten Zeilen die ich seit Neapel schreibe, aber da ich heute Ihren Brief und Nannys Zeilen erhielt, so setzte ich mich noch den Abend um 10 Uhr hin. Aus meinen Tagebüchern werden Sie ersehen was ich treibe u. getrieben, machen Sie aber keine falschen Auslegungen, wie ich schon in Ihrem Briefe gefunden. Rom ist das ernsteste, Neapel das Tollste, was ich gesehen. Ich habe mir in letzteren keinen Vorwurf zu machen und im ersteren wird es ebensowenig seyn. Von meinem Vater habe ich leider keinen Brief seit dem 5ᵗ August der Ihrige ist vom 6ᵗ September. Warum wohl? Unter 3 Wochen komme ich hier nicht weg, wenn ich nachher nicht bereuen will manches versäumt zu haben. Es ist gar zu viel zu sehen. Auf morgen habe ich beschlossen Rom d. h. die wichtigsten Puncte zu durchfahren, um erst einen algemeinen Begriff von der Stadt zu bekommen, auch habe ich mir schon einen Plan gekauft und mir meinen Weg bezeichnet, so muß man handeln sonst wird man verwirrt und vergißt eines über das andere. Ich kam zur Porta St. Givani herein und das erste was meinen Bliken sich darbot, war das Colosseum! welch ein Anblik, dann an einem herrlichen antiken Triumphbogen vorbei, später die Säule des Trajan, so sah ich, auf dem Weg nach dem Wirthshause (ich wohne im Hotel d'Almagne bei Franz einem Schwitzer) schon alles dieses herrliche. Am Tage ist es sehr warm, am Abend u. Morgen so kalt, daß ich ein Caminfeuer in meiner Stube angebrannt, u. dennoch den Mantel u. Filzsoken über die Stiefel anhabe, niemals habe ich so gefroren wie hier. Mein Tagebuch vom Abgange von Neapel an, wird in den nächsten Tagen abgehen, Ich muß mich erst wieder sammeln. Lassen Sie meinen Vater wissen daß ich hier in Rom bin. Meine Dankbarkeit gegen ihn ist ohne Gränzen, daß er mir alle diese Genüsse verschafft. Wunderliche Dinge sind seit der Zeit um Euch herum vorgegangen möge alles gut enden, oder schon geendet haben; Ich sitze ruhig in Rom, zwar in einem engen Gäßchen *aber in Rom*. Lassen Sie den Freunden und Freundinnen etwas von mir wissen. Soret bitte sagen zu lassen, daß sein Brief vom 23. *April?* mit dem Ihrigen heute erst in meine Hände gekommen. Ich hoffte Briefe von meinem Vater hier zu finden, aber umsonst, wo stekt nur alles? Das Tagebuch geht vorwärts und bald werden Sie es lesen. Da ich die erste Nachricht von *Ihnen, von Unserem Weimar* erhielt, so gehörten natürlich auch diese Zeilen Ihnen zuerst. Wenn man 8 Wochen gar nichts aus der Heimath hört so wird man endlich irre an den Menschen. Ich bin hier noch niemals irre an mir geworden, wie es der *alten Garde ziemt*. Am besten ist es Sie theilen meinem Vater gerade diesen Brief mit. Ich bin wohl manchmal etwas *müde*, da schlafe ich und wenn es um *Mittag* ist. Grüßen Sie Gille, Nanny, die anderen Kinder und empfehlen Sie mich dem Herrn Oberkammerherrn der Raum wird zu kurz ich muß enden. Lebt alle wohl bis auf ein fröhliches Wiedersehn. Ein anderes mal mehr.

Die alte Garde
Goethe.

Rom den 16^t Octob. 1830.

Den Brief von Soret an Ekermann kann ich leider nicht abgeben da derselbe mich in *Genua* treuloser Weise verlassen.

Briefe an August von Goethe

⟨*19*⟩ *Kanzler Friedrich von Müller an August, GSA Weimar, Signatur 37/XII,9*

Ich bitte Sie, werther Freund!

1) anliegenden Brief, so wie den schon übersandten an Bonstetten, gütigst zu besorgen.

2) Der ganzen Soretschen Familie die schönsten Grüße von mir zu sagen.

3.) Desgl. in Livorno den werten Banquiers *Ott* u. *Dalgas* u. dem Hanöverischen Consul Grabau, welche 3 Herrn Ihnen gewiß alle mögl. Freundschaft erzeigen u. gerne hören werden, wie es mir ergeht.

4.) In Florenz fragen Sie ja nach meinem Freund, Baron Valoht, der ehmals lange hier war u. Ihren H. Vater hoch verehrt. Er wird Ihnen viele Dienste leisten können. Wohnen Sie dort bey Madame Hombert am Quai Arno; man befindet sich nirgends besser. Bombelles u. der Preußische Gesandte v. Martius würden sich sehr freuen Sie zu sehen. Rufen Sie ihnen dann mein dankbares Andenken zurück.

5) Zu Pisa müssen Sie im Houshard absteigen, zu Rom bey Musje *Franz*, einem Deutschen, ohnfern des Spanischen Platzes; in Bologna bey Monsieur Tronné, in Mailand im Hôtel *Reichmann*, wo ich Mann u. Frau sehr zu grüßen bitte. Zu Como im *Engel*, dicht am Golf; Sie finden daselbst Herrn Geh. Rath von *Frank*, Frorieps Freund u. ebenfalls großer Verehrer Ihres Herrn Vaters, einen trefflichen Arzt u. liebenswürdigen Gesellschafter. Auch ihm von mir herzlichste Grüße.

6) Zu Rom versäumen Sie nicht den würtembergischen Residenten *Kölle* aufzusuchen, einen humoristischen, höchst interessanten u. gefälligen Mann, an den mich Froriep empfohlen hatte.

Niemand kennt die Römische Nationalität besser als er.

7) An Manzoni u. Cattaneo noch zu schreiben war mir unmöglich, da ich zu spät erfuhr daß Sie schon Morgen abreisen.

Ich werde es aber nachhohlen; drücken Sie ja beiden edlen Männern meine innigste Hochachtung aus.

Und nun noch den herzlichsten Segenswunsch zu Ihrem schönen
u. wichtigen Unternehmen!
Auf frohes Wiedersehen!

v. Müller
21. Apr. Nachts.

Auch Eckermann
freundlichste Wünsche.
Eiligst.

⟨20⟩ *Johann Wolfgang von Goethe an August, Schreiber Gottlieb*
Friedrich Krause, Grußformel eigenhändig, GSA Weimar, Signa-
tur 37/X,10,11; Konzept gedruckt in WA IV. 47 Nr. 38

In Gegenwärtigen hab ich eigentlich nur zu vermelden: daß
Dein Schreiben an mich, so wie Eckermanns an Soret, glücklich
angekommen. Möge Eure Reise, mit mäßigen Unbilden, weiter
glücklich fortgehn.
Von hier hab ich nur zu sagen: daß wir seit drey vier Tagen, bey
hohem Barometerstand und Ostluft, das schönste Wetter haben,
welches Euch doch auch wohl wird zu Gute gekommen seyn.
Frau und Kinder befinden sich, außer den herkömmlichen Pipe-
leyen, ganz wohl.
Ich bringe manches Vorgesetzte, Vorgenommene und Zudring-
liche, wie gewöhnlich, zur Seite, um neuen Vorsätzen und Obli-
genheiten Platz zu machen. Da muß denn so der Sommer hin-
gehn, ohne daß ich mich viel umzusehn brauche.
Besuche doch auch Herrn Bovy und, wenn die Medaille mit der
neuen Rückseite, fertig ist, so laß Dir ein halbduzend, in Bronze,
gegen Vorzeigen diesen und Quittung verabreichen, und nimm
sie mit über die Alpen; besonders hebe sie für Rom auf.
Ich schreibe diese Tage an die dortige antiquarische Gesellschaft,
die mich zu ihrem Ehren-Mitgliede aufgenommen. Dem Herrn
Bunsen, den preußischen Geschäftsträger, welcher unter die
thätigsten Mitglieder gehört, bist Du durch Graf Bernsdorf
empfohlen, wie auch an die gleichen Männer zu Mayland und
Turin. Die drey deshalb, durch Nicolovius erhaltenen Briefe
gehn heut nach Mayland ab.

Soviel für heute! Zum Uebergang über die Alpen alles glücklig Erfreuliche.

Weimar d. 29 Apr. 1830

G

⟨21⟩ Johann Wolfgang von Goethe an August, Schreiber Johann John, Grußformel eigenhändig, GSA Weimar, Signatur 37/X, 10, 11; Konzept gedruckt in WA IV. 47 Nr. 44

Der Mensch denkt, Nothwendigkeit und Verstand lenken; ich finde es so natürlich als nothwendig und vernünftig daß Ihr die Tollpost verlassen habt, und Euch aufs Zaudern legt. Genießet ja, Tag vor Tag, das Gute und Herrliche was die Welt Euch anbietet, und lasset den Hauptzweck nicht aus Augen. Ich wünsche nur daß Dein leiblicher und geistiger Magen sie verdauen lerne, alle geistigen und leiblichen Genüsse sind heilsam wenn man sie zu verarbeiten weiß.

Dieses erwiedere ich auf Dein Schreiben vom 30. April aus Basel datirt, und bis Du dieses erhältst, hoff ich erfahren wir mehr von Euch und ich wünsche das mäßig Gute wie bisher.

Die Hauptfrage in Mayland ist: ob die Empfehlungsschreiben vom Grafen Bernsdorf, an Mylius addressirt, dort angekommen sind.

Von mir wüßt ich nichts zu melden als daß ich mich gerade so-wohl befinde um den von außen und von innen gebotenen Oblie-genheiten genug zu thun. Ottilie mag von neugeschlossenen Ehebündtnissen und von sonstigen Haus- und Herzensereignis-sen das Weitere mittheilen.

Als ein glückliches Ereigniß seh ich an: daß jenes, lange ver-mißte Actenstück, worauf sich das Geschäft der Jenaischen Bi-bliothek neuerer Zeit gründet, sich wieder gefunden hat. Ich überzeuge mich, daß, meine Zufriedenheit deshalb betrachtend, Du daran freundlichen Antheil nehmen wirst. Das übrige Ge-schäft geht, nicht ohne Anfechtung, seinen Gang, aber man kommt mit einer gelinden Parade auch wohl durch und braucht nicht nachzustoßen.

Das Original der letzten Lieferung meiner Werke ist nun auch aus meinen Händen. In den übrigen Papieren hat Eckermann sehr lobenswürdige Ordnung gemacht. Deshalb ihn mein Dank über die Alpen begleitet.

Die Einleitung zu Schillers Leben von Carlyle ist auch fertig und wird hoffentlich dieses Werklein, welches zu stranden schien, über die Untiefen hinaushelfen. Ich habe die Gelegenheit benutzt manches wunderliche Gute ins Publicum zu sprengen.

Auch ist ein großer Aufsatz über Zahns pompejische Mittheilungen, für Wien, zur Absendung bereit, wovon ich allerley guten Einfluß hoffe.

Manches andere neuere bleibt zu thun, vorzüglich aber mußt Du mich mit Botanik beschäftigt denken. Wie Frommann von der Messe kommt beginnt der Druck des Originals, mit Sorets Uebersetzung an der Seite; das giebt Beschäftigung und Unterhaltung bis Michael.

Die neue Gartenthüre stolzirt unten auf der Wiese gar architektonisch ansehnlich; zur Mosaik des Eingangs hat mir W. B. I. Goetze, frische schwarz weiße Kiesel geschickt. O B Dr. Coudray wird mir bey der Zeichnung beystehen. Letzerer hat, durch eine glückliche Wendung, das Quartier des abgehenden Regierungsrath Müller, im Jägerhause, für die Gewerkschule zugesichert erhalten und dadurch, sowohl sich als uns bedeutenden Vortheil verschafft; denn auf der Esplanade fing es schon an allzueng zu werden. Wie natürlich, denn wenn man die Schüler gratis zusammenruft ist jeder Knabe lernbegierig.

Das Beste wünschend

treulichst
G

Weimar d. 10. May.
1830.

⟨22⟩ *Johann Wolfgang von Goethe an August, Schreiber Johann John, Grußformel eigenhändig, GSA Weimar, Signatur 37/X,10,11; Konzept gedruckt in WA IV. 47 Nr. 52*

Kaum hab' ich Dir vor einigen Tagen geschrieben so kommt Dein Brief, datirt von Lausanne, woraus ich mit Vergnügen ersehe daß Du von da gerade ins Wallis u. s. w. gehst. Der Umweg über Genf war mir sehr ärgerlich, doch mocht ich nach Micionischer Weise nichts sagen. Auch daß Euch die Engländer begegnen und sich an Eckermann erfreuen, wird hier sehr gut aufgenommen.

Weniges wüßte hinzuzufügen. Unsre gnädigsten Herrschaften sind nach Belvedere gezogen; später geht die Frau Großherzogin nach Warschau, der Gemahl nach Carlsbad. Unser Walther wird wohl nach Frankenhausen, mit Thompsons, gehen und also wohl versorgt seyn. Herr Deveux ist, hier durch, nach Constantinopel. In Hoffnung und Vermuthung daß er Euch treffen werde hat man ihm allerley Depeschen mitgegeben. Er geht nach Venedig von da nach Ankona. Ottilie hat über sich genommen Herrn Soret auf eine freundliche Weise von Eurem veränderten Reiseplan zu unterrichten. Und somit allen guten Dämonen bestens empfohlen.

Wünschend, hoffend, grüßend,

treulichst

G.

Weimar den 14. May.
1830.

⟨23⟩ *Johann Wolfgang von Goethe an August, Schreiber Johann John, Grußformel eigenhändig, Badische Landesbibliothek Karlsruhe, Signatur K 703; gedruckt in WA IV. 47 Nr. 98*

Obgleich Ottilie das Wenige, was von uns zu melden ist, schon wird mitgetheilt haben und ich also nur wiederholen werde; so möcht es doch freundlich seyn, wenn ich Dir, bei dieser Gelegenheit, versichere: daß Deine Tagebücher aus Mayland höchst löblich sind, wie Du am eigenen Behagen daran fühlen mußt. Den Menschen und den Sachen gerade in die Augen zu sehen und sich dabey auszusprechen wie einem eben zu Muthe ist, dieses bleibt das Rechte, mehr soll und kann man nicht thun.

Unser Fürst ist ins Karlsbad, die Fürstin nach Warschau, der Prinz durchs Voigtland ins Erzgebirg; von welcher Tour mir Soret die anmuthigsten Briefe schrieb. Diese beyden werden nach Jena ziehn, die Herrschaften nach Dornburg, von daher Jena und die Anstalten besuchen, wo meine Sorge ist sie anständig zu empfangen, welches, bey Lenzens völlig geistich-leiblichem Zurücktreten, in Betracht des Mineralogischen Cabinets, einige Schwierigkeit hat; demohngeachtet aber geleistet werden soll.

Ich war diese Tage drüben und habe das kleine Quartier im Erker sehr anmuthig gefunden. Daneben ist die Terrasse glücklich und galant-wissenschaftlich angelegt; es wird gesorgt daß alles in diesen Wochen völlig zu Stande komme. Am Uebrigen ist nichts auszusetzen.

Die 7. Lieferung meiner Werke ist angekommen die 8te fortgesendet. Die Augsburger versprechen mit der Octavausgabe schnell nachzurücken. Und so hätten wir dieses weitaussehende Werk denn auch noch zu Stande gebracht.

Den 23. Juni, als am Tag vor Johanni war, mir unwissend, das fünfzigste Jahr voll, gerechnet von meinem Eintritt in die Freymaurer Brüderschaft; sie haben diesen Tag gar anmuthig und vorläufig geehrt, durch ein großes wohlbebuchstabtes Pergament, durch ein Gedicht und freundliche Meldung. Am Johannistage war Tafelloge, der Saal von Coudray, auf eine eigne geschmackvolle Weise decorirt; Ottilien führte man heute hinein und sie belobte die Anlage sehr.

Sodann ist Holtei gekommen, mit einer allerliebsten jungen Frau, geht als Regisseur nach Darmstadt, wo der Leipziger Hofrath Küstner, als einmal dem Theaterteufel Verschriebener, die Direction übernommen hat.

Nun ich auf den letzten Augenblick gekommen bin brauch ich wohl auch nicht zu erwähnen, daß die beiden Bürschchen gleichfalls ausgetreten sind; der Eine nach Frankenhausen, der Andere nach Dessau, und ich kann versichern daß ich die Gegenwart ihrer Arten und Unarten jeden Augenblick vermisse.

Wenn Eckermann, bey soviel Lockungen und Verführungen, noch beysammen und ein rückwärtsblickender Mensch geblieben ist, so sag ihm: Die Walpurgisnacht sey völlig abgeschlossen, und wegen des fernerhin und weiter Nöthigen sey die beste Hoffnung.

Dein letzter Brief enthält den Abschied aus Mayland; wir werden nun bald etwas von Euren Wanderungen durch die Lombardey hören.

Eins aber hab' ich noch zu bemerken. Die Anforderungen von eignen Handschriften vermehren sich immer und wird mir immer unmöglicher sie zu befriedigen. Daher hab' ich mich entschlossen, dergleichen mit lithographischer Dinte zu schreiben, da sie sich dann gar wohl vermehren lassen; dergl. erhältst Du hoffentlich in Rom, da sie denn immer noch brauchbar seyn werden. Nun wüßt ich nichts als das Allerneuste, daß so eben der zweyte Bogen der Metamorphose der Pflanzen mit Freund Sorets Uebersetzung zu revidiren ist. Möge Dir dagegen in freyer Luft und schöner merkwürdiger Gegend eine angenehme Stunde beschieden seyn.

Wie von je; so fort an,
JWGoethe

Weimar d 25. Juni 1830.
Nachmittags um 4.Uhr.

Sonntag den 27. Juni. 30. Um einen Tag weiter kann ich Dir berichten: daß heute die Feyer zu Gedächtniß der Uebergabe der Augsburgischen Confession, ganz anständig begangen worden. Da weder ich noch Du zu Anführung unseres Departements gegenwärtig waren, so fand man es schicklich die darunter begriffenen Personen gleich hinter dem Ministerio und der Staatskanzley eintreten zu lassen, wobey denn also Hofr: Meyer und Professor Riemer den Reihen führten. Alles Uebrige verlief ganz löblich. Zu diesem Fest kamen denn auch Deine Venetianischen Tageshefte bis zum 16. Juni glücklich an, so wie alle vorhergehenden, zu deren Inhalt wir Dir und uns Glück wünschen. Hiemit sodann auch allen guten Geistern befohlen.

⟨24⟩ *Johann Wolfgang von Goethe an August, Schreiber Johann John, Grußformel eigenhändig, Badische Landesbibliothek Karlsruhe, Signatur K 703; gedruckt in WA IV. 47 Nr. 99*

Durch die wunderlichsten Zufälligkeiten, les ich erst heute Dein kleines Billetchen, *Mayland den 2. Juni.* Darum auch desselben in meinem Schreiben vom 27. nicht gedacht ist.
Demohngeachtet erhelle aus diesem, daß ich eine Sendung an Dich nach Rom vorbereite, und also Du werdest dahin gehen voraussetze. Wahrscheinlich erhälst Du diesen und jenen Brief zu gleicher Zeit und ich erkläre also hiermit ausdrücklichst und

feyerlichst: daß es mir sehr angenehm seyn wird in Deinen Tagebüchern Deinen Einzug in die Porta del Popolo zu vernehmen. Du mußt Dir in jedem Fall, da Du so großen Vortheil von Deiner Reise körperlich und geistig schon empfunden hast, jetzt mit immer freyerem Gemüth und Sinn, überlegen was Dir fernerhin nützlich seyn kann.

Nach Deinem Brieflein gingst Du von Venedig über Florenz und Genua nach Mayland zurück; nach meiner Einsicht kannst Du nun, entweder schneller, oder durch einen andern Weg nach Rom gelangen. Aus der Ferne ist gar nicht zu rathen. Die Hauptsache bleibt daß Du von fremden Gegenständen und von fremden Menschen berührt werdest. Ueberlege daher, mit Dir selbst und den werthen Freunden Mylius, das Vortheilhafteste. Begieb Dich zu denen Orten die Du noch nicht gesehen hast, an denen die Du sahst, halte Nachlese, wozu jeder Ort die größten Reichthümer beut.

Ob Du nunmehr bey Deiner südlichen Tour über Lodi, Piacenza, Parma, Reggio, Bologna, Ravenna ans adriatische Meer gehen magst, von Rimini an denselben her, auf Loretto und dann auf Rom Dich wendest, das ist Deine Sache welches Du bedenken und nach Einsicht verständig wie bisher ausführen wirst. Du mußt Dir immer sagen: Deine Absicht sey, eine große Welt in Dich aufzunehmen und jede in Dir verknüpfte Beschränktheit aufzulösen. Ueberzeuge Dich nur daß es, in diesem Sinne, keineswegs von Bedeutung sey, wenn Du auch ein paar Achatkugeln aus dem belobten Rosenkranze vermissen solltest. Du kannst daher das Myliusische Haus in meinem Namen versichern: daß ich allen und jeden Kredit, den sie Dir zugestehen honoriren und ihre hierauf zu stellenden Anweisungen ungesäumt bezahlen werde.

Die von Venedig angekündigte Reise, möchte in vier Wochen kaum zu vollenden seyn, deswegen dieses Blatt wahrscheinlich Dich in Mayland empfangen wird.

Sollte Eckermann, wie's wohl möglich ist, an dem bisherigen Genüge haben, so gieb ihm die Mittel bequem zurückzukehren; er soll uns willkommen seyn, mit allem was er aufgeladen hat.

Auf die Ankunft der Medaillen freue ich mich; wenn Du dergleichen findest, so laß Dich die Auslage nicht reuen. Wir haben zwar fürtreffliche Dinge; es schweben aber dergleichen, erkannt und unerkannt, noch viel in der Welt herum. Wie die Medaille Mahomet des Zweyten von Bertholdo mich nunmehr täglich belehrt und erfreut. Indessen Du Dich in der weiten und breiten Welt umsiehst ergötze mich wieder um einen mäßigen Preis angeschaften Radirungen und Zeichnungen, wo doch immer der Geist des Künstlers hervorleuchtet wenn auch seine Thaten viel größer waren. Hr. v. Müller grüßt schönstens und freut sich daß Du das Original der Maria in Venedig rühmst, da ihn eine Copia in Bologna schon glücklich gemacht hat. Ottilie grüßt besonders, wenngleich leidend immer lieb und gut. Das kleine Mädchen wird alle Tage neckischer.

und so fortan!

G

Weimar den 29. Juni 1830.

⟨25⟩ *Johann Wolfgang von Goethe an August, Schreiber Johann John, Grußformel eigenhändig, GSA Weimar, Signatur 37/X,10,11; gedruckt in WA IV. 47 Nr. 106*

Weimar den 5. Juli 1830.

Da, durch die glückliche Ankunft Deines Kistchens, ein Feyertage im Hause angekündigt ist, so erwiedere alsobald einiges Erfreuliche:

Wenn Mutter und Kinder durch die artigen Aufmerksamkeiten ergötzt sind, Alma im rothen Kleidchen herum lauft und die, noch auswärts sich befindenden Knaben, bey ihrer Rückkehr, mit dem ächt Mayländischen Andenken erfreut werden sollen, so wird der Münzfreund kaum sein Vergnügen ausdrucken können.

Ohne pleonastisch zu seyn, um mit dem Preise anzufangen, so würde ich verlegen seyn, wenn ein Handelsman das Doppelte dafür verlangte. Es sind die allermerkwürdigsten Exemplare, von der ältesten Zeit her, bis weit herauf, von der schönsten Erhaltung und es ist nun, bey unserer lang stangnirenden Sammlung, wirklich eine neue Glücksepoche eingetreten.

Mohamet II. von Bertholdo ward, wenn ich nicht irre, schon zu Deiner Zeit angeschafft; hier kommt nun gerade die merkwürdige Schaumünze des Abendländischen Kaisers welcher auf das Consilium von Florenz kam um die sämmtliche Christenheit gegen jenen furchtbaren Andränger aufzurufen. Dies gelang nicht und Constantinopel ging bald darauf über.

Die übrigen veranlassen hundertfache Betrachtungen.

Schon vorläufig gingen mir deren schon viele durch den Geist. Mit Meyern wird sichs wiederholen, aber und abermal vervielfältigen. Es ist eine Freude Deine Einsicht in diese Dinge zu sehn wie gut Du unterscheidest und Dich erinnerst. Auch in der Folge laß Anschauen und Beurtheilung, bey mäßigen Preisen, immerfort gleichfalls walten! Es ist nicht übertrieben wenn ich sage: daß, für mich, in Bezug unsres bisherigen Besitzes, dieses eine schon genügende Frucht Deiner Reise sey.

Ferner halte ja Deine Tagebücher in derselbigen Maße fort. Die letzten Briefe aus Venedig sind gleichfalls angekommen und ich kann Dir versichern daß sie allen, welche diese Blätter lesen doppelt und dreyfach ergötzlich sind, indem Du eben so unermüdet schriftlich aufbewahrst, was Du siehst, als Du unermüdlich alles zu sehen, wieder zu sehen und gründlich in Dich aufzunehmen trachtest. Sodann aber auch daß ein inneres Behagen sich bey Dir hervorthut, worauf denn alles ankommt, damit wir den Tag schätzen und genießen lernen.

Die übersendeten Münzen werde besonders verwahren, so wie alles von Dir Gesendete. Es belebt in der Folge die Unterhaltung und giebt Lust das Gedächtniß aufzufrischen, so wie in Kenntnissen vorwärts zu gehen.

Dein hübsches verträgliches Leben mit den Mayländer Wirthsleuten und andern guten Menschen denen Du begegnest, so wie mit den österreichischen Offiziren, wird Dich überzeugen daß jeder, durchs Leben gebildete Mensch, in friedlichen Zuständen, auf eine gewisse mäßige Weise seine Existenz fortsetzen und der Tage genießen will. Die Vetturine selbst geben das beste Beyspiel. Wer sich in die Welt fügt wird finden daß sie sich gern in ihn finden mag. Wer dieses nicht empfindet oder lernt, wird nie zu irgend einer Zufriedenheit gelangen. Nach Deiner Art und Weise, wie Du bisher verfuhrst ist kein Zweifel daß Du leiblich und geistig in einen erfreulichen Zustand gelangen wirst. Fahre in allem und jeden so fort und es wird ein freudiges Wiedersehen und Zusammenleben erfolgen.

Schon in meinem letzten Briefe gab ich Dir meinen vollen Segen zur Weiterreise. Haben Deine Zwecke im Ganzen vor Augen und lasse Dich im Einzelnen durch die Umstände bestimmen. Ich freue mich schon auf alle Fortschritte im Guten und Heilsamen. Die Kupfer hab' ich auch schon entrollt und untergebracht. Es ist gar anmuthig auch hier zu sehen wie Zeichner und Kupferstecher dem Reisenden erleichtern durch wenige Blätter die Erinnerung anzufrischen. Die große Reiterstandarte ist im Saale aufgeheftet, und setzte die ersten Betrachtenden schon in Erstaunen und Bewunderung.

Und so fort an
G

⟨26⟩ *Ottilie von Goethe an August, Badische Landesbibliothek Karlsruhe, Signatur K 703, unvollständig überlieferte Einlage; gedruckt in Burkhardt, S. 102 f.*

Du magst die angenehme Ueberzeugung haben lieber August, daß Du uns allen einen wahrhaft freudigen Tag bereitet. Der Vater sitzt über seinen Münzen, *sehr* mit Deinem Cauf zufrieden, und Alma hat ihr rothes Röckchen gar nicht wieder hergeben wollen. Ich aber habe mich an dem schönen Bouquet erfreut, und alle Arien schon einmal durchgesungen, die alle mir so gefallen, und so für meine Stimme zu passen scheinen, daß ich nicht nur Dir herzlich danke, sondern hoffe Du findest einmal Gelegenheit es an Herr Benedikt zu sagen. Ein sehr hübscher Zufall ist, daß nach mehreren Wochen Stimmlosigkeit, ich heute früh zum erstenmal versucht hatte zu singen, – es ging, und eine Stunde darauf erhielt ich Deine Geschenke. Ich freue mich schon mit der Mutter, Ullen und Alwina Fromman diese Schätze durchzugehen. Die Kinder werden glückseelig sein; Walther kommt hoffentlich diese Woche zurük aber an Wolf werde ich sein Tuch schiken. Der Vater wird Dir selbst ausgesprochen haben, wie sehr er mit der Art und Weise wie Du Dein Tagebuch führst, und überhaupt der ganzen Art wie Du Italien siehst, zufrieden ist; – Die Noten habe ich zum Buchbinder gesendet, doch hat er versprechen müssen daß sie in ein paar Stunden wieder da sein sollen. – Holteys waren hier, er grüßt Dich herzlich und möchte Dich gerne auf Deiner Rükreise sehen. Die Frau ist sehr hübsch und mir angenehm erschienen; der Vater konnte sie leider nicht sehen da er krank war, doch jetzt ist er vollkommen hergestellt.

⟨27⟩ *Rinaldo Vulpius an August, GSA Weimar, Signatur 37/XII,9*

Weimar den 20. Jul. 1830.

Vorerst meinen herzl. Dank, lieber August, für Dein liebes Briefchen aus Venedig; es hat mir einen Beweis gegeben, daß Du auch in der Ferne und unter den Zerstreuungen der Reise mich nicht aus dem Gedächtniß verloren hast. Ich habe Deine Briefe und Tagebücher durch die Güte Deines Herrn Vaters und Deiner Frau sämmtlich gelesen; dieselben haben mich in jeder Hinsicht außerordentlich angezogen und vorzügl. freut es mich, daß Du, besonders seit dem Aufenthalt zu Venedig, einer guten Gesundheit genießest und auf diese Weise in den Stand gesetzt bist, von Deiner Reise Vergnügen u. Nutzen zu ziehen. In dem Hauswesen geht Alles einen guten, ordentl. Gang. Die Verordnungen wegen des monatl. Einlieferns gewisser Rechnungen werden pünktl. vollzogen, desgl. in Bezug auf das Abholen von Waaren, welches letztere übrigens jetzt fast gar nicht vorkömmt, wie denn überhaupt dermalen in den meisten Zweigen des Hauswesens Ersparnisse gemacht werden. Der Weinbedarf ist nicht sehr gros, jetzt monatl. circa 1 Eymer; die Haushaltungsbücher auf die 3 verfl. Monate sind durch einen Geldzuschuß Deines Herrn Vaters bezahlt; der vorhandene junge Wein wird von dem Böttcher gehörig gewartet; das in dem Zuchthause bestellte Winterholz wird nach u. nach angefahren; es sind bereits 19 Klafter hartes Holz abgeliefert; nach Ablieferung des 20ten, womit der große Holzstall völlig ausgefüllt wird, nehme ich den Schlüssel an mich. – Als Neuigkeiten kann ich Dir schreiben, daß der Baurevisor Klein am 27. d. M. an der galloppirenden Schwindsucht und der Diener Göppert am 1. d. M. an Blutstürzen pp gestorben ist. Ersterer starb in der Nacht während eines sehr starken Gewitters, welches auch am Tage gewüthet und mehrere Fluren zu Frankendorf, Umpferstedt, Taubach pp verhagelt, besonders aber in Apolda durch sehr große Wasserfluten Häuser hinweggeschwemmt und lädirt, überhaupt viel Schaden verursacht hatte. Am 30. d. M.

war ebenfalls in dieser Hinsicht ein merkwürdiger Tag. Nachmittag entstand ein Gewitter, welches einen außerordentl. starken u. anhaltenden Regen mit sich führte und einige Wolkenbrüche verursachte, die 1) in der Gegend bei Kleingrunstedt, 2) bei Tannroda niedergingen. Der *erstere* führte eine so starke Wasserflut durch die Lotte nach der Gegend des Erfurter Thores zu, daß die Chaussée an diesem Thore etwa 2 Fuß unter Wasser stand, welches sich bis an die beiden Häuser zwischen dem Coudrayschen und der Löwenapotheke erstreckte: von da lief das Wasser, gleich einem Strome, unter der Theaterbrücke zurück in die Lotte, die dortigen Gärten wurden verwüstet; durch das Palais ging das Wasser wie ein Fluß in die Breitengasse, wo es endlich in die Kanäle fiel. Die Wirkungen des *zweiten*, bei Tannroda niedergefallenen Wolkenbruchs – welcher dort ebenfalls Häuser niedergerissen u. beschädigt hat, u. wobei eine Frau in ihrem neu gekauften Häuschen umgekommen ist – wurden hier erst zwischen 9 u. 10 Uhr Abends sichtbar. Bis dahin war die Ilm zwar schon bedeutend angeschwollen, allein um jene Zeit stieg dieselbe binnen einer Zeit von 10 Minuten auf eine auffallend schnelle Weise; es entstand in unserer Gegend ein starker Lärm; der Burgmüller mußte sein Vieh, welches beinahe ertrunken wäre, über Hals und Kopf fortführen lassen; ich ging auf die Kegelbrücke, als das Wasser bis an den dahin führenden erhöhten Weg ging, und sah da, wie hoch das Wasser angeschwollen war, wie es die Flußscheide, Hanggeräthschaften, Heu, Dünger pp mit sich führte. Nach einem Aufenthalt von fünf Minuten ging ich zurück u. mußte auf dem Wege schon bis an die Knorren durch das Wasser gehen. Der ganze Kegelplatz war überschwemmt, das Wasser trat schon um das Hofwaschhaus herum u. man fing schon an, die Pferde aus dem Marstall wegzuführen. Weiter ging das Wasser indeß nicht, obschon sich Niemand hier eines höheren Wasserstands erinnern kann. Ja der Burgmühle ist das Wasser bis in die Parterrefenster gegangen, es hat die Günthersche Gartenmauer eingeworfen und überhaupt in dieser Gegend außerordent. Schaden gethan. Die Hälfte der Floßscheite ist bei ⟨Loch⟩ weggeführt und auf den Ilmenwiesen zerstreut worden; ⟨Loch⟩ Grosharingen sind indeß keine gekommen. Ich muß indeß nun zum Schluß über und füge nur noch zweierlei hinzu. Erstens ist in vergangener Woche in Blankenhain Vogelschießen gewesen, wo einige Studenten

angebl. beleidigt worden sind u. welches zur Folge hatte, daß
300 Studenten nach Blankenhain zogen und den Stadtrichter
Schumann zur Satisfaktion nöthigten. Hierauf ist von hier aus
nach Bl. Militär geschickt worden; es waren indeß fast alle Studenten hinweg. Einige sind verhaftet worden. Sodann hat sich
der junge Aster (seit März d. J. Gerichtsamtmann in Lengsfeld)
kürzl. aus Hypochondrie zu Jedermanns Verwunderung u. Bedau-
ern erschossen. Er war mit einer Tochter des Gem. Sup. Röhe hier
versprochen. – Nun lebe recht wohl, lieber August; meine Mutter
u. Bruder grüßen schönstens. Stets Dein treu ergebener
Rinaldo Vulpius.

⟨28⟩ *Johann Wolfgang von Goethe an August, Schreiber Johann
John, Grußformel eigenhändig, GSA Weimar, Signatur 37/X,10,11;
Konzept gedruckt in WA IV. 47 Nr. 138*

Weimar den 6. Aug. 1830.

Nachdem wir uns an Deinen Tagebüchern bis zum Abschied aus
Mayland geletzt und die Freunde damit erfreut, regt mich Deine
Sendung von Genua aus meiner einsiedlerischen Ruhe, welche,
bey eingetretener großen Hitze, freylich heilsam und ersprieß-
lich ist. Eine gleiche Temperatur mag Dir in Deinem beweg-
lichen Leben mitunter wohl beschwerlich fallen; doch ist ja in
dem nahen Meere Kühlung zu finden, die herrlichen Gegenstände stärken den Geist und eine anhaltende Transpiration
wird Dir hoffentlich guten körperlichen Vortheil bringen.
Von uns hab ich wenig zu sagen, Frau und Kinder, außer den herkömmlichen Gebrechen, befinden sich munter und thätig; die
Aprikosen unter meinen Fenstern sind zur Reife gediehen, die
Knaben lassen sich solche schmecken, das Mädchen zieht die
Kirschen vor. Die Geschäfte gehen den täglichen Gang, meine
Correspondenz, so wie die zum Druck bestimmten Arbeiten, for-
dern immer mehr Zeit und guten Humor als mir gerade zuge-
theilt ist; doch bleibt nichts stocken, wenn es auch nur langsam
vorrückt und so kommt doch eins ums andere zum Abschluß.
Nach manchen Seiten hin haben sich neue und fruchtbare Ver-
hältnisse aufgethan.

Die Aushängebogen der letzten Lieferung kommen denn auch nach und nach, die Octavausgabe rückt zu und so wirst Du wohl den Abschluß bey Deiner Rückkehr vorfinden. Möge diese, für mich wichtige Epoche, mit Deiner völligen Wiederherstellung zusammentreffen.

Die Herrschaften leben in Belvedere, nach gewohnter Weise, still und anständig; es leitet sich eine Art von Geselligkeit dort ein die sich freundlich ausnimmt und den Menschen wohlthut. Es wird auch nach Dir mit Anmuth gefragt, man freut sich über gute Nachrichten.

Die große papierne Reiterfahne von Mayland hängt noch immer im Saale und giebt zu mannigfaltiger Unterhaltung Anlaß. Die Deiner Sendung beygefügten landschaftlichen und architektonischen Blätter auf Mayland und die Lombardie überhaupt bezüglich, geben auch gar hübschen Anlaß die Einbildungskraft dorthin zu wenden.

Vorzüglich aber machen mir und Meyern die gesendeten Medaillen große Freude, geben Belehrung und Aussicht. Findest Du dergleichen auf Deinen Wegen so versäume nicht sie Dir zuzueignen, selbst bey etwas höheren Preisen. Auch scheue Dich nicht vor etwaigen Dubletten; bey der Seltenheit solcher Alterthümlichkeiten geben sie zu vortheilhaftem Tausch öfters Gelegenheit. Bey Deiner Sendung waren nur dreye und zwar höchst merkwürdige. Ich will sehen ob ich Herrn Friedländer in Berlin damit zu unserem Vortheile dienen kann.

Den Genuß der frischen Austern gönn ich Dir zwar, doch wünsche ich daß Dir keine von den schädlichen möchten angeboten werden. Der Händedruck als Abschied vom Amerikaner war doch auch recht artig, es wird noch manches Erfreuliche begegnen; möge alles Widerwärtige abgewendet bleiben.

Das in diesen Tagen in Paris eingetretene Unheil, kann zwar auf Deine Reise keinen weiteren Einfluß haben, da sich aber dadurch die Geister aller Partheyen wieder heftiger aufregen, hat man freylich Ursache auf jede Weise vorsichtiger zu seyn.

Gegrüßt und gesegnet.

G

W. d. 9. Aug.
1830.

⟨29⟩ *Wolfgang von Goethe an August, GSA Weimar, Signatur*
37/XII,9

Lieber Papa!

Wie geht es Dir. Du glaubst nicht was mir das Halstuch für
Freude gemacht hat. Die Mama wird Dir wohl geschrieben haben, daß ich 5 Wochen in Dessau war wo es wunderhübsch war.
Die Alma sacht immer, *wo ise Papa.* Grüße den *Doktor Ecker-*
mann. Die Omama läßt Dich grüßen und die Mama und Tante
auch. Der Herr Sekretair Schäfer läßt sich Dir empfehlen.
Leb wohl.

Dein
Dankbarer Sohn
Wolf

Weimar, d. 13. August 1830

Metzdorff bittet auf das kläglichste um Geld, – soll ich mir etwas
auf deine Besoldung geben lassen.

⟨30⟩ *Johann Wolfgang von Goethe an August, eh. Konzept, GSA*
Weimar, Signatur 37/X,10,11; gedruckt in WA IV. 47 Nr. 153

⟨*19. August 1830.*⟩ Um Dir einen Brief nach Florenz zu senden ergreife ich selbst die Feder, da ich noch zaudere von dem Unfall
andre zu benachrichtigen. Es ist die ängstlichste Beschäftigung
der Einbildungskraft sich dahin versetzen zu wollen wo sie
Hülfe nöthig findet, wenn sie sich zugleich von ihrer völligen
Ohnmacht zu überzeugen hat.
Wie Du bisher Deine Reise wacker nutztest so trägst Du nun
männlich das höchst unangenehme Ereigniß; möge in dem Augenblick da ich dies schreibe die Besserung schon glücklich vorgeschritten seyn. Nun aber zu dem weitern. Ich billige Deinen
Vorsatz. Florenz u Bologna sodann München werden Dir noch zu
schaffen machen den Ernst der Kunst wirst Du an jenen beyden
Orten erst gewahr werden in der letzten eine eigene Lebhaftigkeit des Wirkens. Behandle das alles was Du gewahr wirst wie
bisher so kanns nicht fehlen daß Du wohl ausgestattet zurück-

kehrst. Mögest Du alsdann an dem seligen Frieden unsers Hauses wie wir ihn jetzt genießen, ganz hergestellt mit Liebe und Freude theilnehmen.

⟨31⟩ Johann Wolfgang von Goethe an August, Schreiber Johann John, Grußformel eigenhändig, GSA Weimar, Signatur 37/X,10,11; Konzept gedruckt in WA IV. 47 Nr. 230

Da ich nunmehr Deinen Urlaub bis zu Ende des Jahres durch die schnellwirkende Gunst des Herrn von Gersdorf Excellenz, in Händen habe, so begrüß ich Dich damit hoffentlich in Rom, wenn Dir leidige Dämonen nicht neue hindernde Prüfungen zugedacht haben. Du kannst Dir leicht denken welchen Antheil wir an Deinem Unfall genommen; wir secretirten ihn, aber von Mylius wurde an den Canzler berichtet. Doch weil wir schwiegen ging es als ein Geheimniß herum und so kam ich, ohne Rede und Widerrede, über meinen Geburtstag hinaus, den ich, mit vielen Freunden, um desto heiterer beging, als sowohl Dein, wie Sterlings Brief, Deine leidlichen Zustände berichtete.

Wer in Rom eingetreten ist, dem kann man nichts sagen. Wenn er fühlt daß er neu geboren ward, so ist ers werth und mag denn auch bey einem längeren Aufenthalt in allem Guten fortwachsen. Alles Uebrige würde an die Rhetorik des Polonius erinnern, eine Rolle die ich (wer kann sagen mit Recht oder Unrecht,) niemals übernommen habe. Heute aber den dritten September gar nicht statt fände da Dein tröstlicher Brief abgeschlossen Spezzia den 18. August uns Deine Genesung zugleich mit dem guten Gebrauch der Zeit und Umstände klar und deutlich berichtete.

Heute feyern wir wie vor Alters den Geburtstag unsres alten Herrn mit der gewohnten Ausstellung, mit treuen Erinnerungen im Stillen. Mein Geburtstag ward auch sehr lebhaft begangen, ich entschloß mich hier zu bleiben, warum soll man so viel Gutem und Lieben ausweichen. Viele Gönner und Freunde, die ich vielleicht des Jahrs nur selten sehe traten ein; auch unsre gnädigsten Herrschaften. Viele Geschenke prunkten, ein wohlgearbeiteter silberner Pokal, war von Frankfurter Wohlwollenden gesendet; dahinter vier und zwanzig Flaschen Stein- und sonstigen edlen Frankenweines, von alten und neuen Jahrgängen. Prächtige Kissen, Rouleauxs und dergleichen zu kostbar um mit Behagen gebraucht zu werden, andere gute wohl auch scherzhafte Dinge.

Das Kästchen von Mayland ist auch angekommen und wird nach Deiner Anordnung in einem spätern Briefe eröffnet und behandelt werden.

Nun kommen Deine löblich fortgesetzten Tagebücher bis zum 28. August, da Du denn gerühmt seyn sollst: daß Du diesen Tag, in so herrlicher Umgebung, anmuthig gefeyert hast.

Durch deine Beschreibungen wird mir Florenz wieder lebendig, das ich nicht so ausführlich und gründlich gesehen habe wie Du; denn, auf meiner Hinfahrt, riß michs unwiderstehlich nach Rom, und auf der Rückreise, war ich mit Tasso beschäftigt, so daß ich, durch das innere poetische Leben, gegen diese herrliche Außenwelt mich gleichsam verdüstert fand. Es ist ein schönes glückliches Ereigniß Deiner Reise, daß weder ein innerer noch äußerer Zwiespalt Deine Aufmerksamkeit zerstreut, und Du, obgleich unterrichtet genug, doch immer noch als ein Naturkind gegen die ungeheure Kunst stehst. Den Anblick des riesenhaften Pferdebändigers gönn ich Dir, ob ich ihn gleich niemals so günstig beschauen konnte; in Rom wird er Dir wieder neu und durch eine solche Vorbereitung begreiflicher werden.

Was soll ich von unsern Zuständen sagen! im Hause, bey Hof und in der Stadt, kommt nichts vor als was nicht aus den Zuständen ganz folgerecht hervorginge. Im allgemeinen hat ein alberner Nachahmungstrieb überall, mehr oder weniger, Rottirungen, wilde Händel, Brennereyen hervorgebracht und die Widerwärtigkeiten gegen die Regierungen haben sich, wie in Brabant, an mehreren Orten, mit Ungrund hervorgethan. In Leipzig haben sie Häuser gestürmt, in Dresden das Rathhaus verbrannt und die Polizeyarchive zerstört. In einigen Fabrikorten sind auch dergleichen Auftritte gewesen.

In Braunschweig geschah das Absurdeste; die Feuerlustigen manövrirten neben den Kanonen vorbey, die man gegen sie aufgeführt hatte, und brannten die eine Seite des Schlosses ganz ruhig und ungestört nieder. Sie hätten auch die andere angesteckt, unterließens aber, um die nahe gegenüberstehenden Bürgerhäuser nicht in das Hofunheil mit zu verschlingen.

Im Allgemeinen haben, nach dem Vorgange Preussens, Rußland

und Oesterreich, den König der Franzosen anerkannt und nun kommt alles darauf an, daß die Niederlande von Holland getrennt als zwey besondere Staaten, einem König aus dem Hause Nassau untergeben bleiben. Es ist zu hoffen daß die Noth auch hier das Nützliche und allen Theilen, billig und gleichmäßig Vortheilhafte, bewirken wird.

Ich schreibe diese Hauptpuncte umständlich, damit Du bey allen Zeitungsnachrichten, bey manchen hin und wieder schwebenden Kannegießereyen, doch wissest wie es im Grund steht und, wie Du bisher gethan, die Dir gegönnte Zeit mit offenen Augen, Glauben und Vertrauen, auf die Außenwelt wie auf Dich selbst, verharrend, genießest und nützest, unbekümmert um alle Zufälligkeiten. Denke nur daß Meyer in Florenz fleißig arbeitete und studirte, als Napoleon die Stadt eingenommen, den Palast Pitti geleert und seine Abgeordneten sehr übel behandelt hatte: daß die Tribune verschont worden. Die Venus Medicis hatte man nach Sicilien geflüchtet, sie mußte aber wieder beygeschafft werden.

Was ich in Deinen Schreiben vermisse, ist die Nachricht daß unser erstes Schreiben welches wir gleich nach Deinem Unfall abgelassen, von der Post in Florenz, wo es zu finden war, nicht abgeholt habest. Vielleicht giebt Dein nächster Brief, den wir noch abwarten wollen davon Nachricht.

Daß die beyden Kästchen die Du abgesendet hast von Mayland und Florenz, heute den 17. Septbr. noch nicht angekommen sind schreibe ich hier einsweilen nieder. Die Avisbriefe und Anzeigen sind angelangt, die Kästchen scheinen in Frankfurt oder sonst wo zu stocken. Doch dies wird alles sich aufgeklärt haben ehe dieses zu Dir gelangt.

Da es Platz ist füg' ich noch einige Publica hinzu: die Unruhen und Unthaten in Braunschweig und Dresden haben sich, der Legitimität unbeschadet, durch eine Veränderung des Gouvernements beruhigt. In Braunschweig hat man, nach dem Entweichen des Herzogs, seinen jüngeren Bruder von Hamburg berufen. In Dresden ist Prinz Friedrich, nachdem sein Herr Vater Max auf die Succession Verzicht gethan, zu einer Art Mitregenten des unseligen Jesuitenkönigs angenommen worden. Die Gebäude mögen sie wieder aufbauen nach verbrannten Acten und Rechnungen wieder von vorne zu regieren anfangen.

Weimar den 30. Septbr. 1830.

Vorstehendes blieb mehrere Tage liegen; Deine sehr löblichen journalartigen Briefe bis Montag den 13. Septbr. sind in vollständiger Ordnung zu unsrer Freude und Zufriedenheit angelangt, und wir können nun auf eine gleiche Fortsetzung hoffen.

Daß Du mit Zahn zusammen triffst ist freylich ein wünschenswerther Umstand; er wußte wohl schon daß ich seine Hefte in den Wiener Jahrbüchern umständlich angezeigt habe. Nun wirst Du durch ihn in Pompeji ganz und gar einheimisch werden.

Möge Dir alles glücken und zu einer Einfahrt in Rom, wo unsre Gedanken Dich schon suchten, diese herrliche Vorbereitung Dich zum schönsten fördern; so wie wir Dir Glück wünschen, nach ausgestandenen grandiosen Sturm, durch den Anblick des herrlichen Neapels erquickt worden zu seyn.

Von unsern Zuständen muß ich Dir sagen was Dir vielleicht schlimmer zu Ohren käme. Jenes oben gemeldete Uebel ist uns immer näher gerückt. Gera, Altenburg, letzteres besonders ist stark beschädigt worden. In Jena ist es schon über 14 Tage unruhig, die Besseren haben das Mögliche gethan. Doch mußte man zuletzt Militair hinüber schicken. Auch hier am Orte waren schon die wildesten Drohungen ausgestreut, die Personen genannt, welche man, in und mit ihren Häusern zu beschädigen gedachte. Der Großherzog war abwesend, doch nach einigem Zaudern entschloß man sich unser sämtliches Militair heranzuziehen, Achthundert Mann im Ganzen. Da mit und mit sonstiger Vorsicht hoffen wir durchzukommen. Eisenach und Ilmenau mußten durch Klugheit beschwichtigt werden. Wohl Dir daß Du indessen in dem herrlichen Campanien hausest, obschon die großen Paraden und Revüen, von denen Du Zeuge warst, auch auf dortige Vorsichtsmaßregeln zu deuten scheinen.

Soviel für diesmal, in Beyliegendem empfiehlt sich die Familie.

Treulichst G

Den 25ᵗ Sept. 1830.

Dein letzter Brief aus Florenz sagt uns daß Du im Begriff bist Dich für Neapel einzuschiffen, und da ich mir das ziemlich als das Paradies der Erde denke, so bist Du hoffentlich in dauernden Entzücken. Florenz ist von Dir so gut und ausführlich beschrieben worden, daß nur ein englischer Consul an Deiner Schilderung etwas konnte auszusetzen haben, um so mehr da ich Dir einige Absichtlichkeit dabei zutraue. Wie ist es nehmlich möglich daß ein Mann der diese Herrn aller Bildhauer, Mahler, Architekten, so vortrefflich behält, und kein Gedächtniß für »den jungen Engländer der in Weimar gewesen ist« gehabt hat; mußte denn einer von den Beiden unter der nahmenlosen Rubrik eines Engländers passieren, so konnte doch einer der alte Robinson sein. (Nun hoffe ich bist Du gehörig gestraft.) Da ich Dir nicht den Goldorangenduft verderben will, so erwähne ich gar nicht der erbärmlichen Unruhen die in Deutschland stattgefunden haben. Laß Dir wenigstens es keine Sorge für uns machen, konnte man glauben es käme hier zu unangenehmen Auftritten, so ist doch diese Sorge gänzlich vorüber, und auch übrigens die besten Vorkehrungen getroffen. Das einzig unangenehme was mir dabei, ist daß sich einige Personen abhalten lassen kleine Tanzfeten zu geben. Du siehst das ich mein maussardes Wesen von diesem Winter ziemlich abgelegt, und ich darf wohl sagen daß es mit meiner geistigen Gesundheit viel besser geht, wodurch ich denn zu jeder Art von Geselligkeit wieder aufgelegt bin, – und die körperliche läßt sich ertragen wenn sie auch nicht gut ist, und es sogar scheint das alte Halsübel zurückkehrt. Ich habe Dir alle Ereignisse die Dich im geringsten unangenehm berühren konnten, verschwiegen, doch glaube ich muß ich Dich mit dem Tod von Mathilde Wagner bekannt machen. Du weist es war die Glücklichste in unserem Kreis, Du weist wie sie der Mittelpunkt des Glückes für ihre Eltern und ihren Mann war, und welche treue Freundin Ulriken, und kannst Dir also ihre Empfindungen vorstellen. Auch Fritz Stein ist todt, er starb den Tag nach Mathildens Begräbniß. Damit ich Dir aber zeige was Dir der Himmel zum Glück gelassen, spreche ich Dir jetzt von

Wolffs Geburtstag. Wir haben alle Deiner redlich dabei gedacht. Da ich gar keinen Auftrag von Dir hatte, glaube ich daß Du Wolff sein Geburtstagspresent aus Italien senden oder bringen wirst, was er auch als ihm viel lieber erklärt, doch habe ich ihm ein Habit noch in Deinem Nahmen gegeben weil er es sehr brauchte.

Der Vater glaubt daß Dir das Porto so sehr viel kosten würde, deshalb erhälst Du so spärliche Briefe von mir und den Kindern. In diesem Augenblick ist ein französischer Gesandter hier um die neue Thronbesteigung zu melden. Neulich hatten wir auch einen Hawaneser hier, also noch immer Fremde aus allen Ecken. Von Engländern die hier anwesend waren ist nur DuPre; er ist an Des-Voeux Stelle nach Berlin gekommen, und jetzt hier auf Urlaub; alle übrigen englischen Nachrichten verspare auf Deine Rückkehr, nur will ich Dir sagen das Stuart König in Neapel geworden, und Lushingtons Vater dort Consul ist. Frh v Niesemeuschel ist Begleiter eines sächsischen Officiers; dies ist das einzige was ich im Fach der Liebe zu melden wüßte doch da Du die schlankeste aller Taillen sollst bekommen haben, so vermuthe ich wirst Du Dich selbst nun wieder auf die Curmacherbriefe begeben. Alma hat noch immer die schönsten Augen, und die krummsten Beine im Lande, und versichert bei dem geringsten Geräusch in Deiner Stube daß Du wiedergekommen seiest; wenn Du gedenkst ihr ein Kleidchen mitzubringen so muß es ein bischen länger sein wie das letzte. Der Vater hat aus Frankfurth einen sehr schönen Silbernen Pokal mit 24 Flaschen Wein zu seinem Geburtstag erhalten. Gille hat ein paarmal mit Vogel bei dem Vater gegessen, und bei einem kleinen Kinderball Wolfen zu Ehren, habe ich Mariechen Gille eingeladen; Du siehst daraus das Deine Wünsche berücksichtigt werden wo es nur möglich ist. Lebewohl lieber August. Die Mutter, Großmama, Ulrike, Soret, Line, Waldungen und Groß grüßen Dich sehr. Sei recht heiter damit die jetzt verlebte Zeit nicht nur in der Gegenwart, sondern auch in der Erinnerung Dir meist Genuß gewähret. Deine Ottilie.

⟨*In der Mitte des letzten Blattes von Schreiber Johann John*⟩
Ottilie, treu ihren Consular- und Redactionspflichten, nicht weniger an Gallatagen sich gränzenloser Hüthe befleißigend, die Knaben gutartig-gesellig, fortschreitend in der Musik, wie es

mit den übrigen Studien gelingt ist abzuwarten. Das Mädchen zum bewundern gescheit, von lebhaftem Willen, sehr leicht auf einen andern Gegenstand zu lenken, deshalb ihre Gegenwart höchst anmuthig.

⟨33⟩ *Rudolph Freytag an August, GSA Weimar, Signatur 37 / XII,9*

Pompei den 4ᵗ Octtob. 1830

Gnädigster Herr Baron!

Daß Herz voll mit den sonderbarsten Gefühlen trennte ich mich von Ew. Hochwohlgeboren und fuhr eiligst nach Pompei.
Auf dem Forum traf ich Prof. Zahn – Alle sich hier befindenden Wachen, Costoden u. Inspektoren sind voller freudigerer Rückerinnerungen und gedenken an Ew: Hochwohlgeboren großer Freundlichkeit, niemand kann den Augenblick Ihres Eintreffens in Pompei erwarten, wie auch Prof. Zahn u. ich, sehen mit Sehnsucht den glücklichen Augenblick ungeduldig entgegen Sie wieder in unserer Mitte noch mehrere Tage zu sehen. Tausend Grüße begleiten dieses Schreiben daß übrige mündlich. – –

in Eile
                                        Ew. Hochwohlgeboren
                                        ganz ergebenster
                                        Rudolph Freytag.

⟨34⟩ *Johann Wolfgang von Goethe an August, Konzept, Schreiber Johann John, GSA Weimar, Signatur 29/49; gedruckt in WA IV. 48, S. 274–276*

⟨*zwischen 8. und 10. November 1830*⟩
An Herrn Kammerherrn v. Goethe.

Deine Briefe aus Rom kommen zu gleicher Zeit an mit der Florentinischen Sendung; es ist also doch hübsch und gar erfreulich, daß Post und Fuhrwesen die Actio in distans immer mehr erleichtern. Also von Deinem Gesendeten zu reden hast Du Dir alle Ehre gemacht, besonders mit den Bronzeköpfchen, welches ich für einen der Florentinischen Herzoge gerne halten möchte, nähere Untersuchungen mögen dies bestätigen. Es ist von der vorzüglichsten Gußarbeit der schönen Florentiner und Bologneser Tage. Du wirst Dich immer freuen solches wiederzusehen.

Die alte Bronzmedaille verdient hiernächst genannt zu werden, sodann das kleine Bronzeköpfchen, und der Stierkopf mit der Opferbinde, als Gegenbild zu einem den wir schon besitzen soll mit Ehren genannt werden.

Nicht weniger die Käfern, wahrscheinlich ägyptisch, für mich eine ganz neue Bekanntschaft, aus einer festeren Serpentinart gearbeitet, mit einem Styl der die Natur nicht verläugnet. Und so war auch alles Mineralische willkommen auf die Insel Elba und sonstiges Südliche bezüglich.

Die zarte Pflanze auf technischen Putzgebrauch hindeutend wird wohl aufgehoben, indessen das Körbchen, wie der goldene Apfel, von sämmtlichen Frauenzimmern mit Anstand beäugelt wird.

Deine Tagebücher sind ununterbrochen zu uns gelangt und haben uns viel Freude gemacht; besonders da sich die willkührlichen und unwillkührlichen Excentritäten immer bald wieder in das rechte Gleis finden. Da Du so vieler Menschen Städte gesehen und Sitte gelernt hast, so ist zu hoffen daß Dir auch die Art, wie sich auf dem Frauenplane zu Weimar mit guten Menschen leben läßt, werde klar geworden seyn.

Goethe, Father and Son. — The Son of the great German poet, Goethe, the Chambelain Goethe, has just drawn up a diary of his journey through Italy, which Goethe the father is about to publish. — *Literary Gazette.*

Vorstehendes, aus einer englischen Zeitung genommen, wollen wir auf sich bewenden lassen; daß Du aber Deine Tagebücher redigiren und der Vollständigkeit näher führen mögest, ist mein Wunsch und wird Dir eine angenehme Beschäftigung geben.

(Man kommt zu spät, wie gewöhnlich, auf die rechten Wege. Ich hätte alle meine Briefe sollen durch Mylius gehen lassen, der Dich überall an der Geldquelle zu finden wußte. Einen Brief an den Preußischen Herrn Geschäftsträger v. Bunsen in Rom addressirt wirst Du ja auch wohl erhalten haben.

Gegenwärtiges sende ich an jenen werthen Freund; wo es Dich antrifft, möge es zur guten Stunde seyn.)

Von uns ist wenig oder gar nichts zu sagen, was Du nicht wüßtest. Ottilie ist, nach ihrer Art, leidlich wohl, die Kinder leben, wachsen, lernen was und freuen sich wie sie können.

Ich selbst fahre in meiner alten Mühseligkeit fort; die kleine Ausgabe der letzten Lieferung ist abgedruckt und revidirt, von der Octavausgabe wird zu Ende des Jahres weniges in Rückstand seyn. Und so kommst Du denn eben zum Schluß wo wir beide ein Facit ziehen und eine neue Aera beginnen können, wozu uns die guten Geister Einsicht und Kräfte verleihen mögen.

Ueber die tumultuarische Volks-Erregung sind wir glücklich hinausgekommen; Weimar hat sich in allen Ehren und Würden erhalten, dem Gouvernement sey's gedankt. Zeit war gewonnen, hiernach durchgreifender, nicht übereilter Entschluß! und so wirst Du wenn es so fortgeht alles auf dem alten Flecke finden.

Briefe und Notizen Eckermanns

⟨35⟩ *An Johann Wolfgang von Goethe, GSA Weimar, Signatur 28/354d, 1. Faszikel, Blatt 30 f.*

Mailand d. 13: May 1830.

Ich will dißmal auch einige Zeilen beylegen damit Ihre Excellenz auch von mir erfahren wie es uns geht. Besonders freut es mich melden zu können, daß der Zustand Ihres Herrn Sohnes sich täglich ins bessere gewendet hat so daß er jetzt fast ein vollkommen gesunder Mensch ist. Er ist früh auf und spät zu Bett, den ganzen Tag thätig und theilnehmend, es ist nichts Heftiges mehr in ihm und ich habe oft Gelegenheit mich über ihn zu freuen. Am Anfang unserer Reise wurden ihm die Treppen schwer, ein Gang durch einige Straßen ermüdete ihn und setzte ihn in Schweiß. Jetzt aber geht er mit mir drei bis 4. Stunden und ist davon nicht angefochten. Er hat auch die strengste Diät gehalten und seine Lebensweise ganz geändert. Er trinkt des Morgens Caffe mit mir und den Tag über nicht mehr Wein wie ich selber. Wenn er sich so fort hält, wie ich gewiß hoffe, so werden sie bey unserer Zurückkunft große Freude an ihm haben.

Übrigens sind wir bis jetzt ziemlich allen Zuständen gewachsen gewesen und wir haben uns noch nirgens eigentlich fremd gefunden. Wir haben täglich die Augen und Ohren offen und lernen mit jeder Stunde. Für mich war es ein großer Vortheil daß ich in den Schweizergebirgen Ihren Sohn zur Seite hatte, der dann bey jeder anderen Steinart meine Fragen beantworten und mich so schrittweise in die Mineralogie einführen konnte. Es ist jetzt mein vorwaltendes Intresse das ich nicht wieder los werde. Und wirklich begreife ich nicht, was ich ohne Kenntniß des Materials mit den Gebäuden hätte machen sollen. Ich habe eine wunderliche Liebe zum Granit, so daß ich mich schon mit verschiedenen Stücken herumschleppe. Neue Gedanken die mir aufgehen schreibe ich in mein Tagebuch in Verbindung mit den Gegenständen die sie veranlassen.

Wir haben seit den 3. Tagen die wir hier sind schon vieles gesehen, ja beynahe zu viel. Mittags am Table d'Hôte finden wir von allen

Nationen auch hübsche junge Engländer mit denen ich leicht reden konnte. Mit dem Französischen geht es besser als wir dachten. Es traf sich glücklich daß wir die 6. Tage von Lausanne bis hier mit vier Franzosen im Wagen uns den ganzen Tag üben mußten, wodurch wir denn weiter gekommen sind als man sonst in 4. Wochen lernen kann. Ich las gestern am Table d'Hôte einen Artikel in der Gazette de France über Ihren Faust, oder vielmehr über eine Oper die daraus hergenommen, worüber wir beyde große Freude hatten, indem wir Ihren theuren Namen so hochgeehrt fanden. Wir tranken sogleich Ihre Gesundheit. Was macht der Faust? Darf ich wissen wie er avancirt ist. Wenn es mir unter wildfremden Menschen ganz heimlich ist, so denke ich immer an Mephisto bey den Spynxen.

Ich bitte um die herzlichsten Grüße an Ihre Frau Tochter und an Walter, Wolf und die Alma denen ich oft von dieser Fülle reifer Kirschen und Erdbeeren etwas wünsche. Auch den übrigen Freunden bitte ich mich zu empfehlen und verharre mit herzlichster Verehrung und Liebe.

Ihr getreuster Eckermann.

⟨36⟩ *An Johann Wolfgang von Goethe, GSA Weimar, Signatur 28/286; gedruckt in HA, Nr. 672*

⟨Genf den 12. September 1830⟩

⟨...⟩ Mein Aufenthalt in Italien, so kurz er auch war, ist doch wie billig nicht ohne große Wirkung für mich gewesen. Eine reiche Natur hat mit ihren Wundern zu mir gesprochen, und mich gefragt, wie weit ich denn gekommen, um solche Sprache zu vernehmen. Große Werke der Menschen, große Thätigkeiten haben mich angeregt und mich auf meine eignen Hände blicken lassen, um zu sehen, was denn ich selbst vermöge. Existenzen tausendfacher Art haben mich berührt und mich gefragt, wie denn die meinige beschaffen. Und so sind drei große Bedürfnisse in mir lebendig geworden, mein Wissen zu vermehren, meine Existenz zu verbessern, und daß beides möglich sey, vor allen Dingen etwas zu thun.

Was nun dieses letztere betrifft, so bin ich über das, was zu thun sey keineswegs in Zweifel. Es liegt mir seit lange ein Werk am Herzen, womit ich mich die Jahre her in freien Stunden beschäftiget und das so weit fertig, wie ohngefähr ein neugebautes Schiff, dem noch das Thauwerk und die Segel fehlen, um in die See zu gehen. Es sind dies jene Gespräche über große Maximen in allen Fächern des Wissens und der Kunst, so wie Aufschlüsse über höhere menschliche Interessen, Werke des Geistes und vorzügliche Personen des Jahrhunderts, wozu sich im Laufe der sieben Jahre, die ich um ihnen war, die häufigsten Anlässe fanden. Es sind diese Gespräche für mich ein Fundament von unendlicher Cultur gewesen und wie ich im höchsten beglückt war, sie zu hören, und in mich aufzunehmen, so wollte ich auch andern Guten dieses Glück bereiten, indem ich sie niederschrieb und sie der besseren Menschheit bewahrte.

Eure Excellenz haben von diesen Conversationen hin und wieder einige Bogen gesehen, Sie haben selbigen Ihren Beifall geschenkt und mich wiederholt aufgemuntert, in diesem Unternehmen fortzufahren. Solches ist denn periodenweise geschehen, wie mein zerstreutes Leben in Weimar es zuließ, so daß sich etwa zu zwey Bänden reichliche Materialien gesammelt finden. Nach dem Besuch in Venedig, bei unserm zweiten Aufenthalt in Mailand, überfiel mich ein Fieber, so daß ich einige Nächte sehr krank war und eine ganze Woche ohne Neigung zu der geringsten Nahrung ganz schmählich darnieder lag. In diesen einsamen verlassenen Stunden gedachte ich vorzüglich jenes Manuscripts und es beunruhigte mich, daß es sich nicht in einem so klaren, abgeschlossenen Zustande befinde, um davon entschiedenen Gebrauch zu machen. Es trat mir vor Augen, daß es häufig nur mit der Bleyfeder geschrieben, daß einige Stellen undeutlich und nicht gehörig ausgedrückt, daß manches sich nur in Andeutungen befinde, und mit einem Wort – eine gehörige Redaction und die letzte Hand fehle.

In solchen Zuständen erwachte in mir eine dringende Neigung nach jenen Papieren; die Freude, Neapel und Rom zu sehen verschwand, und eine Sehnsucht ergriff mich, nach Deutschland zurückzukehren und von Allem zurückgezogen, einsam, jenes Manuscript zu vollenden.

Ohne von dem, was tiefer in mir vorging, zu reden, sprach ich mit Ihrem Herrn Sohn über körperliche Zustände; er empfand das Gefährliche, mich in der großen Hitze weiter mitzuschleppen und wir wurden eins, daß ich noch Genua versuchen und wenn dort mein Befinden sich nicht bessern sollte ich nach Deutschland zurückgehen dürfe.

So hatten wir uns einige Zeit in Genua aufgehalten, als ein Brief von Ihnen uns erreichte, worin Sie aus der Ferne her zu empfinden schienen, wie es ohngefähr mit mir stehen möchte und worin Sie aussprachen, daß im Fall ich etwa die Neigung hätte, zurückzukommen, es mir vergönnt seyn solle.

Wir verehrten Ihren Blick und waren erfreut, daß Sie jenseits der Alpen ihre Zustimmung zu einer Angelegenheit gaben, die so eben unter uns ausgemacht worden. Ich war entschlossen, sogleich zu gehen, Ihr Herr Sohn jedoch fand es artig, wenn ich noch bleiben und an demselbigen Tage mit ihm zugleich abreisen wolle. Dieses that ich mit Freuden und so war es denn Sonntag den fünfundzwanzigsten July, morgens vier Uhr, als wir uns auf der Straße in Genua zum Lebewohl umarmten. Zwei Wagen standen, der eine um an der Küste hinauf nach Livorno zu gehen, welchen Ihr Sohn bestieg, der andere über die Alpeninen nach Turin bereit, worin ich mich zu anderen Gefährten setzte. So fuhren wir auseinander in entgegengesetzten Richtungen beide gerührt und mit den treuesten Wünschen für unser wechselseitiges Wohl.

Es war meine Absicht gewesen Ihnen bei meiner Ankunft in Genf sogleich ausführlich zu schreiben, allein die Aufregung und Zerstreuung der ersten Tage war zu groß, als daß ich die Sammlung finden konnte um mich Ihnen mitzutheilen wie ich es wollte. Sodann am funfzehnten August erreichte mich ein Brief unseres Freundes Sterling aus Genua mit einer Nachricht die mich im Tiefsten betrübte und mir jede Communication nach Weimar untersagte.

Endlich am 28. August ward mir ein doppelter Festtag bereitet, indem an diesem Tage ein zweiter Brief von Sterling des Inhalts mich beglückte, daß Ihr Herr Sohn von seinem Unfall in kurzer Zeit völlig hergestellt sey und durchaus heiter wohl und stark sich in Livorno befinde. So waren denn alle meine Besorgnisse von der Seite mit einemmal völlig gehoben und ich betete in der Stille meines Herzens folgende Verse: »Du danke Gott, wenn er dich preßt, Und dank' ihm, wenn er dich wieder entläßt.« ⟨...⟩

Eckermann

Sinnreiche Bemerkungen aus dem Handbuch für Reisende in Italien von Dr. Neigebaur, Königl. Preußischer Ober Landesger. Rath. Leipzig. *Brockh.* 1826.

pag 3. Der Geograph sucht im Krater des Etna so wie in den Schichten der Lavaströme, Aufschluß über die Entstehung, das Alter und die Umwälzungen der Erde.

89. Da die Opern gewöhnlich sehr lang sind, werden Ballets eingeschoben.

553. hier aber geht das mühsame Steigen und Waten im Sande und in der Asche bis zum Krater an, woran der Führer und der Reisende auf seinen Stock gestützt mit jedem Schritt vorwärts, zwei rückwärts gleitend, während selbst größere Steine, auf denen er einen Ruhepunct zu finden sucht, unter ihm weichen, bis er ermattet hinsinkt, um neue Kräfte zu sammeln.

− gewöhnlich muß man sich so zu halten suchen, daß man mit einem Fuße in dem Krater, mit dem andern außerhalb desselben, wenn auch stets herabgleitend, fortschreitet.

Nach dem Tod August von Goethes

⟨38⟩ *August Kestner an Kanzler Friedrich von Müller, GSA Weimar, Signatur 68/224; gedruckt in Hahn, S. 184 f.*

Rom. 28. October. 1830.

Theuerster Freund

So bald Sie diesen Brief eröffnet haben, lassen Sie es Ihr erstes Geschäft seyn, sich aller Zeitungen oder sonstiger mit dieser Post in Weimar angekommenen Nachrichten zu bemächtigen, welche dem herrlichsten Greise, dem Geh. Rath von Göthe, beunruhigende Nachrichten aus Rom bringen könnten. Denn meine Vorkehrungen könnten fehlgeschlagen haben, die ich aus allen Kräften genommen, um dem Vater den Schrecken abzuwenden, das Schlimme von seinem Sohne durch fühllose Berichte zu erfahren, welche in solchen Fällen stets so geschäftig zu seyn pflegen.

Sie also, der Freund von Beyden, und von mir, müssen der Vermittler seyn, den Schmerz zu mildern. Durch die Briefe des Reisenden wissen Sie, daß er in so guter Gesundheit, genesen, hier ankam, und schon einige Tage Rom genoß, und doch hat eine Krankheit Ihn so schnell dahin werfen müssen, und so schnell geendet, daß wir, nur den Trost haben, daß seine Leiden kurz, und sein Hingang ohne das mindeste Gefühl davon sich ereignete; nebst der Beruhigung, daß auch nicht das Mindeste in sorgsamster Pflege und Anwendung aller Mittel versäumt wurde, um das Verhängniß zu meiden.

Zu einem gutartigen Scharlachfieber hatte sich am vorgestrigen Morgen ein Zustand entwickelt, den der theure August Göthe für eine Erkältung und für Haemorheudalbeschwerden erklärte, und auch wohl richtig urtheilte. Alles hatte den günstigsten Anschein. Ich verließ Ihn, von zwey treuen Freunden u. Landsleuten bewacht, in vorgestriger Nacht ohne die Ahnung einer Gefahr, und nicht das Scharlachfieber, sondern ein davon fast unabhängiger Schlagfluß löschte ihn in einem Momente aus um 2 Uhr nach Mitternacht, und gestern in der Frühe ward ich mit dieser Kunde aufgedonnert. Die Wachenden hörten einen tiefen Athemzug, und als sie ihn aufrichten wollten, war er schon, ohne allen Kampf, hinübergegangen. Keine Spur des Leidens ist in seiner ruhigen Miene zu sehen. Ich habe den Abdruck seines Gesichts in Gips nehmen lassen.

Wolle Gott Ihnen Worte eingeben, welche dem hohen Vater einen solchen Jammer erträglich machen, uns leiten, daß diese Nachricht die erste sey, die zu ihm komme. Alle Deutsche in Rom habe ich aufs Inständigste gebeten, in den ersten 8 Tagen nichts davon nach Haus zu schreiben, und durch den Ihnen bekannten Würtembergschen Geschäftsträger mit heutiger Post Cotta bitten lassen, dieselbe Vorsicht auf seine Zeitungen zu erstrecken.

Der Nachlaß ist aufs Sorgfältigste aufbewahrt. Das Officielle darüber fiel dem Königlich Sächsischen Agenten Hrn. Plattner, meinem Feunde, wegen der Verwandtschaft zu. Aufs treuste habe ich ihm beygestanden. Für das ehrenvollste Begräbniß habe ich gesorgt. Sollten die Kosten die Baarschaft übersteigen, so werde ich es an nichts fehlen lassen. Morgen haben wir das traurige Geschäft der Bestattung.

In dem anliegenden Briefe habe ich mich der Pflicht zu entledigen gesucht, dem Vater die letzten Lebensumstände zu melden, die den Nachgebliebenen theuer, zur Beruhigung gereichen. Ich habe den Brief offen gelassen, für Sie selbst und um danach den rechten Zeitpunct zu ermessen, da er Ihm zu übergeben ist. Ihnen überlasse ich, ob Sie passender finden, ihn zu besiegeln, oder offen zu lassen. Soweit Schmerz, Unruhe u. Unterbrechungen zum Berichten mich unfähig machen, kann ich ja noch nachtragen. Der Krankheitsbericht wird von dem Arzte vollständig nachgeliefert werden, nach vollendeter Section, denn diese schien zur Beruhigung dort u. hier sehr wesentlich.

In der schmerzlichsten Ungeduld erwarte ich Ihre Antwort, zumal wie Vater, Gattin u. Kinder es getragen. In derselben bitte ich um Anweisung für Hrn. Plattner, an wen gewünscht wird, daß er den Nachlaß absende, oder was sonst über diesen beschlossen wird.

Die Gräfin Julie erwarte ich erst in den ersten Tagen Novembers von Neapel u. suche ihr durch Mme Gerlach die Nachricht anzubringen.

Mein Kopf dreht sich nur über den schroffen Wechsel und alles was ich darüber besorgend zu empfinden habe.

In treuester Gesinnung
Ihr A. Kestner.

N.S.

Vor dem Schlusse dieses Briefs, giebt mir der Arzt folgende flüchtige Nachricht über die Section. Drey der Ersten hier leiteten sie und urtheilen, der theure August konnte auf keine Weise noch lange leben. Brust vollkommen gut; aber die Leber etwa 5 Mal, fünf Mal so groß, wie sie seyn müsse, und, eine Folge davon eine schon völlige Desorganisation des Gehirns, welches mit der Hirnhaut zusammengewachsen. Hieraus waren mehrere Kopf-Adern einem plötzlichen Zerplatzen jeden Augenblick ausgesetzt. Und der, wiewohl geringe, Grad des Fiebers unseres Freundes hatte eine derselben zum Springen gebracht. Dieß war das schnelle Ende, das nichts anderes als Schlagfluß war.

⟨39⟩ *August Kestner an Johann Wolfgang von Goethe, GSA Weimar, Signatur 30/11*

Rom den 28sten October. 1830.

Hochwohlgebohrner Herr
Hochverehrtester Herr Geheime Rath!

Mittheilungen der heitersten Art hatte ich für Ew. Excellenz bereit, während mein Dank für das verehrte und schöne Schreiben vom 5ten April noch rückständig ist, und nun weiß ich nicht, wie ich Worte finden soll, um über den allerbetrübtesten Gegenstand mich zu fassen. Denn mir fällt das traurige Geschäft zu, meinen klagenden Bericht an den trauernden Vater zu richten, nicht nur aus heiliger Dankbarkeit und Verehrung für Ew. Exellenz, sondern auch wegen meines täglichen Zusammenseyns mit ihm, den wir betrauern, dessen Freundlichkeit mir ihn so schnell befreundet machte. Wir nannten uns August und August. Sein erster Besuch, sagte er, war, nächst dem trefflichen Landsmann

Preller, zu mir, und ich würde Ihm ganz Rom gezeigt haben, wenn er nicht, ach, so schnell geschieden wäre.

Doch, mir kann es nicht zustehen, meine Klage geltend zu machen, wo ich nach Worten des Trostes ringe. Und doch, wie kann ich mir anmaßen, das aussprechen zu wollen, was Ew. Excellenz nur in Ihrer großen Seele finden.

Diese Zeilen werden Ew. Excellenz von dem Herrn von Müller erst überreicht werden, sobald mehrere Gegenstände in Ihren Gedanken Raum finden, und das Verlangen entsteht, die letzten Umstände des Entbehrten zu wissen, und daraus die Beruhigung zu schöpfen, daß keine Mittel, welche Menschen übersehen, zu seiner Rettung versäumt wurden. Mangelhaft, zerstückt und verwirrt kann dieser Bericht nur seyn, mit bewegtem Gemüthe, und unter tausend Unterbrechungen der Mitklagenden und Helfenden in traurigen, aber unaufschieblichen Geschäften. Unter die letztern aber gehört ganz vornemlich dieser eilige Bericht, damit er Ew. Excellenz zuerst durch Freundesvermittelung zukomme. – Soeben verläßt mich Thorwaldsen, seine Thränen mit den meinigen mischend.

In der Leitung meines Freundes war meine Aufmerksamkeit zuerst auf die größesten Gegenstände gerichtet. Die ersten Tage der letzten Woche entfernten mich ununterbrochen diplomatische Geschäfte wegen eines Sterbefalles von ihm, während welcher Er Tivoli, ohne mich, besuchte. Am Freytage ward es Zeit, Thorwaldsens Bekanntschaft zu machen, der auf die rührendste Weise von der unerwarteten Begegnung des Sohnes eines Gefährten in KunstGröße ergriffen war; ein Augenblick den ich nie vergessen werde. Doch ihn darzustellen, muß ich mir vorbehalten, weil für jetzt Nothwendigeres zu schreiben ist. Unser erster Besuch bey ihm ward schnell abgebrochen, da er zum Essen abgerufen ward, und wir verschoben nach den morgenden Tag ihn in seinen großen Attelier zu treffen, wozu er sich selbst erbot; er gewährte meine Bitte, nach diesem Zusammentreffen morgen, mit August und dem Hrn. Preller zu mir zum Essen zu kommen. An diesem Freytage zeigte ich meinem theuren Gastfreunde noch die Spuren Winkelmanns in der Villa Albani im Glanze der Octobersonne. Nach der Villa hatte ich den Wagen bestellt, und eilte mit ihm zu S. Maria maggiore, und zeigte Ihm diese Kirche zum ersten Male in ihrem schönsten Lichte den letzten Strahlen des Tags.

Am Sonnabend darauf, einem Posttage, war ich den ganzen Tag beschäftigt, nicht im Stande, zu Thorwaldsen mitzugehen. Hier, meinte der Freund, habe er die Erkältung bekommen, die nun solche Folgen gehabt. Abends waren wir sehr froh zusammen bey mir. Der alabasterne Festbecher, mit welchem ich beym ersten Freundesmale den Sohn meines Wohlthäters bewillkommnete, stand diesen Abend, mit Lorbeer bekränzt, vor Thorwaldsen. Er that desgleichen, von uns begleitet, aufrecht stehend, und unser lieber Fremdling ließ, im Auftrag seines Vaters, so rief er aus, den Thorwaldsen hochleben.

Ich verließ Ihn Abends mit der Einladung nach Albano und Frascati die beyden folgenden Tage meine Führung anzunehmen; denn es war hohe Zeit, Ihm die Stätten von Alba Longa und des Jupiter Latialis und Tusculum, zu zeigen, so lange die heitre Octobersonne jenen See und die Villen noch anmuthig machte; und in der That hatte ich die beyden letzten Tage dazu ergriffen; denn am Dienstag (vorgestern) kamen Wolken, und gestern der Regen.

Um 7 Uhr Sonntag Morgens, nahmen meine theuren Gäste – denn auch Hrn. Preller hatte ich dazu eingeladen – wie verabredet, vor der Abfahrt nach Albano, den Kaffee bey mir, und August war heiter, wie immer, und frühstückte wie ein Gesunder. Erst während der Fahrt klagte er über Kopfschmerzen, welches er der Erkältung in Thorwaldsens Attelier zuschrieb, wo er zwey Stunden, von Ihm empfangen, sich aufgehalten, und, von dem Sonnenschein verleitet, in Sommerkleidern, die er schon Wochenlang abgelegt hatte; auch warf er sich vor, oft seinen Kopf dort unbedeckt gehalten zu haben.

Hätte ich dieß vor der Abfahrt gewußt; vielleicht hätt' ich die Parthie verschoben; vielleicht jedoch, hat gerade die Bergluft, in der auch Er freier zu athmen froh war, die Erhitzung aufgehalten, die nachher Fieber ward.

Es war in dem Hause der berühmten schönen Vittoria, und in deren Familie, wo ich den Freund bewirthete. Er freute sich des ärmlichen saubern Hauses, und dann der schönen Jungfrau selbst, als diese, von der Messe nach Haus zurück kehrend, uns bewillkommnete, als wir, zur Wanderung auf den Monte cavo, einige Erfrischungen nahmen, von denen Er, wie wir, genoß, und sogar einige Gläser Wein trank.

Unsere Esel standen bereit vor der Hausthür. Ich wieß Ihm den ⟨?⟩ an, den Vittorio zu besteigen pflegt, ein zwölfjähriger Diener der Familie. Zuerst bestieg Er ihn; doch nur auf einen Augenblick, indem er, meiner Bitten ohnerachtet, auf dem Entschlusse beharrte, nicht wieder einen Esel sich anzuvertrauen, weil er in Neapel einige Male gestürzt war.

Wir erstiegen die Höhe über Albano sachte genug, um seine Erhitzung zu vermeiden; denn ich darf wohl nicht erwähnen, daß unser Fortschreiten von seiner, (der Seele des Festes) Gemächlichkeit bestimmt wurde. Freudig sah er den See und alles umher. Auf den Monte cavo zu steigen, gab ich schon in meinem Sinne auf; denn dieß erforderte, auch in der besten Gesundheit, einen ausgezeichneten Fußgänger. Auf allen Fall wählte ich die Richtung des Emissars zuerst, anstatt daß er das Ende der Wanderung machen sollte, und in größtern Behagen durchzogen wir die schattige obere Gallerie am See, stiegen dann zu diesem hinab, und bewunderten den mächtigen Emissar, die Geschichte der Republik dabei durchgehend, am schönsten Morgen und kühlem Mittage.

Noch ward die Möglichkeit besprochen, den Monte cavo zu besteigen; denn wenn gleich, unter vermehrten Klagen über Hemmorhuidal Schmerzen und Ungemach in den Beinen, den Rückweg des steilen Weges vom See in die Gallerie zurück, fühlend, setzte der theure Wanderer einen Ruhm darin, für einen starken Fußgänger zu gelten. Doch gab er nun den Berg auf, als wir, neben dem Capuzinerkloster über Albano standen und es halb 2 Uhr war. Er klagte, u verlangte zu ruhen, wiewohl die Kopfschmerzen gelindert waren.

Auf seinen Vorschlag blieb ich mit Hrn. Preller, zeichnend, auf der Höhe. Zwey Stunden nachher – denn dem Koch war die Essenszeit, in Bezug auf Monte cavo, auf 5 Uhr bestimmt, fanden wir, nach Haus zurückkehrend, unseren Freund, sanft schlafend auf dem ländlichen Sofa, mit einem Mantel bedeckt. Nach einer Viertelstunde trat er erquickt herein zum Tische, der schon gedeckt war. Wiewohl seine Heiterkeit etwas vermindert, so war doch nichts in seinem Zustande, was Anderes ausdrückte, als eine leichte Unpäßlichkeit, denn er genoß, wie wir andern, das mäßige Mal und rühmte die Erquickung, froh der heiteren Gesellschaft zwischen zwey schönen Weibern, während die Mutter u wohlgestaltete jüngere erwachsene Tochter, auch die schönen Söhne der ältesten, einer Wittwe, kamen u gingen. Denn ich bringe, bey solchen Besuchen, Provision für das ganze Haus, und meinen Koch, der ihnen einen guten Tag bereitet. Sein Gemüth war empfänglich dieß mitzuempfinden, und die Eigenthümlichkeiten des Inneren einer italiänischen Landfamilie und ihrer Naivität mitzugeniessen.

Nach einem kleinen Gange durch die Straßen in der Dunkelheit zurückkehrend, fanden wir, Hr. Preller mit mir Ihn später, zwischen Vittoria u der Wittwe bey der geputzten Lampe scherzend, und hörten dann von beyden Seiten, was sie sich auf Italiänisch erzählt hatten.

Er hoffte auf die beste Nacht und war, nach seiner Erfahrung, überzeugt, daß seine gute Natur ihn durch den Schlaf in so leichter Luft wieder ganz herstellen würde. Um 9 Uhr ging er zu Bette.

Der Montag Morgen entsprach nicht dieser Erwartung; denn er fühlte nach einer unruhigen Nacht, sich so leidend, an Gliederschmerzen und Hemmorhuidalbeschwerden, daß ich meinen Vorschlag, den ich schon gestern that, wiederholte, sogleich nach Rom zurückzufahren. Doch wollte er Frascati nicht aufgeben, und ich konnte diesen Wunsch nicht anders als gern sehen, da er auf Besserung durch die Fahrt hoffte, der Morgen sehr schön war, und wir über Frascati nur 5 Miglien, nämlich 19. anstatt der 14, gerade von Albano nach Rom, machten, und nur der Zeitunterschied statt fand, daß die Pferde und wir in Frascati Mittag machten.

Die Fahrt war peinlich; aber die Ruhe in Frascati in der sonnigen Villa Piccolomini sehr anmuthig. Denn diese habe ich, nebst dem Preußischen Minister, zum Sommeraufenthalt gemiethet, und das bequemste Canapee oder sonnige Bänke in der Halle erquickten den theuren Leidenden. Sogleich nach dem beschleunigten einfachen Male, von welchem er nur die Suppe genoß, eilten wir nach Rom, und schon mit Sonnenuntergange befand August sich in seinem eigenen behaglichen Bette in einer sehr guten Wohnung in meiner Nähe. Hr. Preller blieb bey ihm, u ich hatte die Morgens angekommenen Briefe zu lesen. Nach einer Stunde war ich wieder bey den Freunden, und theilte mit ihnen die Freude der entschiedensten Besserung unseres theuren Dulders, so daß er schon wieder eine Erquickung in einer Flasche

Wein mit Genusse zu sich genommen. Vielleicht war dieß nicht sehr gut, aber er benahm sich wie ein Leicht-Erkälteter, dessen Hemmorhuiden dabey aufgeregt sind, wie mir sehr oft geschieht, u Niemand hatte arg daraus. Wir gingen aus einander; aber die Vorsicht des treuen Preller ließ ihn bey August bis 2 Uhr nach Mitternacht verweilen, und sehr weislich. Denn die Schmerzen nahmen weiter so sehr zu, daß er um diese Stunde zu einem Arzt lief, und um 3 Uhr den Dottore Riccardi, einen der geschicktesten, herbeybrachte. Er fand dem Kranken Anlage zur Entzündung u ließ ihn sogleich zur Ader. Am Morgen zeigten sich alle Anzeigen des Scharlachfiebers. Der Artzt vermißte nur in den Symtomen das Halsweh, und als ich bey meinem zweyten Besuche auch dieses bey ihm antraf, war ich unendlich getröstet, den Arzt als erfahren zu erkennen, und konnte nicht anders, als mich den besten Aussichten hingeben, indem diese Fieber hier sehr gutartig zu seyn pflegen. Hierin bestätigte mich der Arzt, als ich ihn, nach seinem dritten Besuche zu mir beordert hatte. Ich schlug ihm vor, einen anderen Arzt zuzuziehen. Dieses überließ er ganz unserer Bestimmung, während er für sich durchaus keinen Grund habe, einen Beistand zu wünschen, da er die Krankheit erkannt, die Entzündung sich sehr vermindert, offener Leib erwünscht, das Fieber unbedeutend sey u seine Arzneyen ganz die Wirkung hätten, die er verlange. Ich ging nun zum Kranken, u sondirte ihn über einen zweiten Arzt. Ohngeachtet ich diesen Vorschlag leicht hinwarf, und nur dadurch motivirte, daß die hiesigen Ärzte ausländische Constitutionen nicht genau genug kennten, und man etwas für die Abwesenden thun müsse, fand ich Ihn so irritirt u geängstet von meinen Vorschlägen, daß ich besser für ihn zu sorgen glaubte, wenn ich davon abliesse. Ohnehin ist gewiß kein besserer Arzt da, als dieser Riccardi, der durch Rettung des Obersten Heidecker von zwey höchst gefährlichen Krankheiten mein volles Vertrauen verdiente. Der ganze Tag ging auch so hin, daß ich den theuren August des Abends um 10 Uhr vollkommen sorgenlos verließ. Der Arzt hatte ihn fünfmal besucht, – ich nur 3 Mal, weil dieser mir gänzlich verbot, dem Scharlachfieber mich auszusetzen – und verließ ihn ebenfalls aufs Ruhigste. Der höchst vortreffliche Herr Preller mit einem Maler Meyer aus Dresden, seinem Freunde, wichen nicht vom Zimmer. Auch nicht die Krankheit ist das Unglück gewesen, sondern ein Schlagfluß. Sein Fieber ward nicht sehr strenge; aber doch streng genug, um plötzlich eine Ader im Kopfe zu zersprengen, die vermöge der Desorganisation des Gehirns diesem Bruche nicht allein dieser Krankheit, sondern fortwährend ausgesetzt war.

Für heute muß ich schließen, und bitte nochmals um gütige Nachsicht eines so oft unterbrochenen unruhigen Schreibens.

In innigster Verehrung beharre ich

Ew. Excellenz

treuanhänglichster Diener und Freund

A. Kestner.

⟨*40*⟩ *Friedrich Preller an seine Eltern, Abschrift von Johann Friedrich Gille, GSA Weimar, Signatur 37/XXIII,5*

⟨*Rom den 28. Oktober 1830*⟩

Theuerste Eltern!

Obgleich ich Euren lieben Brief schon längst erwartete und deswegen mit meiner Antwort zögerte, aber dennoch nicht erhielt so bin ich jetzt gezwungen u. zwar durch den Höchst traurigen Fall der Weimar besonders angeht wenigstens einige Zeilen zu schreiben. Während Ihr lieben im Vaterland Eueren lieben alles gute wünscht und fest überzeugt seyd es gescheh nichts machen wir hier höchst traurige Erfahrungen. Unter den Segenswünschen und den besten Lehren seines Vaters erreichte nach vielen Mühseligkeiten endlich der Herr von Göthe Kammerherr in Weimar das Ziel seiner Reise das einzige Rom und freute sich dieses hohen Glücks aufs innigste, nicht ahnend das es von so kurzer Dauer sein könnte. Er langte 1 Tag später an als ich u. von der ersten Stunde bis jetzt war ich stets um ihn doch bald sind wir für immer getrennt denn morgen früh tragen wir ihn nach der Pyramide des Cajus Cestius wo alle Protestanten in Rom ihre zeitlose Ruhestätte finden. Er starb in der Nacht vom 26 – zum 27 dieses Monats 2 Uhr nach Mitternacht wahrscheinlich durch einen Schlag da die Krankheit an der er erst 2 Tage litt in Italien von gar keiner Bedeutung ist, nehmlich das Scharlachfieber, was durch eine Erkältung entstand. Wir waren jedoch noch selbigen Abend in Gesellschaft des unsterblichen *Thorwaldson* beim hanöverschen Gesandten Herrn Kästner einen sehr lieben Freund zu Tisch und vergnügt und verabreden eine 2tägige Parthie nach Albano u. Frascati die denn auch den andren Tag als Sonntag angetreten wurde obgleich sehr gestört durch die baldige Bemerkung seines Unwohlseins. Weswegen auch nur eine kleine Tour am See vorgenommen wurde und die übrige Zeit im Hause der weltberühmten Schönheit der Vittoria zugebracht wurde. Den andern Morgen wollten wir nach Rom zurück doch Hr. v. Göthe äußerte den sehnlichen Wunsch doch auch Frascati zu sehn, und so fuhren wir mit Herrn Kästners Equipage nach seiner Villa nahe bei ebengenannter Stadt wo wir uns einige Zeit ausruhten und gegen Abend in Rom ankamen. Die Krankheit zeugte sich bald denn obgleich er nicht selbst den Artzt verlangte ward ich doch genöthigt da ich des Nachts bei ihm wachte und sah das es immer durch die scheinbar dringenden Hemoroidalschen Schmerzen ernstlich wurde nach ärztlicher Hülfe zu rufen und ich rief des Nachts 3 Uhr einen der geschicktesten Aerzte Roms, der augenblicklich zur Ader ließ und mehrere andre Heilmittel verordnete die ihm auch die besten Dienste leisteten. Schon am Morgen entschied sich die Krankheit und der Artzt erklärte es für nicht gefährlich. Auch ging alles den natürlichen Gang und wir freuten uns herzlich. Meyer aus Dresden und ich da ich nicht mehr allein aushalten konnte, entschlossen diese Nacht ihn nicht zu verlassen da das Fieber so heftig wurde daß er unaufhörlich phantasirte, sahen jedoch nichts voraus da auch dieses nach des Artztes Aussage kommen mußte, u. hatten das Unglück die Zeugen seines unerwarteten Todes zu sein. Noch in den letzten Minuten hatte er Augenblicke in denen er nicht phantasirte sondern ruhig und verständlich uns von seiner Reise erzählte bis er einschlief, aber bald aus einem fürchterlichen Fiebertraum erwachte und sich kaum überzeugen konnte, das es Traum sey. Nachdem wurde er wieder ruhig u. schlief scheinbar ein; erwachte jedoch schnell machte einige schmerzhafte Bewegungen und da wir ihn hier bei den Händen faßten die er nach uns hinstreckte verschied er ruhig. Alle herbeigerufne ärztliche Hülfe war vergebens, heut und zwar binnen einer halben Stunde wird man die Section unternehmen um den etwaigen Grund dieses

Schlags kennen zu lernen. Auch diese Nacht wachte ich mit noch einigen Freunden bei der Leiche, und morgen früh wird er feierlich von allen Künstlern begleitet beigesetzt werden. Was seinen Nachlaß betrifft ist alles in guten Händen nehmlich des Sächschen Gesandten und wir erwarten das nähere. Herr *Kästner* schreibt an Herrn *Müller* um es seinen Nachgelassenen zu überbringen doch aus Vorsicht schrieb auch ich, da man ja nicht sicher ist das ein Brief verlohren gehen könnte. Möchte der Himmel den alten guten Vater stärken. Euch bitte ich ums Himmels willen zu schweigen, das es in Weimar nicht geahndet wird, ehe der Vater es weiß, denn eine unvorbereitete Nachricht könnte des Alten Tod seyn weswegen auch hier alle möglichen Vorsichtsmaßregeln getroffen worden sind.

⟨41⟩ *August Kestner an Kanzler Friedrich von Müller, GSA Weimar, Signatur 68/224; gedruckt in Hahn, S. 186 f.*

Rom den 2. November 1830.

Theuerster Freund

Der beykommende Bericht des Arztes, Dottore Riccardi, über die Section und den Gang der Krankheit ist der nachgebliebene Theil meines Leidtragenden Briefs vom 28. October, dem ich die größeste Eile wünsche; damit die Trauerpost nicht ohne Vorbereitung den Angehörigen u. Freunden zukomme.
Nichts scheint mir schwerer als der Entschluß eine Section anzuordnen; doch diese zu verfügen, war bey einem – selbst im Fieber so gänzlich unerwartet – plötzlichen Ende, Pflicht für die betreffende Gesandtschaft; und auch ich mußte mich, zur Rechtfertigung der Anwesenden und zur Beruhigung der Abwesenden dafür erklären. Sie sehen, wie sehr der Erfolg diese Motive gerechtfertiget. Denn drey der hiesigen geschicktesten Ärzte, welche zugleich auf dergleichen Responsa beeidigt sind, gaben den einmüthigen Ausspruch, daß bey der völligen Umgestaltung der Leber und daraus erfolgten krankhaften Veränderung des Gehirns ein nahes Ende, auch ohne diese Krankheit, unvermeidlich gewesen seyn würde. Er starb *durch* das Fieber, nicht *an* dem Fie-

ber. Jede andere zufällige Aufschwellung der KopfAdern drohte, ohne Unterlaß, der Untergang; und – im Vertrauen gesprochen – solche Gründe wurden leider täglich von Ihm selbst herbeygeführt. Alle die Ihm nah waren, fanden, daß er viel zu viel Wein trank – Ich habe ihn nicht trunken gesehen – u. fand ihn beym Zusammenessen angenehm erheitert vom Wein; aber auch mir war seine Bereitheit, jede Stunde des Tages Wein zu trinken, auffallend, ja anstößig. Der gute Preller hatte es am Abend des 26sten nicht verhindern können, aber sah es sehr ungern, daß er fast eine ganze Flasche trank, nachdem er den ganzen Tag über heftige Hämmorhuidalschmerzen geklagt, u. ganz dadurch aus dem Gleichgewicht gekommen war. Der Arzt erkannte gleichfalls diesen Grund seines zerrütteten inneren Baues, u. hat ihn aus Schonung nicht in den Bericht gesetzt. Der bey der Section zugezogene Dottor Lupi ist der Veteran der Professoren u. Practiker von Rom, mit Constitutionen der Fremden sehr vertraut, und ein rechtschaffener Mann; der Riccardi hat ganz dieselben Eigenschaften, nur weit weniger Jahre, u. nahm, mit seiner römischen Heftigkeit u. – ich möchte sagen – deutschen Theilnahme, solchen Antheil an dem Trauerfalle, daß ich noch am Mittag des 27sten fürchtete, er möge selbst krank davon werden. Er wird von den Deutschen am Meisten gerufen, und liebt sie mehr, als seine Landsleute. Sein Buch über die Philosophie der Arzneywissenschaft hat ihn bey den Männern von Fach in Ansehn, u. bey den Priestern in Verlegenheit gesetzt. – Nach meiner Überzeugung könnten zu keiner Section die Umstände sich günstiger verbinden, u. ich theilte Ihnen alle diese Eigenschaften der Assistenten mit – der Chirurg war einer der gelehrtesten Professoren der Universität – damit die Abwesenden gleiche Beruhigung daraus schöpfen mögen.

Die Beerdigung haben wir am Freytage den 29sten Morgens bey einem heiteren Sonnenscheine vorgenommen. Junge Deutsche in großer Zahl drängten sich dazu, kannten sie Ihn oder nicht, ihre Trauer über den Sohn des größten Deutschen an den Tag zu legen. Acht derselben, unter welchen der treue Preller u. der Müller ⟨sic⟩ aus Dresden, der die letzte Nacht mit ihm Wache hielt, vorangingen, trugen den Sarg vom Eingange des Gottesackers zur Capelle, u von da hinauf zur Grube, die nah an der alten Stadtmauer, entgegengesetzt der Piramyde des Cestius, gegraben war. Ich habe das Grab bezeichnen lassen, dafern ein Monument die Trauerstelle verewigen soll. Der Zug, der zwischen 8 u 9 Uhr von der Porta Pinciana über Piazza Barberini, via dell' Angelo Custodi, Fontana Trevi, Corso, Piazza di Venezia, Piazza Montanara zur Piramyde ging, bestand aus sechs Wagen; von denen drey ausser dem Todtenwagen, von der Gesandtschaft den vielen zuströhmenden Deutschen geliefert wurden. Andere nahm ich in dem meinigen auf, der von meinen zwey Bedienten, sowie der Kutscher in Trauerkleidern, gefolgt war. Thorwaldsen fuhr ebenfalls mit mir. Andere mit dem Würtembergschen Geschäftsträger. Andere mit dem Prediger, dem auch ein Wagen geliefert werden muß. Manche Andere mußten den Weg zu Fuße machen. Denn die Gesandtschaft übte eine billige Sparsamkeit in Ansehung der Kutschen, die bey solcher Gelegenheit für die nicht damit versehenen Freunde geliefert zu werden pflegen.

Dieser Brief hatte von dem Inventario u. sonstigen Papieren der Sächsischen Gesandtschaft begleitet seyn sollen; aber der Herr Plattner ist seit mehreren Tagen durch eine Entzündung am rechten Auge am Schreiben verhindert, u hat daher die nöthigen Abschriften u Rechnungsaufstellung noch nicht vollenden können. Wie ich Ihnen meldete, habe ich alle Auslagen gemacht. Sie können sich höchstens auf 40 Scudi belaufen. Die Bestimmung der Angehörigen über den Nachlaß erwarte ich in Ihrer Antwort, der ich mit schmerzlicher Ungeduld entgegen sehe.

Die Gräfin Julie erwarte ich jeden Tag. Der Gräfin Caroline meine herzlichsten Grüße, u Ihrem Sohn. Mit aufrichtiger Anhänglichkeit

Ihr Fr. Kestner.

N.S. Dieser Brief geht 2 Posttage später, als jener vom 28sten ab. Es ist mir interessant zu wissen, *um wie viel Tage später er in Weimar ankam?* Haben Sie die Güte, mir dieses zu schreiben.

⟨42⟩ *Kanzler Friedrich von Müller an August Kestner, GSA Weimar, Signatur 52/I, 5,10; gedruckt in Hahn, S. 187 ff.*

Weimar 15 Nov. 30.

Ihr erster Brief, mein theurer Freund! traf am 10ᵗ Nov, Ihr zweiter heute ein.

Sie ermessen leicht, welchen tief schmerzlichen Eindruck jener bey mir u. allenthalben hervorbrachte. Tausendmal Dank Ihrer liebevollen Fürsorge, durch die es mögl. wurde, die Familie Goethe, nur allmählig mit der Trauerkunde bekannt zu machen. Es waren bittre Abendstunden, die ich gleich am 10 Nov. dazu anwendete. Ich ließ den Vater die Katastrophe mehr ahnen u. selbst combiniren, als daß ich das Schreckenswort ausgesprochen hätte; eine Vorsichtsregel, die ich schon bey dem Tode des hochseel. Großherzogs probat gefunden hatte.

Seine Seelenstärke u. Resignation bewährten sich auch diesmal, wie tief ihn auch die so tragische Kunde verwunden mußte.

Er bekannte, vom Anfang der Reise her einen üblen Ausgang befürchtet und aus den letzten Briefen aus Neapel schon auf eine gewaltig aufgereizte, widernatürl. gespannte Stimmung geschlossen zu haben. Es schien ihm mitten im Schmerz beruhigend, daß der Hingeschiedene unter der treusten Pflege u. Fürsorge, *schmerzlos* geendet habe, nicht etwa unterwegs, in unwirthbaren Räumen, unter Fremden, theilnahmlosen Menschen. Als nach einigen Stunden die Schwiegertochter, die ich früher schon durch ihre Mutter hatte in Kenntniß setzen lassen, zu ihm eintrat, sprach er, sie bey der Hand fassend, nichts weiter als: Wir müssen nun wohl um so fester zusammen halten, u. vermied alsdann jede wörtliche Gefühlsäußerung, die ihn zu mächtig erschüttert haben würde. Er ließ die Enkel am andern Morgen zu sich kommen u. behielt sie um sich, jeden andern Zuspruch sich versagend. »Ich muß erst suchen, eine neue Lebensbasis zu gewinnen, mich wieder zu sammeln, ehe ich den Anblick dritter Personen ertragen kann«. Mit gesteigerter Lebhaftigkeit warf er sich auf wissenschaftl. Beschäftigungen, dictirte u. las abwechselnd. So ist denn, dem Himmel sey Dank, bis jetzt keine nachtheilige Folge der Schreckenskunde auf seine Gesundheit sichtbar geworden. Ihren treflich eingerichteten so zarten als liebevollen Brief an ihn, habe ich erst gestern übergeben; im höchsten Grade erkennt u. verdankt er Ihre Güte u. Treue u. alles was Sie für den Entschlafenen gethan. Ihr Brief that ihm wahrhaft wohl!

Es war sehr recht u. beruhigend, daß Sie die Section veranstalteten. Den Sectionsbericht habe ich zuvörderst Goethe's Hausarzt, Hofr. Vogel, mitgetheilt.

Leider hat die Neigung zum Trunk das außerdem so kräftige Leben verkürzt u. die Monstrosität der Leber hervorgebracht.

Die schönen Eigenschaften, die Biederkeit der Gesinnung, die mannichfachen Kenntnisse, welche der Verstorbene besaß, lassen es zweifach beklagen, daß er jene, wohl von der Mutter angeerbte, u. durch deren zu geringe Aufsicht in den frühsten Jahren allmählig entwickelte Neigung zu beherrschen nicht vermochte u. so früh ihr zum Opfer fiel. Welchen reichen Genuß würden bey seiner glückl. Wiederkehr dem Vater seine Erzählungen gewährt haben! Letzterer äußerte mir mehrmalen in diesen Tagen: »Mein Sohn hatte schöne Anlagen u. Talente, aber von Jugend auf mochte er niemals Maaß u. Ziel anerkennen, sich gern dem Unbedingten hingeben u. dieß war sein Unglük.«

Gestern fuhr Göthe zum erstenmal wieder spatziren u. dieß bekam ihm sehr wohl. Auch hat er heute den Besuch des Grosherzogs u. der Grosherzogin angenommen, die jedoch vermieden, von der Sache zu sprechen.

Was die Effecten des Verewigten betrifft, so soll ich vorerst bitten, mir ein Verzeichniß derselben zu senden, damit man auswählen könne, was davon hierher zu transportiren sey. Dem Banquier Mylius in Mailand habe ich geschrieben, daß er sofort alles, was Sie gütigst ausgelegt, berichtigen lassen möge. Wenn Sie *den Banquier* in Rom wüßten, an welchen Mylius den Verstorbenen accreditirt hatte, so könnten Sie auch wohl den Betrag alsbald gegen Quittung erheben.

Den Herrn v *Platner* bittet Goethe seine innige Dankbarkeit für seine geneigten Mühewaltungen, sowie dem edlen *Thorwaldsen*, dem getreuen *Preller* dem wackern so umsichtigen als gemüthvollen Arzte, Hrn. Doctor Riccardi u. H. Meyer aus Dresden für ihre innige Theilnahme u. resp. Pflege ja recht angelegentlich auszusprechen. Ein Monument soll allerdings an der Grabstätte errichtet werden, doch ist Goethe mit der Idee dazu noch nicht im Reinen. Einige vorläufige Wünsche hat die Wittwe deshalb an unsre liebe Julie gelangen lassen. Wie sehr wird diese ihre Ankunft in Rom durch den Trauerfall getrübt gefühlt haben! Wir sind übrigens sehr froh, daß sie noch nicht da gewesen, als das Ereigniß eintrat. Fr. v. Beaulieu, seit 8 Tagen glükl. bey uns angelangt, Line u. Auguste – der es wenigstens erträglich geht, grüßen aufs schönste. Die guten Nachrichten von Julies Befinden sind ihnen allen wie mir der größte Trost. Möge die Theure noch recht ruhige, sorgenfreye, genußreiche Tage in Ihrer Nähe verleben u. Honig für das ganze Leben die Fülle einsaugen! Sagen Sie ihr Millionen herzliche Grüße von mir. Mit der treusten Hochachtung u. Freundschaft allstets der Ihrige.

vMüller.

Mein Sohn, der leider seit den letzten Wochen wieder sehr an den Augen leidet, verdankt höchlich Ihr gütiges Andenken. Er ist seit ½ Jahr Cammer-Auditor u. findet sich sehr gut in seinen Geschäftskreiß. Dem Thorwaldsen u. dem verehrten Bunsen bitte ich mich in gütiges Andenken zu rufen.

⟨43⟩ *Stephan Schütze: Nekrolog auf August von Goethe, Abschrift, GSA Weimar, Signatur 68/867; gedruckt in Schütze, S. 120–126*

August von Goethe.

Ich fühle mich gedrungen, ein paar Worte über ihn öffentlich zu sagen, nicht, weil er der Sohn eines berühmten Mannes, sondern weil er an sich eine merkwürdige Erscheinung war. Diese Merkwürdigkeit besteht darin, daß sich nicht leicht ein Mensch auf der Welt findet, der von den äußern Umständen so begünstigt, und dabei doch so verkannt wird. Sollte man nicht glauben, daß er, der einzige Sohn eines Mannes von solchem Ruhm und Ansehn, in Reichthum zu einer schönen, kräftigen Gestalt aufgeblüht, durch jede Art von Bildung in höhere Verhältnisse eingeführt und dazu berechtigt, überall das günstigste Vorurtheil von sich hätte erwecken müssen? Denn gewöhnlich wird der, welcher vor der Welt in ein so vortheilhaftes Licht gestellt ist, überschätzt und das Glück der Umgebung ihm zu persönlichen

Vorzügen angerechnet; aber der Himmel weiß, wie es gekommen seyn mag, es hatte sich im deutschen Publikum und vielleicht noch weiter – die allgemeine Sage verbreitet, daß der Sohn des berühmten Goethe vom großen Geiste des Vaters das gerade Gegentheil bilde. Ueberall, in Preußen, in Sachsen, am Rhein, im südlichen, wie im nördlichen Deutschland mußte ich dieses Urtheil hören; fast Keiner, der den Namen Goethe aussprach, ohne für den Sohn dieses Aber hinzuzufügen, wobei noch Mancher besonders, nach Ansicht und Absicht oder nach Maaßgabe seiner eigenen Dummheit, auf das schändlichste übertrieb. Es läßt sich dies nicht anders erklären, als daß das Publikum sich hier nun einmal seiner Liebe zu *Contrasten* hingegeben hatte. Da man nämlich einmal glaubte, daß man den Sohn in keine Geistesverwandtschaft zum Vater stellen könne, so gefiel man sich darin, ihn neben dem hellen Lichte zu einem recht starken Schatten zu machen, und wenn das Publikum einmal eine solche sagenhafte Merkwürdigkeit ergriffen hat, läßt es nicht leicht wieder davon los. Eine Veranlassung zu diesem Glauben kann gegeben haben, daß der junge Goethe nach schnellen Wachsthum in seinem 13. oder 14ten Jahre (wie man das in dem Alter häufig findet) wirklich ein solches Ansehen hatte, als ob man sich von seinen Geistesanlagen nicht viel versprechen dürfe. Ich selbst hatte damals diese Vorstellung von ihm. Aber in der Folgezeit, wie ich ihn näher kennen lernte und die Bekanntschaft allmählig in freundschaftlichen Umgang überging, wurde ich, von Jahr zu Jahr Augenzeuge seiner körperlichen und geistigen Entwickelung, eines Besseren belehrt. Eine Merkwürdigkeit ganz anderer Art that sich mir nach und nach hervor – nämlich eine große *Aehnlichkeit* zwischen Vater und Sohn, welche zu bemerken und weiter zu verfolgen mir das größte Vergnügen gewährte. Nicht allein die Gestalt, das dunkle Haar, das blühende Gesicht mit den schwarzbraunen Augen erinnerte lebhaft an den Vater, sondern auch ein gewisses ernstes, gesetztes Wesen, mit deutlicher und bestimmter Auffassung der Dinge, führte auf ihn zurück. Vor allem hatte sich das Plastische, ja Realistische, das den höheren Eigenschaften des Vaters die Grundlage giebt, auf ihn fortgepflanzt. Am meisten wurde man dies gewahr, wenn der junge Goethe erzählte oder schilderte. Alles ordnete sich sprechend und malerisch neben einander, wurde mit einer gewissen Ausführlichkeit ausgebreitet, und, indem er das Gesehene gern zum Großen, Bewunderungswürdigen erhob, bekam seine Erzählung selbst einen poetischen Anstrich. Der Sinn für das Praktische zog ihn zunächst zum Oekonomischen hin, und er würde gewiß, wenn es die Umstände erfordert hätten, als Verwalter großer Güter das seltenste Geschick bewiesen haben. Diese Neigung bestimmte ihn denn auch für das Cameralfach, worin er sich mit seinen Leistungen als geheimer Cammerrath von seinen Vorgesetzten das höchste Lob erwarb. Musterhaft war besonders seine Ordnungsliebe, womit er bei seinen Arbeiten wie bei seinen Studien, bei Kunst- und Naturaliensammlungen, auch wohl bei theatralischen Festlichkeiten hier vorzüglich mit plastischen Sinn, Alles auf das sorgfältigste sonderte und eintheilte, für die Bestimmung anpaßte und erhielt. So folgte er denn auch lange Zeit der Gewohnheit des Frühaufstehens, selbst im Winter, und wußte recht anlockend die Lust zu schildern, in stiller Dunkelheit sich selbst das Licht zu zünden, den Ofen mit der Flamme zu beleben, und nun bei ruhiger Arbeit das Erwachen der Stadt, das Pochen der Werkstätten, das Hämmern der Schmiede u. s. w. zu erwarten. Mit derselben Sorgfalt führte er auch sein Tagebuch auf seiner Reise durch Italien. Immer mehr öffneten sich seine Sinne für das geistige Treiben in der Welt, für alles was nur als merkwürdig in seiner Nähe zur Sprache kam; und besonders schloß er sich der Kunst an in ihrer Ausübung und Erscheinung. Mitzuspielen in Stücken wie »Wallensteins Lager«, als die Weimarische Gesellschaft noch des Sommers nach Lauchstädt ging, gehörte zu seinen ersten Jugendfreuden. Bedeutende Stellen, besonders aus Schillerschen Stücken – er schien sie auswendig zu wissen – würzten oft mit sinnreicher Anwendung seiner Rede. Seine volltönende Deklamation ward gern gehört. Auf festlichen Redouten war er der sprechende Herold. – Nicht durch Abstraktion und Philosophie, wohl aber durch ein *gesundes, treffendes Urtheil* zeichnete er sich ganz vorzüglich aus, und über Kunstwerke wie über Angelegenheiten des Lebens sprach er oft ein bündiges Wort, doch immer lieber unter guten Freunden als in größern Gesellschaften. In diesen fehlte seiner Zunge die Gewandheit und der Leichtsinn, über etwas viel und nichts zu sagen, weshalb er hier auch nicht in seinem ganzen Werth erkannt wurde. Mit Gedanken nur zu spielen (wenn es nicht aus poetischer Anwandlung geschah), und Unebenes nur beschönigend auszusprechen, dazu liebte er die Wahrheit zu sehr. Um diese war es ihm immer mehr als um ihren Schein zu thun. Etwas Kräftig-Deutsches, ich möchte sagen, etwas von der Biederherzigkeit des ritterlichen Götz von Berlichingen sah aus ihm hervor. – Die Eitelkeit lag fern von ihm, und ob ihm gleich für Form und Sitte ein richtiges Maaß überkommen war, so setzte er doch die *Eigenthümlichkeit* weit über die *Nachahmung*. Mit fremden, ganz aus der Nähe entlehnten Federn sich zu schmücken, wie oft Kinder berühmter Eltern thun, verwarf er mit edler Selbstständigkeit. Er ließ es in seinen Reden nie merken, daß er der Sohn eines weltberühmten Mannes war. Statt blos nachzusprechen, wählte er bei innerm Zweifel lieber das Schweigen oder selbst den Widerspruch. Mit bescheidenem festem Sinn sich selbst zu genügen, lag ihm näher, als der Beifall der Welt und der Vortheil des äußern Glanzes. In ehrfurchtsvoller Entfernung von seinem Vater beschlich ihn nicht die jugendlich eitle Lust *auch* Verse machen zu wollen, und so galt er für eine rein prosaische Natur. Dennoch lag auch etwas Poetisches in ihm, das zuerst nur in geselligen Kreisen, als unwillkürlicher Ausdruck, dann aber in wirklichen Gedichten sich kund gab, womit er nicht wenig überraschte. – Solche Erstlingsfrüchte finden sich im »Chaos«, einem Blatte unter Freunden, das – in mehreren Sprachen verfaßt – aus dem Goetheschen Hause hervorging.

Leider waren dies die letzten Spuren seiner Geistesentwickelung. Etwas Gewaltsames, das mit einem Uebergewicht des Materiellen sich allmählig in seine Lebensweise mischte, brachte Veränderungen in ihm hervor, die für sein Glück ja für sein Leben fürchten ließen. Nur zu bald traf ein, was man besorgte. In Italien fand er seinen Tod, mitten in der vollen Blüthe des männlichen Alters. Ein leichter Anflug von Scharlachfieber hatte ihn in Rom auf das Krankenlager geworfen, auf welchem er mit einem dumpfen Seufzer plötzlich in der Nacht sein Leben aushauchte von einem Blutschlag getroffen. So endete der Wackere, der mit den besten Kräften des Körpers und des Geistes nur für das Glück geschaffen schien. – O wie schmerzt mich sein Tod! –

St. Schütze.

⟨*44*⟩ *Wortlaut der Todesanzeige, 10. November 1830, Schreiberhand Riemer, GSA Weimar, Signatur 30/11*

Das nach einem kurzen Krankenlager zu Rom, in der Nacht vom 26 auf den 27 October, erfolgte Ableben des Großherzogl. S. W. Cammerherrn und Geheimen Cammerraths August von Goethe melden hierdurch allen Verwandten und Freunden die tiefbetrübten Hinterlassenen

	J.W. von Goethe
Weimar	Ottilie von Goethe
den 10ᵗ November	geb. v. Pogwisch.
1830	

⟨*45*⟩ *Totenschein, ausgestellt von Friedrich August von Tippelskirch, 15. November 1830, Abschrift, GSA Weimar, Signatur 30/11*

Ich endesunterzeichneter Prediger bey der Königl. Preussischen Gesandtschaft zu Rom bescheinige hiemit, daß Herr August von Goethe, Geheimer Kammerrath in Großherzogl. Sachsen=Weimarischen Diensten, am Sieben und zwanzigsten (27.) October Eintausendachthundert und dreißig (1830) hier in Rom, in der Via di porta Pinciana No. 17. in einem Alter von 41. Jahren gestorben, und von mir am neunundzwanzigsten (29.) desselben Monats, nach den Gebräuchen der evangelischen Kirche, auf dem neuen Kirchhofe der Nichtkatholischen zur Erde bestattet worden sey.

Zur Bescheinigung hievon ist gegenwärtiger Todtenschein der Wahrheit gemäß, und in Uebereinstimmung der Königl. Preussischen Gesandtschaftskapelle Seite 158. in dem Verzeichniß der hieselbst verstorbenen Mitglieder der deutsch evangelischen Kirche No. 32. urkundlich von mir ausgestellt worden.

Rom den 15. Novbr. 1830. (15. Nov.) Eintausendachthundert und dreißig (1830.)

Friedrich August von Tippelskirch.

⟨46⟩ *Ernst Platner, Bestätigung der Urkunde, 11. Dezember 1830,*
Abschrift, GSA Weimar, Signatur 30/11

Ich unterzeichneter S. M. des Königs von Sachsen Agent beym
heiligen Stuhle, bescheinige hierdurch, daß vorstehendes Zeug-
niß von dem mir persönlich bekannten Hrn. von Tippelskirch,
als angestellten Prediger bey der hiesigen Königl. Preussichen
Gesandtschaft ausgestellt sey.
Rom den Elften (11.) Decbr. Tausendachthundert und dreißig
(1830.)

Ernst Platner.

⟨47⟩ *Bescheinigung, GSA Weimar, Signatur 37/XXIII,5*

Totenschein

Auf den Grund der vor Grosherzoglicher Landesregierung hier
ergangenen Acten, das Ableben und die Berichtigung des Nachlasses des grosherzogl. S. Weimarschen Cammerherrn und Geheimen Cammerraths Julius August Walther von Göthe betreffend, wird hierdurch glaubhaft bezeugt: daß derselbe, laut
Todtenscheins, der dato Rom den 15. November 1830., am 27. October 1830. zu Rom verstorben ist.

Weimar, 25. Juni 1833
Grosherzoglich Sächs. Landesregierung
FvMüller.

Nachwort

> »Vielleicht gibt es Gelegenheit in künftigen Tagen, aus
> seinen Reiseblättern, das Gedächtnis dieses eignen jungen
> Manns Freunden und Wohlwollenden, aufzufrischen und
> zu empfehlen.
>
> und so, über Gräber, vorwärts!«
>
> Goethe an Zelter, 23. Februar 1831

Goethes Sohn August starb in der Nacht vom 26. auf den 27. Oktober 1830 in Rom. Daß hier ein Familienroman zu Ende ging, zeigt sich schon daran, daß es August Kestner – der Sohn Charlotte Buffs, Goethes früher Freundin aus der Zeit des »Werther« – sein sollte, der, als Begleiter der letzten Tage und Zeuge von dessen Sterben, die näheren Umstände dieses frühen Todes in einem Brief an Goethe schildert (vgl. im Anhang, Nr. 39). Mit Augusts Tod in Rom erfüllt sich eine über drei Generationen der Goethes hinweg auffällig konstante Sehnsucht, die, seit der Reise von Johann Caspar Goethe durch Italien, also rund ein Jahrhundert lang, als eine geradezu genealogische Italienfixierung die Familie bestimmt hat.

Kaum ein Thema hat seit Johann Wolfgang von Goethes hesperischer Reise in den Jahren 1786 bis 1788 – und namentlich seit seiner in Sequenzen über einen Zeitraum von vierzig Jahren veröffentlichten »Italienischen Reise« – im Nachvollzug vergleichbare Selbstbehauptungen und leidenschaftliche Bekenntnisse ausgelöst wie die Erfahrung der Apenninenhalbinsel, und, potenziert noch, das Erlebnis der »Ewigen Stadt«. Deshalb gerät diese spezifische familiäre Fixierung auf Rom zu einem Gegenstand besonderen allgemeinen Interesses.

Mit den hier erstmals nach den Handschriften edierten Tagebüchern und Briefen August von Goethes, verfaßt auf seiner Reise nach Süden im Jahre 1830, liegt mithin das dritte »Italien-Buch« aus dem Hause Goethe vor. Und nicht anders als die von einem Porträt-Relief Thorvaldsens geschmückte Grabstele Augusts auf dem Fremdenfriedhof an der Cestius-Pyramide (vgl. die Abbildung auf S. 203), gerät es zu einem eindrucksvollen Epitaph dieses über drei Generationen hinweg verfolgten Traums.

*

Johann Caspar Goethe war 1740 durch Italien gereist, und hat in jahrzehntelanger Redaktionsarbeit seines in italienisch abgefaßten »Viaggio per l'Italia fatto nel anno MDCCXL ed in XLII. lettere descritto da J⟨ohann⟩ C⟨aspar⟩ G⟨oethe⟩«, an diesem wohl größten Ereignis seines Lebens entlanggeschrieben. (Erst 1986 erschien die integrale Übersetzung in die Muttersprache ihres Autors von Albert Meier unter dem Titel »Reise durch Italien im Jahre 1740«.)

Die vom Vater im Haus am Großen Hirschgraben »auf einem Vorsaale« aufgehängten »Prospecte von Rom« – also Giambattista Faldas und Alessandro Specchis Ansichten der *Piazza del Popolo*, des *Colosseums* und *Sankt Peters* –, sollten in Johann Wolfgang von Goethe eine lange nicht zu stillende Sehnsucht nach Italien wecken: es waren »die ersten Kupferbilder deren ich mich erinnere« und »diese Gestalten drückten sich tief bei mir ein, und der sonst sehr lakonische Vater hatte wohl manchmal die Gefälligkeit, eine Beschreibung des Gegenstandes vernehmen zu lassen«, erinnert sich der Verfasser von »Dichtung und Wahrheit« (MA, Bd. 16, S. 17). Goethe hatte 1786 vielfache Veranlassung, nach Italien aufzubrechen; der väterlichen Reise aber ist der früheste Impuls zu dieser folgenreichen *Hegire* geschuldet. Auf die zentrale Bedeutung, die der Reise-Erfahrung des Vaters für den Sohn zugekommen sein muß, ist vor allem von Seiten der psychologischen Forschung (Eissler), gelegentlich auch von literaturhistorischer Seite hingewiesen worden.

Den Rang der Reisebriefe Johann Caspar Goethes macht gewiß nicht die mehr oder weniger gelungene Anhäufung von Beschreibungsklischees aus. Dagegen sind es die geradezu zwanghaft aufgenommenen Inschriften – sie machen den »Viaggio« ebenso unlesbar wie für den Antiquar unverzichtbar – die ihn zu einem aufschlußreichen Dokument haben werden lassen. Ganz den Konventionen seiner Zeit verpflichtet, befolgt nämlich seine Katalogisierung alles Wissenswerten das Neugierigkeitsprinzip, das die Enzyklopädisten des 18. Jahrhunderts in aufklärerischer Aufbruchsstimmung postuliert hatten. Die Erwartungshaltung der »rationalen« Reise Johann Caspar Goethes galt dem Erwerb von Wissen. Sie sollte sich bei der seines Sohnes zur Persönlichkeitsbildung verschieben. Das markiert »die Entwicklung von der wissensfreudigen, auf die Vernunft vertrauenden und deshalb optimistischen Hochaufklärung zur skeptischen Spätaufklärung, der es zum Problem geworden ist, daß es keine von der Sinnlichkeit und damit von der Subjektivität unabhängige Erkenntnis gibt« (Meier, S. 493).

Johann Caspar Goethes Reise dauerte acht Monate, die des Sohnes achtzehn – vom November 1786 bis April 1788. Schon an der Reisedauer, vor allem aber an der Bedeutung, die Rom dabei einnimmt, wird deutlich, daß es sich bei Johann Wolfgang von Goethe nicht mehr um ein *Reisen* allein, sondern vielmehr um ein *Bleiben* handelt, um einen *Aufenthalt*, wie er sein zweites, mehrmonatiges Verweilen in der Tiberstadt – von Juni 1787 bis April 1788 – in der Redaktion vom Ende der zwanziger Jahre auch betitelt.

Rom bildet die Klimax dieser Reise. Zunächst durcheilt Johann Wolfgang von Goethe die Apenninenhalbinsel; es hält ihn wohl einige Zeit im Veneto und in Venedig, aber der Wunsch, nach Rom zu gelangen, wird so übermächtig, daß er, mit Ausnahme von Bologna – wo sich ihm freilich Rom in Gestalt von Raffaels »Heiliger Cäcilie« prominent ankündigt –, kaum mehr innehält, um endlich seinen »Wünschen entgegenzureisen«.

Den »Zweiten Römischen Aufenthalt« abzuschließen, hatte Goethe sich als Forderung selbst gestellt, nachdem der erste Rom-Aufenthalt sowie die Reisen nach Neapel und Sizilien in der Redaktion »Aus meinem Leben. Zweiter Abtheilung erster und zweiter Theil« 1817 erschienen waren. 1820 notiert er: »Ich nahm den zweiten Aufenthalt in Rom wieder vor, um der Italiänischen Reise einen notwendigen Fortgang anzuschließen.« (MA, Bd. 14, S. 295.) Lange bleibt die Arbeit aber ungetan liegen; erst im April 1829 hat Goethe nach Auskunft Eckermanns den »Zweiten Römischen Aufenthalt« wieder hervorgeholt, d. h. all jene Briefe und Aufzeichnungen, aus denen er komponiert ist. Als dritter Teil des Werks erschien der »Zweite Römische Aufenthalt«, in erstaunlicher Schnelligkeit fertiggestellt, im November 1829.

Den Schluß bildet aber nicht etwa die Schilderung der Rückfahrt über Florenz und Mailand. Mit Rom nämlich war der Höhepunkt und damit der eigentliche Abschluß der Reise erreicht, weshalb Goethe an das Ende seines römischen Aufenthalts den nächtlichen Besuch auf dem Kapitol und Ovids Elegie

– es ist die dritte aus dem ersten Buch der »Tristia« – an die Stelle eines eigenen Abschiedsorts setzt:

»Und wie sollte mir gerade in solchen Augenblicken Ovids Elegie nicht ins Gedächtnis zurückkehren, der, auch verbannt, in einer Mondnacht Rom verlassen sollte. Dum repeto noctem! seine Rückerinnerung, weit hinten am schwarzen Meere, im trauer- und jammervollen Zustande, kam mir nicht aus dem Sinn, ich wiederholte das Gedicht, das mir teilweise genau im Gedächtnis hervorstieg, aber mich wirklich an eigner Produktion irre werden ließ und hinderte; die auch, später unternommen, niemals zu Stande kommen konnte.

Wand'let von jener Nacht mir das traurige Bild vor die Seele,
Welche die letzte für mich ward in der römischen Stadt,
Wiederhol' ich die Nacht, wo des Teuren soviel mir zurückblieb.
⟨Gleitet vom Auge mir noch jetzt eine Träne herab.
Und schon ruhten bereits die Stimmen der Menschen und
Hunde,⟩
Luna sie lenkt in der Höh' nächtliches Rossegespann.
Zu ihr schaut' ich hinan, sah dann capitolische Tempel,
Welchen umsonst so nah' unsere Laren gegrenzt.«

(MA, Bd. 15, S. 653 f.)

Ursprünglich hatte Goethe, nach Ausweis der Weimarer Ausgabe, freilich einen anderen Schluß des Buchs vorgesehen, der zugleich auch das älteste Stück der Bearbeitung des »Zweiten Römischen Aufenthalts« überhaupt darstellt (1817). Auch hier zitiert Goethe Ovids Elegie, aber ohne den Verweis darauf, daß sie ihn an der eigenen Produktion »irre« hätte werden lassen; vielmehr heißt es dort:

»Bei meinem Abschied aus Rom empfand ich Schmerzen einer eignen Art. Diese Hauptstadt der Welt, deren Bürger man eine Zeitlang gewesen, ohne Hoffnung der Rückkehr zu verlassen, gibt ein Gefühl das sich durch Worte nicht überliefern läßt. Niemand vermag es zu teilen als wer es empfunden. Ich wiederholte mir in diesem Augenblicke immer und immer Ovids Elegie, die er dichtete als die Erinnerung eines ähnlichen Schicksals ihn bis ans Ende der bewohnten Welt verfolgte. Jene Distichen wälzen sich zwischen meinen Empfindungen immer auf und ab. ⟨...⟩ Nicht lange jedoch konnte ich mir jenen fremden Ausdruck eigner Empfindung wiederholen, als ich genötigt war ihn meiner Persönlichkeit, meiner Lage im besondersten anzueignen. Angebildet wurden jene Leiden den meinigen und auf der Reise beschäftigte mich dieses innere Tun manchen Tag und Nacht. Doch scheute ich mich auch nur eine Zeile zu schreiben, aus Furcht, der zarte Duft inniger Schmerzen möchte verschwinden. Ich mochte beinah nichts ansehen um mich in dieser süßen Qual nicht stören zu lassen. Doch gar bald drang sich mir auf wie herrlich die Ansicht der Welt sei, wenn wir sie mit gerührtem Sinne betrachten. Ich ermannte mich zu einer freieren poetischen Tätigkeit; der Gedanke an Tasso ward angeknüpft und ich bearbeitete die Stellen mit vorzüglicher Neigung die mir in diesem Augenblick zunächst lagen. Den größten Teil meines Aufenthalts in Florenz verbrachte ich in den dortigen Lust- und Prachtgärten. Dort schrieb ich die Stellen die mir noch jetzt jene Zeit, jene Gefühle unmittelbar zurük rufen. ⟨...⟩ Wie mit Ovid dem Local nach, so konnte ich mit Tasso dem Schicksale nach vergleichen. Der schmerzliche Zug einer leidenschaftlichen Seele die unwiderstehlich zu einer unwiderruflichen Verbannung hingezogen wird geht durch das ganze Stück. Diese Stimmung verließ mich nicht auf der Reise trotz aller Zerstreuung und Ablenkung, und, sonderbar genug, als wenn harmonische Umgebungen mich immer begünstigen sollten, schloß sich nach meiner Rückkunft das Ganze bei einem zufälligen Aufenthalte zu Belvedere, wo so viele Erinnerungen bedeutender Momente mich umschwebten.« (MA, Bd. 15, S. 1209.)

Während Ovids Elegie den römischen Aufenthalt in der Endredaktion merkwürdig hermetisch, als unwiederbringliches Erlebnis abschließt, hatte Goethe den schwermütigen Abschiedsschmerz in der ursprünglichen Fassung noch in ein zuversichtliches Aufbruchsmotiv überführt. Es widmete die Rom-Erfahrung zur Quelle zukünftiger eigener Schöpferkraft um. Daß Goethe auf die Übernahme dieses Passus in der veröffentlichten Form von 1829 verzichtet hat, erlaubt erhellende Rückschlüsse auf den eigentlichen Rang des Rom-Erlebnisses in seiner lebensgeschichtlichen Rückschau. In der Erstfassung wird ja der Genius des Orts, gewissermaßen verselbständigt, bis nach Florenz getragen – ein Ort, aus dem er auf seiner Hinreise nach Rom bekanntlich »so schnell heraus als hinein« geeilt war. Hier, vermut-

lich in den Boboli-Gärten, wandelt sich der lähmende Abschiedsschmerz aus Rom in ein prospektives Denken, ist es gerade die
römische Erfahrung, die Goethe die »Herrlichkeit der Ansicht
der Welt« erkennen läßt: es wird jene eigene Welt sein, auf der
sich die Weimarer Klassik auftürmen sollte.

Die Entstehungsgeschichte des »Zweiten Römischen Aufenthalts« belegt, daß die Zaghaftigkeit, mit der Goethe die Redaktion der »Italienischen Reise« anging, sich nicht zuletzt auch
damit begründen läßt, daß er der Rom-Erfahrung, jenes dort
aufgenommenen schöpferischen Impulses, durchaus noch zu
weiterer »Produktion« bedurfte. Erst 1829, als Goethe sich selbst
mit zeitlicher Distanz zu betrachten begann und sich daran begab, sein Leben und Werk mit letzter Hand zu ordnen, ergab dieser aus Rom herausgetragene Impuls, ergab der Verweis auf Florenz keinen Sinn mehr. Goethe war nunmehr bereit, auch dieses
Erlebnis endgültig zu historisieren, an Rom zu restituieren, was
er dort empfangen hatte. Aus dem prospektiven Rom-Erlebnis
war endgültig ein retrospektives geworden. Damit war in Rom
nichts mehr offen geblieben, hatte sich der Sinn dieses Aufenthalts als zentrale Station des Goetheschen Entwicklungsromans
erfüllt.

*

Vor diesem philologisch-biographischen Hintergrund ist August
von Goethes Aufbruch zu seiner Reise nach Süden im April 1830
zu betrachten. Wie der Vater, so reiste auch August, und nahezu
im gleichen Alter, um körperlich und seelisch zu gesunden, sich
von den »phisisch moralischen Übeln« zu befreien, der Weimarer Mansardenexistenz zu entfliehen und »wiedergeboren« heim-
zukehren. In einem 1829 verfaßten Gedicht — es erschien in der
27. Ausgabe der von seiner Frau Ottilie redigierten Weimarer
Zeitschrift »Chaos« — umschrieb August sein Bedürfnis nach
Trennung und Abschied kaum verhohlen:

> Ich will nicht mehr am Gängelbande
> Wie sonst geleitet seyn,
> Und lieber an des Abgrunds Rande
> Von jeder Fessel mich befreien.

Und ist auch sicherer Sturz bereitet,
Ich weiche nicht vom schmalsten Pfad,
Um Rechtthun mancher wird beneidet,
Und wohl ist dieß die schönste That.

Zerrissnes Herz ist nimmer herzustellen,
Sein Untergang ist sichres Loos,
Es gleicht von Sturm gepeitschten Wellen
Und sinkt zuletzt in Thetis Schooß.

D'rum stürme fort in deinem Schlagen,
Bis auch der letzte Schlag verschwand,
Ich geh' entgegen bess'ren Tagen,
Gelös't ist hier nun jedes Band!

Dabei ist besonders aufschlußreich, daß August hier Thetis an-
ruft, die Mutter des Achill. Es handelt sich um jene Meeresnym-
phe, der Zeus sich genähert, die er aber dann geflohen haben
soll, als er erfuhr, daß sie einen Sohn zur Welt bringen würde, der
dem Vater überlegen sei. Rom mochte für August die Rolle der
Thetis eingenommen haben, den Schoß also, aus dem er sich,
den eigenen Vater, den »Olympier« überwindend, »neu geboren« zurückwünschte. Denn die »Wiedergeburt« war seit der
Reise des Vaters zum eigentlichen Topos des hesperischen Aufenthalts geworden.
August reiste in Begleitung Eckermanns. Der freilich sollte, vom
Vater nur ungern vermißt, sich in Genua schon wieder von ihm
trennen und nach Deutschland zurückkehren. Dennoch wird
August sich auch im Verlauf der weiteren Reise im Koordinaten-
system Weimars bewegen. Schon der Umstand, daß als erste Station auf italienischem Boden Mailand gewählt wurde, verweist
auf die engen Verbindungen, die zwischen der Familie Goethe
und dem aus Frankfurt stammenden, in Mailand operierenden
Bankier Heinrich Mylius bestanden – August ist einer der ersten, die dessen Landhaus in Loveno di Menaggio, die heutige
Villa Vigoni, erwähnen. Zudem knüpft dieser Aufenthalt an die
vielfältigen Kontakte an, die Mailand spätestens seit dem Besuch
der lombardischen Metropole durch Herzog Carl August im
Jahre 1817 mit der thüringischen Residenzstadt verbunden. Auch

in der Folge sollten Augusts Reisebekanntschaften sich vornehmlich aus dem Personenkreis seiner Heimat rekrutieren: in Genua zählt der ehemalige Liebhaber Ottilies, Charles Sterling, ebenso dazu wie in Neapel der Archäologe Karl Wilhelm Zahn oder in Rom der Maler Friedrich Preller.

Und selbst dort, wo der nach Mündigkeit strebende August Städte und Landschaften aufsucht, die sein Vater − der freilich noch unter ganz anderen ästhetischen Prämissen gereist war − entweder nicht gesehen hatte oder doch kaum wahrgenommen zu haben scheint, etwa Florenz, gelangt er doch stets nur in wenigstens literarisch vorgezeichnete Bahnen. Florenz nämlich ist lange schon als Heimat des Bevenuto Cellini nobilitiert; und selbst wenn der sonst so zitierfreudige August in Genua Schillers »Fiesco« auch nicht im Munde führt, so ist die ligurische Hafenstadt ihm und seinen Zeitgenossen doch wenigstens durch eine Zeichnung des englischen Malers und Wahlweimarers Charles Gore vertraut.

Besonders anschaulich wird diese durchgängige Besetzung noch des ausgefallensten Reiseziels bei seinem Besuch des Lago Maggiore, jener von Johann Wolfgang von Goethe zur Ideallandschaft und Heimat der Mignon verklärten Gartenwelt der Borromäischen Inseln. Wie in Jean Pauls »Titan« waren diese auch in »Wilhelm Meisters Lehrjahren« zum arkadischen Projektionsfeld einer Generation schlechthin geworden. Beiden Autoren freilich waren die norditalienischen Landschaftsparadiese erst durch die von Friedrich Justin Bertuch in Umlauf gebrachten Veduten des Weimarer Malers Georg Melchior Kraus bekannt geworden. Indem August sie betritt, erweist er sich nicht nur als treuer Leser der väterlichen Werke; er überschreitet damit gewissermaßen die Grenze jenes Bezirks, der ihn, wie zuletzt der römische Fremdenfriedhof, auf immer an die Sehnsuchtsorte des Vaters binden wird.

Von Mailand aus langt August, nach einem Abstecher ins Veneto und in die Lagune, in Genua an. Von dort eilt er weiter, über La Spezia, wo er für einige Zeit die schmerzhaften Folgen eines Reiseunfalls auszukurieren gezwungen ist, nach Florenz und endlich Livorno. Hier schifft er sich nach Neapel ein und erreicht den Golf, wo in Pompeji in seiner Gegenwart die spätere »Casa del Fauno« in Erinnerung von Goethes Besuch von 1787 zur »Casa di Goethe« geweiht wird. Sizilien aber, den eigentlichen »Wendepunkt« der Reise seines Vaters, wird er nicht besuchen; August kam nur bis Eboli.

Und so wie er bis an den Fuß des Vesuv den väterlichen Signalen folgt, zielt auch eine seiner Hauptbeschäftigungen, der Erwerb von Münzen, Medaillen und anderen Kunstgegenständen, auf den kontinuierlichen Ausbau des Bestands der väterlichen Sammlungen. Noch in der Ferne ist August Kustos und Agent des Sammlers und der Seinigen.

August reiste auch als ein Verspäteter. Als er Italien betritt, wendet sich die Mehrzahl der Reisenden bereits nach Frankreich, hat das »Ende der Kunstepoche« auch zum Verlust des Primats Italiens und seiner Kunst geführt. Allenfalls wichen die *sentimentalen* Reisenden den jetzt vermehrt nach Süden drängenden Forschern. Carl Friedrich von Rumohrs »Drey Reisen nach Italien« (1832) etwa beschreiben das Einsetzen einer historisch-kritischen Italienerfahrung, die das Erlebnis der Kunst nicht mehr trennt von ihrer auf Quellen gestützten Kommentierung, die den Besuch des Museums wie des Archivs gleichermaßen propagiert. So aufschlußreich Augusts Exkurse zum Zustand der Sammlungen, zur zunehmenden Öffentlichkeit der Kunst in Italien unmittelbar vor dem Risorgimento bleiben – sein Sammeleifer und Bildungsehrgeiz scheinen zuletzt doch zurückzuführen in den »Vorsaal« des Frankfurter Hirschgrabens.

Bei aller Konzentration auf das Gesehene und Erlebte, und trotz des mit eindrucksvoller Beharrlichkeit geführten Tagebuchs, teilen seine Briefe und Tagebuchnotizen eine merkwürdige Hast mit. Die entsprach gewiß dem eigenwilligen Temperament Augusts; zugleich ist sie Ausdruck eines neuen Reisestils, der mit Dampfschiff und »Schnellpost« die herkömmlichen Reiserouten veränderte oder doch in erheblich kürzerer Zeit bewältigen half. Vor allem aber skandieren seine Notate die Atemlosigkeit dessen, der, wie der Vater, nur dem einen Ziel, nämlich Rom zusteuert.

Aus der campanischen Metropole zieht er wieder nordwärts, und trifft nach wenig mehr als einer Tagesreise am 16. Oktober 1830, gewissermaßen aus dem »Gegenlicht« tretend, in die Tiberstadt ein. Er sollte die Ankunft um kaum zehn Tage überleben. Die Stadt wird, »um eine Übersicht zu erhalten«, rasch durchstreift; dann besucht August, die gute Witterung ausnutzend, in Begleitung seiner deutschrömischen Freunde die umliegende Campagna. Der letzte Eintrag in den Papieren, die nach seinem Tod nach Weimar gelangten, hält am 21. Oktober einen Besuch in Tivoli fest. Es sind die letzten Bilder dieser Reise, und man liest sie, wie vielleicht das ganze Buch, nicht ohne einen gewissen Grad an Beklemmung. Wie eine abschließende Reminiszenz an die Heimat und die Bestimmung der eigenen tragischen Fallhöhe zugleich erscheint es, wenn er sich, ganz zuletzt, den Weimarer Schloßturm in die Tiefen der »Cascadellen« plaziert vorstellt – wo er doch lange nicht die Höhe des Punktes erreichte, von der sich die Wassermassen »hinabtobten«.

Bei »einem heiteren Sonnenscheine« wurde August am 29. Oktober 1830 seitlich der Pyramide des Cestius an der Porta S. Paolo begraben. (Vgl. Kestners Brief an Kanzler von Müller vom 2. November 1830 im Anhang, Nr. 41.) Es ist jener zu Beginn des 18. Jahrhunderts von den päpstlichen Behörden zur Bestattung der Nichtkatholiken freigegebene »Cimitero degli stranieri acattolici«. Er geriet den Romfahrern, bis heute, zu einem der besonders symbolhaften Orte der *urbs*. Schon Goethes römischer Freund, Karl Philipp Moritz, hatte dazu bemerkt: »Noch oft wird in Zukunft diese Pyramide des Cestius das Ziel meiner Wanderungen sein, so wie sie es im ganz eigentlichen Sinne für diejenigen unserer Glaubensgenossen ist, die hier ihrer Grabstätte entgegen sehen.«
Goethe selbst endlich hatte den nordischen Gottesacker in Arkadien zum eigenen, finalen Sehnsuchtsort erklärt. Am 16. Februar 1788, kurz vor seiner Abreise aus Rom, schrieb er an den an Sohnesstatt geliebten Fritz von Stein: »Vor einigen Abenden, da ich traurige Gedanken hatte, zeichnete ich mein Grab bei der Pyramide des Cestius, ich will es gelegentlich fertigtuschen, und dann sollst Du es haben.« Die lavierte Zeichnung (vgl. die Abbildung auf S. 204) bewahrt damit Goethes vom Mondlicht beschienenen »geheimsten« römischen Ruhesitz, so wie er ihn in der Siebten der »⟨Römischen⟩ Elegien« besungen hatte: »⟨...⟩ Vergib mir, der hohe / Capitolinische Berg ist dir ein zweiter Olymp. / Dulde mich Jupiter hier und Hermes

führe mich später, / Cestius Denkmal vorbei, leise zum Orcus hinab.« (MA, Bd. 3.2, S. 53.)

Daß es gerade dieser Platz war, an dem sich alles verdichtete, was Goethe mit Rom und seiner hesperischen Wiedergeburt verband, ist in seiner Bemerkung an den Freund Zelter aufgehoben, August habe nunmehr den Weg eingeschlagen, »um an der Pyramide des Cestius auszuruhen, an der Stelle, wohin sein Vater, vor seiner Geburt, sich dichterisch zu sehnen geneigt war.« (Goethe an Zelter, 23. Februar 1831, MA, Bd. 20.2, S. 1454.) Es ist, als ob erst Augusts Grab auf dem »Acattolico« dem von Goethe seiner »Italienischen Reise« vorangestellten Motto »Et in Arcadia ego« jetzt auch einen elegischen Sinn zu unterlegen erlaubt.

Augusts italienische Briefe und Tagebücher sind, wie seine für das »Chaos« verfaßten Gelegenheitsbeiträge auch, beredter Ausdruck des literarischen Dilettantismus des ausgehenden 18. Jahrhunderts, der in Weimar eines seiner vitalsten Zentren besaß. Sie sind zugleich das ausführlichste Dokument der Beziehungen zwischen Goethe und seinem Sohn und deren »abgründigen Spiegelungen« (Müller). Ob sie je für eine Veröffentlichung bestimmt waren, läßt sich mit letzter Sicherheit nicht beantworten. In seinem zwischen dem 8. und 10. November konzipierten, nach Eintreffen der Todesnachricht nicht mehr abgesandten Brief an August (vgl. im Anhang, Nr. 34), spielt Goethe auf eine Meldung in der Londoner »Literary Gazette« an. Darin hieß es: »Goethe, Father and Son. – The Son of the great German poet, Goethe, the Chambelain Goethe, has just drawn up a diary of his journey through Italy, which Goethe the father is about to publish.« Dem fügte Goethe hinzu: »Vorstehendes, aus einer englischen Zeitung genommen, wollen wir auf sich bewenden lassen; daß Du aber Deine Tagebücher redigiren und der Vollständigkeit näher führen mögest, ist mein Wunsch und wird Dir eine angenehme Beschäftigung geben.«

Daß der Vater aber einige Monate später Zelter gegenüber davon spricht, künftig werde es vielleicht Gelegenheit geben, Augusts Gedächtnis aus seinen Reiseblättern »Freunden und Wohlwollenden« zu empfehlen, revidiert die von ihm auf der Grabstele festgeschriebene *damnatio memoriae* Augusts

»Goethe Filius Patri antevertens obiit annor XL«

wo ja der Name des Sohnes nicht genannt, und somit zuerst und vor allem auf den Vater verwiesen wird (Goethe der Sohn, seinem Vater vorangehend, starb vierzigjährig). In den knapp anderthalb Jahren, die ihm noch blieben, hat er sich freilich nicht daran gemacht, den Sohn durch Redaktion und Veröffentlichung seiner italienischen Verlassenschaft doch noch in sein eigenes Recht zu setzen. Und den Sachwaltern seines letzten Willens samt den Forschergenerationen nach ihnen schien – rätselhaft genug – der Gegenstand nicht einmal der Mühe der Entzifferung wert. So erscheint August von Goethes Tagebuch als später Erstdruck im 169. Jahr nach seinem Tod.

Zur Textgestalt

August von Goethes Tagebücher und Briefe von seiner Reise nach Süden im Jahre 1830 werden hier zum ersten Mal ediert. Sie befinden sich im Goethe- und Schiller-Archiv, Weimar (GSA). Die ersten beiden Teile werden dort in zwei Faszikeln, der letzte in einem Konvolut aufbewahrt. Die Berichte aus Italien sind vermutlich von Goethe und seinem Schreiber Johann John nach den Eingangsdaten geordnet abgeheftet worden, denn vereinzelt findet man die Schreibchronologie unterbrochen vor. In unserer Edition werden die Aufzeichnungen nach ihrer Entstehung wiedergegeben. Nicht immer wurde die vorgefundene Reihenfolge eingehalten, auf notwendige Durchbrechungen wird im folgenden hingewiesen.

Die Handschriften (GSA 28/354 d):

1. Faszikel: 26. April 1830 bis 23. Juli 1830
Titel auf dem Umschlag (von Schreiberhand John): »August von Goethe. Tagebuch auf einer Reise nach Süden 1830.«
Blauer Einband, schwarze Tinte, Blätter beidseitig beschrieben; Foliierung rechts oben von fremder Hand
98 Blatt, 21 x 25,5 cm
Blatt 30 f.: Brief Eckermanns an Goethe, »Mailand, d. 13: May 1830.«, im Anhang, Nr. 35
Blatt 44–47: »Programma dello Straordinario, Sorprendente nuovissimo spettacolo consistente«, auf den Abdruck wurde verzichtet, ein kurzer Hinweis folgt in der Erl. zu S. 57 *den von der Arena*
Blatt 53: Augusts Brief an Goethe, »Mailand am 30ᵗ Mai 1830.«, wurde vorangestellt und folgt nach Blatt 43, im Text S. 51 f.
Blatt 10 und 88: durch Siegelverschnitt beschädigt

2. Faszikel: 30. Juni 1830 bis 28. August 1830
Titel auf dem Umschlag (von Schreiberhand John): »Separat Fascikel zu dem Tagebuche auf einer Reise August von Goethe nach Süden. 1830.«
Blauer Einband, schwarze Tinte, Blätter beidseitig beschrieben; Foliierung rechts oben von fremder Hand
47 Blatt, 21 x 25,5 cm
Auf der Innenseite des Rückeinbandes ist Augusts Skizze »Golfo de la Spezia« aufgeklebt, die Abbildung im Text auf S. 139
Blatt 1: Augusts Brief an Goethe, »Mailand den 30ᵗ Juny. 30«, wurde vorangestellt und folgt nach Blatt 82, Fasz. 1, im Text S. 93
Blatt 11 f.: im Anhang, Nr. 12
Blatt 18–20: Augusts Briefentwurf an Goethe, ohne Datum, nicht aufgenommen, da Überarbeitung überliefert, im Text S. 119–121
Blatt 21 f.: Augusts Briefentwurf an Martin Christian Viktor Töpfer vom 10. August 1830, im Anhang, Nr. 14

Blatt 22 f.: Augusts Brief an Goethe, »Privatblatt. Florenz den 24ᵗ Augt. 30.«, wurde nachgestellt und folgt nach Blatt 35: »Noch einiges im algemeinen«, im Text S. 137 f.

Blatt 3, 6 und 9: durch Siegelverschnitt beschädigt
Foliierung springt von Blatt 3 nach Blatt 5, kein Textverlust

3. Briefkonvolut: 29. August 1830 bis 21. Oktober 1830
Schwarze Tinte, Blätter beidseitig beschrieben; Foliierung bricht nach Blatt 4 ab.
50 Blatt 21,5 x 25,5 cm
Blatt 2: Augusts Briefentwurf an Goethe vom 23. August 1830, nicht aufgenommen, da Überarbeitung überliefert, im Text S. 137 f.
Blatt: »Montag den 13ᵗ Septb. 30.«, im Anhang, Nr. 15
Blatt: Augusts Tagebuch »Florenz Sonntag den 29ᵗ Augt. 30« bis »Livorno Montag d. 6ᵗ Septb. 30.«, Tinte zerlaufen und durchscheinend, Abschrift von Schreiberhand John zusätzlich vorhanden
Blatt: Augusts Tagebuch »Neapel Dinstag den 5ᵗ October 1830« bis »Neapel Mitwoch den 13ᵗ October 1830«, von fremder Hand, diktiert.

Während der Besichtigungen skizzierte August auf Notizzetteln und -heften zunächst seine Beobachtungen. Sie dienten ihm als Grundlage für die erst ein paar Tage später überarbeiteten Berichte nach Weimar. Das wiederholte Erleben sowie das Nachdenken über seine Begegnungen halfen ihm, aus der gewonnenen Distanz »das Bedeutende wieder ins Gedächtniß« zu rufen (S. 52). Nach der Beendigung der Korrespondenz pflegte August die entsprechenden Notizseiten durchzustreichen (vgl. die Abbildung auf S. 197). Die überarbeiteten Aufzeichnungen reichen bis zum 21. Oktober 1830, die Niederschriften im Notizheft brechen am 23. Oktober 1830 ab.
Die Briefe waren in erster Linie für den Vater bestimmt; an vielen Stellen bittet August jedoch, sie auch an Ottilie, die Freunde oder Bekannte weiterzugeben. Es ist anzunehmen, daß an eine Veröffentlichung der Texte zunächst nicht gedacht worden ist (vgl. Goethes Briefkonzept an August, zwischen 8. und 10. November 1830 im Anhang, Nr. 34). Dennoch läßt das sorgfältige Aufbewahren und die von Augusts Freund Johann Friedrich Gille angefertigte Abschrift darauf schließen, daß man zumindest den inhaltlichen Wert der Aufzeichnungen erkannte. Gilles Abschrift reicht nur bis zum 6. September 1830 und ist fehlerhaft, so daß sie für eine Textüberprüfung nicht verwendet werden konnte.
Der Text folgt dem Wortlaut der Handschriften. Orthographische Unregelmäßigkeiten, die sowohl auf Dialektgebrauch als auch auf Hörfehler zurückzuführen sind, und uneinheitliche Namensschreibungen sind weitgehend beibehalten worden. Sie werden teils in den Erläuterungen, teils im Register erklärt. In die oft willkürlich gesetzte Interpunktion wird eingegriffen, wenn dies für das Textverständnis notwendig erscheint. So werden Aufzählungen generell nach unserer heutigen Norm durch Kommata gegliedert sowie fehlende Punkte und Semikola ergänzt. Zahlreiche Rechtschreibunsicherheiten, die auf legastheni-

sche Schwächen und Alkoholeinfluß zurückzuführen sind, erfordern Texteingriffe, die im folgenden nachgewiesen werden. Einfach oder doppelt unterstrichene Wörter werden kursiv hervorgehoben, der Geminationsstrich über den Konsonanten aufgelöst und die Zeichen /: und :/ durch runde Klammern ersetzt. Die Kürzel für *auf*, *sich* und *ich* werden generell aufgelöst; weitere normierte Abbreviaturen werden im edierten Text beibehalten und beim ersten Auftreten in den Erläuterungen erklärt, wenn ihre Bedeutung nicht unmittelbar aus dem Zusammenhang hervorgeht. Individuelle Abkürzungen werden hingegen in den Erläuterungen nicht aufgelöst, da deren Bezugswort nicht eindeutig zu bestimmen war. Vereinzelte Verschreibungen und gestrichener Text werden nicht reproduziert oder richtiggestellt, fehlende Buchstaben durch Siegelverschnitt ergänzt.

An folgenden Stellen wurde in den Text eingegriffen:

9,16	Tage] Tage hier	30,36	1/2] 1/2 bis halb
9,27	vor] *(fehlt)*	34,36	aufgestellt. Sie] augestellt sie
9,30	den] en	36,21	herrlichsten] herrichsten
10,22	ein] *(fehlt)*	41,10	Viertelchen)] Viertelchen
11,26	einen] *(fehlt)*	42,6	es] es mit
11,31	die] *(fehlt)*	44,25	führt] fürht
12,21	herrliche] herriche	45,6	erlernen] erlern
13,26	Himmel] Himlel	45,11	schon] son
14,3	und] un	46,14	und] und und
14,5	gleich] geleich	46,20	ungeheurer] ungeheuer
14,31	Lausanne. Er ist] Lausanne er	47,3	Aerzte] Aerze
15,21	Mittheilung geschrieben]	47,16	hüpften] hüpfeten
	Mittheil schrieben	47,25	Todenköpfen] Todenköpen
16,6	dort? Ich bin] dort? ich bin	49,14	Chaussee] Causse
	bin	49,23	wurde von] war von wurde
16,15	für] *(fehlt)*		von
17,1	zu schreiben] schreiben	50,12	Wolkenleerer] Wolkenleer
17,10	giebt] gieb	50,39	und] und und
17,27	auch] au	53,13	Sitze] Sitzen
19,13	bloß] boß	53,30	Knabe] Knabe machte ein
20,5	in] *(fehlt)*		Knabe
20,21	zu sehen] *(fehlt)*	53,34	man sah] sah man
21,35	einem] einenem	58,8	wird] wir
25,13	bildet] bildet und	58,24	Wein] *(ein Wort nicht lesbar)*
27,39	näher. Es ist früher ein]		Wein
	näher es in ein früher	58,29	Oranchade,] Orchade
28,19	bestimmte] bestimme	60,37	Theaterschneider] Tehater-
29,10	Statü] Stätü		schneider
30,13	näml. Ballet)] näml.) Ballet	62,19	Muntrerem] Mutrerem
30,15	hineinzugehen] hieinzu-	64,2	theuer«] theuer
	gehen	68,5	zu sehen] sieht
30,29	nimmt um] zu nehmen u.	68,25	am] am am

Literaturhinweise

1. Johann Caspar Goethe: Reise durch Italien

J. C. Goethe   Goethe, Johann Caspar: Reise durch Italien im Jahre 1740. (Viaggio per l'Italia). Hrsg. von der Deutsch-Italienischen Vereinigung, Frankfurt am Main. Übersetzt und kommentiert von Albert Meier. München 1986 (dtv 2179).

2. Johann Wolfgang von Goethe: Werke

MA   Goethe, Johann Wolfgang: Sämtliche Werke nach Epochen seines Schaffens. Münchner Ausgabe. 21 Bde. in 33 Teilbdn. Hrsg. von Karl Richter in Zusammenarbeit mit Herbert G. Göpfert, Norbert Miller, Gerhard Sauder und Edith Zehm. München 1985–1998.

3. Johann Wolfgang von Goethe: Briefe und Tagebücher

HA   Briefe an Goethe II 1809–1832. Hrsg. von Karl Robert Mandelkow. Zweite Auflage München 1982. »Hamburger Ausgabe«.

WA III. 12   Goethes Tagebücher. 12. Bd. 1829–1830. Weimar 1901. (Goethes Werke. Hrsg. im Auftrage der Großherzogin Sophie von Sachsen, III. Abt. 12. Bd.). (Reprint München 1987). »Weimarer Ausgabe«.

WA IV. 47   Goethes Briefe. 47. Bd. April–October 1830. Weimar 1909. (Goethes Werke. Hrsg. im Auftrage der Großherzogin Sophie von Sachsen, IV. Abt. 47. Bd.). (Reprint München 1987). »Weimarer Ausgabe«.

WA IV. 48   Goethes Briefe. 48. Bd. November 1830–Juni 1831. Weimar 1909. (Goethes Werke. Hrsg. im Auftrage der Großherzogin Sophie von Sachsen, IV. Abt. 48. Bd.). (Reprint München 1987). »Weimarer Ausgabe«.

4. Einzelveröffentlichungen von Briefen und Dokumenten

Burkhardt   Burkhardt, C. A. H. ⟨u. a.⟩ (Hrsg.): Neunundvierzig Briefe von, neun an Goethe, ein Brief von Goethes Eltern und ein Brief von Frau Rath. In: GJb 11 (1890), S. 71–120.

Chaos   Chaos. Hrsg. von Ottilie von Goethe unter Einschluß der Fortsetzungen Création und Creation. Weimar 1829/30. (Reprint Bern 1968).

Egloffstein   Egloffstein, Hermann Freiherr von (Hrsg.): Alt-Weimars Abend. Briefe und Aufzeichnungen aus dem Nachlasse der Gräfinnen Egloffstein. München 1923.

Eitner   Eitner, Karl: Ein Engländer über deutsches Geistesleben im ersten Drittel dieses Jahrhunderts. Aufzeichnungen Henry Crabb Robinson's; nebst Biographie und Einleitung. Weimar 1871.

Freundschaftliche   Freundschaftliche Briefe von Goethe und seiner Frau an
Briefe   Nicolaus Meyer. Aus den Jahren 1800 bis 1831. Leipzig 1856.

Hahn   Hahn, Karl-Heinz: Goethe beim Tode seines Sohnes. In: GJb Neue Folge 18 (1956), S. 180–189.

Mell   Mell, Max (Hrsg.): Besuch in Weimar. Goethes achtzigster Geburtstag. Briefberichte eines jungen polnischen Dichters, übertragen von F. Th. Bratranek. Wien ⟨u. a.⟩ 1949.

Oettingen II   Oettingen, Wolfgang von (Hrsg.): Ottilie von Goethes Nachlaß. Briefe und Tagebücher von ihr und an sie bis 1832. Weimar 1913 (Schriften der Goethe-Gesellschaft, Bd. 28).

Schütze   Schütze, Stephan: August von Goethe. In: Friedhelm Wilhelm Gubitz (Hrsg.): Berühmte Schriftsteller der Deutschen, Bd. 1. Berlin 1854, S. 120–126.

Soret   Soret, Frédéric: Zehn Jahre bei Goethe. Erinnerungen an Weimars klassische Zeit 1822–1832. Aus Sorets handschriftlichem Nachlaß, seinen Tagebüchern und seinem Briefwechsel zum erstenmal zusammengestellt, übersetzt und erläutert von H. H. Houben. Leipzig 1929.

Stern   Stern, Adolf: August von Goethes Briefe aus Italien. In: Die Grenzboten 59 (1900), S. 190–199.

Taylor   Taylor, Bayard: Autumn days in Weimar. In: Critical Essays and Literary Notes. New York 1880, S. 167 ff.

Zipper   Zipper, Albert (Hrsg.): Aus Odyniec' Reisebriefen. In: Max Koch (Hrsg.): Studien zur vergleichenden Literaturgeschichte, Bd. 4. Berlin 1904, S. 175–187.

5. Zitierte Forschungsliteratur

Bode   Bode, Wilhelm: Goethes Sohn. Hrsg. von Gabriele Radecke. Berlin 2002. (Aufbau Taschenbuch 1829). [Erstausgabe Berlin 1918].

Eissler   Eissler, Kurt Robert: Goethe. Eine psychoanalytische Studie. 1775–1786. 2 Bde. Zweite Auflage München 1987.

Herwig   Herwig, Wolfgang (Hrsg.): Goethes Gespräche. Eine Sammlung zeitgenössischer Berichte aus seinem Umgang. Auf Grund der Ausgabe und des Nachlasses von Flodoard Freiherrn von Biedermann ergänzt und herausgegeben. Fünf Bde. in 6 Teilbdn. Zürich/München 1965–1987.

Kestner	Kestner, August: Römische Studien. Berlin 1850.
Keudell	Keudell, Elise von (Bearb.): Goethe als Benutzer der Weimarer Bibliothek. Ein Verzeichnis der von ihm entliehenen Werke. Weimar 1931. (Reprint Leipzig 1982).
Maltzahn	Maltzahn, Hellmuth Freiherr von: August von Goethes Bibliothek. In: Philobiblion VI (1933), Nr. 5, Beiheft.
Maul/Oppel	Maul, Gisela/Oppel, Margarete: Goethes Wohnhaus. München/Wien 1996.
Meier	Meier, Albert: Nachwort. In: Johann Caspar Goethe: Reise durch Italien im Jahre 1740. (Viaggio per l'Italia). Hrsg. von der Deutsch-Italienischen Vereinigung, Frankfurt am Main. Übersetzt und kommentiert von A. M. München 1986 (dtv 2179), S. 487–499.
Mejer	Mejer, Otto: Der römische Kestner. In: Nord und Süd 23 (1882), S. 345–369.
Noack	Noack, Friedrich: Der Nachlaß August von Goethes in Rom. In: GJb 29 (1908), S. 206 f.
Reimann/Steiger	Reimann, Angelika/Steiger, Robert: Goethes Leben von Tag zu Tag. Eine dokumentarische Chronik. 8 Bde. Zürich 1982 ff.
Ruppert	Ruppert, Hans (Bearb.): Goethes Bibliothek. Katalog. Weimar 1958 (Goethes Sammlungen zur Kunst, Literatur und Naturwissenschaft). (Reprint Leipzig 1978).
Schuchardt	Schuchardt, Christian: Goethe's Kunstsammlungen. 3 Bde. Jena 1848 f. (Reprint Hildesheim/New York 1976).

6. Weitere Forschungsliteratur und Biographien

Beyer, Andreas: Reisen – Bleiben – Sterben. Die Goethes in Rom. In: Klaus Manger (Hrsg.): Italienbeziehungen des klassischen Weimar. Tübingen 1997, S. 63–84.

Biedrzynski, Effi: Goethe, Julius August Walther von. In: E. B.: Goethes Weimar. Das Lexikon der Personen und Schauplätze. Zweite, überarb. Auflage Zürich 1993, S. 143–148.

Bott, Gerhard/Spielmann, Heinz (Hrsg.): Künstlerleben in Rom. Berthel Thorvaldsen (1770–1844). Der dänische Bildhauer und seine deutschen Freunde. Nürnberg 1991.

Geiger, Ludwig: Goethe und die Seinen. Quellenmäßige Darstellungen über Goethes Haus. Leipzig 1908.

Gensichen, Otto Franz: August von Goethe. Ein Gedenkblatt zu seinem fünfzigsten Todestage. In: Nationalzeitung 33 (1880), Nr. 503 ff.

Gensichen, Otto Franz: August von Goethe. Ein Gedenkblatt zu seinem hundertsten Geburtstage. In: Schorers Familienblatt 10 (1889), S. 809–812.

Gille, Carl: Goethe-Erinnerungen. Frankfurt am Main 1899. [Separat-Abdruck aus der Frankfurter Zeitung vom 16. April 1899].

Grünfeld, Siegfried: August von Goethe. In: Jahresbericht des k. k. I. Staatsgymnasiums in Czernowitz. Veröffentlicht am Schlusse des Schuljahres 1910/1911 von Karl Wolf. Czernowitz 1911, S. 3–41.

Hein, Karsten: Ottilie von Goethe (1796–1872) Biographie und literarische Beziehungen der Schwiegertochter Goethes. Frankfurt am Main [u. a.] 2001. (Europäische Hochschulschriften Reihe I, Bd. 1782).

Hinneschied, Dominik: August von Goethe und Johann Peter Eckermann. In: Die Grenzboten 59 (1900), S. 516.

Holtei, Karl von: Goethe und sein Sohn. Weimarer Erlebnisse in den Jahren 1827–1831. Hrsg. von Walter Robert. Hamburg 1924.

Karpeles, Gustav: August von Goethe. Ein Gedenkblatt zum 28. August. In: Der Zeitgeist 34 (1890), 25. August 1890, Beiblatt zum Berliner Tageblatt.

Müller, Lothar: Abgründige Spiegelungen. August und Johann Wolfgang von Goethe. In: Väter und Söhne. Zwölf biographische Porträts. Reinbek 1998 (rororo sachbuch 60431), S. 40–88.

Neigebaur, Johann Daniel Ferdinand: Handbuch für Reisende in Italien. Leipzig 1826.

Pfister, Kurt: Der Sohn Goethes. In: K. Pf.: Söhne großer Männer. München 1941, S. 138–191.

Schmidt, Hartmut: Goethes Sohn August. Düsseldorf 1980 (Anmerkungen 23; Prospekt zur Ausstellung »Goethes Sohn August«).

Schröer, Karl Julius: An der Pyramide des Cestius. Erinnerung an August v. Göthe. In: Westermanns Monatshefte 27 (1883), S. 799–804.

Schröer, Karl Julius: August von Goethe. In: Vom Fels zum Meer 1 (1882), S. 297–306.

Sedlacek, Carola: Goethe, August von. In: Hans-Dietrich Dahnke/Regine Otto (Hrsg.): Goethe Handbuch, 4 Bde. in 5 Teilbdn. Bd. 4/1: Personen, Sachen, Begriffe A–K. Stuttgart/Weimar 1998, S. 391–393.

Springer, Robert: August von Goethes Besuch bei Thorwaldsen. In: R. S.: Charakterbilder und Scenerien. Darstellungen aus der Litteratur- und Kunst-Geschichte. Minden 1886, S. 3–11.

Uhde, Hermann: Goethe über den Tod seines Sohnes. In: Im neuen Reich 1875, Nr. 29, 16. Juli 1875, S. 90–93.

Völker, Werner: Der Sohn August von Goethe. Frankfurt am Main/Leipzig 1992.

Vulpius, Walther: Zu August von Goethes Gedächtnis. In: Jahrbuch der Goethe-Gesellschaft 17 (1931), S. 114–131.

Vulpius, Wolfgang: Rinaldo Vulpius in seinen Beziehungen zur Familie von Goethe. In: Archiv für Sippenforschung und alle verwandten Gebiete 9 (1932), S. 91–98.

Weissel, Otto: Drei italienische Reisen (Großvater, Vater und Sohn). In: Chronik des Wiener Goethe-Vereins 37 (1932), S. 41–48.

Werner, Hans: Goethe als Vater. In: Goethe-Kalender auf das Jahr 1934. Hrsg. vom Frankfurter Goethe-Museum. Leipzig 1933, S. 213–227.

Wilpert, Gero von: August von Goethe. In: G. v. W.: Goethe-Lexikon. Stuttgart 1998 (Kröner Taschenausgabe, Bd. 407), S. 389 f.

Erläuterungen

August von Goethes Tagebücher und Briefe von seiner Reise nach Süden werden im Anhang ergänzt durch die letzten, noch nicht überarbeiteten Reisenotizen und weitere Briefe und Dokumente. Diese werden zum Teil erstmals veröffentlicht, weil sie in einem engen Zusammenhang mit der »Reise nach Süden« stehen. Einerseits geben sie nähere Informationen über die Vorgeschichte, den Verlauf und das Ende der Italienfahrt, andererseits zeigen die an August gerichteten Briefe des Vaters, der Familie und der Freunde deren Anteilnahme an seinen Erlebnissen. Darüber hinaus sind die bereits edierten Texte heute oftmals nicht mehr leicht zugänglich oder nicht zeichengetreu nach der Handschrift herausgegeben worden, so daß eine erneute kritisch überprüfte Darbietung auch aus editorischer Sicht notwendig erscheint.

Tagebuchtexte und Anhang werden durch die Erläuterungen miteinander verknüpft, wenn August in seinen Aufzeichnungen auf weitere Schreiben hinweist bzw. die Texte im Anhang über den Tagebuchtext hinausgehende Informationen bieten. Auf die zahlreichen Aussagen, Berichte oder Briefe von Personen, die August von Goethe während seiner Reise begegnet waren, wird in den Erläuterungen hingewiesen. Briefe, die August in seinen Tagebuchaufzeichnungen erwähnt, werden nachgewiesen; fehlt der Nachweis, so ist anzunehmen, daß das entsprechende Schriftstück nicht überliefert ist. Nicht näher erklärt werden Orte, Sehenswürdigkeiten und Kunstwerke, die sich über die gängige Reiseliteratur leicht ermitteln lassen. Auf Kunstgegenstände, die August nach Weimar sandte – etwa die zahlreichen Münzen – wird nur verwiesen, wenn diese einwandfrei zu identifizieren waren.

Das annotierte Register umfaßt Personen und Orte; die oft fehlerhafte Schreibweise wurde dort berichtigt. Erläuterungen und Register beziehen sich nur auf die Tagebücher und Briefe; die Briefe und Dokumente im Anhang sind als erläuterndes Material beigegeben und werden deshalb nicht im Register erfaßt.

9 *Den 22ᵗ d. M.:* Vgl. auch Augusts Brief an Christiane Gille vom 21. April 1830: »Ich scheide früher als ich wollte leben Sie alle wohl ich kann nicht mehr.« (Stern, S. 193.) Die überstürzte Abreise kommentiert Johann Peter Eckermann in einem Brief an seine Braut Johanna Bertram vom 24. April 1830 (vgl. Soret, S. 418). – *wir zwei:* Am 16. März 1830 wurde Eckermann von August aufgefordert, ihn auf seiner Italienreise zu begleiten (vgl. MA, Bd. 19, S. 364). Siehe Eckermanns Aufzeichnungen vom Sonntag, den 21. März 1830 und vom 21. April 1830 (vgl. MA, Bd. 19, S. 366 ff. und S. 368 f.). – *Ich wohne im weißen Schwane ⟨...⟩ mit der Mutter wohnte:* August und seine Mutter logierten während des gemeinsamen Besuchs in Frankfurt vom 4. bis 7. August 1797 in diesem Gasthof, Johann Wolfgang von Goethe wohnte hingegen bei seiner Mutter (vgl. Bode, S. 34). – *wegen meines beschundenen Fußes:* Vgl. Augusts Briefe an Christiane Gille und an

Ottilie im Anhang, Nr. 4 und Nr. 5. – *Komedien Platz:* Komödienplatz, heute: Rathenauplatz, nördlich von Goethes Geburtshaus am Großen Hirschgraben gelegen. – *Chatharinport:* Katharinenpforte, nordöstlich von Goethes Geburtshaus. – *welches Leben:* Eckermann und August sahen sich das Treiben wohl gemeinsam an, vgl. Eckermanns Aufzeichnungen vom 24. April 1830 (MA, Bd. 19, S. 369 f.). – *Musikohr:* Gemeint ist ein Musikcorps.

10 *Bassaschlafrok:* »Bassa«, die ital.-span. Form des türkischen Titels »Pascha«; hier ein langer, vorne offener Hausrock. – *Dolce far niente:* ital. Sprichwort aus dem beginnenden 19. Jahrhundert: das süße Nichtstun. Zu dessen Ursprung vgl. Plinius d. J. »Epist.« (VIII., 8): »illud iners quidem jucundum tamen nihil agere, nihil esse« sowie Ciceros »De oratore« (libro II, cap. VI, 24): »⟨...⟩ nihl agere ⟨...⟩ delectat«. – *Ekermann geht fleißig aus:* Vgl. Eckermanns Aufzeichnungen über seinen ersten Spaziergang durch die Stadt am 24. April 1830 (MA, Bd. 19, S. 369). – *Buratini:* (ital. burattino): Puppe eines Puppentheaters oder Marionettenfigur. – *Morgen ist Don Jouan:* Aus Eckermanns Aufzeichnungen vom 25. April 1830 geht hervor, daß es sich hier um die Aufführung von Wolfgang Amadeus Mozarts Oper »Don Giovanni« handeln muß, Uraufführung Prag 1787 (vgl. MA, Bd. 19, S. 371). – *wie Gille:* Augusts Freund Johann Friedrich Gille fertigte eine Abschrift des Tagebuchs an (vgl. GSA, Signatur 28/354). – *von einer Fahrt zurük:* Vgl. Eckermanns Aufzeichnungen vom 25. April 1830 (MA, Bd. 19, S. 370).

11 *Geheimerath Sternberg:* Figur in August Wilhelm Ifflands Theaterstück »Die Hagestolzen«, Uraufführung Leipzig 1793. – *1fl 18 Xth:* fl = Gulden, Xth = Kreuztaler. – *Die Bedienung war magnifique:* Vgl. Eckermanns ausführliche Beschreibung des Kellners vom 25. April 1830 (MA, Bd. 19, S. 370 f.). – *Napoleon:* August zählte zu den emphatischen Anhängern des Kaisers der Franzosen, was er auch mit der häufigen Unterschrift »die alte Garde« zum Ausdruck bringt. – *Empfang Napoleons in Grenobel:* Grenoble war die erste Stadt, die dem von seinem Verbannungsort Elba zurückkehrenden Napoleon I. im März 1815 ihre Tore öffnete.

12 *besahen wir uns die Messe:* Die Frankfurter Frühjahrs- und Herbstmessen begründeten im 16. Jahrhundert Frankfurts Größe und Reichtum. – *Retour Chaise:* Zwei- oder vierrädriger offener Wagen. – *die alten bekannten Straßen:* August studierte ab April 1808 drei Semester Jura in Heidelberg. Seine Wohnung nahm er bei dem Strumpfwirker Schweizer in der Hauptstraße (vgl. Bode, S. 115 f.). – *Berlin und Dresden:* August und Ottilie reisten am 4. Mai 1819 über Dessau nach Berlin. Am 1. Juni fuhren sie weiter nach Dresden und kehrten am 27. Juni 1819 nach Weimar zurück. Ottilies Verwandte hatten das junge Ehepaar eingeladen, außerdem stand noch eine weitere Einladung Carl Friedrich Zelters in Berlin aus. August ließ sich dafür erstmals länger beurlauben (vgl. Augusts Urlaubsgesuch im Anhang, Nr. 3). – *Ekermann führt sein Tagebuch:* Eckermanns Aufzeichnungen reichen vom 24. April bis zum 30. Mai 1830 (vgl. MA, Bd. 19, S. 369–376).

13 *Geheimenrath Mittermeyer:* August und Karl Joseph Anton Mittermaier lernten sich 1808 während ihres Studiums in Heidelberg kennen; ab 1821 war Mittermaier als Jurist dort tätig. – *Hauderer:* Lohnkutscher. – *gestoft:* geschmort. – *15 gr 8 d:* gr = Groschen, d = Pfennig. – *Professor Münch:* Ernst Joseph Hermann Münch war seit 1830 Bibliothekar des Königs von Den Haag.

14 *Gothischer Baukunst:* Vgl. hierzu Johann Wolfgang von Goethes frühe Schrift von 1773 »Von Deutscher Baukunst« (MA, Bd. 1.2, S. 415–423). – *Sie kennen ihn:* Goethe besuchte Basel vom 1. bis 3. Oktober 1779 (vgl. »Briefe aus der Schweiz«, MA, Bd. 2.2, S. 595). – *Rechaudes:* Mit Kerzen oder Spiritus beheiztes Gerät, um Speisen bei Tisch warm zu halten. – *Gnato ⟨...⟩ doch zwey Mägen hätte:* Vermutlich Anspielung auf die Worte des Parasiten Artotrógus in Plautus' »Miles gloriosus« (um 206 v. Chr.): »Zwei Dinge habe ich, die gut sind. Mein Gedächtnis und – mein Magen« (I/1, zit. nach der dt. Übersetzung von Jakob Michael Reinhold Lenz). Die Figur des Parasiten Gnatho bezieht sich jedoch auf Terenz' Lustspiel »Eunuchus«. – *Veturin:* (ital. vetturino): Kutscher.

15 *die beiden Hogs:* Vermutlich ist einer der beiden der Engländer Charles Hodges, der in Weimar bei Johann Nepomuk Hummel Unterricht genommen hat. Am 4. Februar 1829 hatte er Goethe besucht.

16 *Napol. d'or:* Napoleondor, die 1803 erstmals in Frankreich geprägte goldene 20-Francs-Münze mit dem Kopfbild Napoleons I. – *um Sorets willen:* Der in St. Petersburg geborene, seit 1822 als Erzieher des Prinzen Carl Alexander von Sachsen-Weimar-Eisenach in Weimar tätige Schweizer Friedrich Jacob Soret, hatte in Genf studiert. August beabsichtigte, dessen dort ansässige Familie zu besuchen. Zur geplanten Reise vgl. auch Eckermanns Brief an Soret vom 26. April 1830 (Soret, S. 418 f.). – *welches bereits skizirt ist:* August hielt seine Reiseeindrücke zunächst stichwortartig in Notizbüchern fest, die als Grundlage für seine ausführlichen Berichte nach Weimar dienten (vgl. GSA, Signatur 37/XII,6). Zur Arbeitsweise vgl. die Abbildungen auf S. 197 und S. 201. – *alle uns mitgegebene Briefe:* Z. B. Kanzler Friedrich von Müller an Carl Viktor von Bonstetten (vgl. im Anhang, Nr. 19). – *Bringen Sie Soret diese Sache:* Vgl. Ottilies Brief an Soret vom 14. Mai 1830: »Ich ergreife meine Schwanenfeder Ihnen zu sagen, daß August in einem zurückkehrenden Veturin die Stimme seines Schicksals zu hören glaubte, und da ihm dieser versprach rasch nach Mailand zu bringen, seine Pläne für Genf aufgab, und die ihm für dort anvertrauten Briefe an Mademoisell Sylvester gesendet.« (Soret, S. 424.) Vgl. auch Goethes Brief an August im Anhang, Nr. 22. – *Silvester:* Espérance Sylvestre. – *Mylius:* Der in Frankfurt am Main geborene Heinrich Mylius trat früh in das von seinem Vater mitbetriebene Frankfurter Handelshaus »Mylius und Aldebert« ein. Nach dem Tod des Vaters übernahm er 1792 die Mailänder Filiale des Unternehmens. Er baute den Aktionsbereich der Handelsfirma erheblich aus, gründete eine Seidenfabrik und ein Bankhaus. Er stand mit Johann Wolfgang von Goethe und Großherzog Carl August von Sachsen-Weimar-Eisenach in Briefkontakt, und machte sich auch als Mäzen, etwa durch ein Stipendienprogramm für Weimarer Maler in Mailand, verdient.

17 *Engländer:* Sein Name lautet Shuttleworth (vgl. zur Namensauflösung Augusts Brief an Ottilie im Anhang, Nr. 5). – *versteinerte Schildkröten:* In Goethes naturwissenschaftlichen Sammlungen finden sich »Fünf verschiedene, theils defecte, Schildkröten und Schildkröten-Schilde« (Schuchardt Bd. III/Naturhistorisches, b 35).

19 *Vojage Pittoresque ⟨...⟩ von hier bis Sesto:* Gemeint ist vermutlich Jean-Ben-

jamin de Laborde »Tableaux topographiques, pittoresques, physiques, historiques, moraux, politiques, littéraires de la Suisse. Tableaux de la Suisse ou Voyage pittoresque fait dans les XIII Cantons et Etats alliés du Corps Helvétique«, 5 Bde., Paris 1781–88. In Keudell für das Benutzerjahr 1830 nicht verzeichnet.

20 *Weg über den Simplon:* Am 9. Oktober 1809 wurde die Simplonstraße zwischen Brig und Domodossola eingeweiht, deren Bau von Napoleon bereits um 1800 angeregt worden war. Die ca. 65 km lange Bergstraße gestattete seitdem erstmals eine ungefährliche Alpenüberquerung. – *Spitze des Simplon:* Zur Fahrt über den Simplon vgl. Eckermanns retrospektive Aufzeichnungen vom 30. Mai 1830 aus Mailand (MA, Bd. 19, S. 375 f.).

21 *in das Land Italien mir das gelobte:* Anspielung auf Tells Worte in Friedrich Schillers Drama »Wilhelm Tell« (V/2:»So immer steigend, kommt Ihr auf die Höhen / Des Gotthards, wo die ew'gen Seen sind, / Die von des Himmels Strömen selbst sich füllen. / Dort nehmt Ihr Abschied von der deutschen Erde, / Und muntern Laufs führt Euch ein andrer Strom / Ins Land Italien hinab, Euch das gelobte.«

22 *Boromäischen Inseln:* (ital. *Isole Borromee*), Inselgruppe im Lago Maggiore, benannt nach der Mailänder Familie Borromeo, die die vier Eilande seit 1671 mit Erde hatte aufschütten lassen, und die beiden größeren, *Isola Bella* und *Isola Madre* mit je einem barocken Schloß und Parkanlagen in wahre Gartenparadiese verwandelte. Die Inseln wurden 1795 durch den Weimarer Maler Georg Melchior Kraus in Begleitung des ebenfalls in Weimar ansässigen Charles Gore besucht. Kraus schuf in zwei großformatigen Deckfarbenbildern und weiteren aquarellierten Zeichnungen, Ansichten der Inselgruppe. Verbreitet wurden einige dieser Veduten von Friedrich Justin Bertuchs Verlag des »Landes-Industrie-Comptoirs« in Weimar, in der sog. »3. Lieferung« einer Serie von Ansichten unterschiedlicher Nationen. Sie bildeten die Grundlage der ausführlichen Beschreibung der Gegend sowohl in Jean Pauls »Titan« (1800/03), als auch in Goethes »Wilhelm Meisters Wanderjahre« (1821/29), die wichtigsten Texte des frühen 19. Jahrhunderts, die die oberitalienische Seenlandschaft weithin als arkadischen Sehnsuchtsort bekannt machten. August sandte dem Vater von seinem Besuch der Inseln noch heute in Weimar aufbewahrte getrocknete Maiblumen (Ehrenpreis, Veronica und Berglorbeer). Die kleinen Umschläge sind auf den 21. Mai datiert, ergänzt um den Hinweis: »Isola Madre« und »An der Statue des heil. Borromäus gepflückt«. Zurecht ist darauf verwiesen worden, daß es sich bei diesem »Blumengruß« durchaus nicht allein um das in der Weimarer literarischen Gesellschaft ritualisierte Verschicken und Überreichen getrockneter Blumen und Blätter handelte, sondern daß August sich hier darüber hinaus auch als treuer Leser der väterlichen Werke erwies. Dazu freilich kommt ein merkwürdiger, Augusts Reise insgesamt beherrschender Aspekt der Erfüllung. Der Sohn erlebt und genießt persönlich den Ort, den der Vater nie gesehen, gleichwohl aber zur Ideallandschaft seiner Mignon verklärt hatte. (Vgl. »Wilhelm Meisters Wanderjahre«, II/7, MA, Bd. 17, S. 456–473.) – *alla morra:* (ital.) Moraspiel. – *wegen der Seidenwürmerzucht:* Vgl. Goethes Erinnerungen an die Seidenwürmerzucht seines Vaters Johann Caspar Goethe in »Aus meinem Leben. Dichtung und

Wahrheit« (MA, Bd. 16, S. 130 f.), und Goethes Brief an den Großherzog Carl August vom 7. Februar 1826. – *Tulpenbäumen:* Magnolienart. – *kamen wir nach Mailand:* Vgl. Eckermanns Brief an Goethe über die ersten Tage in Mailand im Anhang, Nr. 35. – *Reichmannschen Hotel:* Kanzler Friedrich von Müller hatte August das Hotel empfohlen (vgl. Kanzler von Müllers Brief an August im Anhang, Nr. 19).

23 *Todt der Fr. Großherzogin Mutter:* Luise Auguste, Großherzogin von Sachsen-Weimar-Eisenach, war am 14. Februar 1830 gestorben.

24 *Hexen von Benevent:* Nicht nachweisbar. – *Carnevall von Venedig:* Vermutlich nach Johann David Heinichens (1683–1729) erfolgreicher Oper »Der Karneval von Venedig, Uraufführung 1709. – *Myliussens einziger Sohn:* Julius (Giulio) Mylius. Seine auf dem Sterbebett angetraute Frau war Luigia Vitali, die in zweiter Ehe mit Ignazio Vigoni verheiratet war. Siehe auch Goethes Beileidsschreiben an Mylius, 14. Mai 1830, und Goethes Briefkonzept an Mylius, 9. August 1830 (WA IV. 47 Nr. 51 und Nr. 140). – *Villa an den Comer See:* Zentrum der vielfältigen Aktivitäten Heinrich Mylius' war die 1829 in Loveno bei Menaggio am Comer See erworbene Villa, die er zu einem weitläufigen, eindrucksvollen Landsitz ausbauen ließ. Der letzte Nachfahre der Familie, Ignazio Vigoni Medici di Marignano, überließ den Besitz zu Beginn der achtziger Jahre als Legat der Bundesrepublik Deutschland, die es heute als deutsch-italienisches Studien- und Begegnungszentrum betreibt (Villa Vigoni).

25 *soll ab 1836 fertig werden:* Die Arbeiten am »Arco della Pace« (»Triumphbogen des Simplon«) sind auf Geheiß des österreichischen Kaisers Franz I. 1826 wieder aufgenommen worden. Der Bogen wurde 1838 vollendet.

26 *Naumachia:* (gr.) Ursprünglich die Seeschlacht im antiken Rom bezeichnete der Begriff die szenische Aufführung von Seeschlachten auf Bassins in einem Amphitheater oder auf Seen. – *derelinguirten:* derelinguieren: eigtl. das Eigentum an einer mobilen Sache aufgeben.

27 *Einzug zur Krönung in Mailand:* Am 26. März 1805 krönte sich Napoleon I. in Mailand mit der Eisernen Krone der Lombardei zum König von Italien. – *Abenmal von Leonardo da Vinci:* Vgl. hierzu Goethes intensive Beschäftigung mit Leonardos Fresko im Dominikanerkloster von Santa Maria delle Grazie, ausgelöst durch den Ankauf der von Giuseppe Bossi angefertigten Durchzeichnungen nach Kopien von Leonardos »Abendmahl« durch Großherzog Carl August 1817. Die Zeichnungen dienten Bossi 1809 zur Schaffung einer maßstabsgetreuen Wiederholung des Originals. 1818 erschien in »Kunst und Alterthum« Goethes Aufsatz »Joseph Bossi über Leonard da Vinci Abendmahl zu Mayland« (MA, Bd. 11.2, S. 403–437). – *musirenden:* moussieren: perlen, schäumen.

28 *Il Conte Ory:* Gioacchino Rossinis Oper »Le comte Ory« war 1828 an der Pariser Oper uraufgeführt worden. – *die Waise von Genf:* Es existierten damals wenigstens drei Opern dieses Titels: 1) Ignaz von Seyfried/Franz von Castelli, Uraufführung Wien 1821; 2) Wilhelm Sutor/Victor von Braun, Uraufführung Hannover 1822; 3) K. F. L. Wurst/Franz von Castelli, Uraufführung Königsberg 1822. – Zum Opern- und Ballettabend vgl. auch Eckermanns ausführliche Aufzeichnungen vom 28. Mai 1830 (MA, Bd. 19, S. 372–375). – *Briefe geschrieben:* Vgl.

Augusts Briefe an Ottilie und Christiane Gille im Anhang, Nr. 5 und Nr. 6. – *einen Kupferstich davon:* Vgl. Schuchardt Bd. I/I, A 655.

29 *unsere Juno:* Vgl. den Gipsabguß der röm. Kolossalbüste der sog. Juno Ludovisi in Goethes Kunst-Sammlung/Junozimmer. – *Statü von Napoleon:* Es handelt sich um den heute im Hof des Palazzo di Brera aufgerichteten Abguß nach Canovas monumentaler Napoleon-Statue. – *Kopfstük:* Im allgemeinen Münze mit dem Brustbild des Münzherrn, im besonderen die in Österreich verbreitete Münze mit dem Wert von 20 Kreuzern. – *Eugen:* Vizekönig Eugène Beauharnais.

31 *Hr Manzoni besucht:* Die intensiveren Beziehungen zwischen Weimar und Mailand reichten bis 1817 zurück, als sich Carl August zu einer Staatsvisite in Mailand aufhielt. Goethes Interesse an Alessandro Manzoni, deren gegenseitige Bewunderung oft beschrieben worden ist, wurde spätestens durch Gaetano Cattaneos ausführlichen Bericht über die italienischen Kulturereignisse ausgelöst, den Carl August in Auftrag gegeben hatte, und der Goethe beim Aufsatz »Klassiker und Romantiker in Italien, sich heftig bekämpfend« (MA, Bd. 11.2, S. 258–264) als unverzichtbare Grundlage diente. Manzonis Hauptwerk, »I Promessi sposi« (Die Verlobten), das die moderne italienische Prosa begründete, war 1825–27 erstmals erschienen. Goethe hatte August wohl ein Empfehlungsschreiben mitgegeben (vgl. Goethe an Manzoni, Konzept im April 1830, WA IV. 47 Nr. 28).

34 *verkürzten Lage:* Gestalterische Besonderheit in der Malerei: Eine Figur erscheint dem Betrachter durch eine verkürzte Darstellung so, als ob sie wirklich in der Luft oder über dessen Auge schwebe. – *Sie besitzen ein Kupfer davon:* Bei Schuchardt nicht nachgewiesen. – *Bracteaten:* Silberne Hohlpfennige des Hochmittelalters. – *Nothklippen:* Notgeld in Form eckiger Münzen.

35 *Boutiken:* Boutiquen, Läden, Geschäfte. – *Schloß:* Lustschloß Villa Reale.

36 *Villa Sommariva:* heute Villa Carlotta. – *Kennst Du das Land:* Das Lied der Mignon aus »Wilhelm Meisters Lehrjahre« (3. Buch, 1. Kapitel): »Kennst du das Land? wo die Zitronen blühn, / Im dunkeln Laub die Gold-Orangen glühn, / Ein sanfter Wind vom blauen Himmel weht, / Die Myrte still und hoch der Lorbeer steht. / Kennst du es wohl? / Dahin! Dahin! / Mögt ich mit dir, o mein Geliebter, ziehn. / Kennst du das Haus? auf Säulen ruht sein Dach, / Es glänzt der Saal, es schimmert das Gemach, / Und Marmorbilder stehn und sehn mich an: / Was hat man dir, du armes Kind, getan? / Kennst du es wohl? / Dahin! Dahin! / Mögt ich mit dir, o mein Beschützer, ziehn. / Kennst du den Berg und seinen Wolkensteg? / Das Maultier sucht im Nebel seinen Weg, / In Höhlen wohnt der Drachen alte Brut, / Es stürzt der Fels und über ihn die Flut. / Kennst du ihn wohl? / Dahin! Dahin! / Geht unser Weg! o Vater, laß uns ziehn!« (Vgl. hierzu MA, Bd. 5, S. 142 und Kommentar, S. 743.)

38 *logirten im Engel:* Kanzler von Müller hatte August den Gasthof empfohlen (vgl. Kanzler von Müllers Brief an August im Anhang, Nr. 19). – *in Herkulanischen Geschmak:* Ausstattung nach Vorgabe der gemalten Wanddekorationen der seit Mitte des 18. Jahrhunderts ergrabenen Häuser der antiken Stadt Herculaneum am Golf von Neapel.

39 *im Jahr 1624 errichtet:* Vollendet 1694.

41 *Carneole:* Karneol: Schmuckstein. – *Bendict* ⟨...⟩ *Weimar* ⟨...⟩ *Neapel:* 1819

kam der fünfzehnjährige Julius Benedict nach Weimar, um sich bei Johann Nepomuk Hummel auszubilden. 1821 folgte der junge Musiker Carl Maria von Weber nach Dresden und Wien, wo er 1824 die Stelle des Dirigenten am Theater am Kärntnertor antrat. Ein Jahr später ließ sich Benedict in Neapel nieder und wurde Kapellmeister am Theater S. Carlo und Fondo. Mit seiner zweiten Oper »I portoghesi in Goa« (Uraufführung 1830) hatte er seinen ersten großen Erfolg. – *Um 6 Uhr* ⟨...⟩ *Canobiana:* Der fehlerhafte Satzbau wurde nicht korrigiert. – *Jardin Public:* Öffentlicher Garten.

43 *Briefe vom Vater erhalten:* Vgl. Goethes Briefe an August im Anhang, Nr. 20 und Nr. 21. – *einen apparten Brief* ⟨...⟩ *Nest von Medaillen:* Vgl. Augusts Brief an Goethe vom 30. Mai 1830, S. 51 f., und Erl. zu S. 51 *2 Kistchen u. 1 Rolle.* – *in den Büchern:* Zu diesen zählte Neigebaur, Johann Ferdinand, »Handbuch für Reisende in Italien«, Leipzig 1826.

44 *Aprehension:* Apprehension: (spätlat. apprehensio): das Verstehen, Begreifen u. a. Widerwille, Abneigung, Unbehagen, geht zurück auf Goethes »Wahlverwandtschaften« und »Aus meinem Leben. Dichtung und Wahrheit«. – *Gebr. Manfredini:* Vermutlich Ludovico und Luigi Manfredini.

45 *den Freymüthigen:* »Der Freymüthige oder Berliner Conversationsblatt«. – *den Kometen:* »Der Komet. Unterhaltungsblatt für die gebildete Lesewelt«.

48 *Desgl. vom Vater:* Vgl. Goethes Brief an August im Anhang, Nr. 22. – *Es stand in der Eke Guid. Rhen.* ⟨...⟩: Der Hl. Hieronymus. Holzschnitt in Goethes Sammlung nachgewiesen. Vgl. Schuchardt Bd. I/I, A 711 (mit dem Datum 1637).

49 *eine kleine französische Beschreibung:* »Une visite à la Chartreuse près de Pavie, Milan 1828« (vgl. Ruppert, Nr. 4066).

50 *Berthaler aus Inspruk:* Am 9. März 1829 war die österreichische Pianistin Caroline Perthaler auf ihrer großen Konzertreise auch zu Gast in Weimar. Bei ihrem dritten Treffen schenkte Goethe der jungen Musikerin zwei Medaillen, von ihrem Spiel tief beeindruckt: »Auf der einen Seite Goethes Kopf, auf der andern die Köpfe des Großherzogs und der Großherzogin von Weimar. ⟨...⟩ Die zweite weist Goethes Kopf in sehr erhabener Arbeit; auf der Kehrseite einen Adler mit ausgespannten Flügeln.« (Herwig, Bd. III/2, Nr. 6690.) – *Demois. Roßner:* Die Sopranistin Lina Roser hatte mit der Rolle der Agathe in Webers Oper »Der Freischütz« ihren ersten großen Erfolg am Theater am Kärntnertor in Wien. 1828 führten sie ihre Gastspielreisen nach England und Italien.

51 *u. wenn die Wolke sie verhüllt:* Beginn der Kavatine der Agathe im 3. Aufzug, 1. Auftritt des »Freischütz«, Oper von Weber, Uraufführung Berlin 1821: »Und ob die Wolke sie verhülle.« – *2 Kistchen u. 1 Rolle:* Am 5. Juli 1830 traf die Lieferung in Weimar ein. Goethe notiert in seinem Tagebuch: »Kam das Kästchen von Mayland an. Wurde ausgepackt. Die sehr bedeutenden Bronzmedaillen des 15. und 16. Jahrhunderts betrachtet und besonders schätzenswerth gefunden.« (WA III. 12, S. 268.) Am 18. Juli 1830 berichtet Goethe seinem Freund Zelter über Augusts Medaillenkauf: »⟨...⟩ Seine Einsicht bewies er auch dadurch daß er mir zu meiner Sammlung von Medaillen, besonders gegossenen, aus dem 15. u. 16. Säculum beinahe 100. Stck. von der wichtigsten Sorte, um einen leidlichen Preis, eingekauft hat, welche auch schon zu meiner großen Ergötznis glücklich angekommen

sind.« (MA, Bd. 20.2, S. 1366.) Vgl. auch Goethes Brief an Sulpiz Boisserée vom 3. Oktober 1830 (WA IV. 47, S. 267 f.). Zum genauen Inhalt der Frachtsendung vgl. Goethes Brief an August im Anhang, Nr. 28. Über die Ankunft der Gaben in Weimar vgl. Goethes Brief an August im Anhang, Nr. 25, und Ottilies Brief an August im Anhang, Nr. 26. – *Beschreibung der Chartreuse:* Vgl. die Erl. zu S. 49. – *Erinnerung des 17ᵗ Juni:* Vgl. Augusts Brief an Ottilie im Anhang, Nr. 7. August und Ottilie hatten am 17. Juni 1817 geheiratet. Gleichwohl scheint die lange schon zwischen den Eheleuten eingetretene Entfremdung kaum mehr überwindbar gewesen zu sein. Vgl. hierzu Ottilie von Goethes Brief an Adele Schopenhauer: »⟨…⟩ Nur Augusts Rückkehr droht mir wie eine unheilbringende Wolke, und der freundliche Brief, den er mir aus Mailand schrieb, wo er ausspricht, wie unrecht er gegen mich gehandelt, und hofft künftig anders zu sein, hat mich eher beunruhigt als getröstet. Alles was die Kette zerrißen hätte, würde mir willkommen sein – sobald er ruhig und freundlich, habe ich kein Recht, mein Loos zu ändern, – und doch ist dies das Einzige was mich beglücken könnte. Jedes Erwachen einer Neigung in ihm für mich kann mir nur die ungeheuerste Qual geben, denn wie ist es mehr möglich, daß auch nur der Traum einer Empfindung in mir erwachen könnte! Es bedarf jahrelanger Härte gegen mich, um jedes Gefühl in mir zu erlöschen aber einmal ausgebrannt, halte ich es auch für unmöglich, daß es je wieder erwache. Wenn ich mir denke, daß ich August nicht wieder sehen könnte, so empfinde ich auch nicht die leiseste Bewegung. – Er war in einem beklagenswerthen Zustand, als er ging, und ich fragte mich oft, ob dieser wuthähnliche Zustand durch den Tod oder Wahnsinn enden werde.« (Oettingen II, S. 252, ohne Datum.)

52 *Da ich mein Tagebuch doppelt ⟨…⟩ schreibe:* Vgl. die Erl. zu S. 16 *welches bereits skizirt ist.* – *Klenk:* Vermutlich Karl Christian Friedrich Glenck. – *ein inliegender Brief:* Vgl. Augusts Brief an Goethe vom 30. Mai 1830, S. 51 f.

55 *Schlacht von Navarie:* eigtl. Seeschlacht von Navarino. Navarino ist der ital. Name der griech. Stadt Pylos. Am 20. Oktober 1827 wurde in der Seeschlacht von Navarino die türk.-ägypt. Seemacht unter Ibrahim Pascha von einer brit.-frz.-russ. Flotte unter Admiral E. Cordington vernichtet. Der Sieg der drei Verbündeten entschied letztlich den griech. Unabhängigkeitskampf. – *Christus übergiebt Petrus den Schlüssel:* Bei Schuchardt nicht nachgewiesen.

56 *Medail. von Pius d. V.:* In Goethes Besitz finden sich 12 Porträtmedaillen Pius' V. – *Aureliano in Palmira:* Oper von Rossini, Uraufführung Mailand 1813.

57 *den von der Arena:* Das Programm der Veranstaltungen in der Arena befindet sich im ersten Faszikel des Tagebuchs: »Programma dello Straordinario, Sorprendente nuovissimo spettacolo consistente« (vgl. Fasc. 1, Blatt 44–47, GSA, Signatur 28/354 d). – *Die Noten:* Vgl. Augusts Brief an Ottilie im Anhang, Nr. 7. Um welche Kompositionen es sich handelt, ist nicht bekannt.

58 *2 Spec:Thaler.* Speziestaler: Silbermünze, auch »harter Taler« mit aufgeprägtem Kopf oder Brustbild.

60 *ein Vecchio:* (ital.) ein alter Mann. – *meine Kosakensprache:* »August sprach das Französische ⟨…⟩ nur mangelhaft; er scherzte selber über seinen ›Cosaken-Dialect‹« (Bode, S. 211).

61 *Rathaus:* Gemeint ist die Loggia, im Frührenaissancestil 1492 begonnen, aber in den oberen Teilen erst 1526–1574 vollendet.

62 *Ihres Abentheuers in Malsesine:* Goethe war am 14. September 1786 in Malcesine und hat das »gefährliche Abenteuer« seiner Verhaftung, samt allen bedrohlichen und grotesken Begleitumständen, in der Endredaktion der »Italienischen Reise« geschildert. (Vgl. MA, Bd. 15, S. 31–37 und Kommentar, S. 821 ff.) – *Die Sonn geht auf:* Anspielung auf Webers Oper »Oberon. König der Elfen«, Uraufführung London 1826.

63 *die Meermädchen:* Rolle in Webers Oper »Oberon. König der Elfen«. – *Chathetrale:* Der Dom wurde im 12. Jahrhundert gebaut, die gothischen Fenster der Fassade und das Langhaus sind aus dem 15. Jahrhundert. – *die Himmelfahrth Mariea* ⟨…⟩ *Kupfer bei Ihnen:* Bei Schuchardt nicht nachgewiesen. – *Monte Balko:* Gemeint ist wohl Monte Bolca, ein für seine alttertiären Fossilien berühmtes Dorf nördlich von Soave. August konnte sich mit dem Vater leicht verständigen, weil auch diesem der Fundort gut bekannt war, vgl. u. a. WA IV. 29, S. 75, 263; WA IV. 34, S. 268.

64 *Sarkophagen und Urnen, schmükten die Alten mit Leben:* Vgl. das erste der »Epigramme Venedig, 1790«: »Sarkophagen und Urnen verzierte der Heide mit Leben ⟨…⟩« (MA, Bd. 3.2, S. 123). – *nach der Kirche –?:* nach der Kirche San Zeno.

65 *Thor:* Gemeint ist die Porta dei Borsari. – *Palladios Geburtsort:* Andrea Palladio wurde als Andrea di Pietro della Gondola in Padua geboren, und kam erst als Steinmetz-Lehrling nach Vicenza, wo er gleichwohl die meiste Zeit seines Lebens wohnte und arbeitete. – *Beschreiben läßt es sich nicht:* Vgl. hierzu Goethes Eintrag in der »Italienischen Reise«: »Das Olympische Theater ist ein Theater der Alten im Kleinen realisiert, und unaussprechlich schön.« (MA, Bd. 15, S. 60 und Kommentar, S. 835 ff.) – *ein Büchelchen:* Vermutl. Ottavio Bertotti Scamozzi, »Il forestiere istruito delle cose più rare di architettura e di alcune pitture della città di Vicenza. Dialogo. Vicenza 1761« (vgl. Ruppert, Nr. 2217).

66 *die Villa eines Grafen:* Andrea Palladios Villa Rotonda (begonnen 1550 für Paolo Almerico; 1606 von Vincenzo Scamozzi vollendet). – *das Bild von Paul Veronese* ⟨…⟩: Ein Kupferstich der »Cena di San Gregorio Magno« des Paolo Veronese von 1572, ist bei Schuchardt nicht nachgewiesen.

67 *Hotel de L'Europe:* August und Eckermann stiegen in einem der traditionsreichsten Hotels ab, in dem heute noch unter dem Namen Europa & Regina firmierenden, in der Via XXII Marzo gelegenen Hotel am Canal Grande. – *Kirche de Celidele:* Gemeint ist wohl die der Fassade von S. Giorgio Maggiore gegenüber gelegene Kirche S. Maria della Presentazione, genannt »delle Zitelle«.

69 *Festons:* Girlanden.

70 *in Zeichnungen bei Ihnen gesehen* ⟨…⟩ *Parthenon:* Vgl. Charles Landseers und William Bewicks Zeichnungen nach Motiven des Ostgiebels des Parthenon auf der Akropolis in Athen in Goethes Treppenhaus im Haus am Frauenplan (Maul/Oppel, S. 31 f.).

72 *Dessano:* Nicht nachweisbar. Die Kirche S. Maria della Salute ist das Hauptwerk Baldassare Longhenas. – *St. Rocho et Frari:* S. Maria Gloriosa dei Frari.

73 *Kotzebus Taschenbuch:* Das »Taschenbuch für 1807«, Tübingen 1807 enthält

u. a. das Stück »Der Russe in Deutschland« von August von Kotzebue. – *Barbir von Sevilla:* »Il barbiere de Siviglia«, Oper von Rossini, Uraufführung Rom 1816. – *Zar Peter unter den Strelitzen:* »Gli Strelizzi«, Text und Choreographie von Salvatore Vignano, Uraufführung Venedig 1809.

74 *Pozzolana:* Puzzolane, nach dem Fundort Pozzuoli benannte vulkan. Tufferde. – *Patellen:* Napfschnecken. – *I Bachanali di Roma:* Der Titel der zweiten Fassung der Oper »I baccanti di Roma« lautet »I baccanali di Roma«, Musik von Pietro Generali, Libretto von Gaetano Rossi, Uraufführung Florenz 1818.

75 *Bucentauer:* eigtl. Bucentaur, aus ital. bucintoro »Goldene Barke«: venezian. Galeasse, mit vielen Schnitzereien versehenes und vergoldetes Prunkschiff der Dogen von Venedig. Das letzte dieser Schiffe verbrannte 1797 bei der Einnahme Venedigs durch die frz. Revolutionstruppen. Vgl. Goethes Aufzeichnungen vom 5. Oktober 1786 in seiner »Italienischen Reise« (MA, Bd. 15, S. 94 f. und Kommentar, S. 855).

77 *Pallast Grimani:* Vermutlich der an der Einmündung des Rio di San Luca in den Canal Grande gelegene Palazzo Grimani, der für den Prokurator Girolamo Grimani gebaut wurde.

78 *Lunghenn:* Baldassare Longhena. – *Gallerie im Pallast Manfrini:* Kunstsammlung des Florentiner Marchese Federico Manfredini, heute Pinacoteca Manfrediana genannt. – *Pallast Pisani:* Palazzo Pisani Moretta; bis 1857 zierte den Salon Veroneses Gemälde »Die Familie des Darius zu Füßen Alexanders«, das heute in der Londoner National Gallery zu sehen ist.

79 *Bischof Zeno:* Cappella Zeno, mit großem Grabmal des Kardinals Giambattista Zeno. – *Fischer⟨…⟩ Magdeburg:* Peter Vischer schuf 1495 das Grabmal für Erzbischof Ernst von Sachsen im Magdeburger Dom. – *Palais Royal:* Der Südbau der Prokurazien diente bis 1919 mit der angrenzenden Alten Bibliothek als königlicher Palast.

80 *Holzschnitts:* Bei Schuchardt nicht nachgewiesen. – Cicogniara: Leopoldo Cicognara. – *Horatier u. Curiatier:* Oper von Domenico Cimarosa, Uraufführung Venedig 1796/97.

81 *Tancred:* »Tancredi«, Oper von Rossini, Uraufführung Venedig 1813. – *Amenaide u. Orbassan:* eigtl. Amenaide und Orbazzano, Rollen in Rossinis Oper »Tancredi«.

83 *Galanterieläden:* Geschäfte für Bekleidungszubehör.

86 *Schillers Geisterseher:* »Der Geisterseher. Aus den Papieren des Grafen von O…« von Friedrich Schiller. – *Casanova⟨…⟩ Bleidächer:* Giacomo Girolamo Casanovas Autobiographie »Mémoires« (1822–1828 zum ersten Mal veröffentlicht in dt. Sprache) bricht 1774 mit seiner Flucht aus dem Gefängnis der venezianischen Staatsinquisition – den »Bleikammern« unter dem Dach des Dogenpalastes – ab. Das Buch endet mit Casanovas Rückkehr in seine Heimatstadt. – *Weindholzstäbchen:* Weinholzstäbchen.

88 *Caritea Regina di Spagna ⟨…⟩ Pola ⟨…⟩ Mercadante:* Oper von Saverio Mercadante, Uraufführung Venedig 1826, Libretto von Paolo Pola. – *Villa Ducale:* Vermutlich Palazzo del Tè.

89 *Vicekönigs Eugen:* Eugène Beauharnais. – *Guerini:* Francesco Guerrieri.

90 *Adda ⟨…⟩ den 10ᵗ May 1796:* Am 9./10. Mai 1796 überquerte Napoleons Armee die Adda bei Lodi, zwang die Österreicher unter General Beaulieu zum Rückzug und konnte ganz Oberitalien von den Alpen bis zum Oglio unterwerfen. – *in Kunst und Alterthum:* »Vorbilder für Fabrikanten und Handwerker« (vgl. MA, Bd. 13.2, S. 112 ff.). – *Olivo e Pasquale:* Komische Oper von Gaetano Donizetti, Uraufführung Rom 1827. – *L'Orfana di Ginevra:* Die Waise von Genf, vgl. die Erl. zu S. 28 *die Waise von Genf.*

91 *Villa des verstorbenen Grafen Pationi:* Vermutlich handelt es sich um die am östlichen Ufer des Comer Sees gelegene Villa Serbelloni.

92 *im September:* In Reimann/Steiger nicht nachgewiesen. – *Notizen über die Städte:* Nicht überliefert. – *Unpäßlichkeit Ekermanns:* Vgl. Eckermanns Brief an Goethe im Anhang, Nr. 36. – *ein Kistchen:* Zur Ankunft des Kistchens vgl. Goethes Brief an August im Anhang, Nr. 31.

97 *obgl. dieser Baum ⟨…⟩ stuzt:* Anakoluth, zu ergänzen wäre nach »stuzt«: sehr leidet.

101 *großen rothen Band ⟨…⟩ Bieblithek:* Charles Gore: »Original drawing during his several voyages in the years 1773–1791.« Bd. 2 1791 (vgl. Keudell, Nr. 687). – *als ich nun hinausgegangen:* Anspielung auf Goethes Ballade »Der Gott und die Bajadere«, 2. Strophe: »Als er nun hinausgegangen / Wo die letzten Häuser sind, / Sieht er, mit gemalten Wangen, / Ein verlornes schönes Kind ⟨…⟩« (MA, Bd. 4.1, S. 872).

102 *ein guter Reiter ⟨…⟩:* dt. Sprichwort. – *Dohm:* Die Kathedrale S. Lorenzo wurde 1118 geweiht, 1312 gothisch erneuert, 1567 von Galeazzo Alessi mit einer Renaissancekuppel gekrönt und der Chor 1617 modernisiert. – *Lazaronis:* Die »Lazzaroni« bezeichnen vor allem die neapolit. Gelegenheitsarbeiter. Vgl. hierzu Goethes berühmte ausführliche Schilderung in seiner »Italienischen Reise« (MA, Bd. 15, S. 404–410 und Kommentar, S.1070–1073).

103 *Dollon:* Dollond: Dioptisches Fernrohr. – *Red Rover:* »Der rote Seeräuber«, Roman von James Fenimore Cooper. Am 27. Dezember 1829 erzählte August, daß er den letzten Roman von Cooper gelesen habe (vgl. MA, Bd. 19, S. 344). August besaß die dreibändige dt. Übersetzung Berlin 1928 (vgl. Maltzahn, Nr. 53).

104 *der Vater:* James Sterling. – *Briefe, vom 25. u. 29 Juny:* Vgl. Goethes Briefe an August im Anhang, Nr. 23 und Nr. 24. – *die Bestätigung:* In einem Brief an Zelter vom 8. Juli 1830 äußert sich Goethe ebenfalls lobend über Augusts Tagebuchaufzeichnungen: »Seine Tagebücher unterwegs bis Mayland, von da bis Venedig, zeugen von seinen guten Einsichten in die irdischen Dinge, von besonnener Tätigkeit sich mit Menschen und Gegenständen bekannt zu machen und zu befreunden. Der große Vorteil für ihn und uns wird daraus entstehen daß er sich selbst gewahr wird, daß er erfährt was an ihm ist, welches in unsern einfach-beschränkten Verhältnissen nicht zur Klarheit kommen konnte.« (MA, Bd. 20.2, S. 1360.)

105 *Cameriere:* (ital.) Kellner. – *Miskewiths und Odynett:* Vom 19. bis 31. August 1829 waren Adam Mickiewicz und Anton Eduard Odyniec zu Besuch bei Goethe; David d'Angers hielt sich vom 23. August bis zum 9. September 1829 in Weimar auf, um an seiner Goethe-Büste zu arbeiten. (Vgl. Augusts Brief an einen Freund

vom 4. November 1829, Freundschaftliche Briefe, S. 117.) August und Mickiewicz verband die gemeinsame Napoleonverehrung. Zur Begegnung der Polen Nr. 1 und Nr. 2 mit August vgl. Odyniec' Briefe an Julian Korsak vom 24. und 28. August 1830 (Mell, S. 54–63 und S. 90–93). Über die geplanten Italienfahrten der drei Freunde vgl. Odyniec' Brief an Julian Korsak vom 31. August 1829 (Mell, S. 144 f.). – *das Vogelschießen* ⟨…⟩ *Wehbicht:* Am 18. August 1830 berichtet Odyniec' Julius Korsak vom Weimarer Vogelschießen. Das Volksfest fand jährlich im Weimarer Webicht statt, wo sich ein Schießhaus befand (vgl. Mell, S. 34 f.). Siehe auch Natalie Herders Gedicht »Das Weimarische Vogelschiessen« in »Chaos« 1 (1829/1830), Nr. 7, S. 27 f. – *König von Neapel:* Franz I., König beider Sizilien.

106 *Polen bei mir zu Tisch:* Vgl. auch die Schilderung in Odyniec' Reisebriefen aus Genua vom 16. und 17. Juli und aus Novi vom 18. Juli 1830 (Zipper, S. 182 ff.). – *Wilde aus dem letzten Mohikan:* Anspielung auf Coopers Roman »Der letzte Mohikaner«. August besaß die vierbändige Ausgabe der deutschen Übersetzung Stuttgart 1824 (vgl. Maltzahn, Nr. 50).

107 *Vincitore, Vincitrice:* Finale in Rossinis Oper »Tancredi« (3. Akt der venezianischen Version mit glücklichem Ausgang). – *heute keinen Seni:* Baptista Seni, Astrolog in Friedrich Schillers Drama »Wallenstein«. August besaß den ersten Teil der »Wallenstein«-Ausgabe Tübingen 1800 (vgl. Maltzahn, Nr. 10). – *Ihr Brief vom 5' Jul.:* Vgl. Goethes Brief an August im Anhang, Nr. 25. – *Innlag von Ottilien:* Vgl. Ottilies Brief an August im Anhang, Nr. 26.

108 *terrassenartige Pallast-Stadt:* Vgl. die Abbildung von Augusts Zeichnung »Die Spelunce von Genua« auf S. 198. – *wie Scheilok:* Shylock, Figur in Shakespeares Drama »Der Kaufmann von Venedig«, Uraufführung London vor 1600. – *Cola in der Camille:* Diener des Grafen in Ferdinando Paers Oper »Camilla ossia il Sotteraneo« (»Camilla oder das Burgverlies«), Uraufführung Wien 1799. – *König von Neapel:* Franz I., König beider Sizilien. – *Königin:* Isabella di Spagna. – *die alte Garde:* Ausspruch des frz. Generals Cambonne in der Schlacht bei Waterloo (18. Juni 1815), die die Herrschaft der hundert Tage Napoleons beendete: »Die alte Garde stirbt und ergibt sich nicht«. – *Die Beilage für das Chaos:* Am 22. Juli 1830 schrieb August unter dem Pseudonym »Adoro« folgenden Traum für die Weimarer Hausgazette »Chaos« nieder: »Mädchen als Welle / Ich wogte eines Abends auf dem Meer, erfreute mich des Lebens, alles war Bewegung, Schiffe liefen ein und aus, Fischer waren thätig und Delphine zeigten sich mir freundlich; ich kam mir vor wie ein Kind in der Wiege und schlief ein, den linken Arm auf den Rand der Barke. Da sah ich träumend eine schäumende Welle kommen, sie ward zum Schleier, den zwey schöne Arme empor hoben; Liebe Augen!, Sie legte die rechte Hand auf meine Linke; ich fühlte den sanften Druck der Theilnahme an meinem Meerleben. Wir sahen uns in die Augen. lange lange. Sanft entschwand sie, die liebe Hand entschlüpfte, die meinige war in die Wellen gesunken.« (GSA, Signatur 40/XXXII,5 ⟨3⟩, gedruckt in »Chaos« 1 ⟨1829/30⟩, Nr. 43, S. 171.)

109 *das Wellenmädchen:* »Mädchen als Welle«, vgl. die Erl. zu S. 108 *Die Beilage für das Chaos* sowie zur Entstehung Augusts Brief an Christiane Gille im Anhang, Nr. 11. – *König von Neapel:* Franz I., König beider Sizilien.

110 *Hotel Royal L'Univeri:* Richtig: Hotel Royal L'Universi.

111 *Calore:* (ital.) eigtl. Wärme, Hitze, auch erhöhte Körpertemperatur bei Fieber; hier: Hautkrankheit. – *Diener zweier Herrn* ⟨…⟩ *Cameraden Paquale:* Anspielung auf den Träger Pasquale in Carlo Goldonis Komödie »Der Diener zweier Herren«, 1. Aufzug, 21. Auftritt. – *Sic muß man die Curas* ⟨…⟩: Das Motto »So muß man sich Sorgen und Grillen vertreiben« liegt zahlreichen Studentenliedern zugrunde; im Trinklied »Wer Bacho zu ehren ein Opfer will bringen« (vor 1800) wird es bereits in der ersten Strophe erwähnt: »Wer den Bachus zu Ehren ein Opfer will bringen, / Der schicke sich zeitig zum Trinken und Singen, / So kann man die Sorgen und Grillen vertreiben, / Und sollte kein Heller im Beutel mehr bleiben. / Herr Bruder zur Rechten, Herr Bruder zur Linken, / Wir wollen einander ein Schmollis zutrinken.«

112 *Eremiten della Strada maestra:* (ital.) Eremiten der Landstraße. – *Ekermann* ⟨…⟩ *Reise in die Heimath:* Am 29. Juni hatte Goethe dem Sohn geschrieben: »Sollte Eckermann, wies wohl möglich ist, an dem bisherigen Genüge haben, so gieb ihm die Mittel bequem zurückzukehren.« August und Eckermann einigten sich darauf, daß er am 24. Juli nach Deutschland zurückkehren sollte. Warum sich Eckermann und August nach ihrem gemeinsamen Aufenthalt in Genua getrennt haben, läßt sich nicht genau ermitteln, die Beweggründe mögen in der Krankheit Eckermanns, persönlichen Differenzen oder Augusts Hang zum Alkoholgenuß zu suchen sein. Eckermann reiste über Genf, Straßburg und Frankfurt nach Nordheim, und traf erst am 23. November wieder in Weimar ein. (Vgl. Goethes Brief an August im Anhang, Nr. 24, und Augusts Brief an Christiane Gille im Anhang, Nr. 11, sowie Eckermanns Brief an Goethe im Anhang, Nr. 36, und Eckermanns Brief an Soret vom 3. September 1830, Soret, S. 458 ff.)

113 *der Mensch habe* ⟨…⟩: Nicht nachweisbar.

114 *auf Ihrer mir so lieben Charte:* vermutlich die Karte von Italien von Zizzi Zannoni (vgl. Noack, Nr. 28). – *Molusken:* Mollusken, Weichtiere. – *Gillens bei sich gesehen:* Vgl. Augusts Brief an Christiane Gille im Anhang, Nr. 11. – *Vieler Menschen Städte gesehen u. Sitte gelernt:* Zitat aus Homers »Odyssee«, I, 3. – *Epigramme von Venedig:* Vgl. Noack, Nr. 27.

115 *Mousselinene:* Musselin, leinwandbindiger Kleiderstoff mit besonders weichem Griff und fließenden Fall.

116 *vorm Jahr war ich in Erfurth:* Am 3. August 1829 nahm August teil an der Geburtstagsfeier für König Friedrich Wilhelm III. von Preußen in Erfurt.

117 *Die Ordonanzen:* Am 25. Juli 1830 erließ der französische König Karl X. die sog. Juli-Ordonnanzen, die unter anderem die Pressefreiheit aufhoben. – *ich bringe das Blatt mit:* Nicht überliefert.

119 *die neusten Ereignisse in Paris vom 27. Jul.:* Die Juli-Revolution 1830; nach Barrikadenkämpfen dankt Karl X. ab und flieht nach England.

120 *Gelde was mir Mylius angewiesen:* Vgl. die von August unterzeichnete Quittung »Spezzia le 18 Août 1830«, GSA, Signatur 37/XII,9. – *Urlaubsverlängerung:* Vgl. Goethes Brief an August im Anhang, Nr. 31, und Goethes Briefkonzept an Herrn von Gersdorff vom 30. August 1830 (WA IV. 47 Nr. 165).

121 *ein kleines Briefchen:* Vgl. Augusts Brief an Christiane Gille im Anhang, Nr. 13. – *zum 28¹ zu gratuliren:* Der 28. August ist Goethes Geburtstag. – *das Jä-*

gerchor: Vermutlich aus Webers Oper »Der Freischütz«, 3. Aufzug, 5. Auftritt: »Was gleicht wohl auf Erden dem Jägervergnügen«.

123 *Frauenthor:* ehemaliges südliches Stadttor von Weimar.

124 *Neigebauers Buch über Italien:* Vgl. Erl. zu S. 43 *in den Büchern* sowie Eckermanns Exzerpte im Anhang, Nr. 37. – *Plutonist:* Anspielung auf die in Plutonisten und Neptunisten gespaltenen Anhänger unterschiedlicher Erdbildungstheorien – die einen vertraten eine vulkanologische, die anderen eine ozeanische Entstehungsgeschichte. Goethe zählte sich zu den Neptunisten. – *den 15ᵗ Augt 30:* Am 15. August 1769 wurde Napoleon I. geboren. August hob das Datum in der Handschrift durch dreifache Unterstreichung hervor. – *classischen Boden:* Anspielung auf Goethes »Erotica Romana«, erster Vers der 5. bzw. 6. Elegie: »Froh empfind' ich mich nun auf klassischem Boden begeistert, / Lauter und reizender spricht Vorwelt und Mitwelt zu mir.« (MA, Bd. 3.2, S. 46 f.)

126 *treuterschen Garten:* Johann Wilhelm Siegmund Treuter war im Besitz des Hauses östlich des späteren Goethehauses am Frauenplan; darüber hinaus hatte er einen Teil des Gartens und den Pavillon an der Ackerwand erworben. Seine Erben überließen schließlich Goethe den Pavillon im Jahre 1817 zum Kauf (vgl. Maul/Oppel, S. 142).

127 *bei seiner Rükkehr von Constantinopel:* Müffling ging 1829 in diplomatischer Mission nach Konstantinopel und vermittelte am 14. September 1829 den Frieden zu Adrianopel zwischen Rußland und dem Osmanischen Reich. – *Ich habe eine kleine Zeichnung beigelegt:* »Golfo de la Spezia«, vgl. die Abbildung auf S. 139.

130 *Vicinalwege:* Vizinalwege: Wege, die von Nachbargemeinden unterhalten werden, und nicht vom Staat. – *Maßholder:* Feldahorn, Baum- oder Strauchart. – *Paetro Bienaimé ⟨…⟩ Sohn ⟨…⟩ 25 Jahren:* Pietro Antonio Bienaimé betrieb zusammen mit seinem Sohn Francesco in Carrara eine sehr produktive Marmorwerkstatt, in der zwischen 1820 und 1830 nach Modellen von Thorvaldsen viele Kolossalstatuen, u. a. »Christus und die 12 Apostel« für die Kopenhagener Frauenkirche entstanden.

131 *Caetano Sagguinetti:* Gemeint ist der Bildhauer Gaetano Sanguinetti. – *des Königs v. Preußen:* Friedrich Wilhelm III. – *den Kaiser Nicolai:* Nikolaus I. Pawlowitsch. – *den jungen Großfürsten:* Alexander I. Nikolajewitsch.

132 *Bruskettus ⟨…⟩ 1063:* Im Jahre 1063 wurde mit dem Bau des Domes in Pisa begonnen. Die Annahme, daß der Grieche Busketus der erste Baumeister gewesen sei, beruht auf einer metrischen Doppelinschrift auf seinem Grabmal im Dom. Welcher Anteil Busketus an der Entstehung und an der Fortführung des Domes gebührt, ist jedoch bis heute unklar geblieben. Vollendet wurde dieses Bauwerk in der Mitte des 13. Jahrhunderts. – *Il Triompho de la Morte:* Kupferstich bei Schuchardt nicht nachgewiesen.

133 *Sperendeus:* Vermutlich Savelli Sperandio. – *Hr. von Fritsch d. j.:* Vermutlich Georg August von Fritsch. – *an einer Kirche:* S. Maria della Spina.

134 *Staberles Hochzeit:* Staberle: Kasperlfigur in der Wiener Posse; hier wohl aus August Bäuerles »Staberles Hochzeit«, das von 1822 bis 1827 häufig in Weimar gespielt wurde. – *Lancastersche Schule:* Nach dem englischen Pädagogen Joseph Lan-

caster (1778–1838) benanntes Erziehungssystem des wechselseitigen Unterrichts. – *Dalgas u. Ott:* Vgl. Kanzler von Müllers Brief an August im Anhang, Nr. 19. – *Place d'Armes:* Heute Piazza Grande. – *Statü des Großherzogs Ferd. d. I*' ⟨...⟩ *Sclave ganz nakt:* Das Standbild des Großherzogs Ferdinand I. hatte Giovanni Bandini (Giovanni dall'Opera) geschaffen, die vier maurischen Sklaven Pietro Tacca.

135 *Constitutonel:* »Le Constitutionel«, Pariser Zeitschrift. – *Glob:* »Le Globe: Journal philosophique et littéraire« (vgl. Ruppert, Nr. 369). – *Hamburger Correspondenten:* »Staats und gelehrte Zeitung des Hamburgischen unpartheyischen Correspondenten«. – *O liebliche Töne vom Ufer der Garonne:* Anspielung auf das Duett im 3. Akt in Webers »Oberon. König der Elfen«: »An dem Strande der Garonne«. – *H. Cammermusikus Schmidt:* Vgl. Augusts Brief an Johann Friedrich Gille im Anhang, Nr. 8. – *Semiramid:* »Semiramide«, Oper von Rossini, Uraufführung Venedig 1823.

136 *Belagerung von Pultava:* eigtl. Poltawa, Hauptstadt des gleichnamigen russ. Gouvernements. Karl XII. von Schweden hatte Poltawa seit Anfang Mai 1709 belagert, Peter der Große gewann jedoch die Schlacht am 8. Juli 1709 gegen ihn. Wer das Stück geschrieben hat, ist nicht nachweisbar.

137 *Der Großherzog:* Leopold II. (Johann Joseph Franz Ferdinand Karl). – *Goetz von Berlichingen:* Anspielung auf Goetz' Worte in Goethes Drama »Götz von Berlichingen mit der eisernen Hand« (III/Szene »Jaxthausen«): »So kamen sie mir auch einmal, wie ich dem Pfalzgraf zugesagt hatte gegen Conrad Schotten zu dienen, da legt er mir einen Zettel aus der Kanzlei vor, wie ich reiten und mich halten sollt, da wurf ich den Räten das Papier wieder dar, und sagt: ich wüßt nicht darnach zu handeln; ich weiß nicht, was mir begegnen mag, das steht nicht im Zettel; ich muß die Augen selbst auftun, und sehn was ich zu schaffen hab.« (MA, Bd. 1.1, S. 602.)

138 *Rest:* Rückstand, Schuld.

140 *Giov. Bologna:* Giambologna. – *ich kam wie betrunken heraus:* Was August von Goethe hier erlebt, ist als »Stendhal-Syndrom« in die Geschichte eingegangen. Der frz. Schriftsteller hatte 1817 anläßlich eines Besuchs in Florenz über heftiges Unwohlsein geklagt, das ausgelöst wurde durch die erdrückende Last der Kunstbetrachtung. Seither hat dieser nervöse Erschöpfungszustand immer wieder Florenz-Reisende ergriffen, und zu einer eigenen Forschung geführt, die sich mit den Folgen von Kulturschock und der Überdosis von Kunst beschäftigt.

141 *bei den Laren:* Abgüsse der Juno Ludovisi, der Minerva von Veletri, des Antinous und des Jupiter befinden sich in Goethes Kunstsammlung. – *wurde mir canibalisch wohl:* Anspielung auf Goethes Drama »Faust. Der Tragödie erster Teil« (Szene »Auerbachs Keller«): »Uns ist ganz kannibalisch wohl, / Als wie fünf hundert Säuen!« (MA, Bd. 6.1, S. 598.)

142 *ich spielte den Stummen von Portici:* Bezieht sich wohl auf die Oper »Die Stumme von Portici« bzw. »La muette de Portici« von Daniel François Esprit Auber, Uraufführung Paris 1823. – *Geht auf das Schloß seht den Hackert:* Vgl. Jakob Philipp Hackert, Landschaft mit Nemi-See (um 1800), Kunstsammlung zu Weimar, Schloßmuseum. – *Monumenti Sepolcrali della Toscana 1819:* Nicht nachweisbar. – *Ich glaube Sie besitzen den Kupferstich:* Bei Schuchardt nicht nachgewiesen.

144 *der Engländer Robinson:* Henry Crabb Robinson schrieb in sein Tagebuch, daß er erstaunt »am 22. August sich in der Halle der Niobe plötzlich deutsch anrufen« hörte (Eitner, S. 97). – Robinson hielt sich in den Jahren 1801–1805 und erneut 1829 in Jena auf und besuchte im August 1829 mehrere Male Goethe. Vgl. Ottilies Brief an August im Anhang, Nr. 32. Siehe auch Goethes Brief an Karl Ludwig von Knebel vom 15. September 1830 (WA IV. 47 Nr. 190).

145 *Ecce Homo:* Hier eine Darstellung des dornengekrönten Christus. – *kam manches zur Sprache:* August und Robinson trennten ihre unterschiedlichen politischen Auffassungen. Robinson schreibt über die Begegnung in Florenz: »Goethe war sehr redselig; aber seine Unterhaltung, sowohl an diesem Tage, als am 31. August, da er Abschied von mir nahm, hinterließ mir einen sehr unangenehmen Eindruck. Ich wäre vielleicht unhöflich geworden, wenn mir die Verehrung gegen den Vater gestattet hätte, mich nach meiner Empfindung gegen den Sohn zu benehmen. Ich suchte also meinen Unwillen gegen einen Deutschen, der den Fürsten seines Vaterlandes ›Verrätherei an dem von ihm gepriesenen Napoleon‹ vorwarf, zu bemeistern. Ich hätte es ihm hingehen lassen, daß er die französischen Marschälle, nicht aber, daß er den deutschen Tugendbund und General York, den König von Preußen ⟨...⟩ tadelte. Unter den Fürsten war der König von Sachsen allein der Gegenstand seines Lobes; denn er allein ›hielt sein Wort‹.« (Eitner, S. 97.)

146 *ein Köpfchen in Bronce:* Vermutlich handelt es sich um Schuchardt Bd. II/II c 105. – *Eine Sendung:* Vgl. Goethes Briefe an August im Anhang, Nr. 31 und Nr. 34.

147 *Figro (Paris. Journal):* Gemeint ist wohl »Le Figaro: Le journal non politique«. – *Capio:* Arnolfo di Cambio.

148 *die Facade:* Die heutige Fassade von S. Maria del Fiore wurde zwischen 1871 und 1887 nach historisierenden Entwürfen des Emilio de Fabris vollendet. – *28ᵗ Aug.:* Die Bedeutung von Goethes Geburtstag hob August auch graphisch durch dreifache Unterstreichung hervor.

150 *unser Herzog von Urbino:* Vgl. Schuchardt Bd. II/III, A 33 und Maul/Oppel, S. 106 und 112.

151 *Künstlerlexikon:* »Allgemeines Künstler-Lexikon«, hrsg. von Johann Rudolph Füßli, 1763–77, dritte Auflage 1799; von seinem Sohn Heinrich in 4 Bänden fortgesetzt 1806–21. – *Ranunculus Socleratus von Richter:* Nicht nachweisbar. – *Salama-Milekas:* Arab. Gruß, hier wohl Verbeugungen.

152 *Mad. Hombert:* Kanzler von Müller hatte August das Gasthaus empfohlen (vgl. Kanzler von Müllers Brief an August im Anhang, Nr. 19). – *eine Art Prater:* Die »Cascine« von Florenz, ein im Laufe der zweiten Hälfte des 18. Jahrhunderts angelegter öffentlicher Park am rechten Arnoufer. – *Großherzog:* Leopold II. – *Das Cabinet der geschnittenen Steine:* Das 1588 von Großherzog Ferdinando I. de'Medici eingerichtete Opificio delle Pietre Dure.

153 *Il Bondocani:* »Bondokani. The caliphe Robbar«, Mus. Drama (Oper) von Thomas Attwood u. Moorhead, Uraufführung London 1800. – *Harun al Rihid:* Harun al Rashid (um 763–809, Kalif von Bagdad), Rolle in zahlreichen Opern von Weber. – *Duenen:* (span.) Damen. – *wo ich den Gipsabguß in Ihrer Sammlung weiß:* Nicht nachweisbar. – *Intaglios:* Einlegearbeiten.

154 *Eine Kirche:* Vermutl. Sant'Alessandro.

155 *Barkarolis:* (ital.) Bootsführer, Fährmann. – *das schlechte Papier:* Blatt 1 bis 4 des 2. Faszikel, 29. August bis 6. September, sind in so schlechtem Zustand, daß die Tinte zerlaufen ist.

156 *Cucagna:* (ital. coccagna): Schlaraffenland, eigtl. Fest des neapolitanischen Karnevals. Der König ließ dabei ein Kastell errichten, das über und über mit Eßbarem behangen war, und vom Volk geplündert werden durfte. Aus zwei Fontänen sprudelte dazu Wasser.

157 *Herr dein Wille geschehe:* Anspielung auf das »Vaterunser« (vgl. Mt. 8, 10) und auf Jesu Worte im Garten Gethsemane (vgl. Luk. 22, 42).

158 *einem Wellenmädchen:* Zur Entstehung des Traumes »Mädchen als Welle« vgl. Augusts Brief an Christiane Gille im Anhang, Nr. 11.

160 *Effecten:* Gepäckstücke.

161 *ihren Vögeln* ⟨…⟩ *haben nichts gelesen:* Anspielung auf Goethes Bearbeitung von Aristophanes' »Vögeln« (MA, Bd. 2.1, S. 329–332). – *Lustgarten:* die Villa Reale, heute Villa Comunale. – *des Königs:* Franz I., König beider Sizilien. – *Königin:* Isabella di Spagna. – *Kronprinzen:* Ferdinand II.

162 *Eis in Pezzis:* Eis in Stücken. – *Fakino:* (ital. facchino): Gepäckträger.

163 *Purtales:* Vermutlich Albert Graf von Pourtales, der frühzeitig die diplomatische Laufbahn einschlug teils bei auswärtigen Missionen, teils im preußischen Ministerium der auswärtigen Angelegenheiten. – *Grafen Bernsdorf:* Christian Günther Graf von Bernstorff. – *Die Zahnschen und Ternitschen Copien:* Lithographien von Wilhelm J. K. Zahn: »Die schönsten Ornamente und merkwürdigsten Gemälde aus Pompeji, Herculanum und Stabiä« (vgl. Schuchardt Bd. I/I, F 73) und Friedrich Wilhelm Ternite: »10 Bl. nach antiken Malereien in Herculanum und Pompeji« (vgl. Schuchardt Bd. I/I, F 60). – *Original des Köpfchens:* Nicht nachweisbar.

165 *Tempel des Aeskulap:* Vermutlich der Zeus Meilichiostempel seitlich des Isistempels.

166 *die erste Abzeichnung:* Vgl. Schuchardt Bd. I/I, F 73. – *wir wollten noch auf den Vesuv:* Vgl. die Vesuvbesteigung Goethes in dessen »Italienischer Reise« (MA, Bd. 15, S. 235–240).

167 *die Lava von 22:* Vesuvausbruch 1822. – *fatigantes:* Ermüdendes. – *Flasche Lacrimae:* Lacrimae Christi, Süßwein vom Vesuv.

169 *der Somma:* Die Somma bezeichnet den linken Gipel der zweigipfligen Vesuv-Silhouette.

170 *Vede Napoli et poi mori:* (ital. Vedere Napoli e poi morire): das berühmte Motto »Neapel sehen und sterben«. – *Blut des heiligen Januarius:* Die Blutampullen des San Gennaro, die sich zweimal im Jahr wundersam verflüssigen, vgl. Goethes »Italienische Reise« (MA, Bd. 15, S. 262 und Kommentar, S. 1001 f.).

171 *Sie haben die Lazaronis* ⟨…⟩ *beurtheilt:* Goethes Ausführungen zu den »Lazzaroni« gelten bis heute als treffsichere Beobachtung, die mehr entdecken, »als ein Heer von Sozialwissenschaftlern mit ihren ›wissenschaftlichen‹ Methoden«. Vgl. Goethes »Italienische Reise« (Erl. zu S. 102 *Lazaronis*). – *preußischen Gesandten:* Albert Graf von Pourtales.

172 *Ich erinnerte mich 〈…〉:* Goethe hatte bei seinem Besuch in Pozzuoli, nicht, wie August bemerkt in Agrigent, an den Säulen des Tempels des Jupiter Serapis ein »unerklärliches Phänomen« entdeckt. Die Säulen des seit 1750 freigelegten Tempels standen infolge von Erdkrustenbewegungen einige Zeit unter dem Meeresspiegel. Entgegen der damals vorherrschenden Meinung, die See sei vorübergehend gestiegen, versuchte Goethe eine alternative, vulkanische These zu entwickeln, die ihn zu der irrigen Erklärung verleitete, daß Meermuscheln auch im Süßwasser leben könnten. Goethe stellte die Ergebnisse seiner Untersuchung nach seiner Rückkehr aus Italien bei der zweiten Sitzung der Freitagsgesellschaft am 21. Oktober 1791 vor (vgl. »Protokoll und Eröffnungsansprache zur zweiten Sitzung«, MA, Bd. 4.2, S. 814 f.) und faßte sie in seinem Aufsatz »Architektonisch-Naturhistorisches Problem« zusammen (vgl. MA, Bd. 12, S. 713–721). Vgl. auch Goethes »Italienische Reise« (MA, Bd. 15, S. 394 und Kommentar, S. 1066 f). – *Die Capelle:* Cappella di San Gennaro. – *der Suitie:* Suitier: Schürzenjäger oder Possenreißer.

173 *Dunkel wars 〈…〉 es lachten alle Achaier:* Anspielung auf Homers »Odyssee«, XX, 345 ff. – *rasaunten:* (thür.) rasaunen: lärmen, toben. – *Hast du Baja gesehn 〈…〉:* Anspielung auf Goethes »Epigramme Venedig, 1790« (Nr. 25): »Hast du Bajä gesehn, so kennst du das Meer und die Fische. / Hier ist Venedig; du kennst nun auch den Pfuhl und den Frosch.« (MA, Bd. 3.2, S. 129.)

174 *Carlini:* Carlino: alte neapolitanische Münze. – *Herr Gott von Mannheim:* dt. Sprichwort. – *Königs von Baiern:* Ludwig I. – *Nie ohne dieses 〈…〉:* Anspielung auf Louis Angelys (1788–1835) »Fest der Handwerker«. – *Wenn ich Worte schreiben will 〈…〉:* Goethe hielt in seiner »Italienischen Reise« fest: »Wenn ich Worte schreiben will, so stehen mir immer Bilder vor Augen, des fruchtbaren Landes, des freien Meeres, der duftigen Inseln, des rauchenden Berges und mir fehlen die Organe das alles darzustellen.« (»Zweiter Teil, Neapel, zum 17. März«, MA, Bd. 15, S. 258.)

175 *aber alles mit Liebe und Güte Herr Erbförster:* Anspielung auf Webers Oper »Der Freischütz«, 1. Aufzug, 2. Auftritt: »Alles in Güte und Liebe, werter Herr Erbförster«, Text von Johann Friedrich Kind.

176 *Piaster:* ital. Name einer span. Silbermünze, seit Mitte des 16. Jahrhunderts allgemein verbreitet. – *Clair Voyant:* (frz.) klarsichtig.

177 *Ciceronis:* (ital.) Fremdenführer. – *nichts rettet wie Rößel sagt:* Johann Gottlob Rösel (1768–1843). – *Ich gedachte des Bildes:* Möglicherweise Hans van Aachens »Urteil des Paris« (vgl. Schuchardt Bd. I/I, C 6). – *Liederliche Haus:* Das »Lupanare«, das Bordell gegenüber dem Hospitium Sittii, mit obszönen Wandmalereien und Inschriften. – *Durchzeichnungen:* Nicht nachweisbar.

178 *Isis Kopf:* Nicht nachweisbar. – *auch zählte ich die Häupter meiner Lieben:* Anspielung auf Friedrich Schillers »Das Lied von der Glocke«: »Er zählt die Häupter seiner Lieben, / Und sieh! ihm fehlt kein teures Haupt.«

179 *knill:* voll, betrunken. – *Duca di Pesto:* Herzog von Paestum. – *Subito Subito:* (ital.) geschwind, geschwind.

180 *die Felsen in jener Gegend kennen Sie:* Vgl. Goethes Schilderung der drama-

tischen Einfahrt in den Golf von Neapel bei seiner Rückkehr aus Sizilien in seiner »Italienischen Reise« (MA, Bd. 15, S. 386–391).

181 *Arimbiörn der Seekönig:* Arinbjörn, isländ. Held; seine ruhmreichen Taten verewigte Egill Skallagrímsson in der Totenklage »Arinbjarnarkviða« (um 962). – *buon Mano:* (ital.) Trinkgeld. – *Camarieri:* (ital. cameriere): Kellner.

182 *Taci Signori:* (ital.) Schweigt, Herrschaften. – *Ich bin so müde:* Anspielung auf »Ludlam's Hule«, von Adam Gottlob Oehlenschläger und Chr. L. F. Weyse, Uraufführung Kopenhagen 1816. – *Es schlug mein Herz geschwind zu Pferde:* Erster Vers aus Goethes Gedicht »Willkommen und Abschied«. – *Schillers Räuberlied:* Anspielung auf Schillers Drama »Die Räuber« (IV/5).

183 *bei der Belagerung von Mainz:* Vermutlich spielt August auf die Nacht vom 30. zum 31. Mai 1793 an, vgl. Goethes »Belagerung von Mainz« (MA, Bd. 14, S. 522). – *Rosamunde eine neue Oper:* Oper von Henri Montan Berton, Uraufführung Paris 1799.

184 *Nebst Freund Freitag:* Vgl. Freytags Brief an August im Anhang, Nr. 33. – *Freitag fängt mein Bild an in Wachs zu kopiren:* Nicht nachweisbar. – *auf die Art von Posch:* Von Leonhard Posch befinden sich eine kleine Büste von Napoleon und eine Eisenbüste Johann Wolfgang von Goethes von 1827 in den Kunstsammlungen Goethes. – *Kaiser von Östereich:* Franz I. – *König von Preußen:* Friedrich Wilhelm III.

185 *Goethes Haus:* Das später nach der Bronzefigur eines tanzenden Fauns »Casa del Fauno« benannte Gebäude. Hier fanden sich die bedeutendsten Mosaiken der Stadt, darunter am 24. Oktober 1831 das »Alexandermosaik«. Goethe erhielt von Zahn eine Zeichnung samt Brief vom 18. Februar 1832 (vgl. WA IV. 49, Bd. 142, Brief Nr. 185, und MA, Bd. 20.2, Brief Nr. 869). – *Madam v. Gerlach:* Über das Treffen der Gräfin Julie von Egloffstein mit August berichtet Madame Gerlach Henriette von Pogwisch am 29. November 1830 aus Rom (vgl. Egloffstein, S. 367).

187 *Geheimer Rath v. Bunsen:* Christian Karl Josias von Bunsen residierte im Palazzo Caffarelli auf dem Kapitol. Graf Bernstorff hatte August an von Bunsen empfohlen (vgl. Goethes Briefe an August im Anhang, Nr. 20 und Nr. 21). Goethe hatte wohl einen für den preuß. Gesandten von Bunsen bestimmten Brief seinem Sohn nach Rom geschickt (vgl. Goethes Briefkonzept an August im Anhang, Nr. 34). – *seiner Frau Gemahlin:* Frances von Bunsen.

188 *Blätter dictirt:* Die Aufzeichnungen vom 5. bis zum 13. Oktober sind von fremder Hand geschrieben worden. – *Schlacht von Jena:* Doppelschlacht bei Jena und Auerstedt, bei der am 14. Oktober 1806 ein preuß. Korps Napoleon unterlag. – *Scudi:* Scudo: ital. Silbermünze, hat ihre Benennung von dem Gepräge, den Wappenschildern.

189 *des hier verbotenen Schlafs:* Die Gefahr der Reise durch die Pontinischen Sümpfe war die einer Malaria-Infektion. Daß Schlafende ihr besonders ausgesetzt waren, hatte die Erfahrung gelehrt. Noch unbekannt war der Zusammenhang mit dem Stich der Anophelesmücke; man schrieb die Erkrankung vielmehr dem schädlichen Einfluß der Sumpfluft zu (»mal aria«).Vgl. auch Goethes »Italienische Reise« (MA, Bd. 15, S. 219). – *Albano:* Über die letzten Tage mit Au-

gust und ihren gemeinsamen Ausflug nach Albano und Frascati berichten Kestner in dem Beileidsschreiben an Goethe im Anhang, Nr. 39, und Preller in einem Brief an seine Eltern im Anhang, Nr. 40. – *Und Bagdad lag vor mir:* Anspielung auf Webers Oper »Oberon. König der Elfen«. – *Hotel d'Almagne:* Kanzler von Müller hatte August das Hotel d'Allemagne empfohlen (vgl. Kanzler von Müllers Brief an August im Anhang, Nr. 19). – *Bankier Bronkedari:* Antonio Brancadoro. – *2 Briefe aus Weimar:* Die Schreiben von Soret vom 23. April 1830 und von Christiane Gille vom 6. September 1830.

190 *fand Preller:* Vgl. Prellers Schilderungen der letzten Tage mit August in einem Brief an seine Eltern im Anhang, Nr. 40, und in Taylor, S. 168 ff. – *Rom den 16ᵗ Octob. 30:* Es handelt sich um den letzten von August aus Rom abgesandten Brief. Alle weiteren Schriftzeugnisse gelangten erst mit seinem Nachlaß nach Weimar (vgl. Augusts Notizen im Anhang, Nr. 1). – *heute an dieselbe geschrieben:* Vgl. Augusts Brief an Christiane Gille im Anhang, Nr. 18. – *einen Brief von Soret mit einer Inlage an Ekermann:* Vgl. GSA, Signatur 37/XII, 9, Blatt 9 f. und Blatt 8. – *Kugeln am Rosenkranze:* Vgl. Goethes Brief an August im Anhang, Nr. 24.

191 *Durch Herrn Kästner:* Vgl. Kestners Aufzeichnungen über die letzten Tage mit August im Anhang, Brief Nr. 39, und in seinen »Römischen Studien«, Kapitel VIII und IX, sowie Mejer, S. 350–355. – *in unserem lieben Vaterlande ergeben:* Vgl. Goethes Brief an August im Anhang, Nr. 31, und Ottilies Brief an August im Anhang, Nr. 32. – *Sonntag d. 17ᵗ Octob. 1830:* Vgl. die Abbildung des Briefes auf S. 201. – *mit Hülfe des gekauften Plans:* Vermutlich »Pianta Topografica di Roma moderna estratta dalla grande del Noli« (vgl. Noack, Nr. 29).

192 *Dessen Egyptischen Sachen:* Die Kunst-Sammlung Kestners bildet den Grundstock des Kestner-Museums in Hannover. Kestner hielt sich seit 1817 als hannov. Gesandtschaftssekretär, später als Ministerresident in Rom auf. Er zählt zu den Gründern des 1829 eingerichteten deutschen Archäologischen Instituts in Rom, dessen Direktor er 1838 wurde. – *Schlacht von Leipzig:* Völkerschlacht bei Leipzig vom 16. bis 19. Oktober 1813. Durch den Sieg der verbündeten Staaten Preußen, Rußland und Österreich wurde Napoleons Herrschaft über Europa beendet.

193 *Turmlich:* auch türmelig: schwindlig. – *Ihren lieben Brief bis zum 30ᵗ September:* Vgl. Goethes Briefe an August im Anhang, Nr. 28, Nr. 30 und Nr. 31. – *Innlagen von Ottilien, Rinaldo und den Kindern:* Vgl. Ottilies Brief an August im Anhang, Nr. 32, Rinaldo Vulpius' Brief an August im Anhang, Nr. 27, und Wolfgangs Brief an August im Anhang, Nr. 29. – *Hotel d'Amagne:* Richtig: Hotel d'Allemagne.

195 *Maecenas atavis edite Regibus:* Zitat aus Horaz Carmina/Oden, I,1: »Maecenas, uralter Könige Sproß ⟨...⟩«.

Personenregister

Acraziano (Fuhrunternehmer) 190

Agrippa, Marcus (63–12 v. Chr., röm. Staatsmann) 77

Alexander II. Nikolajewitsch (1818–1881, russ. Großfürst, seit 1856 Kaiser von Rußland) 131

Alfieri, Vittorio (1749–1803, ital. Dichter) 37, 142

Ammanati, Bartolommeo (1511–1592, ital. Bildhauer und Architekt) 140

Appiani, Andrea (1754–1817, ital. Maler) 30 f., 97

Aretino, Pietro (1492–1556, ital. Schriftsteller) 142

Bach, de (Kunstreiter) 32

Bandinelli, Bartolommeo, gen. Baccio B. (1493–1560, ital. Baumeister und Bildhauer) 138, 146

Bandini, Giovanni, eigtl. Giovanni dall'Opera (1540–1599, ital. Bildhauer) 134

Bassano, Francesco d. J., eigtl. Da Ponte (1549–1592, ital. Maler) 72

Beauharnais, Eugène de (1781–1824, Vizekönig von Italien, Sohn aus erster Ehe der Kaiserin Josephine) 29, 89

Beaulieu, Jean Pierre Freiherr von (1725–1819, österr. General frz. Herkunft) 90

Bellini, Giovanni (gest. 1516, ital. Maler) 70, 72, 76, 80

Belzoni, Giovanni Battista (1775–1823, Artist und dilettierender Archäologe) 78, 87

Benedict, Sir Julius (1804–1885, engl. Komponist dt. Herkunft) 41

Bernsdorf s. Bernstorff, Christian Günther Graf von

Bernstorff, Christian Günther Graf von (1769–1835, preuß. Staatsmini-

ster, seit 1818 Leiter der auswärtigen Angelegenheiten) 163

Berthaler s. Perthaler, Caroline Josepha Ottilia

Bienaimé, Francesco (Sohn des Pietro Antonio B., ital. Bildhauer in Carrara) 130

– Pietro Antonio (1781–1857, ital. Bildhauer, studierte im Atelier von Bertel Thorvaldsen) 130

Blondin (Kunstreiter) 32

Bodmer, Daniel (um 1770–1837, Direktor des Züricher Handelshauses Hans Conrad Muralt und Sohn) 14

– Sohn 14

Böhme, Karl August Wilhelm von (Rittmeister) 108

Bonaparte s. Napoleon I.

Boromäus s. Borromeo, Carlo

Borromeo, Familie 38

– Carlo (1538–1584, ital. Theologe, Kardinal und Erzbischof von Mailand, 1610 heiliggesprochen) 22, 38

Bossi, Bartolommeo (um 1800, ital. Maler) 80

– Guiseppe (1777–1815, ital. Maler) 27, 29, 30

Brancadori s. Brancadoro, Antonio

Brancadoro, Antonio (1790–1871, Bankier) 189, 193

Brandt, Karl Christian (1787–1840, großhzgl. sächs. Kammerrat zu Weimar) 120

Brocca (Gebr.) 30

– Giovanni (1803–1876, Architekt und Maler) 30

Bronkedari s. Brancadoro, Antonio

Bronzino, gen. Agnolo Allori (1503–1572, ital. Maler) 142

Brunelleschi, Filippo (1377–1446, ital. Architekt) 147

Bruskettus s. Busketus

Ortsregister

Verzeichnis der Abbildungen

Editorische Notiz

Die Herausgeber sind wie folgt an den Arbeiten für diese Ausgabe beteiligt: Textkonstitution von Tagebuch und Dokumenten und »Zur Textgestalt«: Gabriele Radecke. Erläuterungen: Andreas Beyer und Gabriele Radecke. Annotiertes Register und Nachwort: Andreas Beyer.

Die Herausgeber danken herzlich: der Stiftung Weimarer Klassik, Goethe- und Schiller-Archiv, das August von Goethes Tagebücher und Briefe für diese Edition freundlicherweise zur Verfügung gestellt hat; dem Goethe-Museum Düsseldorf, Anton-und-Katharina-Kippenberg-Stiftung und der Badischen Landesbibliothek Karlsruhe für die Erlaubnis zur Einsichtnahme und zum Abdruck weiterer Briefe im Anhang, dem Goethe-Nationalmuseum der Stiftung Weimarer Klassik für die Genehmigung der Abbildungen sowie Thorsten Burkard, Lothar Ehrlich, Peter Flury, Jochen Golz, Andrea Groß, Heinz Härtl, Walter Hettche, Johannes John, Johannes Saltzwedel, Gerhard Schuster, Heike Spies, Kristian Wachinger, Roswitha Wollkopf, Edith Zehm und besonders Anke Kappler und Sabine Schäfer für wertvolle Ratschläge und Hilfestellungen.

Das Editionsprojekt wurde durch Forschungsstipendien der Goethe-Gesellschaft in Weimar und des Clark-Art-Institute in Williamstown (Mass.) großzügig unterstützt.

Aachen und München,   Andreas Beyer
im Sommer 1998   Gabriele Radecke

Die Edition der Tagebücher und Briefe August von Goethes sowie der Dokumente im Anhang wurde für die Taschenbuchausgabe neu durchgesehen; die Dokumente, die Anmerkungen und das Register sind gegenüber der gebundenen Buchausgabe ergänzt, das Literaturverzeichnis aktualisiert worden.

Aachen und München,   Andreas Beyer
im Sommer 2002   Gabriele Radecke